HISTOIRE DES HABSBOURG

DU MÊME AUTEUR
en poche

Histoire des pays de l'Est des origines à nos jours, Paris, Hachette Littératures, Pluriel n° 8705, 1994.
Histoire des peuples de l'ex-URSS du IXe siècle à nos jours, Paris, Hachette Littératures, Pluriel n° 8706, 1995.
Les chevaliers teutoniques, Paris, Perrin, Coll. tempus n° 15, 2002.
Histoire de l'Allemagne : de la Germanie à nos jours, Paris, Perrin, Coll. tempus n° 50, 2003.

collection tempus

HENRY BOGDAN

HISTOIRE DES HABSBOURG

Des origines à nos jours

Perrin

www.editions-perrin.fr

ISBN : 2-262-02376-X

tempus est une collection des éditions Perrin.

INTRODUCTION

Les Habsbourg ont été pendant très longtemps les « mal-aimés » des historiens français. Une véritable « légende noire » s'est forgée autour de cette dynastie, souvent diffusée à partir des loges maçonniques et des milieux anticléricaux, et cela depuis le XVIIIe siècle. Reposant sur des éléments d'appréciation essentiellement subjectifs, cette image négative des Habsbourg a servi de justification morale aux traités de 1919-1920 qui ont consacré le démembrement de la monarchie habsbourgeoise.

Pourtant, l'attitude de franche hostilité à l'égard des Habsbourg trouve ses racines dans un passé plus lointain. On peut en situer l'origine dans le conflit permanent qui a opposé au cours du XVIe siècle les Valois aux Habsbourg, à l'époque de Charles Quint notamment, avec la crainte française d'un encerclement, donc d'une menace pour la sécurité du pays. En fait pourtant, les Habsbourg n'ont pas cherché à cette époque à incorporer le royaume de France à leur Empire. À la différence des rois d'Angleterre tout au long des XIVe et XVe siècles, les Habsbourg n'ont jamais eu la prétention de régner sur la France. En revanche, François Ier, lui, avait cherché à se faire attribuer la couronne impériale par le Collège électoral du Saint Empire. Et si, à la fin du XVIe siècle, le Habsbourg d'Espagne, Philippe II, s'est intéressé de près aux affaires françaises après la mort de Henri III, c'est parce qu'il redoutait qu'un prince protestant puisse un jour régner sur un pays catholique et non parce qu'il voulait annexer le royaume de France.

Le conflit entre la Maison de France et les Habsbourg a perduré au XVIIe siècle avec les menées impérialistes de Richelieu et de Mazarin qui, pour saper les fondements de la puissance habsbourgeoise et repousser les frontières de la France jusqu'au Rhin, n'ont pas hésité à associer la « fille aînée de l'Église » aux princes protestants allemands les plus radicaux, quand ce n'était pas à l'Empire ottoman. Louis XIV continua cette politique. Au XVIIIe siècle encore, le cardinal de Fleury tenta en vain de déstabiliser les Habsbourg en soutenant la Prusse de Frédéric II contre Marie-Thérèse d'Autriche. Il fallut attendre 1756 et le renversement des alliances pour que la France et les Habsbourg mettent fin à leurs préjudiciables querelles. Le mariage du dauphin Louis — le futur Louis XVI — avec la fille de l'impératrice Marie-Thérèse, Marie-Antoinette, devait sceller la réconciliation entre les Bourbons et les Habsbourg. Cette nouvelle orientation fut vivement critiquée en France par les « esprits éclairés », et, paradoxe de l'histoire ou hypocrisie de leur part, les philosophes amis des Lumières qui éprouvaient une sincère ou feinte admiration pour Catherine II, la « Sémiramis du Nord » — qui avait pourtant introduit le servage en Russie —, portaient toutes leurs attaques contre les Habsbourg, alors que Marie-Thérèse et plus encore Joseph II avaient largement œuvré pour l'amélioration des conditions de vie de leurs sujets.

Avec la Révolution française, le vieil antagonisme entre la France et les Habsbourg remonta brutalement à la surface. En avril 1792, en déclarant la guerre au seul « roi de Bohême et de Hongrie », l'Assemblée législative voulut montrer clairement que le véritable ennemi n'était ni l'Empire ni les princes allemands mais les seuls Habsbourg. Les critiques permanentes de la classe politique issue de la Révolution, les attaques personnelles et les injures, tout autant que les vociférations de la populace contre la reine Marie-Antoinette, l'« Autrichienne », son inique procès et son exécution confirmèrent bien l'hostilité plusieurs fois séculaire de l'opinion française à l'égard des Habsbourg.

Les historiens libéraux du XIXe siècle tout comme la plupart des intellectuels et des universitaires qui ont écrit sur l'Autriche jusque dans les années trente du XXe siècle n'ont fait qu'abonder dans ce sens. Ils ont contribué à nous donner une vision déformée et partisane de la dynastie des Habsbourg, présentée comme le symbole de la réaction, de la contre-révolution et du cléricalisme. Les loges maçonniques très influentes dans le monde politique de la IIIe République n'ont guère eu de difficultés, comme l'a montré François Fejtö [1], pour peser de tout leur poids auprès de ceux qui, dans les bureaux du Quai d'Orsay déjà fortement influencés par les

1. F. Fejtö, *Requiem pour un Empire défunt : histoire de la destruction de l'Autriche-Hongrie*, Paris, 1988.

lobbies roumain, serbe et tchèque, s'occupaient de la reconstruction de l'Europe centrale ; elles sont parvenues à faire inscrire dans les buts de guerre de l'Entente le démembrement de l'Empire des Habsbourg. On avait occulté volontairement le fait que le dernier empereur d'Autriche, Charles Ier, « le seul honnête homme qui émerge de cette guerre » selon le mot d'Anatole France, avait été le seul de tous les chefs d'État européens à s'engager sincèrement dans la recherche d'une solution juste pour mettre fin à cette « guerre civile européenne » dont parlait Paul Valéry.

L'arrivée au pouvoir des nazis en Allemagne amena un changement d'attitude à l'égard des Habsbourg chez les responsables politiques. Le prétendant au trône, l'archiduc Otto de Habsbourg, fils du défunt empereur Charles, entra en contact avec des hommes politiques français tels que Georges Mandel. Certains cependant, aveuglés par leur fanatisme, refusèrent de reconnaître les erreurs commises en 1919-1920, et s'opposèrent à toute solution Habsbourg en Autriche pour contrer les ambitions de Hitler. On ne peut manquer ici de rappeler l'irresponsable déclaration du président tchécoslovaque Benès en 1937 : « Plutôt l'Anschluss que les Habsbourg ! »

Au cours de la Seconde Guerre mondiale, l'archiduc Otto de Habsbourg dont la tête avait été mise à prix par Hitler choisit ouvertement le camp des Alliés et le président Roosevelt songea à lui pour en faire le futur président d'une Confédération danubienne, mais l'opposition catégorique de Benès et la volonté de Staline de placer l'Europe centro-orientale dans la sphère d'influence de l'URSS amenèrent Roosevelt à se rallier aux vues de son puissant allié.

Après la guerre, l'image des Habsbourg fut radicalement modifiée, et une certaine sympathie à l'égard de cette dynastie malmenée par l'histoire récente prit naissance. Il faut bien reconnaître que la trilogie du cinéaste autrichien Ernst Marischka consacrée à l'impératrice Élisabeth — Sissi —, l'épouse de François-Joseph, a influencé favorablement le public envers les Habsbourg. On était alors en 1955, au moment même où l'Autriche retrouvait sa souveraineté après la signature du traité de paix. Ces trois films ont popularisé l'image d'une petite princesse bavaroise épousant par amour l'empereur d'Autriche, un François-Joseph présenté comme un souverain entièrement dévoué au bien de ses sujets et qui cherchait avec le soutien de sa femme à trouver les solutions les plus justes aux graves problèmes auxquels il se trouvait confronté. Malgré certaines libertés prises avec l'histoire, la série des « Sissi » a offert au grand public une image des Habsbourg plus proche de la réalité que celle donnée par tant d'universitaires aveuglés par leurs *a priori* idéologiques. Au même moment, en France, les travaux d'une nouvelle génération d'historiens, je pense à Jacques Droz, à Victor-Lucien Tapié et à leurs disciples Jean-Paul Bled et Jean Bérenger, ont largement contribué à corriger l'image caricaturale que leurs prédécesseurs avaient donnée des Habsbourg et de leur politique. Et, plus surprenant, les historiens marxistes des pays sur lesquels les Habsbourg avaient autrefois exercé leur autorité sont parvenus à des conclusions souvent identiques à celles de leurs collègues français.

Aujourd'hui, l'engagement de l'archiduc Otto de Habsbourg en faveur de l'unité européenne au sein du Mouvement paneuropéen dont il est le président, son activité infatigable au Parlement de Strasbourg dont il fut jusqu'en 1999 l'un des membres les plus écoutés et les plus respectés, son rôle important dans le démantèlement du « rideau de fer » en 1989 et son appui à la « transition démocratique » qui en fut la suite logique, tout cela a contribué à détruire définitivement l'image négative que certains pouvaient encore avoir des Habsbourg et de la Maison d'Autriche. L'hommage appuyé de Frédéric Mitterrand à l'impératrice Zita et à toute sa Maison à l'occasion de la retransmission télévisée de ses obsèques en est une preuve supplémentaire. Et tout récemment encore, le grand quotidien régional *L'Est républicain*, en date du 11 mai 2001, titrait « Nancy fête les Habsbourg » à l'occasion des noces d'or de l'archiduc Otto de Habsbourg venu à cette occasion dans la capitale de ses ancêtres lorrains. Le maire de Nancy, André Rossinot, en profita pour évoquer en des termes flatteurs les valeurs de l'archiduc : « Tolérance, générosité, ouverture aux autres », des qualités qui furent l'héritage de « l'impératrice Zita, femme d'une grandeur d'âme exceptionnelle », et le maire de Nancy de souligner en conclusion l'attachement de l'archiduc à l'Europe. Comme le soulignait le commentateur de *L'Est républicain*, Didier Hermandinguer, « au-delà de l'hommage à une illustre famille, la République a salué en l'archiduc Otto l'inlassable messager des valeurs humanistes et universelles qui sont le couronnement d'une existence ». L'époque de la « légende noire » des Habsbourg fait désormais bel et bien partie d'un passé révolu.

Première Partie

LES DÉBUTS D'UNE GRANDE DYNASTIE

1

La lente ascension d'une famille seigneuriale d'Argovie

En cette journée du 1er octobre 1273, la foule, rassemblée devant le *Römerhaus*, qui écoutait Louis de Bavière, comte palatin du Rhin et sénéchal de l'Empire, annoncer l'élection de Rodolphe, comte de Habsbourg, comme « roi des Romains », était loin de se douter qu'elle était en train de vivre un moment historique. Le bon peuple de Francfort-sur-le-Main ne pouvait savoir en effet que le comte de Habsbourg qui accédait ainsi à la dignité impériale ne serait pas le seul et unique membre de sa famille à parvenir aux honneurs suprêmes. Qui était donc ce comte de Habsbourg dont la famille n'appartenait pas aux grands lignages de l'Empire et qui pourtant venait d'être hissé au premier rang des souverains de l'Occident chrétien ? Quelles étaient les origines de cette famille peu connue hors de sa région d'implantation ?

Au début du XIe siècle, un voyageur qui aurait traversé l'Argovie en suivant cette voie de passage naturelle que constitue la vallée de l'Aar aurait eu immanquablement le regard attiré par un château sommairement fortifié, perché sur un éperon rocheux, à l'endroit précisément où la vallée de l'Aar se resserre et où les eaux verdâtres de la rivière ont creusé un passage entre les derniers contreforts du Jura et les premiers gradins du plateau suisse. Ce modeste château, édifié autour de 1020, portait le nom évocateur de « château des autours », Habichtsburg, dont la forme réduite en Habsburg allait devenir le patronyme d'une famille princière dont l'un des membres accéda en 1273 à la dignité impériale et dont les descendants régnèrent jusqu'à la fin de la Première Guerre mondiale sur un immense empire s'étendant des Alpes du Voralberg jusqu'aux Carpates orientales, et des confins de la Pologne jusqu'à l'Adriatique. Cela, notre voyageur n'aurait pu alors l'imaginer, tant ce *Burg*, en dépit de sa fière allure, était de taille modeste. Le lieu était isolé, le paysage grandiose avec ses hauteurs boisées au pied desquelles ondoyaient les eaux capricieuses de l'Aar, dont la vallée unit les pays du Léman au Rhin supérieur. Vers elle convergent tout une série de rivières torrentueuses dont les vallées permettent d'accéder aux massifs alpins. Dans ce royaume de Bourgogne dont relevait le territoire de la seigneurie de Habsbourg, l'Aar était un axe de circulation essentiel unissant les pays rhodaniens et alpestres au royaume de Germanie. On a bien du mal aujourd'hui à s'imaginer, lorsque l'on traverse le village de Habsburg que dominent encore les vestiges de l'ancien château féodal au milieu d'un inextricable enchevêtrement alentour de routes, autoroutes et voies ferrées, que cette modeste bourgade argovienne fut le berceau d'une dynastie dont l'histoire se confond avec celle de l'Europe.

Le choix du site de Habsburg par le constructeur du château était particulièrement judicieux, non loin d'un carrefour de routes déjà utilisées depuis la plus haute Antiquité. À peu de distance de là, en aval, les Romains y avaient déjà établi un important camp militaire, Vindonissa — aujourd'hui Windisch —, au triple confluent de l'Aar, de la Reuss et du Limmat, là où se rejoignent les routes qui venaient d'Italie à travers les Alpes. Vindonissa, plusieurs fois détruite au cours des invasions, ne fut jamais reconstruite et il n'en restait que quelques ruines éparses lorsqu'un seigneur d'origine alsacienne, devenu maître des lieux, décida au début du XIe siècle d'y construire un *Burg*, symbole de son autorité sur la région.

Le fondateur de Habichtsburg/Habsburg était un certain Radbot qui vécut dans la première moitié du XIe siècle. Les origines de sa famille sont à rechercher du côté de l'Alsace. Si l'on met de côté toutes les généalogies plus ou moins fantaisistes élaborées à l'époque de la Renaissance pour rehausser le prestige de la Maison de Habsbourg et qui en faisaient les descendants de *gentes* romaines ou de familles princières mérovingiennes, il est à peu près certain que ce Radbot était le petit-fils d'un comte d'Alsace et de Brisgau, Gontran le Riche, contemporain d'Othon le Grand, lui-même lointain descendant d'Étichon qui avait régné sur l'Alsace au VIIe siècle[1]. Le fils de ce Gontran le Riche, donc le père de Radbot, Lancelin (Landolt), se serait fixé autour de l'an 1000 en Argovie où il aurait acquis par son mariage la seigneurie de Habsburg, un

1. *Histoire de l'Alsace*, sous la direction de Ph. Dollinger, Toulouse, 1970, p. 62-63.

alleu situé aux confins septentrionaux du royaume de Bourgogne, donc en terre d'Empire, à proximité du royaume de Germanie et dans une région germanophone. Outre Radbot, Lancelin avait eu d'autres fils dont l'un, Werner, fut évêque de Strasbourg et protégea dans son diocèse les arts et les lettres et exerça une autorité morale et politique sur l'ensemble de la Basse-Alsace. Certaines sources attribuent une autre origine à Werner et voient en lui un fils du duc de Lorraine dont la sœur Ita ou Ida aurait épousé Radbot. Un autre fils de Gontran épousa une princesse de la puissante famille de Zollern et un troisième s'allia par mariage à la lignée des comtes de Villingen.

Bien qu'il soit de tradition d'évoquer la modestie des origines de la Maison de Habsbourg, il est clair que même en ce début du XIe siècle, les seigneurs de Habsburg étaient déjà suffisamment pourvus pour être en mesure de s'allier à ces lignées puissantes du sud-ouest du royaume de Germanie. Au moment où Radbot a entrepris la construction du château de Habichtsburg, il se trouvait à la tête d'un patrimoine non négligeable composé de seigneuries en Haute et Basse-Alsace, et de plusieurs autres en Argovie. Comme la plupart des seigneurs de son temps, Radbot fit de nombreuses donations à l'Église ; il fut entre autres le fondateur de l'abbaye de Muri qui adopta la règle bénédictine réformée par Cluny, et son fils Werner en devint plus tard abbé. L'abbaye de Muri joua par la suite un rôle important dans la diffusion de la réforme clunysienne en Allemagne du Sud et en Suisse. Quant au frère de Radbot, il fonda, lui, sur ses terres de Haute-Alsace, l'abbaye d'Ottmarsheim.

Au moment de la construction du château de Habichtsburg, l'Europe venait à peine de sortir d'une longue période de difficultés de tout genre, vagues successives d'envahisseurs venus de l'est et du nord, affaiblissement voire épisodiquement disparition de la puissance publique. À l'Empire romain, où le pouvoir s'identifiait à la cité, succédèrent des royaumes où le cadre essentiel de l'autorité se situait à la campagne, au niveau de la seigneurie rurale. Si aux environs de l'an 1000, les menaces extérieures ont peu à peu disparu, en revanche les guerres privées, elles, sont bien présentes, et disposer d'un point d'appui sûr pour assurer la sécurité de son domaine était alors l'une des principales préoccupations des seigneurs. Comme le souligne le moine bourguignon Raoul Glaber, on construisait beaucoup en ce début du XIe siècle, tout d'abord des églises — « le monde revêtait de toutes parts un blanc manteau d'églises » —, mais aussi des châteaux en pierre, plus solides et mieux adaptés pour assurer la sécurité du seigneur et de ses paysans. La seigneurie d'Habichtsburg avait donc, elle aussi, son château qui assurait sa sécurité ainsi que le contrôle de la vallée de l'Aar. Le royaume de Bourgogne dont elle faisait partie relevait de l'Empire, dont le renouveau politique avait été consacré par le couronnement d'Othon le Grand. L'Empire était constitué d'un vaste ensemble territorial dont le centre névralgique était le royaume de Germanie avec ses nombreux duchés, la Franconie, la Souabe, la Saxe, la Bavière, la Basse et la Haute-Lorraine, la Bohême, sur lesquels se greffaient à l'est les bastions avancés de la germanité face aux mondes slave et hongrois, c'est-à-dire les *marches*, marches du Nord, de Brandebourg, de Misnie et de l'Est (*Ostmarkt*). Hors de la Germanie, l'Empire comprenait également l'héritage lotharingien, c'est-à-dire les royaumes de Bourgogne et d'Arles, l'Italie et, en théorie du moins, les États de l'Église avec Rome. Jusqu'en 1024, la couronne impériale était restée dans la Maison de Saxe, mais à la mort de Henri II, c'est la Maison de Franconie qui accède au trône avec Conrad II. Comme partout ailleurs dans l'Occident latin, le système féodo-vassalique était partout présent dans l'Empire, mais il y avait dans l'Empire beaucoup plus d'alleux, c'est-à-dire de terres dont les seigneurs étaient les vassaux directs de l'empereur. C'était justement le cas de Radbot, le nouveau seigneur d'Habichtsburg.

Les descendants immédiats de Radbot ont cherché à consolider leur patrimoine foncier et des mariages avantageux leur permirent d'acquérir de nouvelles seigneuries en Brisgau et en Suisse alémanique. Ils deviennent suffisamment connus pour que l'un d'eux, le petit-fils de Radbot, Othon, porte désormais le titre de « comte de Habsburg ». Othon participa à l'automne 1108 à l'expédition militaire que l'empereur Henri V (1106-1125) mena contre le roi Coloman de Hongrie. Son nom avec le titre de « comte de Havichsburg » est mentionné dans un document daté de Presbourg, ville forte de Hongrie [1] dont s'était emparée l'armée impériale. Un peu plus tard, les Habsbourg renforcèrent leur position en Alsace ; en 1125, ils obtiennent le landgraviat de Haute-Alsace détenu jusque-là par la famille d'Eguisheim et se font donner l'avouerie de l'abbaye de Murbach qui possédait des domaines étendus en

1. La ville est appelée par les Hongrois *Pozsony* ; elle est aujourd'hui la capitale de la Slovaquie sous le nom de *Bratislava*.

Haute-Alsace[1]. À ce moment-là, les comtes de Habsbourg choisirent de se mettre au service des Hohenstaufen et Frédéric Barberousse récompensa leurs loyaux services en leur inféodant plusieurs seigneuries en Souabe. Après la mort de Barberousse, les Habsbourg, qui s'étaient un moment fourvoyés dans le camp des guelfes, revinrent en 1198 au parti gibelin. Rodolphe de Habsbourg — l'Ancien — se rallia officiellement à Frédéric II dans sa reconquête de l'Allemagne et l'aida financièrement. Le montant des sommes versées par Rodolphe — mille marcs sur un total de trois mille deux cents — montre à l'évidence que les Habsbourg étaient loin d'être une puissance secondaire en Allemagne du Sud. Rodolphe l'Ancien fut souvent aux côtés de Frédéric II lors de ses campagnes en Allemagne et en Italie. Honneur suprême, lorsque naquit en 1218 le petit-fils de Rodolphe l'Ancien, le futur empereur Rodolphe, ce fut l'empereur Frédéric II qui lui servit de parrain. À la mort de Rodolphe l'Ancien, selon la tradition de la famille, le patrimoine fut divisé entre ses deux fils, Albert le Sage et Rodolphe III. Ce dernier reçut les domaines situés en Brisgau et en Allemagne du Sud, et devint le chef de la branche des Habsbourg-Laufenbourg qui se rallia au parti guelfe. L'aîné, Albert, garda pour lui les domaines d'Alsace et d'Argovie, porta le titre de comte de Habsbourg et continua à servir fidèlement les Hohenstaufen. C'est le fils d'Albert, Rodolphe, qui allait faire entrer les Habsbourg dans l'histoire en 1273[2].

Au moment où Rodolphe de Habsbourg accède à la dignité suprême, l'Empire se remettait à peine d'une longue crise qui avait opposé l'empereur Frédéric II à la papauté depuis 1228, ce qui lui valut d'être excommunié à plusieurs reprises avant d'être destitué par le pape Innocent IV lors du concile de Lyon. Contre Frédéric II, le pape avait suscité des « anti-roi » en Allemagne, ce qui avait plongé le pays dans la guerre civile. À la mort de l'empereur, son fils Conrad IV tenta de sauver l'héritage paternel en Italie, mais il mourut en 1254 au cours d'une campagne en Italie du Sud. Avec la mort du dernier Hohenstaufen direct, le trône impérial devenu vacant fut l'objet d'âpres compétitions suscitées puis arbitrées par le pape. Des princes étrangers postulèrent et parvinrent même à se

1. *Histoire de l'Alsace*, *op. cit.*, p. 86.

2. J. Bérenger, *Histoire de l'Empire des Habsbourg 1273-1918*, Paris, 1990, p. 20 et suiv.

faire élire empereur avec l'appui d'une partie fluctuante des princes électeurs. Ainsi, Alphonse X de Castille, apparenté par sa mère aux Hohenstaufen, et Richard de Cornouailles, frère du roi d'Angleterre Henri III et beau-frère de Frédéric II, furent élus, mais aucun des deux ne put vraiment s'imposer en Allemagne. Le pays allait à la dérive tandis que la papauté, responsable de la crise par sa haine viscérale à l'égard des Hohenstaufen, n'était plus en mesure de contrôler les événements. Le nouveau pape, Grégoire X, élu en 1272, se prononça en faveur d'une nouvelle élection qui permettrait à l'Empire d'avoir un souverain unique et reconnu par tous. Les villes rhénanes, conscientes de leur poids et de leur influence, firent savoir aussitôt qu'elles ne se rallieraient qu'à un candidat élu à l'unanimité. C'est ce qu'elles exprimèrent dans un document daté du 2 février 1273. Déjà des tractations avaient lieu de toutes parts pour trouver une solution à la crise et mettre fin à ce long « interrègne ». Enfin, le 29 septembre 1273, les électeurs se réunirent à Francfort pour y désigner, conformément au souhait du pape, un empereur qui ramènerait la paix civile en Allemagne. Selon la tradition qui s'était affirmée au cours du XIIe siècle, le collège électoral se composait de sept princes, trois hauts dignitaires de l'Église, c'est-à-dire les archevêques de Cologne, Mayence et Trèves, et quatre électeurs laïcs, le duc de Saxe, le margrave de Brandebourg, le comte palatin du Rhin et le roi de Bohême bien que certains lui aient parfois contesté son titre d'électeur dans la mesure où il était tchèque et non allemand. Avant la réunion du Collège électoral, on avait beaucoup discuté sur ce que devait être le futur empereur. Les électeurs n'entendaient pas confier la couronne à un prince suffisamment puissant pour être tenté de rendre héréditaire dans sa Maison la dignité impériale. C'est ce qui les poussa d'emblée à écarter la candidature du roi de Bohême Ottokar II Premyslide et à lui préférer un seigneur d'origine modeste, « ni trop riche ni trop puissant », en l'occurrence le comte Rodolphe IV de Habsbourg[1] dont le nom avait été mis en avant par l'archevêque de Mayence, le plus haut dignitaire de l'Empire puisqu'il en était l'archichancelier, et par le burgrave de Nuremberg, Frédéric de Hohenzollern, le porte-parole des villes. Au sein du Collège électoral, Rodolphe de Habsbourg avait l'appui des trois princes de l'Église qui voyaient en lui un homme d'une grande piété, ce qui devait rassurer le pape Grégoire X ; il pouvait également compter sur les voix de ses futurs

1. J. Bérenger, *Histoire de l'Empire des Habsbourg*, *op. cit.*, p. 27.

gendres, les électeurs de Saxe et de Brandebourg, et le comte palatin auxquels il avait promis ses filles en mariage. Comme ses prédécesseurs, le comte de Habsbourg savait utiliser habilement les alliances matrimoniales à des fins politiques. Seul le roi de Bohême Ottokar II — ou plutôt son représentant, l'évêque de Bamberg, car lui-même avait délibérément renoncé à faire le voyage de Francfort — était franchement hostile au comte de Habsbourg, car il ambitionnait pour lui-même la dignité impériale.

Après trois jours de délibérations, Rodolphe IV de Habsbourg, « ce petit comte sans le sou », comme le qualifiait son concurrent Bohême malheureux, fut proclamé « roi des Romains ». N'ayant jamais reçu par la suite la couronne impériale des mains du pape, Rodolphe, « roi de Germanie », ne fut jamais officiellement « empereur » bien que tous l'aient considéré comme tel. Fort surpris, en apparence du moins, d'être ainsi porté à la dignité suprême, le comte Rodolphe, toutes affaires cessantes, se précipita à Aix-la-Chapelle pour y être couronné le 24 octobre suivant roi de Germanie. L'évêque de Bâle, qui connaissait bien Rodolphe pour avoir souvent eu maille à partir avec lui, était loin de considérer le comte de Habsbourg comme un souverain effacé et malléable que les princes pourraient mener à leur guise. Selon le chroniqueur Mathias von Neuenberg, l'évêque aurait déclaré à l'annonce de l'élection de Rodolphe : « Doux sire Dieu, cramponnez-vous bien à votre trône, sinon Rodolphe y sera bientôt assis [1]. »

Le passé de celui que désormais tout le monde désigne sous le nom de l'empereur Rodolphe Ier cadrait mal avec l'image d'un seigneur modeste et sans ambition qu'en avaient les électeurs. Le nouveau souverain était le fils du comte Albert le Sage, mort en croisade en 1249, auquel il succéda sous le nom de Rodolphe IV et dont il hérita d'une partie des domaines. Longtemps, Rodolphe avait suivi l'empereur Frédéric II puis son successeur Conrad IV lors des campagnes en Italie. De retour sur ses terres à l'époque de l'interrègne, il avait mené de nombreuses opérations contre les barons turbulents d'Argovie et d'Alémanie, et avait pris parti contre eux en faveur des villes et des communautés forestières libres d'Helvétie, les *Waldstätten*, avant de chercher à les dominer,

1. Mathias von Neuenberg, *Chronik* in *Quellenbuch zur österreichische Geschichte*, 2 vol., Wien, 1956, t. I, p. 125, cité par D.-G. Mac Guigan, *Les Habsbourg. Histoire politique et galante d'une dynastie*, Paris, 1968, p. 10.

malgré l'*immédiateté*[1] dont elles jouissaient depuis Frédéric II[2]. Ces interventions avaient permis à Rodolphe d'accroître sa puissance territoriale en s'emparant des biens d'Hugues de Tuffenstein. Rodolphe n'avait pas hésité à attaquer son oncle le comte de Laufenbourg et à s'en prendre aux comtes de Kyburg dont sa mère était issue. En se mariant en 1245 avec la fille du comte Burkard de Hohenburg, Rodolphe avait acquis par voie dotale le château d'Oettingen, divers domaines dans la vallée de la Weile et en Alsace, consolidant ainsi son assise territoriale en Argovie et en Haute-Alsace. Mais ses vues ne se limitaient pas à sa région d'origine. On le voit, en 1253-1254, participer à une croisade contre les Lituaniens qui menaçaient les possessions de l'ordre Teutonique en Prusse, et là, il côtoie les plus grands seigneurs de l'Empire, le roi de Bohême Ottokar II, son futur adversaire, et le margrave Othon III de Brandebourg[3]. Peu après, on retrouve Rodolphe aux côtés du roi de Bohême lors de la guerre qui oppose celui-ci au roi de Hongrie Béla IV. Un peu plus tard, vers 1260, Rodolphe de Habsbourg revenu en Alsace entre en conflit avec l'évêque de Strasbourg auquel son oncle Hartmann de Kyburg avait cédé des terres. Vainqueur, Rodolphe récupère les domaines litigieux et reçoit des Strasbourgeois révoltés contre leur évêque le titre d'« avoué » de la ville, ce qui renforce ses positions en Basse-Alsace. Strasbourg va alors devenir ville libre comme l'étaient déjà d'autres villes épiscopales de la vallée du Rhin et, désormais, les évêques de Strasbourg vont résider à Saverne. Par la suite, à la mort de Hartmann, Rodolphe, au nom de la fille et unique héritière du défunt, sa cousine et pupille, prit possession de l'héritage, c'est-à-dire les comtés de Kyburg, de Lentzburg et de Baden, ainsi que le landgraviat de Thurgovie (Thurgau), territoires contigus au comté de Habsbourg. Le prestige de Rodolphe IV était tel que les *Waldstätten*, organisés désormais en véritables communautés indépendantes, Uri, Schwyz et Unterwalden, le choisirent pour « protecteur » et que les citoyens de la ville libre de Zurich lui avaient confié le commandement de leurs troupes. Et c'est pour leur compte et à la demande de l'abbé de Saint-Gall Berthold que Rodolphe de Habsbourg était entré en guerre contre l'évêque de

1. Immédiateté : fait de dépendre directement de l'empereur.
2. J.-F. Bergier, *Guillaume Tell*, Paris, 1988, p. 246 et 250.
3. H. Bogdan, *Les Chevaliers Teutoniques*, Paris, 1995, p. 109.

Bâle. C'est justement à ce moment-là qu'il fut averti que les électeurs l'avaient choisi pour occuper le trône impérial. Le comte de Habsbourg devenait ainsi du jour au lendemain le principal personnage de l'Empire.

2

L'entrée des Habsbourg dans le monde des princes : Rodolphe Ier et ses successeurs immédiats

Le 24 octobre 1273, la ville d'Aix-la-Chapelle accueillait avec tout le cérémonial habituel le roi élu des Romains, Rodolphe de Habsbourg. C'est dans cette petite ville dont Charlemagne avait fait son lieu de séjour favori qu'avait traditionnellement lieu le couronnement impérial. La cérémonie au cours de laquelle l'archevêque de Cologne remettait les insignes impériaux à celui que les princes électeurs avaient choisi pour régner sur l'Empire présentait un double caractère, l'un lié à la tradition chrétienne avec le serment sur les Évangiles et sur un coffret contenant de la terre imprégnée du sang du premier martyr saint Étienne, et l'autre emprunté à la tradition de la Rome impériale avec l'acclamation par le peuple. À la question posée par l'archevêque de Cologne : « Voulez-vous avoir Rodolphe comme empereur et roi des Romains, et voulez-vous lui être soumis conformément aux paroles de l'Écriture Sainte ? », la foule répondit : « Fiat, fiat ! Qu'il en soit ainsi ! » Rodolphe, désormais, était à la fois le roi de Germanie, le roi des Romains et l'empereur *de facto* [1].

L'empereur Rodolphe Ier

Au moment où il accède à la dignité de roi des Romains, Rodolphe de Habsbourg a déjà cinquante-cinq ans, ce qui, à son époque, lui vaut d'être considéré comme un homme âgé. Son âge avancé n'a pas été un des moindres arguments en sa faveur au moment de la décision du Collège électoral. Dans l'esprit des princes électeurs jaloux de leurs prérogatives et opposés à toute

1. Ce n'est qu'après le couronnement par le pape que le roi des Romains devenait *de jure* empereur.

idée de transmission héréditaire de la couronne, un homme de l'âge de Rodolphe ne pouvait avoir qu'un règne de durée relativement courte, ce qui ne lui laisserait pas le temps suffisant pour préparer la succession en faveur de son fils.

Le nouveau souverain, malgré son âge, était un homme de haute taille et de belle prestance. On le disait courageux, réfléchi, capable de prendre des risques sans pour autant se lancer dans des aventures hasardeuses et incertaines. C'est ainsi que « ce roi pragmatique et calculateur », comme le définit l'historien suisse Jean-François Bergier[1], eut la sagesse de renoncer au *Römerzug*, cette expédition en Italie que, traditionnellement, les rois de Germanie entreprenaient au lendemain de leur avènement pour aller recevoir du pape la couronne impériale et être ainsi reconnu officiellement comme empereur. Dante reprocha vivement à Rodolphe son désintérêt pour l'Italie, mais les déboires de nombre de souverains germaniques dans cette région l'avaient dissuadé de se lancer dans une telle aventure. De ce fait, en droit, il n'y eut jamais d'*empereur* Rodolphe, bien qu'il fût considéré comme tel par ses contemporains.

Les chroniqueurs de son temps ont insisté sur la piété de Rodolphe, une piété qui parfois allait jusqu'à la superstition. On sait qu'il entendait conserver de bonnes relations avec la papauté et cela explique aussi sa renonciation au *Römerzug*. Rodolphe n'entendait pas raviver les conflits antérieurs entre les Hohenstaufen et les papes à propos de l'Italie du Nord. Il se souvenait que dans sa jeunesse il avait été lui-même excommunié pour avoir continué à servir Frédéric II après sa déposition par le pape. Rodolphe Ier était aussi un soldat auquel ses contemporains reconnaissaient des talents militaires certains. On le savait proche de ses soldats avec lesquels il n'hésitait pas à partager leur frugal repas.

Tel était le nouveau roi de Germanie auquel les princes électeurs avaient confié la charge de mettre fin à l'anarchie et aux désordres qu'avait engendrés le Grand Interrègne. La famille des petits seigneurs d'Argovie entrait ainsi dans le monde des Puissants.

Deux mois après son accession au trône, Rodolphe de Habsbourg fit part à la Diète réunie à Spire de son intention de remettre de l'ordre en Allemagne et de restaurer l'autorité impériale mise à mal au cours de l'interrègne ; à cet effet, il annonça qu'il entendait récupérer les domaines de la Couronne occupés indûment par

1. J.-F. Bergier, *Guillaume Tell*, *op. cit.*, p. 273.

certains nobles au cours des vingt-cinq dernières années. Cette entreprise ne donna guère de résultats, car elle se heurtait au mauvais vouloir des princes territoriaux qui avaient souvent été les bénéficiaires de ces appropriations. En revanche, Rodolphe réussit davantage dans ses efforts pour mettre fin aux guerres privées et aux pillages et exactions de toutes sortes auxquelles se livraient depuis de nombreuses années certains « barons pillards ». Les tentatives de restauration de l'autorité impériale furent pourtant reléguées au second plan dès 1275 en raison d'un conflit avec le roi de Bohême Ottokar II. L'enjeu de ce conflit était de taille ; il ne s'agissait rien de moins que de l'héritage autrichien des Babenberg.

Les Habsbourg à la conquête de l'Autriche

Au lendemain de l'élection impériale de 1273, le roi de Bohême, prince électeur lui-même, avait refusé de reconnaître Rodolphe de Habsbourg et en avait appelé en vain au Saint-Siège. Convoqué devant la Diète réunie à Würzbourg pour prêter hommage à Rodolphe Ier et recevoir en échange l'investiture pour le royaume de Bohême, fief d'Empire, mais aussi pour s'expliquer sur sa politique en Autriche, Ottokar II refusa de se présenter. Une deuxième citation à comparaître, devant une nouvelle Diète tenue cette fois à Augsbourg, ne donna aucun résultat : Ottokar II y avait délégué son conseiller Werner von Seckau, lequel s'était borné à défendre la politique autrichienne de son maître. La réponse de la Diète fut claire : le roi de Bohême fut mis au ban de l'Empire pour avoir occupé illégalement l'Autriche et ses dépendances.

Ce conflit à propos des fiefs autrichiens remontait à la mort du duc d'Autriche Frédéric le Batailleur, le 15 juin 1246. Avec lui s'éteignait le dernier représentant de la puissante famille des Babenberg qui avait régné sur l'Autriche depuis la deuxième moitié du xe siècle. Frédéric le Batailleur ne laissait aucun héritier direct mâle. Son héritage provoqua bien des convoitises de la part des souverains voisins, le roi de Bohême Ottokar II et le roi de Hongrie Béla IV ; le duc de Bavière lui-même émit des prétentions. Sur un plan strictement juridique, l'héritage d'un fief tombé en déshérence devait revenir à l'empereur, mais en raison de l'effacement du pouvoir impérial depuis la disparition de Frédéric II, la porte était ouverte à toutes les combinaisons. En vertu d'un *privilegium minus* octroyé en 1156 au duc Henri Jasomirgott par Frédéric Barberousse, la succession en ligne féminine était rendue possible en

Autriche, mais exclusivement s'il s'agissait des filles du duc défunt. Or, en 1246, les candidates féminines susceptibles de faire valoir un éventuel droit à la succession n'étaient pas les filles de Frédéric le Batailleur mais sa sœur Marguerite et sa nièce Gertrude. Cette dernière, qui avait épousé en premières noces le prince Vladislas de Bohême puis, après le décès de celui-ci, le margrave Hermann de Bade mort à son tour en 1250, épousa en troisièmes noces le prince de Halicz, proche parent du roi de Hongrie Béla IV, ce qui incita ce dernier à émettre des prétentions sur l'héritage des Babenberg.

Quant à la sœur de Frédéric le Batailleur, Marguerite, elle avait épousé en 1252 le frère de Vladislas, Ottokar, beaucoup plus jeune qu'elle. Lorsque, l'année suivante, Ottokar devint roi de Bohême sous le nom d'Ottokar II, les principaux chefs de la noblesse d'Autriche se tournèrent vers lui et lui offrirent leur fidélité. Le roi de Hongrie n'était alors guère en mesure de faire valoir ses hypothétiques droits, étant donné la ruine de son pays après l'invasion tatare de 1241-1242. Par le traité de Buda conclu en 1254 avec le roi de Bohême, celui-ci conserva l'Autriche et ses dépendances, à l'exception de la Styrie cédée à Béla IV. Les copartageants de l'héritage des Babenberg ne s'entendirent pas : le roi de Hongrie, vaincu en 1260 lors de la bataille de Kressenbrunn sur la frontière austro-hongroise, renonça par le traité de Vienne à la Styrie[1]. L'année suivante, Ottokar II, ayant divorcé de Marguerite de Babenberg, épousa la fille de Béla IV, Kunhlita, scellant la réconciliation avec son voisin hongrois. Ainsi, Ottokar II avait su tirer parti de la crise que connaissait l'Empire avec le Grand Interrègne pour mettre la main en toute illégalité sur l'héritage des Babenberg. Mais les méthodes autoritaires qu'il utilisa à l'égard des provinces autrichiennes engendrèrent un phénomène de rejet de la part de la noblesse qui autrefois s'était ralliée à lui[2].

L'élection de 1273 remit tout en question et l'attitude arrogante du « Lion de Bohême » à l'égard de Rodolphe Ier suscita contre lui l'hostilité de la quasi-totalité des princes en Allemagne. En 1276, Rodolphe, à la tête d'une puissante armée, pénétra en Autriche où la noblesse et le clergé l'accueillirent en libérateur. Dans cette action,

1. P. Belina, P. Cornej et J. Pokorny, *Histoire des pays tchèques*, Paris, 1995, p. 56-57.

2. E. Zöllner, *Histoire de l'Autriche des origines à nos jours*, Roanne, 1965, p. 119 et suiv.

l'empereur reçut le soutien du pape Grégoire X, du roi de Hongrie Béla IV et de l'archevêque de Salzbourg. Les campagnes tout autant que les villes se rallièrent à Rodolphe de Habsbourg. Malgré une tentative de résistance de Vienne dont il vint rapidement à bout, l'empereur était parvenu en quelques mois à prendre le contrôle de toute l'Autriche. Confronté à des difficultés avec la noblesse de Bohême, Ottokar II jugea plus prudent de faire acte de soumission : il renonça à l'héritage des Babenberg mais conserva le patrimoine héréditaire des Premyslides, c'est-à-dire la Bohême et la Moravie à titre de fief d'Empire pour lequel il prêta hommage à Rodolphe Ier. L'empereur sut récompenser l'attitude des villes autrichiennes qui lui avaient ouvert spontanément leurs portes ; c'est ainsi que Krems et Tulln reçurent d'importants privilèges. De même, il se montra magnanime à l'égard de Vienne qui, en dépit de ses velléités de résistance, se vit confirmer le privilège d'immédiateté que lui avait autrefois accordé l'empereur Frédéric II[1]. Désormais, ce fut à Vienne que Rodolphe de Habsbourg séjourna le plus souvent, marquant ainsi l'importance qu'il accordait à l'héritage autrichien[2]. Vienne était alors une ville d'une vingtaine de milliers d'habitants qui avait connu un développement rapide à l'époque des derniers Babenberg, grâce au commerce avec la Hongrie et au droit d'étape (*Stapelrecht*) accordé par le duc Léopold VI, en vertu duquel les marchands allemands qui se rendaient en Hongrie étaient tenus d'y faire étape et de fournir aux marchands viennois les marchandises dont ils avaient besoin pour approvisionner le marché local[3].

Les princes allemands, qui s'étaient réjouis en 1273 d'avoir porté sur le trône Rodolphe de Habsbourg dont la puissance à cette époque ne leur portait pas ombrage, prirent conscience qu'avec l'incorporation à son patrimoine de l'héritage des Babenberg l'empereur était devenu l'un des princes territoriaux les plus possessionnés du monde allemand. Cette nouvelle donne n'était pas sans susciter quelque méfiance de leur part. Ottokar II en était conscient et était prêt à tirer profit de cette opportunité. Il avait refait ses forces et était parvenu à mettre fin à la rébellion d'une partie de la noblesse tchèque menée par Bores de Ryzmburk. Il savait qu'en Autriche, il pouvait compter sur le soutien d'une partie de la noblesse, toujours

1. E. Zöllner, *Histoire de l'Autriche des origines à nos jours*, *op. cit.*, p. 122-123.
2. J. Bérenger, *Histoire de l'Autriche*, Paris, 1994, p. 12.
3. J.-P. Bled, *Histoire de Vienne*, Paris, 1998, p. 19-21.

prête à se rebeller contre le pouvoir en place. Aussi, à la tête d'une armée constituée de chevaliers recrutés en Allemagne du Nord et en Pologne et qu'avaient ralliée quelques nobles autrichiens, Ottokar II se prépara-t-il à reprendre par la force l'héritage des Babenberg. Mal lui en prit. Rodolphe Ier, toujours soutenu par le pape et le roi de Hongrie, remporta sur lui, le 26 août 1278, une victoire décisive dans la plaine de Marchfeld, à Moravsképolé, près du village de Dürnkrut ; au cours de la bataille, le roi de Bohême trouva la mort, probablement tué par des chevaliers autrichiens[1]. La victoire de Dürnkrut ouvrit à Rodolphe la route de la Bohême ; le pays fut envahi, tandis que les diverses factions de la noblesse bohême se disputaient le pouvoir. Rodolphe Ier était à présent en mesure de dicter ses conditions à un royaume de Bohême affaibli par la mort de son roi, et face aux princes allemands impressionnés par ses victoires.

Rodolphe de Habsbourg, en toute tranquillité, s'empara ainsi de la totalité de l'héritage des Babenberg, à savoir l'Autriche proprement dite — ce qui correspondait aux actuels *Länder* de Haute et de Basse-Autriche —, mais aussi les duchés de Styrie et de Carinthie avec leurs importants gisements miniers de fer et d'argent, ainsi que la Carniole. L'ensemble de ces territoires fut dans un premier temps placé sous l'autorité du fils aîné de l'empereur, Albert, assisté d'un conseil. Puis, reprenant la tradition familiale des Habsbourg qui prévoyait le partage de l'administration des biens patrimoniaux tout en maintenant le principe de la possession indivise — *zur gesamten Hand* — de patrimoine, Rodolphe Ier inféoda à ses fils Albert et Rodolphe, à Noël 1282, l'Autriche, la Styrie et la Carniole, et cela avec l'accord des princes électeurs. Cette double administration suscita la méfiance de la noblesse autrichienne. Le traité de Rheinfelden du 1er juin 1283 mit fin à cette dualité dans l'exercice des pouvoirs et rétablit une administration unique confiée à Albert, sous réserve de dédommagement à son frère cadet. Quant à la Carinthie, l'empereur l'inféoda en 1286 au comte du Tyrol, Meinhart II, dont Albert avait épousé la fille et héritière. La Carniole, de son côté, en dépit de l'inféodation de 1282, fut administrée de fait par le comte du Tyrol en garantie d'un prêt autrefois consenti à Rodolphe Ier[2].

1. P. Belina, P. Cornej et J. Pokorny, *Histoire des pays tchèques*, *op. cit.*, p. 61-62.

2. E. Zöllner, *Histoire de l'Autriche des origines à nos jours*, *op. cit.*, p. 124-126 et p. 133-134.

Restait à régler le sort de la Bohême. Rodolphe Ier maintint le royaume de Bohême, fief d'Empire, entre les mains de l'héritier des Premyslides, le fils d'Ottokar II, le prince Venceslas, alors âgé de sept ans. En raison de son jeune âge, l'héritier de Bohême fut placé sous la tutelle du margrave Othon de Brandebourg qui devait exercer le pouvoir en son nom jusqu'en 1283, date à laquelle Venceslas atteignit sa majorité et put désormais régner sous le nom de Venceslas II. La paix avec les Premyslides fut complétée par un double arrangement matrimonial. Rodolphe, le fils cadet de l'empereur, épousa Agnès, fille d'Ottokar II, tandis que le jeune Venceslas était fiancé à la fille de Rodolphe Ier Judith (Guta) qu'il épousa effectivement en 1283. Avec ce double mariage, Rodolphe Ier associait étroitement les Habsbourg à la maison royale de Bohême, se réconciliait avec ses anciens adversaires et s'assurait désormais leur fidélité. Mais en même temps, dans une perspective à plus long terme, Rodolphe Ier donnait à sa famille un droit de regard sur l'héritage éventuel des Premyslides. On a là le premier exemple de ce qui allait devenir la « politique matrimoniale » des Habsbourg, qui permit à cette Maison de s'assurer pour plusieurs siècles une position dominante dans l'espace danubien.

Rodolphe Ier et les princes allemands

Devenu maître de l'Autriche et de ses dépendances et disposant d'un droit de regard sur les affaires de Bohême, Rodolphe Ier avait considérablement augmenté la puissance territoriale de sa famille. Les Habsbourg se hissèrent donc par leurs biens patrimoniaux (*Hausmacht*) au niveau des grandes maisons princières allemandes, provoquant une méfiance accrue de leur part[1]. Les réticences des princes se manifestèrent ouvertement lorsque Rodolphe Ier tenta de faire élire de son vivant son fils aîné Albert comme roi de Germanie. Les princes électeurs unanimes firent savoir qu'ils entendaient conserver pleinement le droit de choisir en toute liberté le souverain de Germanie lorsque s'ouvrirait la succession.

Cette déconvenue n'empêcha pas l'empereur de reprendre la politique de récupération des biens de la Couronne usurpés à l'époque de l'interrègne, avec l'appui des villes comme il l'avait déjà fait au moment où il n'était encore que le comte de Habsbourg.

1. J. Rovan, *Histoire de l'Allemagne des origines à nos jours*, Paris, 1994, p. 173-174.

Cette politique lui permit de consolider ses biens patrimoniaux dans le sud-ouest de l'Allemagne. En 1284, devenu veuf, Rodolphe Ier épousa Isabelle de Bourgogne, ce qui lui permit de renforcer les liens entre le royaume d'Arles et de Bourgogne et l'Empire.

Rodolphe Ier et les Waldstätten

Paradoxalement, ce fut en Suisse que Rodolphe Ier rencontra le plus de déboires, dans cette région qui avait été le point de départ de l'ascension politique et sociale de la famille de Habsbourg. Certes, Rodolphe, en tant que comte de Habsbourg, y occupait une position dominante, en particulier dans la partie septentrionale et orientale du pays. Devenu empereur, il avait progressivement pris le contrôle de la nouvelle route commerciale unissant l'Europe rhénane à l'Italie du Nord par le col du Gothard dont l'accès avait été rendu possible depuis la maîtrise du passage des gorges de Schöllenen dès 1225-1230. Les péages de Reiden, près de Zofingen et de Flüelen, étaient sous le contrôle d'agents impériaux qui y percevaient des droits au seul profit du Trésor des Habsbourg [1]. Puis, en 1291, Rodolphe avait profité des difficultés financières de l'abbé de Murbach pour lui acheter la ville de Lucerne et ses dépendances pour une somme de deux mille marcs d'argent en poids de Bâle. Ainsi le Habsbourg était-il en mesure d'exercer une surveillance étroite sur les *Waldstätten*. Certes, en tant qu'empereur, Rodolphe avait été obligé de confirmer les privilèges d'immédiateté octroyés par ses prédécesseurs aux cantons d'Uri et de Schwyz, ce qui assurait aux habitants des *Waldstätten* une très large autonomie, mais il n'en cherchait pas moins à renforcer son contrôle sur ses « protégés » par l'intermédiaire de ses agents, les baillis (*Landvogt*), étrangers à la région et recrutés parmi les *ministeriales* [2]. Les baillis impériaux n'hésitaient pas à intervenir dans les affaires de ces communautés d'hommes libres, jaloux de leur indépendance, à leur imposer de nouvelles charges ou redevances, et à empiéter sur leurs privilèges [3]. Cette intervention permanente des baillis suscita de la part des habitants de vives résistances qui éclatèrent au grand jour au lendemain même de la mort de l'empereur.

---

1. J.-P. Bergier, *Guillaume Tell*, *op. cit.*, p. 221-225.
2. Les *ministeriales* étaient des chevaliers d'humble origine, parfois de condition servile, chargés de missions de confiance par l'empereur ou les princes ; ils recevaient en général un fief modeste, devenu rapidement héréditaire.
3. J.-P. Bergier, *Guillaume Tell*, *op. cit.*, p. 275-278.

Alliances matrimoniales prometteuses, consolidation et accroissement des biens patrimoniaux, coopération permanente avec la papauté, tels furent les grands principes qui guidèrent la politique de Rodolphe de Habsbourg pendant tout son règne et dont s'inspirèrent ses successeurs. En ce sens, le règne relativement court de Rodolphe Ier — moins de vingt ans — eut une importance décisive pour l'avenir de la famille de Habsbourg. À sa mort, le 15 juillet 1291, sa dépouille alla rejoindre dans la cathédrale de Spire celles des empereurs qui l'avaient précédé. En cela, le lien de continuité avec le passé était maintenu, cependant l'avenir ne se situait désormais plus en Rhénanie mais dans les pays alpins et dans les plaines du Danube.

La succession de Rodolphe Ier

La mort de Rodolphe interrompit brutalement le processus de restauration de l'autorité impériale. Les électeurs ecclésiastiques et le roi de Bohême Venceslas II s'opposèrent à l'élection d'Albert de Habsbourg, le fils aîné et seul descendant du souverain défunt. Après de longues tergiversations, le Collège électoral porta son choix, comme en 1273, sur un prince issu d'une lignée modeste de Rhénanie, Adolphe de Nassau, qui fut élu le 5 mai 1292. La dignité impériale échappait ainsi aux Habsbourg.

En revanche, Albert de Habsbourg héritait de l'ensemble des biens patrimoniaux de la famille, c'est-à-dire les possessions ancestrales en Suisse et en Allemagne du Sud-Ouest, ainsi que l'Autriche et ses dépendances. Très vite, le nouveau duc d'Autriche dut faire face à une vaste coalition formée à l'initiative du pape Nicolas IV. On y trouvait le roi de Hongrie André III qui n'avait guère apprécié l'intervention du duc Albert dans les affaires intérieures de son pays et l'occupation par celui-ci des confins occidentaux de son pays, notamment la ville de Köszeg [1], le roi de Bohême Venceslas II qui avait encore en mémoire le rôle joué par le jeune Albert aux côtés de Rodolphe dans la défaite de son père Ottokar II, le duc de Basse-Bavière, le prince-archevêque de Salzbourg, les villes lombardes, le comte de Savoie et les Confédérés suisses. Face à ses nombreux adversaires, Albert de Habsbourg n'avait qu'un seul allié, le comte Meinhart II du Tyrol. L'adversaire le plus déterminé était le roi de

1. Güns en allemand.

Hongrie. Au printemps de 1291, les troupes d'André III pénétrèrent en Autriche, encerclèrent les garnisons autrichiennes qui tenaient les forteresses hongroises précédemment occupées, et, au début d'avril, elles vinrent mettre le siège devant Vienne. L'entreprise échoua tandis qu'Albert reprenait l'initiative. Le roi de Hongrie préféra négocier mais les pourparlers s'enlisèrent, car non seulement André III entendait récupérer les régions de son royaume occupées autrefois par Rodolphe, mais il exigeait également plusieurs places autrichiennes, Hainburg, Brück, Wiener Neustadt et Starhemberg. La paix définitive fut cependant scellée par le traité de Hainburg du 26 août 1291, par lequel la Hongrie récupérait l'intégralité de son territoire. Deux jours plus tard, Albert de Habsbourg et André III se rencontrèrent près de Presbourg et s'engagèrent à établir entre eux des relations d'amitié et de bon voisinage. L'entente fut complétée en 1296 par le mariage d'André III avec la fille d'Albert de Habsbourg[1]. Le roi Venceslas II se retira rapidement de la coalition sous la pression de sa femme Judith, la sœur d'Albert. L'archevêque de Salzbourg, quant à lui, accepta de se réconcilier avec le duc d'Autriche moyennant quelques concessions territoriales. Débarrassé de ses principaux adversaires, Albert de Habsbourg se retourna contre la noblesse autrichienne qui avait profité de ses difficultés extérieures pour entrer en rébellion. Dès 1292, Albert vint à bout de cette révolte en détruisant les châteaux forts des rebelles tandis que Meinhart II agissait de même en Carinthie[2].

En revanche, les modestes communautés forestières et pastorales des *Waldstätten* causèrent des soucis beaucoup plus durables à Albert de Habsbourg et à ses successeurs. À l'annonce de la mort de Rodolphe Ier, les représentants des communautés d'Uri, de Schwyz et de Nidwald s'étaient empressés de conclure, le 1er août 1291, un pacte d'alliance perpétuelle qui est considéré comme l'acte de naissance officiel de la Confédération helvétique. Son objectif était d'assurer la sauvegarde de l'autonomie administrative et judiciaire des trois cantons. Dès le mois d'octobre suivant, la ville de Zurich adhéra à la Confédération[3]. Au même moment,

1. B. Hóman et Gy. Szekfü, *Magyar történet* (Histoire de Hongrie), Budapest, 1935, t. I, p. 616-617.

2. E. Zöllner, *Histoire de l'Autriche des origines à nos jours*, *op. cit.*, p. 126-127.

3. J.-P. Bergier, *Guillaume Tell*, *op. cit.*, p. 341-343.

l'évêque de Constance mettait sur pied une « ligue anti-albertine » à laquelle adhérèrent de nombreux nobles dont les biens avaient été saisis par Rodolphe de Habsbourg ; les *Waldstätten*, qui, sur le plan religieux, dépendaient de l'évêque de Constance, entrèrent en relation avec la ligue. Cependant, en mai 1292, lorsque Albert put enfin intervenir, l'ordre se rétablit de lui-même. Les seigneurs révoltés firent leur soumission, Lucerne, qui avait un moment rallié la ligue, ouvrit ses portes au duc d'Autriche. L'évêque de Constance et la ville de Zurich se réconcilièrent à leur tour avec leur « protecteur » en août [1].

Cependant, pour les Confédérés suisses et pour les villes libres, la réconciliation avec Albert d'Autriche n'était pas suffisante. Leur sécurité exigeait la confirmation de leurs privilèges par l'empereur lui-même. Au début de 1293, le nouvel empereur Adolphe de Nassau vint en personne confirmer les privilèges des villes de Berne, Constance et Zurich, mais n'évoqua pas le cas des *Waldstätten*, à la grande déception de ceux-ci. Finalement, au cours de l'été 1297, les assemblées des *Waldstätten* désignèrent des représentants qui se rendirent à Francfort auprès de l'empereur pour obtenir confirmation de leurs privilèges antérieurs. L'empereur leur donna satisfaction par un acte du 30 novembre, mais au moment où la délégation des Confédérés regagnait ses vallées, d'importants changements étaient en train de se produire en Allemagne. La politique expansionniste d'Adolphe de Nassau, qui venait d'occuper la Thuringe et la marche de Meissen, avait suscité l'hostilité des princes électeurs qui, faisant volte-face, se rapprochèrent d'Albert de Habsbourg. Le 23 juin 1298, lors d'une Diète tenue à Mayence, cinq des sept électeurs votèrent la déchéance d'Adolphe de Nassau et se prononcèrent en faveur d'Albert qu'ils avaient autrefois écarté du trône. Quelques jours plus tard, le 2 juillet, le nouvel empereur défaisait les troupes de son rival destitué lors de la bataille de Gölheim, près de Worms, au cours de laquelle Adolphe fut tué. Albert de Habsbourg était désormais, sous le nom d'Albert Ier, le seul empereur.

Albert Ier de Habsbourg (1298-1308)

Albert Ier est le deuxième Habsbourg qui occupe le trône impérial. En dépit de la littérature de l'époque romantique évoquant les

1. *Ibid.*, p. 329, p. 353.

démêlés du héros légendaire Guillaume Tell avec le tyrannique bailli impérial Gessler, Albert Ier n'eut guère le temps de s'intéresser aux affaires des *Waldstätten* ; il se borna à veiller au maintien de ses droits éminents sur la Suisse du Nord et du Nord-Est, tout en respectant les franchises locales [1].

Deux préoccupations essentielles furent à la base de la politique du nouvel empereur : poursuivre la politique de son père visant à restaurer partout l'autorité impériale — et pour ce faire, il s'appuya comme lui sur la petite noblesse et sur les villes afin de contrebalancer l'influence des princes électeurs et en particulier celle du roi de Bohême —, et d'autre part consolider les marches orientales de l'Empire. De ce côté-là en effet, le roi de Bohême Venceslas II, auquel il s'était déjà affronté au lendemain de la mort de Rodolphe Ier, constituait un danger certain. S'appuyant sur un ensemble territorial puissant, Venceslas II disposait en outre de revenus considérables qu'il tirait des mines d'argent de Kutenberg (Kutna Hora) alors en plein essor, ce qui lui permettait d'entretenir une puissante armée et d'acheter le soutien des souverains étrangers. C'est ainsi qu'en 1300, profitant de la vacance du trône en Pologne, Venceslas II rallia à sa cause une partie de l'aristocratie polonaise et se fit couronner roi de Pologne. L'année suivante, la mort d'André III, le dernier représentant de la dynastie arpadienne, ouvrit en Hongrie une grave crise de succession. Tandis qu'une partie de la noblesse se ralliait au prince Charles-Robert d'Anjou, candidat du pape et apparenté par les femmes aux Arpadiens, la majorité des magnats choisit pour roi le fils de Venceslas II, le jeune Venceslas, qui fut couronné roi de Hongrie sous le nom de Ladislas V (1301-1305) [2].

Ce renforcement considérable de la puissance du roi de Bohême ne manqua pas d'inquiéter l'empereur Albert Ier. En accord avec le pape Boniface VIII, Albert Ier exigea du roi de Bohême qu'il renonce à la Pologne et à la Hongrie, et, en cela, il eut l'appui des princes électeurs. Par précaution, Venceslas II fit revenir de Hongrie son fils, ainsi que les insignes royaux hongrois. Albert Ier riposta en envahissant la Bohême en 1304, mais, après un échec devant Kutenberg, il dut se retirer. Des négociations s'engagèrent l'année suivante. La mort de Venceslas II, puis celle de son fils Ladislas V, devenu roi de Bohême sous le nom de Venceslas III,

1. J.-P. Bergier, *Guillaume Tell*, *op. cit.*, p. 354-357.
2. B. Hóman et Gy. Szekfü, *Magyar történet*, *op. cit.*, t. II, p. 40-44.

assassiné en 1306, modifièrent du tout au tout les rapports de force dans la région. Avec la mort de Venceslas III s'éteignait la dynastie des Premyslides qui avait régné en Bohême pendant plus de quatre siècles[1].

La Bohême étant fief d'Empire, il appartenait à l'empereur d'en fixer le destin. Mais selon la coutume locale, la noblesse bohême devait entériner le choix du souverain. Albert Ier proposa d'inféoder la Bohême à son fils Rodolphe, ce qui aurait permis aux Habsbourg de disposer d'une voix dans le Collège des princes électeurs. Or, les deux filles de Venceslas II, Eliska encore célibataire et Anne mariée au duc Henri de Carinthie, firent valoir leurs droits. La noblesse se prononça en faveur d'Henri de Carinthie, comte du Tyrol et fils du défunt Meinhart II. Ce choix remettait en cause les desseins de l'empereur. Albert Ier y répondit en déclarant le royaume de Bohême fief sans titulaire et envahit le pays. Après des négociations avec la noblesse locale, il parvint à faire reconnaître son fils Rodolphe comme roi de Bohême, à condition que celui-ci respecte les droits historiques du royaume et que la Bohême ne devienne pas une simple dépendance de l'Autriche. Rodolphe réussit même à obtenir d'une Diète réunie à Znaïm (Znojmo) l'hérédité de la couronne de Bohême dans la Maison des Habsbourg. Toutefois, lorsque le roi Rodolphe mourut en 1307, la noblesse de Bohême rappela Henri de Carinthie. L'empereur cependant n'entendait pas abandonner ses droits sur la Bohême ; il se préparait à intervenir militairement quand, le 1er mai 1308, il fut assassiné par l'un de ses neveux, Jean « le Parricide », pour une cause liée à une question d'héritage familial[2].

1. J. Macek et R. Mandrou, *Histoire de la Bohême des origines à nos jours*, Paris, 1984, p. 42-44, et P. Belina, P. Cornej et J. Pokorny, *Histoire des pays tchèques*, *op. cit.*, p. 68-69.

2. E. Zöllner, *Histoire de l'Autriche des origines à nos jours*, *op. cit.*, p. 128-129.

3

L'Autriche, pierre angulaire de la puissance habsbourgeoise (1308-1439)

L'assassinat d'Albert Ier, en 1308, rendit vacant une fois encore le trône impérial. D'emblée, les électeurs rhénans décidèrent d'écarter les princes trop puissants qui s'étaient portés candidats, un prince français, Charles de Valois, frère du roi Philippe le Bel, et le duc d'Autriche Frédéric le Beau, le fils aîné du souverain défunt. Le choix des électeurs se porta sur le comte Henri de Luxembourg, frère de l'archevêque-électeur de Trèves, un prince de culture française davantage intéressé par les affaires italiennes que par l'Allemagne, et dont la puissance territoriale était limitée. Le nouveau souverain, désormais Henri VII (1308-1313), couronné empereur à Rome par un légat du pape d'Avignon Clément VII, se révéla tout aussi ambitieux que l'avait été en son temps Rodolphe Ier de Habsbourg. En 1310, il fit couronner roi de Bohême son fils Jean, qui venait d'épouser l'héritière des Premyslides après que les Habsbourg eurent renoncé à leurs prétentions sur l'héritage de Bohême[1]. Outre son patrimoine familial[2], la Maison de Luxembourg prenait ainsi possession de la Bohême et de la Moravie, ce qui la faisait entrer dans le Collège électoral.

Écartés pour un temps du trône impérial, les Habsbourg vont désormais se replier sur leurs biens patrimoniaux et chercher à renforcer leur autorité sur l'Autriche et ses dépendances[3], sans pour autant se détacher totalement des affaires allemandes. La tâche devait souvent s'avérer difficile.

---

1. P. Belina, P. Cornej et J. Pokorny, *Histoire des pays tchèques*, *op. cit.*, p. 74-75.

2. C'est-à-dire les actuels territoires du grand-duché de Luxembourg et de la province belge du même nom.

3. J.-P. Bled, *Histoire de Vienne*, *op. cit.*, p. 23.

Les premiers déboires des successeurs d'Albert Ier

Conformément à la tradition familiale, les fils d'Albert Ier, Frédéric le Beau et son cadet Léopold, administrèrent en commun les biens patrimoniaux des Habsbourg, Frédéric se réservant l'Autriche, tandis que Léopold avait en charge le patrimoine ancestral, c'est-à-dire la Haute-Alsace et la Suisse alémanique. Réconciliés avec Henri VII, les Habsbourg appuyèrent la candidature de Jean de Luxembourg au trône de Bohême, ce qui les opposa au duc de Carinthie, Henri, et leur permit d'étendre à ses dépens leurs possessions styriennes vers le sud.

La mort d'Henri VII le 24 août 1313, alors qu'il se trouvait en Italie, provoqua une nouvelle élection au trône de Germanie. Pour Frédéric le Beau, l'occasion s'offrait de récupérer le trône impérial qui lui avait échappé lors de l'élection de 1308. Le roi Jean de Bohême, en raison de son jeune âge et surtout des difficultés qu'il rencontrait avec la noblesse de son royaume, ne chercha pas à briguer la succession de son père, mais, en tant qu'électeur, il appuya la candidature du duc Louis de Bavière. De la sorte, le Collège électoral eut à choisir entre un Habsbourg, Frédéric le Beau, et un Wittelsbach, Louis de Bavière. La tradition exigeait que le roi de Germanie fût désigné par un vote unanime des sept électeurs. Or, les voix des princes électeurs se partagèrent entre les deux candidats. En l'absence d'un vote unanime et faute d'entente entre les deux prétendants, ce furent les armes qui décidèrent de l'avenir du trône. Pendant plusieurs années, l'Allemagne du Sud devint un champ de bataille où s'affrontèrent les armées de Frédéric le Beau soutenu par son frère Léopold, et celles de Louis de Bavière — Louis IV — aidé financièrement et militairement par le roi de Bohême[1].

Sur ce conflit, lié à l'accession au pouvoir suprême dans le Saint Empire, se greffa un second conflit concernant plus directement les territoires patrimoniaux des Habsbourg. En Suisse, en effet, le conflit entre les Confédérés des *Waldstätten* et les ducs d'Autriche, latent depuis 1309, dégénéra en une véritable guerre. Les *Waldstätten* avaient bien accueilli l'élection d'Henri VII et avaient obtenu de lui la confirmation et l'extension de leurs privilèges. Jaloux de

1. H. Bogdan, *Histoire de l'Allemagne de la Germanie à nos jours*, Paris, 1999, p. 138-139.

leur indépendance, ils redoutaient toute velléité d'intervention des Habsbourg dans la région. Or, au cours de l'été 1309, les ducs d'Autriche attaquèrent un château proche de Zürich où les assassins d'Albert Ier avaient trouvé refuge. Pour les *Waldstätten*, cette intervention fut considérée comme une menace contre leur autonomie [1], d'autant plus justifiée que l'année suivante, lors d'un conflit local entre les habitants d'Uri et les monastères d'Einsiedeln et d'Engelberg, les représentants des ducs d'Autriche prirent le parti des moines. Le conflit rebondit en 1314 avec une nouvelle attaque des *Waldstätten* contre les biens du monastère d'Einsiedeln. Cette fois, l'abbé se tourna vers l'évêque de Constance qui excommunia les agresseurs en accord avec les ducs d'Autriche. Sur ces entrefaites, il y avait eu la double élection de 1313. Tandis que Frédéric d'Autriche mettait les *Waldstätten* au ban de l'Empire à cause de leur agression contre Einsiedeln, Louis IV de Bavière annulait cette mesure et encourageait les Suisses à la résistance. Les Habsbourg disposaient de solides appuis en Souabe et sur le Rhin supérieur, et semblaient en mesure de mettre fin à la rébellion de leurs sujets suisses. Au cours de l'été 1315, Léopold d'Autriche se prépara à attaquer Schwyz pour le compte de son frère Frédéric. La rencontre entre la puissante armée du duc d'Autriche forte de quelque quatre mille fantassins et de mille cavaliers et les milices paysannes des Confédérés — mille cinq cents hommes armés de haches, de hallebardes et de quelques arbalètes — se solda le 15 novembre 1315 par une cuisante défaite du Habsbourg lors de la bataille de Morgarten au cours de laquelle Léopold faillit être capturé par ses sujets rebelles. Cette victoire inattendue d'une armée de paysans sommairement équipés sur une armée traditionnelle eut un retentissement considérable en Suisse. Le 9 novembre suivant, les Confédérés renouvelèrent à Brunnen le pacte de 1291. L'« éternelle alliance de Brunnen » allait être désormais la base du pacte fédéral : tous les citoyens de la Confédération, les *Eidgenossen*, devaient y prêter un serment (*Eid*), régulièrement renouvelé lors de la tenue des assemblées générales (*Landsgemeinde*).

La victoire de Morgarten conforta la position de Louis IV, dans la mesure où l'armée de Léopold d'Autriche, la principale force militaire des Habsbourg, avait été anéantie. Louis IV remercia les Confédérés en confirmant en mars 1316 les privilèges des *Waldstätten*,

1. J.-P. Bergier, *Guillaume Tell*, *op. cit.*, p. 365-367.

et confisqua les possessions habsbourgeoises de cette région[1]. De ce fait, les Habsbourg perdaient le contrôle de la route du Gothard avec ses péages fructueux ; ils ne conservaient plus de leur patrimoine ancestral en Suisse que leurs domaines d'Argovie et dc Glaris[2].

Malgré leurs échecs en Suisse, les Habsbourg n'avaient pas renoncé à leurs ambitions impériales et entendaient bien faire échec à Louis IV. Après Morgarten qui consacrait l'alliance entre les Confédérés et Louis IV, le duc Léopold chercha à reconstituer une armée en recrutant des troupes en Souabe. De son côté, le « roi » Frédéric le Beau préparait une expédition contre son rival et avait levé une nouvelle armée formée de contingents autrichiens et de mercenaires hongrois. L'armée de Léopold devait rejoindre celle de son frère au moment où celui-ci pénétrerait en Bavière. En fait, avant même que ne pût s'opérer cette jonction, Frédéric le Beau se heurta à l'armée de Louis IV. Le 28 septembre 1322, les troupes de Frédéric furent battues à la bataille de Mühldorf ; le « roi » Frédéric fut fait prisonnier et interné au château de Trausnitz, dans le Haut-Palatinat. Le duc Léopold, conscient de la faiblesse des moyens dont il disposait, chercha à négocier avec Louis IV par l'intermédiaire du roi de France et du pape Jean XXII. La médiation du pape permit d'abord la libération de Frédéric le Beau, en échange de sa renonciation à l'Empire. En 1325, un compromis fut envisagé par lequel les deux rivaux, Frédéric de Habsbourg et Louis de Bavière, gouverneraient ensemble l'Empire, mais cette solution peu conforme à la tradition fut rejetée par les électeurs et par le pape qui aurait personnellement souhaité la renonciation au trône des deux concurrents, et dont les relations avec Louis IV devenaient de plus en plus difficiles. La mort du duc Léopold, en 1326, affaiblit considérablement la position de Frédéric le Beau et permit à Louis IV de Bavière d'exercer seul le pouvoir malgré l'hostilité du pape à son égard. Frédéric le Beau, désormais seul maître de l'ensemble des possessions des Habsbourg puisque son frère n'avait pas d'héritier, se retira en Autriche et vécut les dernières années de sa vie au château de Gutenstein, non loin de Vienne, où il mourut en 1330. Peu intéressé par les domaines ancestraux de sa famille,

1. E. Zöllner, *Histoire de l'Autriche des origines à nos jours*, *op. cit.*, p. 130.
2. J.-P. Bergier, *Guillaume Tell*, *op. cit.*, p. 373-376.

Frédéric le Beau consacra tout ses soins à l'Autriche où il fonda de nombreuses abbayes, notamment celle de Mauerbach où il fut enterré [1].

Le renforcement de la puissance des Habsbourg à l'époque d'Albert II le Sage

À la mort de Frédéric le Beau, ses deux plus jeunes frères, Albert II et Othon, qui étaient copartageants de l'héritage d'Albert Ier mais furent placés sous la tutelle de leurs aînés en raison de leur trop jeune âge, se trouvèrent à la tête du patrimoine habsbourgeois. Les deux nouveaux chefs de la famille de Habsbourg — du *dominium Austriae* selon l'expression qui apparaît à cette époque — décidèrent de gouverner en commun. Compte tenu des déboires de Frédéric le Beau, Albert II (1330-1358) et Othon (1330-1339) préférèrent se réconcilier avec l'empereur. Par le traité de Haguenau du 6 août 1330, Albert II et Othon renoncèrent solennellement à toute prétention au trône de Germanie et reconnurent Louis IV comme empereur. En échange, le souverain et les ducs d'Autriche se mirent d'accord pour le partage de l'héritage à venir de la Maison des comtes de Görz : le nord du Tyrol irait à l'empereur tandis que tout le reste devait revenir aux Habsbourg. La Maison de Görz avait, au cours des XIIe et XIIIe siècles, étendu son autorité à de nombreux territoires des Alpes centrales et orientales, surtout à l'époque de Meinhart II, comte de Görz et du Tyrol, qui, comme nous l'avons vu précédemment, avait été en son temps l'allié de Rodolphe de Habsbourg et avait reçu de celui-ci, pour prix des services rendus, l'inféodation de la Carinthie et de la Carniole. La mort de Meinhart II avait entraîné le morcellement de son héritage. Lorsque son héritier, Henri de Carinthie, mourut en 1335, les Habsbourg conformément à l'accord passé avec Louis IV prirent possession de la part qui leur revenait, c'est-à-dire la Carinthie et la Carniole. En principe, ils auraient dû également obtenir le Tyrol méridional, mais ce territoire leur échappa en raison de la résistance de la fille d'Henri de Carinthie, Marguerite. Dans l'espoir de sauver son héritage, Marguerite épousa successivement Jean de Bohême, puis Louis dit « le Brandebourgeois », fils de l'empereur Louis IV. Le fils qui naquit de ce second mariage, Meinhart, devait épouser par la suite une fille d'Albert II avec le consentement de l'empereur

1. E. Zöllner, *Histoire de l'Autriche des origines à nos jours*, *op. cit.*, p. 131.

d'alors, Charles IV. Mais dans l'immédiat cependant, l'ensemble du Tyrol sous l'autorité purement nominale de Marguerite se retrouvait dans la mouvance des Wittelsbach de Bavière qui s'engagèrent néanmoins à respecter les coutumes traditionnelles du pays.

Albert II le Sage, après la mort de son frère en 1339, régna seul sur le *dominium Austriae*. Soucieux de maintenir la paix, il évita d'intervenir personnellement dans le conflit opposant les Wittelsbach aux Luxembourg, mais il ne put rester indifférent face aux évolutions en cours en Suisse septentrionale. Les Confédérés, en effet, y avaient considérablement renforcé leurs positions avec le ralliement de Lucerne en 1332, de Zurich en 1351, de Glaris, et de Zug en 1352, puis de Berne en 1353. Les populations montagnardes des *Waldstätten* avaient bien résisté aux effets de la peste noire de 1348-1349, beaucoup mieux que les populations paysannes du plateau suisse ; la peste y avait décimé une partie de la noblesse locale traditionnellement dévouée aux Habsbourg [1]. Devant les succès des Confédérés, Albert II décida en 1351 d'intervenir ; il échoua par deux fois devant Zurich qui fut définitivement perdue, mais parvint à replacer sous son autorité Zug et Glaris.

En dépit de la paix qu'Albert le Sage s'efforça de maintenir dans ses États, l'Autriche et ses dépendances eurent à subir les effets de tout une série de calamités naturelles, invasion de sauterelles et inondations en Carinthie à la fin des années 1330, tremblement de terre en 1348, et surtout la terrible peste noire de 1348-1349 qui provoqua la disparition d'environ un tiers de la population, principalement dans les régions de plaines et dans les vallées. La population rendit les Juifs responsables de ces catastrophes et se livra à leur encontre à des violences parfois accompagnées de massacres. Albert II intervint et s'efforça constamment d'assurer la protection de ses sujets juifs, inaugurant là une politique reprise par plusieurs de ses successeurs, le dernier en date étant l'empereur François-Joseph comme nous aurons l'occasion de le voir plus loin.

Albert le Sage, qui n'était pas intervenu dans le conflit entre les Luxembourg et Louis IV, se rallia au nouvel empereur Charles IV, fils de Jean de Bohême, élu en 1346 après la destitution de Louis IV. Charles IV le récompensa en lui accordant le « *privilegium de non evocando* » qui assurait au duc d'Autriche et à ses tribunaux la compétence exclusive pour juger les sujets des Habsbourg à l'exclusion des tribunaux étrangers, y compris le tribunal

1. J.-P. Bergier, *Guillaume Tell*, *op. cit.*, p. 386-387.

impérial. Mais Charles IV n'alla pas plus loin dans les concessions. Il ne fut pas question d'admettre les Habsbourg dans le Collège électoral. La Bulle d'or de 1356 maintint en effet la composition traditionnelle du Collège électoral, avec les trois électeurs ecclésiastiques, les archevêques de Cologne, de Mayence et de Trèves, et les quatre électeurs laïcs, le roi de Bohême, le comte palatin du Rhin, le duc de Saxe et le margrave de Brandebourg. Une innovation de taille fut introduite dans l'élection impériale ; désormais, l'empereur serait désigné à la majorité et non plus à l'unanimité, et ce afin d'éviter des élections doubles et rivales, génératrices de guerres civiles[1]. Soucieux de maintenir l'unité du patrimoine du *dominium Austriae* et d'assurer un traitement égal à tous ses fils, Albert II avait publié le 25 novembre 1355 un règlement de succession qui abolissait le privilège de la primogéniture et qui imposait à ses quatre fils l'obligation de gouverner en commun l'ensemble des possessions de la famille dans un esprit d'« amour fraternel ». Les nobles, garants de cet édit, durent s'engager par serment à le respecter.

Lorsque Albert II mourut le 20 juillet 1358, la Maison de Habsbourg se trouvait à la tête d'un ensemble territorial assez considérable. Outre les terres ancestrales de la famille en Haute-Alsace — auxquelles s'ajoutait maintenant le comté de Ferette (Pfirt) dont Albert II avait épousé l'héritière —, de l'Argovie et de la Suisse du Nord-Est, les Habsbourg régnaient sur l'ensemble des duchés d'Autriche, de Styrie, de Carinthie et de Carniole, et possédaient de sérieuses espérances sur l'héritage tyrolien. L'édit successoral de 1355 devait en maintenir la cohésion et l'unité.

Rodolphe IV le Fondateur (1358-1365)

Comme l'avait décidé Albert le Sage, ses quatre fils furent nommés corégents à sa mort. Compte tenu du jeune âge de ses cadets, ce fut l'aîné Rodolphe IV, âgé de dix-huit ans, qui devint le véritable chef du *dominium Austriae*. Frédéric, Albert et Léopold, encore mineurs, durent attendre la mort de leur aîné en 1365 pour jouer un rôle politique.

Rodolphe IV, comme l'avaient déjà fait tous ses prédécesseurs et en particulier son arrière-grand-père Rodolphe Ier, n'eut de cesse

1. H. Bogdan, *Histoire de l'Allemagne de la Germanie à nos jours*, *op. cit.*, p. 143.

de renforcer la puissance politique et territoriale de sa Maison. Il fut pour cela aidé par des conseillers compétents venus de milieux sociaux variés et originaires des différentes régions de son « empire », tels que son chancelier Jean de Platzheim, issu de la petite noblesse souabe, ou le comte de Schaumberg, un aristocrate autrichien, ou encore le bourgmestre de Vienne Jean de Tirna, membre de la bourgeoisie patricienne[1]. Cette tradition de gouverner avec des hommes issus de milieux et de régions différents devait se maintenir par la suite, y compris et surtout après que les Habsbourg se furent retrouvés à la tête du Saint Empire puis de l'Empire d'Autriche.

Dans l'immédiat, Rodolphe IV entendit donner à l'Autriche et à ses dépendances un statut privilégié au sein de l'Empire. À cet effet, il fit, en 1359, fabriquer par sa chancellerie une série de documents attribués à plusieurs empereurs et qui donnaient à l'Autriche une situation particulière et privilégiée dans le Saint Empire. L'ensemble de ces faux forme le *privilegium majus* et complète le *privilegium* octroyé en son temps par Frédéric Barberousse. L'Autriche s'affirmait ainsi comme indépendante de fait du roi de Germanie ; ses ducs avaient le droit de porter les attributs de la souveraineté, c'est-à-dire la couronne et le sceptre, ainsi que le titre d'archiduc (*Erzherzog*) — c'est-à-dire « premier des ducs » —, un titre que s'empressa de prendre Rodolphe IV même si ses successeurs s'en abstinrent jusqu'au XVe siècle. D'après le prétendu *privilegium majus*, le duché d'Autriche et ses dépendances formaient un ensemble indivisible dont la succession était assurée par primogéniture avec, en l'absence d'héritiers mâles, la possibilité pour les femmes d'assurer la continuité de la Maison. Enfin, la contribution de l'Autriche à l'armée impériale était réduite à sa plus simple expression, douze hommes pour un mois en cas de guerre contre la Hongrie. Le texte du *privilegium majus* fut envoyé à l'empereur Charles IV qui en contesta plusieurs points sans le rejeter formellement. Mais il faudra attendre le règne de Frédéric III — un Habsbourg — pour que ce document soit ratifié[2].

Même si le *privilegium majus* était un faux fabriqué de toutes pièces pour les besoins de sa politique, Rodolphe IV en tira avantage. Avec son titre d'archiduc, il se considéra comme l'égal des

1. J. Bérenger, *Histoire de l'Empire des Habsbourg*, *op. cit.*, p. 68-69.
2. E. Zöllner, *Histoire de l'Autriche des origines à nos jours*, *op. cit.*, p. 138-139.

princes électeurs et ses sujets le reconnurent comme tel ; il n'hésita pas à qualifier l'Autriche de « cœur et bouclier de l'Empire ».

Les relations parfois tendues entre Rodolphe IV et l'empereur Charles IV n'empêchèrent pas un rapprochement entre la Maison de Habsbourg et celle des Luxembourg. En 1353 déjà, du vivant de son père, Rodolphe avait épousé la fille de Charles IV, Catherine, devenant ainsi le gendre de l'empereur ; par la suite, plusieurs accords bilatéraux de succession furent conclus entre Rodolphe IV et son beau-père, qui prévoyaient la possibilité d'une union de l'Autriche et de la Bohême dans le futur, et même de la Hongrie, car Rodolphe IV avait passé un accord identique avec le roi de Hongrie Louis d'Anjou[1]. Mais chacune des parties signataires, l'empereur, le duc d'Autriche et le roi de Hongrie, espérait réaliser au profit de sa propre Maison la constitution de ce vaste empire.

C'est en accord avec l'empereur Charles IV que l'« archiduc » Rodolphe IV put s'assurer la possession du Tyrol. Dans un document officiellement daté du 2 septembre 1359, Marguerite du Tyrol s'était engagée à abandonner le Tyrol aux Habsbourg au cas où son mari et son fils Meinhart mourraient sans héritier. Louis le Brandebourgeois mourut en 1362. Rodolphe IV profita de la mort de Meinhart, en janvier 1363, pour occuper aussitôt le Tyrol avec l'accord de la noblesse, des villes et des évêques de Brixen[2] qui firent aussitôt acte d'allégeance au duc d'Autriche. Il fut décidé dans un premier temps que Marguerite continuerait à gouverner le Tyrol au nom de Rodolphe IV, mais, dès octobre 1363, elle renonça à cette charge et se retira en Basse-Autriche. Les Wittelsbach tentèrent de récupérer le territoire, mais l'empereur, hostile à tout renforcement de la puissance bavaroise, préféra voir le Tyrol sous le contrôle des Habsbourg. En février 1364, Charles IV inféoda le Tyrol dans sa totalité à Rodolphe IV[3]. Avec la possession du Tyrol, les Habsbourg s'assuraient du contrôle de la route du Brenner, un axe commercial reliant l'Allemagne du Sud à l'Italie du Nord et à Venise, d'accès relativement facile et de plus en plus fréquenté par les marchands en raison du développement économique de Nuremberg et des villes souabes. La mainmise sur cette voie transalpine compensait la perte récente du contrôle de la route du Gothard, désormais aux mains des Confédérés suisses.

1. B. Hóman et Gy. Szekfü, *Magyar történet*, *op. cit.*, t. II, p. 216-217.
2. Aujourd'hui Brissago, dans la région autonome italienne du Haut-Adige.
3. E. Zöllner, *Histoire de l'Autriche des origines à nos jours*, *op. cit.*, p. 140.

Rodolphe IV eut à cœur également de donner à ses États une meilleure administration. Les ressources minières des provinces alpines lui assuraient de substantiels revenus qu'il compléta par la mise en place d'un nouveau système fiscal, mettant fin au régime d'exemption dont avaient bénéficié jusque-là le clergé et la noblesse. Outre les péages et les taxes sur les marchandises qui franchissaient les Alpes, Rodolphe IV créa de nouveaux impôts indirects, notamment sur les principales boissons. Grâce à lui, l'Autriche fut mieux administrée et disposa de ressources financières accrues.

Le duc, ou plutôt l'archiduc d'Autriche, aurait voulu faire de Vienne, sa résidence favorite, une capitale capable de rivaliser avec Prague, la ville qui, depuis Charles IV, s'affirmait comme la véritable capitale du Saint Empire. Pour repeupler Vienne dont la population avait été décimée par la grande peste, Rodolphe IV encouragea par des exonérations fiscales l'installation de nouveaux habitants, venus pour la plupart des régions rurales de la Basse-Autriche. Pour rehausser le prestige de la ville, il y fonda en 1365 une université, incomplète certes puisqu'il fallut attendre jusqu'en 1384 pour qu'elle disposât d'une faculté de théologie, ce qui faisait de Vienne une ville universitaire comme l'était déjà Prague depuis 1348. Le duc aurait voulu également que Vienne soit émancipée de la tutelle religieuse de l'évêché de Passau, mais il ne put obtenir du pape la création d'un évêché dans sa capitale. Ce refus ne l'empêcha pas d'entreprendre l'agrandissement de l'église Saint-Étienne, mais les travaux ne seront achevés que bien plus tard, justement au moment précis où Vienne deviendra enfin ville épiscopale [1].

Le court règne de Rodolphe IV — sept ans — marqua une nouvelle étape dans l'ascension des Habsbourg. Lorsque « le Fondateur » mourut à Milan, le 27 juillet 1365, alors qu'il n'avait que vingt-cinq ans, l'assise territoriale des Habsbourg s'était à la fois consolidée et étendue. Les Habsbourg avaient pris place au sein de ce petit groupe de familles princières qui, avec les Luxembourg et les Wittelsbach, occupaient une position dominante à la tête du Saint Empire.

1. J.-P. Bled, *Histoire de Vienne*, *op. cit.*, p. 24.

Expansion territoriale et partages du patrimoine familial

Peu avant sa mort, en novembre 1364, Rodolphe IV avait pris un certain nombre de dispositions en vue de sa succession. Pour maintenir l'unité du patrimoine, il avait décidé que ses deux jeunes frères survivants, Albert et Léopold, âgés respectivement de quinze et de quatorze ans, gouverneraient en commun, mais que l'aîné Albert jouirait de prérogatives supplémentaires.

Pendant un certain temps, la bonne entente entre Albert III (1365-1395) et son cadet Léopold III (1365-1386) permit aux Habsbourg d'étendre leurs possessions. L'alliance avec Charles IV leur permit de tenir tête à la Bavière alliée au roi de Hongrie : lors de la paix de Schärding, en 1369, la Bavière renonça définitivement au Tyrol mais reçut en contrepartie un certain nombre de territoires situés sur la rive droite de la basse vallée de l'Inn avec les villes de Schärding et de Rattenberg. L'expansion territoriale des Habsbourg qui marqua les premières années du règne d'Albert III et de Léopold III se fit dans deux directions. A l'ouest, l'objectif était d'assurer la continuité territoriale entre le Tyrol et les domaines ancestraux d'Alsace et de Suisse ; au sud-est, il s'agissait d'atteindre la côte adriatique. Du côté occidental, dès 1368, les Habsbourg placèrent sous leur autorité la ville de Fribourg-en-Brisgau dont les habitants, en conflit avec leur comte, s'étaient placés sous leur protection : l'empereur Charles IV confirma cette nouvelle situation en investissant les Habsbourg du landgraviat de Brisgau, ce qui renforçait considérablement leur présence en Forêt-Noire. Puis, en 1375, les Habsbourg firent l'acquisition du comté de Feldkirch détenu jusque-là par la famille de Montfort et dont le territoire correspondait à l'actuel *Land* du Voralberg. Il y eut ainsi désormais une continuité territoriale quasi totale entre les domaines ancestraux des Habsbourg et leurs possessions d'Autriche au sens large du terme. En direction du sud-est, les Habsbourg parvinrent peu à peu à récupérer l'héritage des branches cadettes de la Maison de Görz, conformément aux promesses faites autrefois à Rodolphe IV. La marche wende et une partie de l'Istrie intérieure vinrent compléter les possessions habsbourgeoises de Carniole. Peu après, alors que Albert III et Léopold III avaient procédé au partage du patrimoine territorial, ce dernier réussit à s'assurer un double accès à l'Adriatique, d'abord avec la conquête de la seigneurie de Dvino (Tybein) puis, en 1382, avec l'acquisition de la ville de Trieste dont les habitants, soucieux d'échapper à l'impérialisme de Venise, s'étaient placés sous sa protection[1].

L'entente qui avait régné entre Albert III et Léopold III fit place peu à peu à des tensions que les caractères foncièrement différents des deux frères pouvaient expliquer. L'aîné, Albert, était posé et réfléchi, voire timoré, peu enclin à entreprendre des actions risquées. Léopold, au contraire, rêvait de conquêtes et débordait d'ambition. Malgré les dispositions du testament de Rodolphe IV, les deux frères décidèrent, à la demande du cadet, de mettre fin au *condominium* mis en place en 1365. Le traité de Kloster-Neuberg du 25 septembre 1379 régla les conditions du partage. Albert III se vit confier le gouvernement de la plus grande partie de l'Autriche proprement dite — ce qui correspondait à peu de chose près aux actuels *Länder* de Haute et de Basse-Autriche —, à l'exception toutefois de la région de Wiener Neustadt. Léopold III, de son côté, reçut tout le reste, c'est-à-dire les domaines ancestraux d'Alsace, de Forêt-Noire et de Suisse, ainsi que le Tyrol, la Carinthie, la Carniole, la Styrie et les possessions du Frioul et d'Istrie intérieure, sans compter une somme de cent mille florins. En dépit de ce partage du patrimoine familial, des liens furent maintenus entre ce qu'on appellera désormais la branche albertine et la branche léopoldine des Habsbourg ; en cas d'extinction d'une lignée, l'autre rétablira à son profit l'unité du patrimoine, et en cas d'attaque extérieure, les deux branches de la famille devront s'entraider[2]. Cette division devait perdurer pendant près d'un siècle, sans pour autant affaiblir la Maison d'Autriche.

À la fin du XIVe siècle, on aurait pu penser que la division du patrimoine habsbourgeois allait provoquer l'affaiblissement du *dominium Austriae*. Il n'en fut rien. En réalité, les ducs de la lignée albertine tout autant que ceux de la lignée léopoldine eurent à cœur de poursuivre la politique d'expansion inaugurée par Rodolphe Ier de Habsbourg et menée avec persévérance par tous ses successeurs.

Léopold III obtint dans ce domaine des résultats appréciables, notamment en Souabe où il acheta en 1379 à l'empereur Venceslas les bailliages de Haute et de Basse-Souabe, et acquit deux ans plus tard le comté de Hohenberg. En revanche, il n'eut pas la même chance du côté des Confédérés suisses qui, alliés aux villes souabes,

1. E. Zöllner, *Histoire de l'Autriche des origines à nos jours*, *op. cit.*, p. 141-142, et J. Bérenger, *Histoire de l'Empire des Habsbourg*, *op. cit.*, p. 72.

2. E. Zöllner, *Histoire de l'Autriche des origines à nos jours*, *op. cit.*, p. 143.

craignaient un renforcement de la puissance habsbourgeoise et voyaient là une menace pour leur autonomie. Lorsque les Lucernois attaquèrent ses possessions d'Argovie, Léopold III envoya contre eux son armée, mais, le 9 juillet 1386, celle-ci fut battue à Sempach et le duc lui-même trouva la mort au cours de la bataille. La victoire de Sempach renforça le prestige des Confédérés dans le monde helvétique ; bientôt, Zug et Glaris décidèrent à leur tour d'entrer dans la Confédération, comme ils avaient déjà tenté en vain de le faire en 1353. Le chef de la branche albertine voulut rétablir la situation, mais sa tentative échoua. Tout comme son frère, Albert III ne put rien contre les Suisses bien décidés à chasser du pays les « étrangers » ; les gens de Glaris infligèrent à son armée une sévère défaite à Naefels, le 9 avril 1388. Albert III préféra négocier et abandonna par la paix de 1389 toutes les possessions habsbourgeoises de Suisse orientale, ne conservant que l'Argovie et la Thurgovie. Cette paix fut renouvelée une première fois pour vingt ans en 1394, une seconde fois pour cinquante ans en 1412.

La Suisse, qui avait été le point de départ de l'ascension des Habsbourg, leur échappait peu à peu et s'engageait désormais sur la voie de l'indépendance. L'échec d'Albert III en Suisse ne l'empêcha pas de consolider la présence des Habsbourg au Voralberg avec l'achat en 1394 de la seigneurie de Bludenz. Depuis la mort de son frère Léopold à Sempach, Albert III avait reconstitué pour un temps l'unité du patrimoine familial puisque les quatre fils du défunt, Guillaume, Léopold, Ernest et Frédéric, trop jeunes pour régner, furent placés sous sa tutelle.

Lorsque Albert III mourut en 1394, ce fut son fils Albert IV (1394-1404) qui hérita le patrimoine de la branche albertine. À ce moment-là, les deux fils aînés de Léopold III devenus majeurs, Guillaume (1386-1404) et Léopold IV (1386-1411), décidèrent d'administrer en commun l'héritage de la lignée léopoldine. Mais, au nom du maintien de l'unité des biens patrimoniaux des Habsbourg, Guillaume, en tant que doyen d'âge de la famille, manifesta son désir d'exercer un rôle prépondérant dans l'administration des biens familiaux. En 1395, la convention de Hollenburg aboutit à un compromis par lequel Albert IV et Guillaume s'engageaient à gouverner en commun et dans un esprit fraternel l'ensemble du patrimoine familial, avec un partage équitable des revenus. Si Albert IV était le seul représentant de la branche albertine, Guillaume en revanche devait tenir compte des droits et des intérêts de ses trois frères. Le traité de Vienne, en 1396, régla ce problème et l'administration des territoires relevant de la branche léopoldine fut réglée de la façon suivante : Guillaume se réservait la Styrie, la Carinthic, le Frioul et le littoral adriatique, tandis que son frère Léopold IV aurait en charge le Tyrol et les pays de l'Autriche antérieure (*Vorderösterreich*), c'est-à-dire le Voralberg et les possessions habsbourgeoises de Souabe, de Suisse et de Haute-Alsace, chacun des deux frères devant veiller à l'entretien de leurs plus jeunes frères, Guillaume devenant le tuteur d'Ernest et Léopold celui de Frédéric.

Il faut souligner qu'en dépit des partages successifs des biens patrimoniaux, le sens de l'intérêt de chacun des membres de la famille a toujours été présent chez les Habsbourg. Le partage des territoires n'a pas empêché le maintien d'un sentiment d'unité et la recherche d'une cohésion de l'ensemble. À la fin du XIVe siècle, les Habsbourg ont cherché à associer les représentants de leurs sujets à la conduite des affaires. Les Diètes (*Landtage*) furent le principal instrument de cette politique. Elles comprenaient des représentants des Ordres ou États (*Stände*). La première Diète fut convoquée en 1396 par Albert IV pour discuter des mesures à prendre face à la menace que faisait peser la progression des Turcs en Europe orientale ; elle se tint précisément au lendemain de l'échec de la croisade de Nicopolis menée par le roi de Hongrie Sigismond. Bientôt, chacune des provinces (*Landshaft*) dépendant des Habsbourg eut sa Diète au sein de laquelle siégeaient les seigneurs (*Herren*), c'est-à-dire la haute noblesse, les chevaliers (*Ritter*), représentant la petite noblesse et les vassaux, le clergé — en fait le haut clergé et les abbés des grandes abbayes ducales — et le « quatrième ordre », celui des villes libres. Par la suite, au Tyrol, les paysans y furent représentés[1]. Ces Diètes, d'abord réunies seulement en de rares occasions, furent de plus en plus fréquemment convoquées ; on y discutait des impôts, de la levée des troupes en cas de guerre, des mesures à prendre pour le maintien de la paix civile, et on y entérinait les accords dynastiques[2]. Ce fut le point de départ d'une tradition de collaboration entre les princes et les « États » qui devait se perpétuer à travers les siècles et qui assurait aux différentes provinces et à leurs habitants le respect de leur particularisme et un certain degré d'autonomie. C'est ce système des Diètes provinciales

1. J. Bérenger, *Histoire de l'Autriche*, *op. cit.*, p. 15-16.
2. E. Zöllner, *Histoire de l'Autriche des origines à nos jours*, *op. cit.*, p. 146.

qui permit plus tard, lorsque les Habsbourg furent à la tête d'un empire multinational, d'assurer une cohabitation pacifique entre les différentes nationalités dont les représentants avaient, dans le cadre de la Diète, la possibilité de se faire entendre.

Les Habsbourg et les Luxembourg face aux crises du début du XVe siècle

Dans les toutes premières années du XVe siècle, les Habsbourg se trouvent impliqués dans les conflits successoraux qui divisent la famille des Luxembourg et qui viennent s'ajouter aux difficultés liées aux partages successifs de leurs biens patrimoniaux.

La mort, en 1378, de l'empereur Charles IV dont le règne symbolise la puissance de la Maison de Luxembourg fut suivie en Bohême d'une longue période de troubles politiques et sociaux auxquels vint s'ajouter une grave crise religieuse débouchant sur une nouvelle guerre de religion. Le fils aîné de Charles IV, Venceslas IV (1378-1419), succéda à son père sur le trône de Bohême après avoir été élu « roi des Romains » en 1376, du vivant de celui-ci. Le fils cadet Sigismond reçut en héritage le margraviat de Brandebourg qu'il devait conserver jusqu'en 1415, date à laquelle il en fit don à Frédéric de Hohenzollern ; entre-temps, il s'était fait élire, en 1387, roi de Hongrie [1]. Aux prises avec la noblesse et l'Église de Bohême, Venceslas, en 1402-1403, entra en conflit avec Sigismond qui le fit prisonnier et le confia à la garde des ducs d'Autriche Albert IV et Guillaume, ses alliés. C'est d'ailleurs au cours d'une campagne contre Venceslas pour le compte de Sigismond qu'Albert IV, victime de la dysenterie, mourut ; il n'avait que vingt-huit ans et laissait un enfant en bas âge, Albert V — le futur empereur Albert II —, qui fut aussitôt placé sous la tutelle de ses oncles Guillaume et Léopold IV.

Lorsque Guillaume mourut à son tour en 1406, on mit en place une nouvelle organisation de la tutelle d'Albert V, en accord avec la Diète. À ce moment-là, la Maison de Habsbourg était représentée du côté des albertins par le jeune Albert V (1404-1439) et du côté des léopoldins par les trois frères du défunt Guillaume, Léopold IV (1386-1411) et ses deux cadets devenus majeurs, Ernest (1406-1424) et Frédéric IV (1406-1439). On procéda à cette occasion à

1. P. Belina, P. Cornej et J. Pokorny, *Histoire des pays tchèques*, *op. cit.*, p. 90 et suiv.

un nouveau partage du patrimoine familial. Léopold IV, en tant que doyen de la famille, fut largement avantagé ; il eut en charge la Carinthie, la Carniole, le Frioul et le littoral adriatique, mais également l'Autriche proprement dite qu'il devait administrer au nom de son pupille Albert V jusqu'en 1411, date à laquelle celui-ci serait majeur. De son côté, Ernest reçut la Styrie tandis que le Tyrol et les pays antérieurs allaient à Frédéric IV.

Ernest et Léopold se disputèrent aussitôt la possession de Vienne, le premier avec le soutien de l'aristocratie et du patriciat de la capitale mené par le bourgmestre Conrad Vorlauf, le second trouvant appui auprès des chevaliers et des classes populaires. Lorsque Léopold IV reprit le contrôle de Vienne, il se livra à de cruelles représailles sur les partisans de son frère : le bourgmestre Vorlauf et deux de ses conseillers furent décapités et leurs biens confisqués. L'intervention de la Diète, en 1411, pour mettre fin à la minorité d'Albert V et la mort de Léopold IV furent suivies d'un nouveau partage. Albert V conservait l'Autriche proprement dite, qualifiée souvent de *Basse-Autriche*, par opposition à l'*Autriche intérieure* — la Carinthie, la Styrie, la Carniole et les possessions adriatiques — qui fut attribuée à Ernest, tandis que Frédéric IV conservait ce qu'il avait déjà obtenu en 1406, le Tyrol et l'*Autriche antérieure*.

Ce nouveau partage n'apporta pas la paix dans le *dominium Austriae*. Dans les territoires attribués à Frédéric IV, les paysans du Voralberg se soulevèrent, tandis que la noblesse du Tyrol, avec le soutien d'Ernest, réclamait de nouveaux privilèges. Confronté à ces difficultés, Frédéric IV commit l'imprudence de soutenir l'antipape Jean XXII, au moment même où le concile réuni à Constance s'efforçait de mettre fin au Grand Schisme. L'empereur Sigismond, élu en 1411 après la destitution de son frère Venceslas, condamna l'initiative de Frédéric IV qui fut mis au ban de l'Empire. Les Suisses en profitèrent pour rompre la paix qui venait d'être renouvelée en 1412. L'empereur Sigismond les autorisa à s'emparer des possessions suisses encore détenues par Frédéric IV. L'Argovie, avec le château de Habsbourg, le berceau de la famille, tomba ainsi aux mains des Confédérés. La plus grande partie de l'Argovie alla aux Bernois qui avaient joué un rôle essentiel lors de la campagne contre Frédéric IV, le reste formant avec les comtés de Kyburg et de Lenzbourg un ensemble de bailliages administrés en commun par les Confédérés [1]. Ainsi, les Habsbourg avaient perdu l'essentiel

1. J.-P. Bergier, *Guillaume Tell*, *op. cit.*, p. 392 et suiv.

de leurs possessions helvétiques à l'exception de la Thurgovie ! Frédéric IV tenta de justifier sa conduite en se rendant à Constance. L'empereur Sigismond le fit aussitôt arrêter, mais, au bout de quelques mois, Frédéric IV parvint à s'échapper et trouva refuge au Tyrol. En 1418 cependant, l'empereur et Frédéric IV se réconcilièrent ; Frédéric IV récupérait ses biens à l'exception des territoires conquis par les Confédérés, mais, au Tyrol, la noblesse continuait la lutte. Frédéric IV n'en viendra à bout qu'en 1426, grâce à l'appui des villes et des communautés rurales qui obtinrent en récompense le droit d'être représentées à la Diète. En 1424, la mort d'Ernest — qui en plusieurs occasions avait soutenu les adversaires de son frère — renforça la position de Frédéric IV car c'est à lui que fut confiée la tutelle des fils du défunt, Frédéric V et Albert VI, ainsi que l'administration de leur héritage.

Le monde autrichien n'était pas la seule région d'Europe centrale à connaître des troubles. Les États de la Maison de Luxembourg connaissaient eux aussi de graves difficultés. Tout d'abord, il y avait les séquelles du conflit entre les fils de Charles IV, Venceslas IV et Sigismond, qui tourna au profit de ce dernier puisque Sigismond remplaça son frère en 1411 comme empereur. Mais surtout, la Bohême était confrontée à une grave crise religieuse que la prédication de Jean Hus, à partir de 1402, devait exaspérer. En réclamant une Église plus proche du peuple, Jean Hus et son entourage, notamment Jérôme de Prague, devinrent rapidement suspects aux yeux de l'Église et du pouvoir politique. Une grande partie de la population de Bohême adhéra aux idées hussites. Convoqué à Constance pour s'expliquer devant le concile, Jean Hus, malgré un sauf-conduit impérial, fut condamné au bûcher comme hérétique et exécuté le 6 juillet 1415 ; l'année suivante, ce fut au tour de son plus fidèle disciple, Jérôme de Prague, de périr sur le bûcher. La mort de ceux qui furent désormais considérés en Bohême comme des martyrs de la foi fut suivie par une véritable guerre civile opposant catholiques orthodoxes, hussites modérés et hussites radicaux [1]. À la mort de Venceslas IV, en 1419, les hussites refusèrent de reconnaître Sigismond, héritier du défunt mais considéré comme le responsable de la mort de Jean Hus. C'est par les armes que

1. P. Belina, P. Cornej et J. Pokorny, *Histoire des pays tchèques*, *op. cit.*, p. 115 et suiv.

Sigismond dut reconquérir le trône de Bohême, et il fut aidé dans cette « croisade » par Albert V d'Autriche.

Le chef de la lignée albertine, qui avait repris la politique matrimoniale des premiers Habsbourg, avait épousé en 1422 Élisabeth, la fille et héritière de l'empereur Sigismond, ce qui dans l'immédiat l'impliqua directement dans les guerres hussites au côté de son beau-père, mais ce qui à plus long terme le plaçait en position d'héritier du patrimoine de la Maison de Luxembourg. À plusieurs reprises, Albert V combattit les armées hussites, notamment en 1423 lors d'une campagne en Moravie qu'il avait reçue en fief de l'empereur, mais aussi en Basse-Autriche même où, de 1425 à 1431, les hussites firent des incursions meurtrières. L'accord des *Compactata* conclu à Iglau [1] en juillet 1436 ramena un début de paix civile en Bohême et permit à Sigismond d'être reconnu comme roi de Bohême, mais tout était loin d'être réglé [2].

Albert V, maître éphémère de l'Europe centrale

La mort de Sigismond, le 9 décembre 1437, rendit vacants les trônes de Bohême et de Hongrie, ainsi que celui du Saint Empire. Le duc d'Autriche Albert V, de par son mariage avec la fille de l'empereur Sigismond, se trouvait être le plus proche héritier du défunt. Conformément aux vœux de Sigismond, la Diète de Hongrie désigna sans difficulté Albert d'Autriche comme roi de Hongrie sous le nom d'Albert Ier, dès janvier 1438 ; il est vrai qu'Albert n'était pas un inconnu en Hongrie puisqu'il y représentait son beau-père depuis près de dix ans [3]. Peu après, le 6 mai 1438, les catholiques et les hussites modérés désignaient Albert comme roi de Bohême et le faisaient couronner à Prague le 29 juin suivant, mais les hussites radicaux de Bohême orientale et les taborites refusèrent de le reconnaître et se prononcèrent en faveur du prince Casimir de Pologne [4]. Entre-temps, en mars 1438, le Collège impérial réuni à Francfort avait désigné Albert de Habsbourg pour succéder à son beau-père. Le duc d'Autriche réunissait ainsi sur sa tête la couronne impériale et les couronnes de Bohême et de Hongrie. Pour la première fois depuis 1308, un Habsbourg se retrouvait à la tête du

1. Aujourd'hui Jihlava, en République tchèque.
2. P. Belina, P. Cornej et J. Pokorny, *Histoire des pays tchèques*, *op. cit.*, p. 137-138.
3. B. Hóman et Gy. Szekfü, *Magyar történet*, *op. cit.*, t. II, p. 404 et suiv.
4. P. Belina, P. Cornej et J. Pokorny, *ibid.*, p. 139.

Saint Empire, mais c'était aussi la première fois que la Bohême et la Hongrie avaient à leur tête un souverain issu de cette famille. La tâche qui attendait l'empereur Albert II était lourde à assumer, car un danger menaçait l'Europe centrale : la pression ottomane se faisait sentir chaque jour davantage aux frontières orientale et méridionale de la Hongrie. Le court règne d'Albert II fut consacré à la lutte contre les Turcs qui, au cours de l'été 1438, avaient dévasté la Transylvanie. C'est au retour d'une campagne contre les Turcs, d'ailleurs, qu'Albert II mourut, en terre hongroise, le 27 octobre 1439.

Avec Albert de Habsbourg se dessine la nouvelle géographie politique de l'espace danubien telle qu'elle va définitivement se mettre en place moins d'un siècle plus tard et qui repose sur l'union de l'Autriche, de la Bohême et de la Hongrie sous le sceptre des Habsbourg. Mais avec lui, c'est aussi l'installation définitive des Habsbourg sur le trône du Saint Empire.

4

Frédéric III, le Louis XI autrichien

Toute comparaison en histoire est souvent artificielle et hasardeuse. Mais on ne saurait nier cependant qu'entre l'empereur, roi de Germanie et archiduc d'Autriche, Frédéric III, et le roi de France Louis XI il existe, *mutatis mutandis*, certaines analogies. D'abord, ces deux monarques ont vécu sensiblement à la même époque et leurs intérêts souvent divergents se sont heurtés. Ensuite, Frédéric III comme Louis XI était dévoré, par l'ambition, mais ils n'ont disposé l'un et l'autre que de moyens limités, en particulier sur le plan financier, ce qui explique sans doute l'avarice qu'ils avaient en commun, comme le remarquait alors le chroniqueur Philippe de Commynes. Outre les conflits qui les ont opposés à certains membres de leur famille et à leurs sujets pressurés par la fiscalité, ils ont dû tous deux faire face à des adversaires extérieurs de poids, Philippe le Bon et Charles le Téméraire pour Louis XI, Georges de Podebrady et Mathias Corvin dans le cas de Frédéric III ; par ailleurs, la mort du Téméraire en 1477, adversaire de toujours du roi de France mais aussi beau-père du fils de Frédéric III, a été à l'origine d'un long conflit qui a opposé les Maisons de France et d'Autriche, d'autant plus que Frédéric III et Louis XI ont toujours eu pour objectif le renforcement de la puissance de leurs États respectifs. Ces similitudes n'effacent pas cependant tout ce qui les séparait. Alors que Louis XI régnait sur un royaume homogène et en cours d'unification, Frédéric III étendait son autorité sur un ensemble dispersé de territoires ayant chacun leurs privilèges et leurs traditions particuliers.

Frédéric III et l'héritage albertin

Le 2 février 1440, le collège des princes électeurs choisit pour succéder à Albert II un autre Habsbourg, son cousin Frédéric de Styrie qui régna désormais comme roi de Germanie sous le nom de Frédéric III. Le nouveau souverain, élu « contre sa volonté » comme l'affirma par la suite son conseiller Sylvius Aeneas Piccolomini — le futur pape Pie II —, mais dont l'élection avait été appuyée par le pape Eugène IV, était le chef de la branche léopoldine des Habsbourg. Il avait succédé en 1424 à son père Ernest « de Fer » ou « le Fort » et régnait déjà sous le nom de Frédéric V sur la Styrie, la Carinthie, la Carniole et leurs dépendances. Il était maintenant roi de Germanie, avant de recevoir en 1452 le titre d'empereur à l'issue du couronnement à Saint-Pierre de Rome. Frédéric III fut d'ailleurs le dernier empereur qui se rendit à Rome pour le couronnement. Désormais, le trône de ce que l'on appelle de plus en plus fréquemment dans les textes le « Saint Empire de la nation germanique » — *Heiliges römisches Reich der deutscher Nation* — fut constamment occupé par un membre de la Maison de Habsbourg, à l'exception du court règne du Wittelsbach Charles VII de 1742 à 1745[1]. Cette continuité dynastique était considérée déjà à l'époque comme un avantage pour le bien public[2].

En tant que doyen de la Maison de Habsbourg, c'est à Frédéric III que revint la gestion de l'héritage de la branche albertine dont l'unique représentant était Ladislas le Posthume, né quelques mois seulement après la mort de son père Albert II. Cet héritage se composait de deux parties bien distinctes, la Basse-Autriche et les royaumes de Bohême et de Hongrie. La tutelle de Ladislas le Posthume, s'ajoutant à celle du jeune Sigismond de Tyrol dont le père Frédéric IV était mort en 1439, détourna Frédéric III des affaires allemandes pendant un certain temps et l'amena à concentrer toute son attention sur les pays danubiens.

En Bohême, à la mort d'Albert II, le jeune Ladislas avait été reconnu roi sous le nom de Ladislas Ier, mais cette reconnaissance n'avait aucune portée pratique. Les seigneurs du royaume, tant catholiques que hussites, avaient même songé à offrir la couronne au duc Albert de Bavière, plus apte, selon eux, à défendre les

1. E. Zöllner, *Histoire de l'Autriche des origines à nos jours*, *op. cit.*, p. 152.
2. V. L. Tapié, *Monarchie et peuples du Danube*, Paris, 1969, p. 60-61.

intérêts du pays qu'un enfant en bas âge. Le refus d'Albert sauvegarda les droits de Ladislas. En fait, le pays fut livré aux *Landfryd*, associations politico-militaires qui se partagèrent l'administration du royaume ; la plus puissante de ces organisations était celle dite des *Orphelins* à la tête de laquelle se trouvait Georges de Podebrady, un seigneur hussite très attaché au respect des *Compactata*. En l'absence du jeune roi retenu auprès de Frédéric III, Georges de Podebrady qui avait pris le contrôle de Prague en 1448 fut le véritable maître de la Bohême avec le titre d'« administrateur territorial », même après le retour de Ladislas Ier en 1453 [1].

En Hongrie, tout comme en Bohême, l'autorité de Frédéric III ne fut pas reconnue. Ici, la situation était quelque peu différente dans la mesure où, à la mort d'Albert II, sa veuve Élisabeth de Luxembourg se trouvait sur place et c'est là, à Komárom [2], qu'elle donna le jour à Ladislas le Posthume. Mais, avant même la naissance de l'enfant, la Diète hongroise avait offert le trône au roi de Pologne Wladislas III qui devait régner en Hongrie sous le nom de Vladislas Ier (1440-1444). On songea même à marier Élisabeth à Vladislas Ier, ce dernier devant reconnaître pour successeur et héritier le jeune Ladislas. La reine Élisabeth sembla accepter ce projet puis se ravisa et, le 15 mai 1440, elle fit couronner son jeune fils sous le nom de Ladislas V : l'archevêque d'Esztergom, Denis Szécsi, le ceignit de la Sainte Couronne [3]. Ainsi y avait-il deux rois de Hongrie. La Diète refusa de reconnaître la validité de ce couronnement, car il avait été fait sans son accord. Dans une décision du 17 juillet 1440, la Diète justifiait ainsi sa prise de position : « Le couronnement des rois dépend toujours de la volonté de la population du pays, et l'efficacité de la force de la couronne dépend de son consentement », et de rappeler que « la source primordiale et le possesseur effectif du pouvoir public est la nation, laquelle transfère volontairement ce pouvoir à la Sainte Couronne, insigne vénéré du caractère public du pouvoir royal par l'intermédiaire duquel ce pouvoir est transféré à la personne du roi ». Cet acte de

1. P. Belina, P. Cornej et J. Pokorny, *Histoire des pays tchèques*, *op. cit.*, p. 139-141.

2. Aujourd'hui Komarno (Slovaquie).

3. D. Sinor, *History of Hungary*, London, 1959, p. 110. La Sainte Couronne, formée de deux parties, l'une envoyée au roi Étienne Ier en l'an 1000 par le pape Sylvestre II, l'autre offerte en 1072 au prince Geza par l'empereur de Byzance Michel Doukas, est considérée en Hongrie comme le symbole de la puissance publique.

la Diète hongroise constitue la première formulation de ce que l'on appelle la « doctrine de la Sainte Couronne » qui devait être la pierre angulaire du droit public hongrois jusqu'en 1945 [1] ; il permet de mieux comprendre la situation particulière de la Hongrie au sein de l'Empire des Habsbourg à partir du XVIe siècle, même après que la couronne fut devenue héréditaire dans la Maison de Habsbourg [2].

La Diète de 1440 décida aussi que Vladislas Ier serait couronné avec une autre couronne, car la reine Élisabeth, afin d'empêcher l'accession au trône du roi polonais, avait fait enlever du château de Visegrad la Sainte Couronne puis l'avait emmenée en Autriche où elle se réfugia auprès de Frédéric III avec le jeune Ladislas. Malgré les protestations d'Élisabeth au nom des droits légitimes de son jeune fils, la Diète maintint sa confiance à Vladislas Ier qui fut couronné le 17 juillet ; elle comptait sur lui pour faire face aux attaques incessantes des Turcs aux confins du pays. Par la suite, la reine Élisabeth se résigna à accepter cette situation et s'entendit en décembre 1442 avec Vladislas Ier pour sauvegarder les droits au trône de son fils, ce qui n'empêcha pas Frédéric III de financer le recrutement de mercenaires tchèques qui, sous la direction d'un *condottiere* du nom de Giskra, prirent le contrôle de certains comtés du nord de la Hongrie.

Le danger turc se confirmait. Au moment où Vladislas Ier s'apprêtait à partir en campagne dans les Balkans, la Diète réaffirma qu'au cas où le roi trouverait la mort pendant la guerre, elle reconnaîtrait aussitôt Ladislas comme roi, à la condition expresse que Frédéric III restitue la Sainte Couronne.

La campagne de 1443, conduite par un des meilleurs capitaines de l'époque, János (Jean) Hunyadi, avec une armée renforcée de contingents allemands et vénitiens, en liaison avec les Albanais de Skander Beg, permit de remporter des succès non négligeables, ce qui lui valut un immense prestige en Occident, au point que le pape songea même à lui donner le commandement de la future croisade. La campagne de 1444 à laquelle prit part Vladislas Ier fut moins heureuse ; elle s'acheva par la catastrophe de Varna, le 10 novembre ; le roi Vladislas Ier fut tué au cours de la bataille et János Hunyadi, fait prisonnier par le voïvode de Valachie Vlad, réussit à s'échapper puis regagna la Hongrie avec les restes de l'armée.

---

1. Ch. d'Eszlary, *Histoire des institutions publiques hongroises*, t. II, Paris, 1963, p. 9-11, et B. Hóman et Gy. Szekfü, *Magyar történet*, *op. cit.*, t. II, p. 417-418.

2. J. Hankiss, *Lumière de Hongrie*, Budapest, 1931, p. 140-141.

Le trône de Hongrie était à nouveau vacant, même si, au sein de la Diète, d'aucuns estimaient qu'il n'y avait plus d'obstacle juridique à l'accession au trône de Ladislas le Posthume, si ce n'est que celui-ci était retenu en Autriche par son tuteur. Dans l'immédiat, la Diète confia le pouvoir à sept capitaines-généraux dont János Hunyadi. Lors de la Diète de 1446, on songea même à offrir la couronne à Hunyadi, mais celui-ci se prononça clairement en faveur de Ladislas. En l'absence de celui-ci, la Diète se borna à désigner János Hunyadi comme régent. Frédéric III protesta au nom des droits de son pupille ; soutenu par certaines grandes familles de Transdanubie, il fit occuper par ses troupes une partie de la Hongrie occidentale, tandis qu'au nord, les mercenaires de Giskra demeuraient sur place pour le compte de Frédéric III. János Hunyadi riposta en novembre-décembre 1446 en attaquant les possessions de Frédéric III en Styrie et en Carinthie, et ses troupes mirent à sac Wiener Neustadt, l'une des résidences favorites de l'empereur. L'intervention fut brève mais amena Frédéric III à négocier. Un armistice de deux ans fut conclu le 1er juin 1447 : Frédéric III s'engageait à évacuer la ville de Györ et les territoires de Hongrie occidentale qu'il avait occupés ; un accord conclu peu après avec Giskra laissa à celui-ci le contrôle des zones encore tenues par ses troupes au nom du roi Ladislas V [1]. Ces accords étaient peu favorables à la Hongrie, mais Hunyadi était pressé d'en finir car il s'apprêtait à repartir en campagne contre les Turcs.

Le 12 septembre 1448, c'est avec les seules forces hongroises que János Hunyadi franchit le Danube en direction de la Bulgarie. L'expédition se solda par un échec sanglant lors de la bataille de Kosovo Poljé, les 18 et 19 octobre, là même où en 1389, les Turcs avaient anéanti la résistance serbe. Tombé aux mains du despote serbe Brankovitch, János Hunyadi fut libéré moyennant une rançon de cent mille florins d'or et d'importantes concessions territoriales [2]. De retour en Hongrie, Hunyadi se trouva en position de faiblesse face à Frédéric III et à ses alliés. La trêve de deux ans venait bientôt à expiration. De nouvelles négociations furent engagées. Un compromis fut signé le 22 octobre 1450, aux termes duquel le « roi » Ladislas V resterait en Autriche sous la tutelle de Frédéric III jusqu'à ce qu'il ait atteint l'âge de dix-huit ans ; en attendant, János Hunyadi continuerait à exercer la régence du royaume, tandis

1. D. Sinor, *History of Hungary*, *op. cit.*, p. 113-115.
2. B. Hóman et Gy. Szekfü, *Magyar törtenet*, *op. cit.*, t. II, p. 439-440.

que Frédéric III conserverait la garde de la Sainte Couronne et les forteresses et territoires encore occupés par ses troupes en Hongrie[1].

La situation n'allait pas tarder à se modifier radicalement, car, dans les possessions albertines d'Autriche, les assemblées d'États, tant en Haute et Basse-Autriche qu'en Bohême, exigèrent de Frédéric III qu'il libère son pupille. Les assemblées d'États d'Autriche se tournèrent vers János Hunyadi et Georges de Podebrady pour qu'ils soutiennent leur action. Réunies à Vienne à l'automne 1451, elles renouvelèrent leurs demandes et formèrent un gouvernement de douze membres avec à leur tête un capitaine général, Ulrich Eizing, qui avait été autrefois au service d'Albert II. Ce qui n'empêcha pas Frédéric III de partir pour Rome le 21 décembre afin de s'y faire couronner empereur. Frédéric III avait emmené avec lui le jeune roi Ladislas, ce qui provoqua la colère des États. Pendant que Frédéric III se dirigeait vers Rome où il allait épouser Éléonore, la fille du roi Alphonse de Portugal, avant d'être couronné empereur le 16 mars 1452 par le pape Nicolas V, les assemblées d'États d'Autriche auxquelles s'étaient joints un certain nombre de seigneurs tchèques et moraves et des représentants de la Croatie tinrent à Vienne une réunion commune, le 7 mars, et votèrent une résolution exigeant de Frédéric III qu'il libère le jeune Ladislas, qu'il restitue à la Hongrie la Sainte Couronne et qu'il libère les territoires indûment occupés par ses troupes. Les États autrichiens marquaient ainsi leur volonté d'associer la Hongrie à leur démarche.

À son retour en Autriche à la fin du printemps 1452, Frédéric III trouva le pays en pleine insurrection. A peine installé au château de Wiener Neustadt, l'empereur fut assiégé dès le 20 juin par une puissante armée formée d'Autrichiens et de Tchèques. Au même moment, la Diète hongroise assurait les États autrichiens de son total soutien. Frédéric III céda et, le 1er septembre, il se résolut enfin à libérer Ladislas et le remit à son oncle Ulrich de Celje, mais il conserva la Sainte Couronne. Libéré, le jeune Ladislas le Posthume se rendit à Vienne où la population l'accueillit avec enthousiasme. Là, il reçut une délégation de la Diète hongroise et lui fit part de son intention de réunir la Diète à Vienne. La Diète qui s'ouvrit à la mi-novembre reconnut Ladislas V comme roi de Hongrie par droit héréditaire, puis elle se transporta à quelques lieues

1. B. Hóman et Gy. Szekfü, *Magyar törtenet*, *op. cit.*, p. 443, et Ch. d'Eszlary, *Histoire des institutions publiques hongroises*, *op. cit.*, t. II, p. 34.

de là en terre hongroise, à Presbourg, où l'on procéda à un nouveau couronnement, après que le roi se fut engagé par serment, le 6 février 1453, à respecter la liberté et les droits anciens de la population, comme l'avaient fait avant lui son père Albert II et son grand-père Sigismond[1]. Aussitôt achevée la cérémonie, Ladislas V regagna Vienne. Peu après, les États de Bohême effectuèrent une démarche analogue auprès de Ladislas et le reconnurent officiellement comme roi sous le nom de Ladislas Ier ; le 28 octobre 1453, Ladislas Ier fut couronné avec le faste habituel dans la cathédrale Saint-Guy de Prague.

Ainsi, l'héritage albertin avait échappé à l'empereur Frédéric III au moment précisément où la dignité impériale venait de lui être conférée. Le vaste ensemble territorial constitué à l'époque d'Albert II avait volé en éclats. Certes un Habsbourg, en la personne de Ladislas le Posthume, règne sur la Bohême, sur la Hongrie et sur la Basse-Autriche, mais il n'exerce qu'un pouvoir formel. En Bohême, c'est Georges de Podebrady qui gouverne effectivement et qui veille au strict respect des droits des hussites que pourrait éventuellement remettre en cause le roi catholique. En Hongrie, c'est János Hunyadi, nommé par Ladislas V « capitaine-général du royaume et administrateur du Trésor royal », qui exerce d'autant plus facilement le pouvoir que le roi réside à Vienne, et plus souvent encore à Prague, et que la menace turque devient chaque jour plus pressante.

La prise de Constantinople le 23 mai 1453 avait causé une extrême émotion dans tout l'Occident chrétien. Mais les souverains occidentaux, hormis Philippe le Bon, le duc de Bourgogne, sont restés indifférents à l'appel à la croisade lancé par le pape. Frédéric III a refusé de s'engager[2]. János Hunyadi fut le seul qui répondit d'une façon concrète au nouvel appel à la croisade lancé par le pape Callixte III et à son envoyé, le franciscain Jean de Capistrano. En janvier 1455, la Diète hongroise chargea Hunyadi de recruter les forces nécessaires. Lorsque, au printemps de l'année suivante, le sultan Mahomet II déclencha les hostilités et vint mettre le siège devant Belgrade, János Hunyadi se porta à sa rencontre et son armée écrasa les assaillants, le 22 juillet 1456. Le héros de Belgrade

1. B. Hóman et Gy. Szekfű, *Magyar történet*, *op. cit.*, t. II, p. 444-447.
2. B. Schnerb, *L'État bourguignon*, Paris, 1999, p. 311.

mourut peu après des suites de la peste[1]. Dès lors, le nom de János Hunyadi fut connu à travers toute l'Europe chrétienne[2].

Le roi Ladislas V, compte tenu du prestige de la famille Hunyadi, ne put faire autrement que de nommer le fils aîné du vainqueur de Belgrade, Ladislas Hunyadi, au poste de capitaine-général occupé jusque-là par son père. Certains dans l'entourage du roi Ladislas V, soutenus sans doute par Frédéric III, acceptèrent mal cette nomination ; peut-être redoutaient-ils, non sans raison, que les Hunyadi ne viennent un jour à revendiquer la couronne détenue jusque-là par les Habsbourg. On accusa Ladislas Hunyadi de comploter contre le roi et, alors qu'il se rendait au château de Buda pour y rencontrer le souverain, Ladislas Hunyadi et son jeune frère Mathias furent arrêtés le 14 mars 1457 : deux jours plus tard, Ladislas Hunyadi était exécuté. L'émotion fut immense en Hongrie ; le beau-frère de János Hunyadi, Michel Szilágyi, prit la tête d'un soulèvement qui obligea Ladislas V à quitter la Hongrie et à se réfugier à Vienne, puis de là à gagner Prague, emmenant avec lui en otage le dernier des survivants de la famille Hunyadi, le jeune Mathias[3].

Le 23 novembre 1457, au moment où il s'apprêtait à épouser Madeleine de France, fille du roi de France Charles VII et sœur du futur Louis XI, Ladislas le Posthume mourut à l'âge de dix-sept ans des suites d'une leucémie. Avec lui s'éteignait la branche albertine de la famille de Habsbourg. En principe, c'est à l'empereur Frédéric III que devait revenir la totalité de l'héritage de Ladislas. En réalité, Frédéric III ne put recueillir — et encore, au prix de nombreuses difficultés — que l'héritage autrichien. La Bohême et la Hongrie lui échappèrent. Dès le 2 mars 1458, en l'hôtel de ville de la vieille ville de Prague, les représentants des États de Bohême choisirent pour roi Georges de Podebrady[4]. En Hongrie, de même, malgré les décisions de la Diète de 1452 qui avait désigné Ladislas V comme roi *héréditaire* et qui avait prévu qu'en l'absence d'héritier direct la couronne reviendrait à Frédéric III, celui-ci fut

1. B. Hóman et Gy. Szekfü, *Magyar történet*, *op. cit.*, t. II, p. 456-458.

2. Pour rappeler le souvenir de la victoire de János Hunyadi sur les Turcs, le pape Callixte III ordonna que dorénavant on sonne l'angélus de midi dans toutes les églises ; à l'origine, cet angélus avait été prévu par Callixte III pour appeler les chrétiens à la croisade.

3. D. Sinor, *History of Hungary*, *op. cit.*, p. 119 et B. Hóman et Gy. Szekfü, *Magyar történet*, *op. cit.*, t. II, p. 462-463.

4. P. Belina, P. Cornej et J. Pokorny, *Histoire des pays tchèques*, *op. cit.*, p. 140-141.

écarté. Le 23 janvier 1458, la Diète élut roi le fils cadet de János Hunyadi, Mathias, alors retenu captif à Prague par Georges de Podebrady qui se résigna à lui rendre la liberté. Frédéric III n'accepta pas la décision de la Diète hongroise. Avec le soutien de Podebrady, il chercha à faire valoir ses droits à la couronne. Le 17 février 1459, un certain nombre de nobles hongrois réunis à Németújvár [1] élirent Frédéric III comme roi de Hongrie et le firent aussitôt couronner. En fait, Frédéric III ne fut pas en mesure de s'opposer au « roi national » Mathias en raison du conflit qui l'opposait à son frère Albert VI à propos de l'héritage autrichien des albertins [2].

La place de l'Autriche dans la politique de Frédéric III

Malgré tout l'intérêt qu'il avait porté à l'héritage albertin en Bohême et en Hongrie, Frédéric III restait profondément attaché à la terre d'Autriche. Il se considérait en effet, en tant que Habsbourg, comme un prince autrichien et l'Autriche, à ses yeux, avait beaucoup plus de prix que l'honorifique dignité impériale.

Dès 1453, à son retour du couronnement impérial à Rome, Frédéric III s'empressa de confirmer en tant qu'empereur le *privilegium majus* dont on se rappelle l'origine plus que douteuse. Par ce privilège, l'Autriche, officiellement promue au rang d'*archiduché*, bénéficiait d'un statut particulier au sein de l'Empire ; elle formait avec ses dépendances un véritable État souverain dont les sujets échappaient à l'autorité des institutions d'Empire.

Après la mort de Ladislas le Posthume, c'est tout naturellement que Frédéric III chercha à compenser ses déboires en Bohême et en Hongrie par l'occupation des possessions albertines d'Autriche. Mais ici, l'empereur devait compter à la fois avec la tradition familiale selon laquelle l'héritage d'un Habsbourg mort sans descendance directe devait être partagé entre ses parents collatéraux, et avec les assemblées d'États dont l'importance n'avait cessé de croître depuis le XIVe siècle. Frédéric III n'était pas le seul à pouvoir prétendre à l'héritage albertin ; il devait prendre en considération les intérêts de son cousin Sigismond, représentant de la branche tyrolienne des Habsbourg, et surtout ceux de son propre frère Albert VI. Les États autrichiens, réunis à Vienne dès l'annonce de

1. Aujourd'hui Güssing, dans le Burgenland autrichien.
2. E. Zöllner, *Histoire de l'Autriche des origines à nos jours*, *op. cit.*, p. 153.

la mort de Ladislas le Posthume, avaient demandé aux trois postulants de s'entendre, faute de quoi l'accès à la capitale leur serait refusé. Albert VI désirait vivement s'installer à Vienne et, pour montrer tout l'intérêt qu'il portait aux Viennois, il avait envoyé au début de 1458 quelques troupes pour mettre fin aux activités des bandes de brigands qui sévissaient dans les environs de la ville. Néanmoins, il ne put obtenir le contrôle de Vienne.

Le compromis négocié sous l'égide des États déboucha sur un partage de l'héritage albertin qui ne correspondait pas aux vœux d'Albert. Celui-ci, en effet, dut se contenter de la Haute-Autriche actuelle, c'est-à-dire des pays situés à l'ouest de l'Enns, tandis que Frédéric III recevait l'Autriche orientale, c'est-à-dire l'actuelle Basse-Autriche, avec Vienne. L'accord précisait en outre que les villes importantes devaient prêter serment de fidélité aux trois Habsbourg simultanément, à savoir Frédéric III, Albert VI, et Sigismond de Tyrol qui recevait un dédommagement financier, faute de se voir attribuer un morceau de l'héritage. Pour Albert VI, la déception était grande, car il estimait que son aîné aurait dû se contenter d'être empereur et lui abandonner l'ensemble de l'archiduché d'Autriche. Aussi chercha-t-il à intriguer contre Frédéric, utilisant à son profit la méfiance des Viennois à l'égard de son frère. Aux yeux des Viennois en effet, Frédéric III était un Styrien, donc un étranger [1], et on se souvenait du conflit qui l'avait opposé aux États en 1452-1453.

Cette querelle familiale n'allait pas tarder à dégénérer en une guerre qui dévasta la Basse-Autriche de 1458 à 1463 et dont les principales victimes furent les populations civiles soumises aux exactions de toutes sortes commises par les mercenaires recrutés par les deux protagonistes. Dans un premier temps, Frédéric III réussit non sans mal à s'imposer en Basse-Autriche, mais le recrutement des mercenaires mit à mal ses finances. Albert VI se décida à passer à l'action. En juin 1461, il envahit avec ses troupes les possessions de son frère et marcha sur Vienne où il pouvait compter sur l'aide du bourgmestre Wolfgang Holzer, un démagogue qui s'appuyait sur le petit peuple victime de la crise monétaire. La garnison impériale empêcha Albert VI de pénétrer dans la ville. Les deux frères négocièrent : Frédéric III s'engagea à laisser à son frère les villes de Basse-Autriche qu'il avait déjà conquises. Estimant la paix revenue, Frédéric III vint s'installer au château de Vienne avec

1. V. L. Tapié, *Monarchie et peuples du Danube*, *op. cit.*, p. 59.

sa femme et son fils Maximilien, alors tout jeune, non sans avoir confirmé dans ses fonctions le bourgmestre Holzer et renvoyé ses troupes en gage de bonne volonté. Cependant, le conflit était loin d'être réglé. Les intrigues d'Albert VI provoquèrent une insurrection populaire à Vienne. L'empereur et sa famille furent bloqués dans leur château pendant deux mois. Un chroniqueur viennois nous relate que le jeune Maximilien souffrait particulièrement de la faim en raison de l'épuisement des réserves. Le tailleur de l'empereur, un certain Kronberger, aidé de son fils alors étudiant, fit passer des vivres à l'intérieur du château. Maximilien n'oubliera pas le geste du jeune homme. Devenu empereur, il l'anoblira et en fera plus tard le burgrave de Vienne.

À l'appel d'un chevalier de Carniole, André Baumkircher, une armée bohême envoyée par Georges de Podebrady vint libérer l'empereur et sa famille. Aussitôt levé le siège du château, l'impératrice Éléonore et le jeune Maximilien quittèrent Vienne et trouvèrent refuge à Wiener Neustadt où vint les rejoindre peu après Frédéric III. Entre-temps, l'empereur avait rencontré Podebrady qui servit de médiateur entre les deux frères : par la convention de Korneubourg, Frédéric III abandonnait à son cadet, pour huit ans, l'ensemble de la Basse-Autriche en échange du versement annuel de quatorze mille ducats d'or. Albert VI put s'installer en vainqueur à Vienne où les corps constitués lui prêtèrent hommage le jour de la Saint-Étienne 1462. La mort d'Albert VI un an plus tard, le 2 décembre 1463, régla le sort de l'archiduché d'Autriche à l'avantage de Frédéric III qui put ainsi réunir sous son autorité l'ensemble du patrimoine des Habsbourg, à l'exception de l'Autriche antérieure sur laquelle régnait Sigismond de Tyrol.

Dès lors, Frédéric III fit de Vienne la capitale des pays autrichiens et sa résidence habituelle, bien que les rapports fussent souvent tendus avec une population et des notables soucieux de préserver une autonomie de plus en plus réduite depuis qu'en 1296 la ville avait perdu son statut d'immédiateté. La ville était administrée par un conseil de dix-huit membres composé à parité de représentants du patriciat, des marchands et des artisans, mais sous le contrôle étroit du pouvoir archiducal. Frédéric III veilla au développement de la capitale. Grâce à ses bonnes relations avec la papauté, il obtint que Vienne fût promue au rang d'évêché, ce qui émancipait la ville de la tutelle de l'évêque de Passau. Les travaux de construction de la cathédrale Saint-Étienne se poursuivirent à un rythme accéléré pour s'achever à la fin du XVe siècle. L'université fréquentée par un nombre croissant d'étudiants devint, grâce aux faveurs de Frédéric III, un haut lieu de l'humanisme centro-européen[1].

Avec Frédéric III, on assiste à la consolidation de l'État autrichien, qui regroupe la Basse-Autriche au sens large du mot, c'est-à-dire l'héritage des Albertins, et l'Autriche intérieure et ses prolongements adriatiques, ce qui lui donne un double accès à la mer avec le port de Trieste, acquis par les Habsbourg à la fin du XIVe siècle, et celui de Fiume[2], acheté en 1471 aux seigneurs de Wallsee et qui portait alors le nom de Sankt Veit am Flaum[3]. Seuls, le Tyrol et l'Autriche antérieure — le berceau de la famille Habsbourg — échappaient à l'autorité de Frédéric III et vivaient leur existence propre sous l'autorité de Sigismond de Tyrol qui, par la suite, en 1490, renonça à ses États en échange d'une substantielle compensation financière. Avec le *privilegium majus*, l'ensemble autrichien ainsi constitué avait tous les attributs d'un État souverain étroitement associé à une dynastie.

Dans l'esprit de Frédéric III — dont les ambitions n'étaient malheureusement pas accompagnées des moyens pour les réaliser —, l'Autriche avait vocation à étendre son influence voire son autorité sur les royaumes voisins de Bohême et de Hongrie, comme cela avait été le cas à l'époque d'Albert II. L'élection de rois nationaux en Bohême avec Georges de Podebrady et en Hongrie avec Mathias Hunyadi Corvin avait éloigné pour un temps la perspective d'un regroupement des États danubiens sous le sceptre des Habsbourg. Mais Frédéric III n'avait pas renoncé à cet objectif. Dès mai 1463, il avait conclu avec Mathias Corvin la paix de Sopron. Ce traité était loin de lui être défavorable, puisqu'il conservait le titre de « roi de Hongrie » — bien qu'il renonçât à en exercer les prérogatives ; par ailleurs, Frédéric III adoptait Mathias comme son fils, tandis que le roi de Hongrie le prenait pour père, et, au cas où Mathias viendrait à mourir sans héritier, le trône de Hongrie reviendrait de droit à Frédéric III. Si l'empereur s'engageait à restituer à la Hongrie la ville de Sopron, il se voyait confier le soin d'administrer un certain nombre de villes de la Hongrie extrême-occidentale dont Köszeg (Güns), Kismarton (Eisenstadt) et Frakknó (Forchtenstein), villes qui politiquement continuaient à faire partie de la Hongrie. La seule concession faite par Frédéric III fut la restitution de

1. J.-P. Bled, *Histoire de Vienne*, *op. cit.*, p. 27-30.
2. Aujourd'hui Rijeka (République de Croatie).
3. E. Zöllner, *Histoire de l'Autriche des origines à nos jours*, *op. cit.*, p. 155.

la Sainte Couronne de Hongrie qu'il détenait depuis 1440, et encore Mathias Corvin dut-il lui verser pour cela la coquette somme de quatre-vingt mille pièces d'or, mais ce fut le prix à payer pour pouvoir se faire couronner en mars 1464 et disposer ainsi d'un pouvoir légitime [1].

Cette réconciliation entre Frédéric III et le roi de Hongrie sembla se confirmer lorsque, en 1468-1469, Mathias Corvin, répondant à l'appel du pape Paul II pour une croisade contre les Hussites, se lança dans une guerre contre Georges de Podebrady au cours de laquelle il conquit la Moravie, la Silésie et les Lusaces et se fit même couronner roi de Bohême à Brünn (Brno) le 13 mai 1469 [2]. Frédéric III soutint l'intervention du roi de Hongrie en Bohême ; en agissant ainsi, d'une part, il se rangeait aux côtés d'un souverain catholique en guerre contre le hussite Podebrady et, d'autre part, il espérait sauvegarder ses droits sur l'héritage éventuel de Mathias Corvin. Mais ces préoccupations essentiellement dynastiques détournaient quelque peu Frédéric III des affaires de l'Empire.

Frédéric III et le Saint Empire

La gestion des problèmes autrichiens avaient en effet éloigné Frédéric III de l'Empire. Résidant le plus souvent en Autriche, l'empereur négligea l'Allemagne. Fut-il pour autant cet « empereur fainéant » dont parle l'historien allemand Joseph Rovan [3] ? Le jugement semble assez sévère, même si sa formulation interpelle. En réalité, l'empereur, en tant que tel, n'avait guère les moyens d'exercer une quelconque autorité dans le Saint Empire. La Bulle d'or de 1356 avait considérablement renforcé le pouvoir des princes électeurs et celui des princes territoriaux. La véritable puissance de l'empereur reposait à la fois sur son patrimoine personnel et sur la bonne volonté des princes territoriaux. Frédéric III, en dépit des apparences, l'avait parfaitement compris et avait passé la première moitié de son long règne — vingt-cinq ans sur cinquante-trois — à rétablir puis à consolider son autorité dans ses États patrimoniaux. C'est ce qui explique son désintérêt apparent pour les choses de l'Empire.

---

1. B. Hóman et Gy. Szekfü, *Magyar történet*, *op. cit.*, t. II, p. 492 et Ch. d'Eszlary, *Histoire des institutions publiques hongroises*, *op. cit.*, t. II, p. 37.
2. D. Sinor, *History of Hungary*, *op. cit.*, p. 125-126.
3. J. Rovan, *Histoire de l'Allemagne des origines à nos jours*, Paris, 1994, p. 220.

Or, tandis que Frédéric III se débattait avec les difficultés quasi permanentes qu'il rencontrait tant du côté de son frère Albert que du côté de ses sujets toujours prêts à la révolte, l'Allemagne vivait des heures difficiles. En Allemagne du Sud, une véritable guerre civile opposa de 1449 à 1453 les villes de la Ligue souabe regroupées autour de Nuremberg aux princes territoriaux menés par le margrave de Brandebourg, Albert-Achille de Hohenzollern. Puis, de 1459 à 1463, ce fut une guerre entre ce même margrave de Brandebourg et la Maison de Wittelsbach. A l'ouest, l'archevêque-électeur de Cologne cherchait par la force à replacer sous son autorité les villes qui s'en étaient émancipées. Dans ce climat général d'anarchie et de désordre, faute d'une organisation judiciaire efficace, on assista au développement de justices parallèles expéditives dont la plus connue fut la Sainte-Vehme [1]. Devant cette situation, certains princes, à l'initiative de l'électeur palatin, invitèrent Frédéric III à venir s'expliquer devant la Diète prévue à Francfort pour l'été 1461. On n'hésitait pas à reprocher à l'empereur sa faiblesse et son incapacité à assurer la paix civile dans l'Empire. L'opposition était menée par les Wittelsbach du Palatinat et de Bavière. On envisagea même de substituer à Frédéric III le roi de Bohême Georges de Podebrady, mais les électeurs de Brandebourg et de Saxe, hostiles à la désignation d'un empereur hussite, donc hérétique, demeurèrent fidèles à Frédéric III. Mathias Corvin lui-même songea un moment à se porter candidat à l'Empire, ou tout au moins à se faire désigner comme vicaire impérial. Les ambitions des rois de Bohême et de Hongrie justifiaient, si besoin était, la présence constante de Frédéric III sur ses terres d'Autriche pour parer à toute éventualité du côté des États voisins et en particulier de la Hongrie.

La faiblesse de ses ressources et les problèmes plus immédiats qu'il avait à gérer empêchèrent Frédéric III de défendre les intérêts allemands du côté de la Baltique. Dès le début du XVe siècle, le roi de Pologne Ladislas II Jagellon s'était attaqué aux possessions des chevaliers de l'ordre Teutonique en Prusse et leur avait infligé une sévère défaite à Tannenberg/Grünewald, en 1410. Son fils Casimir IV reprit les hostilités en 1453 et remporta de nombreux succès. Le deuxième traité de Thorn, le 19 octobre 1466, fut catastrophique pour l'ordre Teutonique qui dut céder à la Pologne la Prusse-Occidentale, la Poméréiie avec le port de Dantzig (Gdansk), ainsi

1. H. Bogdan, *Histoire de l'Allemagne de la Germanie à nos jours*, *op. cit.*, p. 161.

que la forteresse de Marienburg, la résidence du grand maître ; l'ordre ne conservait désormais que la Prusse-Orientale avec Königsberg et Memel, mais sous la suzeraineté du roi de Pologne auquel le grand maître devait prêter hommage[1]. Les princes allemands ne manquèrent pas de reprocher à Frédéric III sa passivité dans cette affaire. On peut dire cependant à sa décharge que les autres princes territoriaux, en particulier ceux du nord de l'Allemagne, voisins de la Baltique, n'avaient pas bougé non plus, et que les sujets de l'ordre Teutonique, les villes et la noblesse laïque, n'avaient pas hésité à faire appel à la Pologne pour se débarrasser de la tutelle de l'ordre Teutonique. Du moins Frédéric III se manifesta-t-il en déclarant nul et non avenu le traité de Thorn, ce qui préservait en théorie du moins les droits de l'Empire et justifiera par la suite le refus de certains grands maîtres de prêter hommage au roi de Pologne.

En dépit de son peu d'empressement dans la gestion des problèmes du Saint Empire, Frédéric III caressait l'idée de réformer l'Empire, comme l'avait déjà envisagé en son temps l'empereur Sigismond. Lorsqu'il alla à Rome recevoir la couronne impériale en 1452, il avait une haute conscience de sa mission en tant qu'empereur. Cette idée de l'importance de la fonction impériale et d'universalité lui avait été inspirée par celui qui fut longtemps son secrétaire et conseiller politique, Sylvius Aeneas Piccolomini, pour lequel il obtiendra la pourpre cardinalice et qui devait devenir, en 1458, le pape Pie II. On trouve également cette exaltation de la mission universelle de l'Empire chez le philosophe, théologien et juriste Nicolas Krebs, plus connu sous le nom de Nicolas de Cues. Mais dans l'esprit de Frédéric III, la notion d'Empire s'identifiait avec la mission de l'Autriche, d'où cette formule symbolisée par le sigle AEIOU — *Austriae Est Imperare Orbi Universo*[2] — dont il fit en quelque sorte sa devise. Ce grand dessein de Frédéric III fut souvent entravé par la volonté d'indépendance des électeurs et des princes territoriaux, mais aussi par les incessantes difficultés qu'il rencontra dans ses États patrimoniaux et qui mirent à mal ses

1. H. Bogdan, *Les Chevaliers Teutoniques*, *op. cit.*, p. 160 et suiv., p. 176 et suiv.

2. « Il appartient à l'Autriche de régner sur le monde entier. » La première formulation de cette devise écrite de la main même de Frédéric III en 1437 alors qu'il n'était encore que duc de Styrie est la suivante : *Alles Erdreich Ist Österreich Unterthan*, c'est-à-dire « Toute la terre est soumise à l'Autriche », cf. E. Zöllner, *Histoire de l'Autriche des origines à nos jours*, *op. cit.*, p. 160.

finances. Il n'y renonça cependant jamais, comme le prouve sa politique à l'égard de la Maison de Bourgogne où il sut à la fois défendre les intérêts de l'Empire et ceux de sa propre Maison.

Frédéric III et la Maison de Bourgogne

Depuis le milieu du XIVe siècle s'était constitué autour du duché de Bourgogne, apanage de la Couronne de France, un vaste complexe territorial qui s'étendait des confins du Jura et des plaines de la Saône jusqu'à la Flandre et à la mer du Nord. Certains territoires de l'État bourguignon étaient également terres d'Empire : c'était le cas du comté de Bourgogne — l'actuelle Franche-Comté —, des duchés de Brabant et de Limbourg, du comté de Namur, du Hainaut, de la Hollande et de la Zélande. À ce titre, le duc de Bourgogne était vassal du Saint Empire, tout comme il l'était du roi de France pour le duché de Bourgogne et la Flandre. Déjà, à la fin du XIVe siècle, le duc Philippe le Hardi avait cherché à prendre pied en Alsace — qui relevait des Habsbourg —, ce qui lui aurait permis d'assurer la continuité territoriale entre ses possessions de Bourgogne et celles de Flandre. Pour ce faire, Philippe le Hardi utilisa la politique matrimoniale. Sa fille Catherine, âgée de neuf ans, devait épouser Léopold IV âgé de seize ans, de la branche léopoldine des Habsbourg qui régnait sur l'Autriche antérieure [1]. Cependant, les Habsbourg du Tyrol, en particulier, prirent rapidement conscience que les ambitions de l'État bourguignon constituaient pour leurs possessions occidentales une sérieuse menace. Le premier affrontement entre les Habsbourg et l'État bourguignon s'était produit au début du règne de Frédéric III lorsque, en 1443, Philippe le Bon avait envahi le duché de Luxembourg auquel pouvaient prétendre le duc Guillaume de Saxe et Ladislas le Posthume. Malgré sa promesse de dédommagement pour le duc de Saxe, Frédéric III n'avait pas reconnu cette annexion et Ladislas le Posthume continua en vain à porter le titre de duc de Luxembourg. Devant ce renforcement de la puissance bourguignonne, Frédéric III n'hésita pas à s'allier au roi de France Charles VII ; mais l'intervention en Alsace des « grandes compagnies » venues défendre les intérêts de son pupille Sigismond de Tyrol fut un remède pire que le mal et tout le monde fut soulagé de leur rappel, en 1445. Le rapprochement entre la France et les Habsbourg sembla

1. B. Schnerb, *L'État bourguignon*, Paris, 1999, p. 89-90.

se confirmer en 1457 avec le projet de mariage entre la fille de Charles VII, Madeleine de France, et Ladislas le Posthume, mais la mort subite de celui-ci, on l'a vu, mit fin au projet[1]. Toutefois, Frédéric III avait montré clairement que l'Autriche avait vocation à s'intéresser aux affaires de l'Occident, d'autant plus que, face à l'expansionnisme bourguignon, la France et les Habsbourg avaient des intérêts communs.

Après la mort de Philippe le Bon en 1467, son fils Charles le Téméraire reprit à son compte en l'amplifiant la politique de son père. Son objectif était de prendre le contrôle des possessions habsbourgeoises de Haute-Alsace et de Forêt-Noire, et de reconstituer un grand État lotharingien[2] pour lequel il escomptait obtenir de Frédéric III le titre royal. Les circonstances lui furent favorables lorsque Sigismond de Tyrol, à court d'argent, se tourna vers lui. En effet, en 1460, à l'occasion d'un conflit opposant Sigismond à l'évêque de Brixen Nicolas de Cues, le pape avait jeté l'interdit sur le Tyrol et avait invité les ennemis de Sigismond à attaquer ses États. Les Confédérés suisses avaient saisi cette occasion pour occuper la Thurgovie, ne laissant aux Habsbourg que le comté de Laufenbourg. Malgré la levée de l'interdit, la guerre entre les Confédérés et Sigismond se poursuivit et, en 1468, les Bernois vinrent attaquer les possessions alsaciennes des Habsbourg et mettre le siège devant Waldshut. Pour obtenir leur départ, Sigismond dut leur verser la somme considérable de cinquante mille florins. Faute d'avoir pu trouver cette somme auprès de Frédéric III, lui-même perpétuellement à court d'argent, c'est vers Charles le Téméraire que Sigismond se tourna. Par le traité de Saint-Omer du 9 mai 1469, Sigismond obtint du Téméraire les florins exigés par les Confédérés, mais il dut abandonner en gage ses droits sur toutes ses possessions de Haute-Alsace, en conservant toutefois la possibilité de les récupérer ultérieurement en rachetant la dette ainsi contractée. Aussitôt, Charles le Téméraire considéra comme siens les territoires hypothéqués par Sigismond et y mit en place sa propre administration sous le direction de Pierre de Hagenbach, nommé à cette occasion « grand bailli »[3].

Frédéric III, impuissant faute de moyens financiers, dut bien malgré lui accepter cette situation. Il n'était pas de taille à affronter

1. B. Schnerb, *L'État bourguignon*, *op. cit.*, p. 221-222.
2. *Ibid.*, p. 413-414.
3. *Ibid.*, p. 414-415.

militairement le duc de Bourgogne et préféra recourir aux armes de la diplomatie. Il lui fallait agir rapidement, car, peu après avoir pris le contrôle de la Haute-Alsace, Charles le Téméraire reprit sa politique d'expansion, en direction du nord cette fois, en occupant en 1473 les duchés de Gueldre et de Zutphen, eux aussi terres d'Empire.

Pour Frédéric III, le meilleur moyen de neutraliser la Maison de Bourgogne était de l'unir à sa propre Maison par un arrangement matrimonial, en mariant son fils et unique héritier Maximilien, né en 1459, à la fille et unique héritière de Charles le Téméraire, Marie de Bourgogne, de deux ans son aînée. L'idée de ce mariage lui avait été, semble-t-il, suggérée quelques années auparavant par le pape Pie II, son ancien conseiller. Le duc de Bourgogne, informé des intentions de l'empereur, entendait obtenir le prix fort pour consentir à cette union. L'archevêque-électeur de Trèves ménagea une entrevue entre le Téméraire et Frédéric III. Le duc de Bourgogne se présenta à Trèves avec une suite nombreuse et manifesta un malin plaisir à faire étalage de son opulente richesse ; l'empereur, au contraire, par manque de moyens, effectua dans la ville une entrée discrète tandis que l'austérité de sa tenue contrastait avec les vêtements somptueux portés par son puissant vassal [1]. Les entretiens entre les deux princes s'étalèrent sur près de deux mois, du 29 septembre au 25 novembre 1473. Charles le Téméraire, en position de force face à un Frédéric III demandeur, demanda à ce que ses États fussent érigés en royaume et que lui fût conféré le titre de « roi des Romains », ou tout au moins celui de « vicaire d'Empire », ce qui l'aurait placé au-dessus du roi de France. Pour la question du titre royal, Frédéric III donna une réponse évasive, laissant entendre qu'il n'était pas hostile à faire du Téméraire un roi, mais sans prendre d'engagement formel. En revanche, il se montra tout à fait opposé à ce que la dignité impériale sortît de sa famille ; pour cela, il pouvait compter sur l'appui de nombreux princes allemands et de la plupart des villes libres d'Empire qui redoutaient les intentions hégémoniques du Bourguignon. De son côté, Charles le Téméraire sembla se montrer favorable à l'idée d'un mariage entre sa fille et l'archiduc Maximilien. Les négociations s'enlisèrent sans qu'un accord définitif fût conclu. Tout ce que le duc de Bourgogne put obtenir de Frédéric III, ce fut l'investiture des duchés de Gueldre et de Zutphen. Comme les demandes du duc se faisaient plus

1. D. G. Mac Guigan, *Les Habsbourg*, Paris, 1968, p. 17-18.

pressantes, Frédéric III jugea plus sage de quitter précipitamment Trèves, laissant à l'archevêque-électeur le soin de payer les dépenses liées à son séjour... [1]

Charles le Téméraire fut à la fois indigné de cette dérobade de son impérial interlocuteur, et déçu car l'empereur seul avait le pouvoir de lui donner ce titre royal tant convoité. Il manifesta son mécontentement en donnant son appui dans l'Empire aux adversaires de Frédéric III, notamment à l'archevêque-électeur de Cologne Robert de Bavière, aux prises avec ses sujets révoltés. L'empereur répondit à cet acte d'hostilité en s'alliant au roi de France Louis XI par le traité d'Andernach, en décembre 1474.

Maintenant, c'est Charles le Téméraire qui se trouvait en difficulté : la Haute-Alsace s'était révoltée contre l'administration bourguignonne et Sigismond de Tyrol en avait repris le contrôle. Les Confédérés suisses, les villes d'Alsace et le duc de Lorraine René II avaient constitué la Ligue de Constance pour s'opposer aux menaces bourguignonnes. Louis XI avait repris la guerre dès 1475 et le traité de Picquigny qu'il avait conclu avec le roi d'Angleterre Édouard IV priva Charles le Téméraire du soutien anglais. Pourtant, ce dernier put encore faire front ; à l'automne 1475, il réussit à chasser de Lorraine le duc René II et à s'attribuer lui-même le titre de duc de Lorraine. Mais l'année suivante, son intervention contre les Confédérés suisses se solda par un échec total. Battu le 22 juin 1476 à Morat, le duc de Bourgogne doit faire face à un soulèvement en Lorraine qui ramène à Nancy le duc René II. Charles le Téméraire juge alors plus sage de se réconcilier avec Frédéric III. Le projet de mariage entre l'archiduc Maximilien et sa fille Marie est concrétisé par des fiançailles, et le jeune couple échange anneaux et portraits. Cette fois-ci, le duc de Bourgogne n'a rien demandé en échange. Il est vrai que sa position se révèle chaque jour plus difficile. Sa tentative pour reprendre Nancy échoue et, au cours de la bataille qui se déroule sous les murs de la capitale lorraine, Charles le Téméraire trouve la mort, le 5 janvier 1477 ; on ne retrouvera son corps que deux jours plus tard, à demi dévoré par les loups [2].

Frédéric III triomphait. Le Bourguignon était mort et Maximilien allait enfin pouvoir épouser Marie de Bourgogne et entrer en pos-

---

1. *Ibid.*, p. 19 et B. Schnerb, *L'État bourguignon*, *op. cit.*, p. 417.
2. D. G. Mac Guigan, *Les Habsbourg*, *op. cit.*, p. 19, et B. Schnerb, *L'État bourguignon*, *op. cit.*, p. 421-427.

session de l'héritage du Téméraire. Mais il fallait compter avec l'ancien allié, Louis XI. Le roi de France considérait en effet l'héritage bourguignon comme devant revenir à la France puisqu'il s'agissait d'un ancien apanage royal ; il envisageait même sérieusement de marier Marie de Bourgogne à son fils, le dauphin — le futur Charles VIII —, âgé seulement de neuf ans. Les troupes françaises reçurent l'ordre d'occuper la Bourgogne, l'Artois et la Picardie ; les villes de Flandre profitèrent de la vacance du pouvoir pour se révolter. Frédéric III, bien que confronté en Autriche à des difficultés provoquées par le roi de Hongrie Mathias Corvin, réagit rapidement et envoya une ambassade à la cour de Bourgogne pour faire confirmer le projet de mariage. De son côté, Marie de Bourgogne, depuis son château de Gand où elle était retenue prisonnière par ses sujets révoltés, envoya un message à Maximilien pour lui demander de venir au plus vite, car, écrivait-elle : « J'ai peur d'être contrainte et forcée à faire ce que je voudrais ne pas faire, si vous m'abandonnez. » Malgré les menaces de Louis XI, Marie restait fidèle à son fiancé autrichien. Le 21 mai 1477, l'archiduc Maximilien quitta Vienne et, après bien des péripéties, parvint enfin, le 18 août suivant, à Gand où le mariage fut immédiatement célébré et consommé [1].

Les Habsbourg vont désormais se trouver directement mêlés aux affaires de l'Europe occidentale. Le mariage bourguignon hissait la Maison d'Autriche, la lointaine descendance des petits seigneurs d'Habitschburg, au rang de grande puissance européenne. La politique matrimoniale de Frédéric III se traduisait par un accroissement sensible de la puissance territoriale des Habsbourg même si, pour l'heure, Louis XI occupait l'Artois et la Bourgogne. C'est ce que voulut exprimer Mathias Corvin à qui l'on attribue ces vers latins : *Alii bella gerant ; tu, felix Austria, nube. Nam quae Mars aliis, dat tibi regna Venus* — c'est-à-dire : « Que d'autres fassent la guerre ; toi, heureuse Autriche, tu conclus des mariages. Et les royaumes que Mars donne aux autres, c'est Vénus qui te les donne. » Pourtant, l'avenir montra rapidement que l'héritage bourguignon allait provoquer des conflits incessants entre les Maisons d'Autriche et de France.

1. D. G. Mac Guigan, *Les Habsbourg*, *op. cit.*, p. 21-24.

Une fin de règne difficile mais prometteuse

Le mariage de l'archiduc Maximilien avec l'héritière de Bourgogne fut, en dépit des conflits qu'il allait provoquer par la suite, un succès incontestable pour Frédéric III. Pourtant, il ne régla pas tous les problèmes. Les dernières années du règne ne furent pas exemptes de difficultés pour l'empereur, tant sur le plan familial — des relations difficiles entre le père et le fils — que sur le plan politique — le long conflit avec le roi Mathias Corvin.

Dans l'immédiat, le jeune Maximilien, très épris de sa femme, oublia rapidement auprès d'elle l'austérité de la *Hofburg* de Vienne ou des autres résidences d'Autriche, et la vie quasi recluse qu'il avait menée jusque-là auprès d'un père qui le tenait systématiquement à l'écart des affaires. À Gand, à Bruges, à Bruxelles, Maximilien prit contact avec une civilisation brillante et s'enthousiasma pour la peinture flamande ; il fréquentait, dit-on, l'atelier du peintre Hugo Van der Goes et passait de longues heures à le regarder travailler [1]. Mais la politique était là et Maximilien n'hésita pas à réclamer à Louis XI l'Artois et la Bourgogne que celui-ci avait fait occuper dès la mort du Téméraire. Maximilien défendait ainsi les droits de sa femme, particulièrement attachée au duché de Bourgogne, car c'était à Dijon que reposaient les restes de ses ancêtres. Pour Maximilien, « il n'y a pas, de par le monde, de plus grand scélérat que le roi de France », écrivait-il en septembre 1477 à son homme de confiance, Sigmund Prüschenk [2]. Pour agir efficacement, Maximilien dut recruter des troupes et, faute d'argent, l'archiduc et son épouse n'hésitèrent pas à mettre en gage chez les banquiers Médicis de Bruges une grande partie des bijoux et des œuvres d'art qui faisaient la richesse des collections des ducs de Bourgogne. Le jeune couple entendait faire respecter ses droits sur la totalité de l'héritage de Charles le Téméraire non seulement pour eux-mêmes, mais pour leur jeune fils Philippe qui était né en 1478 et qui assurait l'avenir de la dynastie [3].

Pour s'assurer la fidélité de la haute noblesse des États bourguignons, Maximilien se proclama grand maître de l'ordre de la Toison

1. D. G. Mac Guigan, *Les Habsbourg, op. cit.*, p. 27-28.
2. Cité par D. G. Mac Guigan, *op. cit.*, p. 27.
3. Le couple archiducal eut encore deux autres enfants, une fille Marguerite née en janvier 1480 et un garçon né l'année suivante et qui mourut peu après sa naissance.

d'or, un ordre fondé en 1430 par Philippe le Bon et constitué de vingt-quatre gentilshommes qui s'engageaient à défendre la foi chrétienne et à demeurer fidèles à leur souverain. Dorénavant, cet ordre de chevalerie sera toujours associé à la Maison de Habsbourg et son grand maître sera toujours un Habsbourg.

La guerre avec le roi de France s'engagea dès 1479. Maximilien, qui avait pris le commandement de l'armée, révéla rapidement des dons militaires qui lui permirent de remporter la bataille de Guinegate, en Artois, sur les troupes de Louis XI, le 17 août de la même année. On n'alla pas plus avant dans le conflit. Avec la mort accidentelle de Marie de Bourgogne le 27 mars 1482, Louis XI reprit confiance, espérant que les Flamands rejetteraient Maximilien qui n'était pour eux qu'un étranger. D'ailleurs, il n'hésita pas à les encourager à la révolte. Sous la pression de ses sujets, Maximilien dut signer avec le roi de France le traité d'Arras du 23 décembre 1482 qui prévoyait le mariage de sa fille Marguerite, alors âgée d'à peine trois ans, avec le dauphin Charles, la jeune princesse devant être élevée à la cour de France en attendant la réalisation du mariage. De plus, Louis XI conservait les territoires qu'il avait fait occuper en 1477 et la jeune Marguerite apportait en dot la Franche-Comté.

Maximilien n'en conservait pas moins les Pays-Bas, c'est-à-dire l'une des régions les plus peuplées et les plus riches d'Europe. La victoire de Guinegate lui avait valu un certain prestige dans l'Empire, à un moment où son père, peu doué pour les affaires militaires, faisait piètre figure face aux attaques du roi de Hongrie. Faute d'avoir pu destituer Frédéric III, les électeurs mirent tous leurs espoirs en Maximilien et proposèrent à l'empereur de l'élire « roi des Romains ». Longtemps réticent, il se rallia à cette proposition, d'autant plus qu'il venait d'être chassé de Vienne par le roi de Hongrie. Quittant Linz, Frédéric III se porta à la rencontre de Maximilien qui avait quitté les Pays-Bas à l'automne 1485. L'empereur retrouva son fils à Aix-la-Chapelle, puis tous deux, réconciliés, firent route vers Francfort où devait avoir lieu la réunion des princes électeurs. Les intrigues du nouveau roi de France Charles VIII, qui n'avait pas ménagé ses deniers pour acheter les électeurs, échouèrent. Le 16 février 1486, le Collège électoral désigna à l'unanimité Maximilien de Habsbourg comme roi des Romains « pour tenir la souveraineté du monde après la mort de son père ». Cette élection suscita dans tout l'Empire un immense espoir, car, selon le mot de l'humaniste strasbourgeois Sébastien Brant, « avec un tel prince, l'âge d'or doit revenir[1] ».

Il est vrai qu'à ce moment-là, l'Empire était dans un tel état d'anarchie que la présence à sa tête d'un prince jeune et énergique s'avérait nécessaire. Mais dans l'immédiat, Maximilien, tout autant que l'empereur, devait faire face à de sérieuses difficultés, chacun dans ses possessions. Dès son retour aux Pays-Bas, en 1488, Maximilien était bien décidé à reprendre la guerre contre le roi de France pour récupérer l'héritage de sa femme. Mais à son arrivée à Bruges, il se heurta à une nouvelle révolte de ses sujets : pendant quatre mois, les bourgeois de la ville le retinrent prisonnier et ne le libérèrent que moyennant la promesse de respecter le traité d'Arras. L'armée impériale envoyée sur place permit à Maximilien de reprendre le contrôle des Pays-Bas, mais la guerre contre Charles VIII était pour l'instant remise à plus tard.

Frédéric III de son côté se trouvait à ce moment-là directement menacé par la politique expansionniste du roi de Hongrie Mathias Corvin. Les relations entre Frédéric III et Mathias s'étaient progressivement dégradées depuis l'intervention de celui-ci en Bohême. Le roi Mathias ne cachait pas ses intentions de constituer autour de la Hongrie un vaste ensemble politique centro-danubien qui aurait regroupé la Bohême, ses dépendances et la Basse-Autriche. On prêta même à Mathias Corvin le désir secret de succéder à Frédéric III sur le trône impérial, et certains princes allemands n'auraient pas été hostiles à cette éventualité. Au début de 1470, Mathias Corvin était venu à Vienne et avait demandé à Frédéric III la main de sa fille Cunégonde alors âgée de cinq ans. L'empereur avait refusé de s'engager, si bien que le roi de Hongrie, furieux, avait quitté son hôte sans même prendre congé de lui[2]. La rupture entre les deux souverains semblait alors consommée. Frédéric III chercha à se rapprocher des princes électeurs, puis fit alliance contre Mathias avec le roi de Pologne Casimir IV.

À la mort de Georges de Podebrady en mars 1471, la Diète de Bohême choisit pour lui succéder le fils de Casimir IV, Vladislas Jagellon, que Frédéric III reconnut officiellement lors de la Diète de Nuremberg en 1474.

Les relations entre Frédéric III et Mathias Corvin se dégradèrent

1. D. G. Mac Guigan, *Les Habsbourg*, *op. cit.*, p. 33-39.
2. B. Hóman et Gy. Szekfü, *Magyar történet*, *op. cit.*, t. II, p. 500.

un peu plus encore lorsque, en 1476, l'archevêque d'Esztergom Beckensloer, brouillé avec le roi de Hongrie, trouva refuge en Autriche. Frédéric III lui fit d'autant meilleur accueil que l'archevêque lui prêta trente-six mille florins d'or, une somme qui arrivait au bon moment puisqu'elle servit à financer les préparatifs du mariage bourguignon de Maximilien. Frédéric III remit en gage à Beckensloer la ville de Steyer, lui confia l'administration de l'évêché de Vienne et le nomma coadjuteur de l'archevêque de Salzbourg Bernard Rohr avec droit de succession. Ce dernier, mécontent d'avoir été placé devant le fait accompli, demanda l'aide de Mathias Corvin. Le roi de Hongrie saisit ce prétexte pour envahir en juin 1477 la Basse-Autriche, peu après le départ de l'archiduc Maximilien pour les Pays-Bas. Cette courte guerre se termina le 1er décembre suivant avec la paix de Gmünd, par laquelle Frédéric III renonçait au titre de « roi de Hongrie » que lui avait concédé le traité de Sopron en 1463 [1].

À ce moment-là, Mathias Corvin était en passe de réaliser ses grands desseins. Il venait de se réconcilier avec Vladislas Jagellon, son concurrent et rival pour le trône de Bohême, et avait fait la paix avec la Pologne. En 1479, un nouvel appel de l'archevêque Bernard Rohr provoqua une nouvelle intervention du roi de Hongrie : l'archevêque avait en effet décidé de confier à Mathias Corvin la garde des forteresses de Carinthie qui dépendaient de l'archevêché afin d'en assurer la défense face aux Turcs toujours menaçants ; il lui avait également livré les villes de Sankt Pölten et de Mautern. Frédéric III avait tenté de réagir en chassant les garnisons hongroises mises en place par Mathias Corvin. Ce fut le début d'une nouvelle guerre. Dès février 1480, un lieutenant de Mathias, István Szapolyai, s'empara de plusieurs forteresses en Styrie, et surtout, à partir de 1482, le roi de Hongrie se lança à la conquête de la Basse-Autriche. Frédéric III dût se réfugier à Linz tandis que, le 29 janvier 1485, les troupes de Mathias Corvin commençaient le siège de Vienne. La ville tomba le 1er juin. Le roi de Hongrie y fit aussitôt son entrée et reçut le serment de fidélité des autorités municipales. Les Viennois qui n'avaient jamais porté dans leur cœur Frédéric III tournèrent en dérision sa devise AEIOU qu'ils traduisirent désormais par cette formulation peu glorieuse pour l'empereur : *Aller Erst Ist Osterreich Verloren* — Avant tout, l'Autriche est perdue ! Cette impuissance de l'empereur face à son

1. B. Hóman et Gy. Szekfü, *Magyar történet, op. cit.*, p. 516.

adversaire hongrois avait fortement indigné les princes allemands et facilita, comme nous l'avons vu plus haut, l'élection comme roi des Romains du jeune Maximilien en qui ils mettaient tous leurs espoirs[1].

Mathias Corvin, maître désormais de la Basse-Autriche, poursuivit ses conquêtes en direction de l'Autriche intérieure en s'emparant tout d'abord de Wiener Neustadt en 1487. Le roi de Hongrie avait atteint ses objectifs : réunir sous un même sceptre la Hongrie, la plus grande partie des pays de la Couronne de Saint-Venceslas et la Basse-Autriche. Cet ensemble territorial qui s'était déjà formé à l'époque de l'empereur Albert II et qui venait de se reconstituer à l'initiative de Mathias Corvin va se stabiliser définitivement... au profit des Habsbourg en 1526 et devait perdurer jusqu'en... 1918.

La mort de Mathias Corvin à Vienne, le 6 avril 1490, ramena en effet bientôt la Basse-Autriche sous l'autorité des Habsbourg. Le 19 août, l'archiduc Maximilien, au nom de son père, reprit possession de Vienne[2] et occupa même pour un temps les confins occidentaux de la Hongrie.

Le trône de Hongrie échappa cependant aux Habsbourg, car la Diète choisit, pour succéder à Mathias, Vladislas Jagellon déjà roi de Bohême, mais le nouveau roi de Hongrie s'empressa de faire la paix avec l'Autriche. Un traité de 1491 précisa qu'au cas où Vladislas Jagellon mourrait sans héritier direct, la Diète hongroise devrait choisir le nouveau roi parmi les fils et descendants de Maximilien[3]. De grands espoirs s'offraient désormais au roi des Romains. Frédéric III avait maintenant abandonné à son fils la direction des affaires. Retiré à Linz, le vieil empereur se livrait à l'alchimie et à l'étude de l'astronomie[4]. C'est là qu'il mourut le 19 août 1493, après un long règne de cinquante-trois ans au cours duquel, faute d'argent et de moyens militaires, il avait dû le plus souvent se contenter de survivre pour sauver la dynastie, mais pendant lequel, par la diplomatie et l'art d'utiliser habilement les circonstances, il avait permis à son fils Maximilien, grâce au mariage bourguignon, de jeter les bases d'un empire aux dimensions de l'Europe.

1. D. G. Mac Guigan, *Les Habsbourg*, *op. cit.*, p. 36.
2. J.-P. Bled, *Histoire de Vienne*, *op. cit.*, p. 34.
3. Ch. d'Eszlary, *Histoire des institutions publiques hongroises*, *op. cit.*, t. II, p. 37.
4. D. G. Mac Guigan, *ibid.*, p. 41.

Deuxième Partie

LE RÊVE IMPOSSIBLE : LA MONARCHIE CHRÉTIENNE UNIVERSELLE

Pendant tout le Moyen Âge, les clercs, et parfois certains princes laïcs — comme le roi de France Saint Louis — furent hantés par l'idée qu'il fallait établir la république chrétienne universelle qui aurait regroupé autour du pape et de l'empereur tous les États chrétiens afin de faire front face aux ennemis de la chrétienté, les païens — mais leur conversion était pratiquement achevée en Europe depuis le début du XVe siècle — et surtout les musulmans, représentés successivement et parfois simultanément par les Arabes en Méditerranée, et par les Turcs ottomans en Europe orientale où, depuis la fin du XIIIe siècle, ils étaient devenus une menace permanente pour l'Europe centrale.

À la fin du XVe siècle, alors qu'en Occident se constituaient des États nationaux puissants, la France, l'Espagne et l'Angleterre, en Europe centrale les Habsbourg occupaient une position tout à fait originale. Ils étaient à la fois détenteurs de la fonction essentiellement honorifique de chef du Saint Empire que leur confiaient systématiquement depuis 1438 les princes électeurs, et ils régnaient en même temps sur un vaste ensemble de territoires allant de l'Alsace jusqu'aux confins de la Hongrie et de la Haute-Bavière jusqu'à l'Adriatique, dont le noyau central était constitué par l'Autriche. Chacune des composantes de ce patrimoine héréditaire jouissait d'une large autonomie qui se manifestait au sein des Diètes provinciales. Dans la deuxième moitié du XVe siècle, la politique matrimoniale menée par Frédéric III avait permis à son fils Maximilien d'associer aux biens patrimoniaux des Habsbourg une partie de l'héritage bourguignon et en même temps de faire participer l'Autriche aux jeux de la politique en Europe occidentale, sans que pour autant les Habsbourg perdent de vue leurs intérêts en Bohême et en Hongrie. C'est sans doute à cause de l'élargissement progressif de leur zone d'influence que naquit l'idée qu'à partir de ce vaste ensemble territorial, les Habsbourg avaient vocation à exercer une autorité, au moins morale à défaut d'être politique, sur le monde chrétien d'Occident. Cette aspiration à créer à leur profit la république chrétienne universelle chère aux clercs et aux lettrés du Moyen Âge, Maximilien devenu empereur en 1493 mais surtout son petit-fils Charles Quint ont tenté de la réaliser au moment même où, paradoxalement, l'unité de la chrétienté se trouvait remise en question par la Réforme protestante, et où certains autres souverains, comme François Ier, nourrissaient des ambitions analogues et sans doute plus réalistes.

5

Les rêves de puissance de Maximilien Ier

Au moment où meurt son père, l'archiduc Maximilien exerçait déjà d'importantes fonctions tant sur le plan militaire que sur le plan politique. Élu roi des Romains en 1486 par un vote unanime des princes électeurs qui avaient vu en lui un homme capable de ramener la paix dans l'Empire, il fut désigné comme roi de Germanie quelques semaines après la mort de Frédéric III et aussitôt couronné à Aix-la-Chapelle. L'humaniste strasbourgeois Sébastien Brant s'était fait l'écho des espoirs que l'on mettait dans le nouveau souverain lorsqu'il avait écrit : « Avec un tel prince, l'âge d'or doit revenir[1]. » Dans l'immédiat, Maximilien Ier renonça à se rendre à Rome pour s'y faire sacrer empereur. Lorsque plus tard, en 1507, il décida d'y partir afin de recevoir les insignes impériaux des mains du pape Jules II, Venise lui interdit de traverser ses possessions continentales. De la sorte, Maximilien Ier ne fut jamais couronné empereur par le pape ; il se contenta d'une déclaration faite le 4 février 1508 à Trente, en terre d'Empire, par laquelle il se proclamait « Maximilien, par la grâce de Dieu, empereur romain élu[2] ». Cette déclaration solennelle marquait une étape importante dans l'évolution des rapports entre Rome et l'Empire ; elle signifiait que Maximilien portait le titre impérial non pas parce que le pape l'avait couronné, mais parce que le Collège électoral réuni à Francfort l'avait élu. L'Empire semblait désormais émancipé de la papauté.

Empereur romain élu et chef du Saint Empire, Maximilien Ier exerçait sa pleine autorité sur les possessions héréditaires des

1. D. G. Mac Guigan, *Les Habsbourg*, *op. cit.*, p. 35.
2. J. Bérenger, *Histoire de l'Empire des Habsbourg*, *op. cit.*, p. 147, et E. Zöllner, *Histoire de l'Autriche des origines à nos jours*, *op. cit.*, p. 164.

Habsbourg, et aussi sur l'héritage bourguignon dont il assumait la régence depuis la mort de sa femme Marie de Bourgogne au nom de son fils Philippe.

Un prince de la Renaissance

Au moment de son avènement, Maximilien Ier est un homme dans la force de l'âge — il est né en 1459. Élevé à la dure et tenu à l'écart des affaires par son père durant son adolescence, il avait commencé à s'émanciper, on l'a vu, dès son mariage avec Marie de Bourgogne. Ambitieux, brave au combat et versé dans les choses de la guerre, bon cavalier et bon archer, tel est le prince que Machiavel n'hésitait pas à décrire comme « l'homme le plus belliqueux du monde », tout en reconnaissant qu'il était « capable de bien tenir une armée et de la mener avec justice et avec discipline », et d'ajouter : « Il est dur à toutes les fatigues de la guerre autant que les plus endurants, et si brave dans les dangers qu'il n'est pas de capitaine à qui il soit inférieur. » Ce ne sont pas là des traits propres à la chevalerie mais à un grand passionné d'art militaire. Sur ce plan, Maximilien s'intéressa personnellement au perfectionnement de l'art de la guerre avec le concours d'un de ses capitaines, Georges de Frundsberg. De cette collaboration naquit une nouvelle organisation de l'infanterie en régiments dont les hommes étaient armés de piques (*Lanz*), d'où leur nom de « lansquenets » (*Lanzknechten*).

Maximilien n'était pas seulement un brillant capitaine. Il était aussi un lettré, ami des arts et des sciences, qui s'intéressait à la musique, à la peinture — nous avons vu précédemment son intérêt pour les maîtres flamands —, à l'architecture, à l'horticulture et aux arts mécaniques. Il se targuait de poésie et n'hésita pas à participer pour une petite part au moins à la rédaction du *Weisskunig*, un roman allégorique évoquant les gestes de son père et quelques-uns des siens aussi, bien que le gros du travail eût été réalisé par son secrétaire Treizsauerwein. Maximilien, comme les princes italiens de la Renaissance, aimait aussi les fêtes somptueuses, la danse, la compagnie des femmes qu'il savait charmer. Ses aventures galantes furent nombreuses et produisirent nombre de bâtards [1]. Maximilien protégea les artistes et les savants, mais, faute d'argent, il ne put être un mécène généreux. Il aimait côtoyer les

1. D. G. Mac Guigan, *Les Habsbourg*, *op. cit.*, p. 49.

humanistes comme Ulrich von Hütten qui fut souvent à ses côtés. Maximilien sut apprécier le talent d'Albert Dürer. Celui-ci nous a laissé un remarquable portrait de l'empereur qui se trouve au *Kunsthistorisches Museum* de Vienne, où l'allure fière et le port altier de Maximilien donnent une impression à la fois d'autorité et de sagesse réfléchie. L'admiration doublée d'une réelle amitié pour le maître de Nuremberg ressort clairement de cette anecdote qu'a relatée le biographe de Dürer, Friedrich Nüchter. Un jour que Dürer était en train de travailler à une fresque sur le mur de la grande salle de la Diète à Augsbourg, Maximilien demanda à un noble qui passait là de tenir un instant l'échelle sur laquelle travaillait le peintre. Le noble refusa avec hauteur de s'abaisser à un tel geste, et Maximilien de répliquer : « Je peux prendre n'importe quel paysan et en faire un noble chaque fois que c'est mon bon plaisir. Mais il m'est impossible de faire d'un noble, quel qu'il soit, un artiste comme Dürer [1]. »

Un prince débordant d'ambition

Prince de la Renaissance, homme universel avide de savoir et de comprendre, Maximilien fut aussi un prince d'une ambition démesurée, dévoré par la soif d'entreprendre, ce qui l'amena à se lancer dans des aventures hasardeuses et à participer aux grands conflits de son temps, particulièrement en Italie. L'empereur avait pour objectif de consolider son pouvoir dans l'Empire et de renforcer la monarchie autrichienne.

Tout le monde comptait sur Maximilien pour remettre un peu d'ordre dans cet Empire laissé trop souvent à l'abandon par ses souverains et livré depuis des décennies au brigandage et aux guerres privées, faute d'un pouvoir central suffisamment fort et accepté par tous. Mais cette réforme de l'Empire à laquelle tous feignaient d'aspirer, tous ne l'envisageaient pas d'une manière identique. Pour l'archevêque-électeur de Mayence, Berthold von Hennenberg, la remise en ordre de l'Empire devait être réalisée en renforçant l'autorité des princes territoriaux et des électeurs, et en diminuant les pouvoirs du monarque. Pour l'empereur Maximilien, au contraire, il fallait donner au pouvoir central les moyens d'agir efficacement, donc renforcer l'autorité royale. Lors de la Diète

1. F. Nüchter, *Albrecht Dürer*, Ansbach, 1911, p. 22, cité par D. G. Mac Guigan, *Les Habsbourg*, *op. cit.*, p. 47.

tenue à Worms en 1495, Hennenberg présenta un vaste programme de réformes politiques, avec d'autant plus d'autorité qu'il se trouvait en position de force face à un empereur qui avait besoin du concours financier de la Diète pour mener à bien sa politique italienne face aux ambitions françaises.

Un certain nombre de mesures furent prises par la Diète et promulguées par l'empereur en août 1495. Tout d'abord, on publia une ordonnance de paix perpétuelle (*ewiger Landfriede*) qui interdisait toute guerre privée et qui permettait en théorie du moins de mettre au ban de l'Empire, c'est-à-dire hors la loi, quiconque la transgresserait. Ensuite, on décida la création d'un tribunal suprême d'Empire (*Reichskammergericht*) formé de seize juges désignés par la Diète avec un président (*Kammerrichter*) nommé par l'empereur, mince concession faite à Maximilien par rapport à une décision qui confiait à la Diète la responsabilité des grandes affaires judiciaires, ce qui paraissait lui conférer une autorité supérieure à celle de l'empereur. En effet, le tribunal suprême était une véritable cour d'appel jugeant en dernier ressort des causes civiles déjà traitées par les tribunaux des différents États ; il avait également compétence pour régler souverainement tous les conflits entre les États ayant le statut d'immédiateté, souvent responsables des guerres privées. Maximilien eut au moins la compensation financière qu'il attendait : la Diète lui accorda pour quatre ans la perception d'un véritable impôt impérial, le *gemeine Pfennig*, mais levé dans le cadre des États et géré par un *Reichspfennigamt* sous le contrôle des États [1].

Les échecs de Maximilien en Italie, avec la conquête du Milanais par les armées du roi de France Louis XII et ses défaites devant les Confédérés suisses — ce qui l'amena par la paix de Bâle en 1499 à reconnaître *de facto* l'indépendance des cantons suisses et à renoncer ainsi à tous ses droits sur les terres ancestrales des Habsbourg —, permirent à Hennenberg de faire adopter de nouvelles réformes par la Diète d'Augsbourg en 1500. Les pouvoirs de l'empereur furent réduits. Il était en quelque sorte mis sous tutelle par la Diète par l'intermédiaire d'un conseil de régence (*Reichsregiment*) de vingt membres (*Regenten*), présidé certes par lui mais sans l'avis duquel il ne pouvait conclure d'alliances ni entreprendre une guerre. En réalité, ce conseil, véritable Conseil d'État qui entendait

1. P. Rassow, *Histoire de l'Allemagne des origines à nos jours*, Roanne, 1969, t. I, p. 291-292, et J. Bérenger, *Histoire de l'Empire des Habsbourg*, *op. cit.*, p. 141.

exercer le pouvoir exécutif au niveau de l'Empire, demeura un vœu pieux, car les princes n'entendaient pas renoncer à une partie de leur souveraineté, ce qui permit finalement à Maximilien d'échapper à son contrôle. Cette même Diète d'Augsbourg reprit à son compte le projet de Maximilien visant à diviser l'Empire en cercles (*Kreise*) dont les gouverneurs étaient chargés au nom de l'empereur de maintenir la paix intérieure. On créa ainsi six cercles dont le nombre fut porté à dix en 1512. Le gouverneur cependant était assisté d'une assemblée de cercles (*Kreistag*) composée de représentants des princes, des chevaliers et des villes. On retrouvait ainsi un système de représentation déjà en place depuis longtemps dans les États patrimoniaux des Habsbourg dans le cadre des diètes provinciales (*Landtage*).

Maximilien aurait sans aucun doute voulu aller beaucoup plus loin dans la voie d'un renforcement du pouvoir impérial et mettre en place une véritable administration centrale de l'Empire placée sous son contrôle, mais il ne put arriver à ses fins en raison du mauvais vouloir des princes. Néanmoins, il put doter les États héréditaires des Habsbourg d'une ébauche d'administration centralisée. Il y créa en effet une Chancellerie aulique (*Hofkanzlei*) chargée des affaires communes à toutes les provinces autrichiennes et des relations avec le reste de l'Empire, et qui suivait le souverain dans ses nombreux déplacements, ainsi qu'un Conseil aulique (*Hofrat*), à la fois cour de justice et Conseil d'État. De même, il réorganisa l'administration financière des États patrimoniaux avec la création de la Chambre aulique (*Hofkammer*) installée à Innsbruck. Maximilien aurait voulu étendre le champ d'action de ces institutions nouvelles propres aux États patrimoniaux de la Maison d'Autriche à l'ensemble du Saint Empire. Les princes s'y opposèrent. Comme le soulignait un contemporain : « On exige tout de l'empereur, la paix, la justice, la sécurité ; on l'accuse, on le décrie aux yeux du peuple parce que les troubles vont sans cesse croissant et que les attaques à main armée se multiplient tous les jours d'une façon effrayante. Mais on ne se demande jamais avec quelles ressources, par quels moyens, l'empereur pourrait remédier à ces désordres. Quel souverain depuis des siècles s'était le plus dévoué à l'Empire ? Qui avait cherché avec autant d'intelligence à lui rendre la force et l'unité ? Il est triste d'avoir à constater l'inutilité de tant d'efforts[1]. »

1. J. Potter, *The new Cambridge Modern History*, Cambridge, 1957, t. I, p. 219.

On notera cependant que, faute d'avoir pu renforcer l'autorité de l'empereur sur les princes, Maximilien a réussi à consolider son autorité en Autriche et par là même la puissance des Habsbourg, l'un des principaux objectifs de sa politique[1], ce qui a permis par la suite à la Maison d'Autriche de constituer sous son autorité un vaste empire dont le Danube était l'artère vitale.

La politique matrimoniale de Maximilien Ier : renforcement de la puissance des Habsbourg ou aspiration à la monarchie universelle ?

Malgré les limites imposées à son autorité par la Diète et par les princes, malgré ses difficultés financières permanentes — ce qui lui valut de la part des Italiens le sobriquet de « Maximilien sans le sou » (*Massimiliano pochi danari*) — qui l'obligèrent à mendier des subsides à la Diète et à se tourner vers les Fugger pour solliciter des crédits, Maximilien reprit à son compte en l'amplifiant la politique matrimoniale inaugurée par son père en vue de renforcer la puissance de la Maison d'Autriche. La formule prêtée à Mathias Corvin — *Alii belle gerant ! Tu, felix Austria, nube !* — que nous avons évoquée plus haut s'applique davantage encore à Maximilien qu'à Frédéric III.

Le fils né de son mariage avec Marie de Bourgogne, Philippe le Beau, hérita de sa mère, faisant ainsi entrer dans le patrimoine des Habsbourg une partie de l'héritage bourguignon. Maximilien, désireux de se remarier, se tourna du côté des cours italiennes et se résigna en 1493 à épouser Bianca Sforza, la nièce du duc de Milan, Ludovic le More. Ce fut tout sauf un mariage d'amour, à la différence du mariage bourguignon de 1477. La cérémonie, célébrée par procuration à Milan, donna lieu à d'imposantes festivités dont le maître d'œuvre fut Léonard de Vinci, mais ne suscita guère d'enthousiasme du côté de Maximilien. Lorsque Bianca, accompagnée de sa nombreuse suite, arriva à Innsbrück en décembre 1493 pour y rejoindre l'empereur, celui-ci, qui se trouvait alors à Vienne, attendit jusqu'en mars 1494 pour rejoindre sa femme et consommer son mariage[2]. Sans la substantielle dot de trois cent mille ducats d'or, à laquelle s'ajoutaient les bijoux apportés par Bianca d'une valeur de cent mille ducats, l'empereur n'aurait jamais envisagé

1. E. Zöllner, *Histoire de l'Autriche des origines à nos jours*, *op. cit.*, p. 166.
2. D. G. Mac Guigan, *Les Habsbourg*, *op. cit.*, p. 44-45.

une telle mésalliance avec une princesse d'aussi basse lignée. Mauvais calcul de la part de Maximilien, car Bianca, rapidement délaissée par son époux, dilapida en peu de temps cette petite fortune.

Ce mariage eut de fâcheuses conséquences sur le plan politique. L'empereur, qui, comme ses prédécesseurs, considérait l'Italie du Nord comme une terre relevant de l'Empire, se crut obligé d'intervenir dans les guerres d'Italie. Lorsque, en 1494, le roi de France Charles VIII descendit en Italie pour faire valoir ses droits sur l'héritage des Angevins de Sicile, Maximilien entra dans la coalition anti-française aux côtés de Ludovic le More, de Venise, du pape Alexandre VI et des Rois Catholiques. Le roi de France ne tarda pas à évacuer l'Italie, mais les Habsbourg allaient se trouver engagés dans un long conflit avec les Valois qui se poursuivit sous Charles Quint. Dans l'immédiat cependant, à la faveur de cette première guerre d'Italie, Maximilien donna une nouvelle impulsion à la politique matrimoniale des Habsbourg avec la conclusion d'une « alliance totale et perpétuelle » avec les Rois Catholiques. Cette alliance fut scellée en décembre 1495, en la collégiale Sainte-Gudule, à Bruxelles, par les fiançailles des enfants de Maximilien, son fils Philippe le Beau et sa fille Marguerite d'Autriche avec les enfants des Rois Catholiques, Jeanne (Juana) et Jean (Juan) le prince héritier. Un double mariage suivit rapidement ces fiançailles. Dans les deux cas, ce fut un véritable mariage d'amour. En 1496, Philippe le Beau se rendit aux Pays-Bas pour y épouser Jeanne, tandis qu'en 1497 Marguerite d'Autriche s'embarquait pour l'Espagne où fut célébré son mariage avec l'infant don Juan. Ce dernier mariage fut de courte durée, don Juan mourut en effet l'année suivante... dans les bras de sa femme. Dès lors, Jeanne devenait la seule héritière des Rois Catholiques aux côtés de son mari l'archiduc Philippe, ce qui laissait envisager dans un avenir proche une union entre les possessions de la Couronne d'Espagne et celles des Habsbourg. Jeanne et Philippe résidèrent d'abord aux Pays-Bas ; c'est là que naquirent leurs premiers enfants, Éléonore en 1498 qui épousera en premières noces le roi du Portugal Emmanuel Ier, Charles — le futur Charles Quint — né à Gand en 1500, puis Isabelle née en 1501 et qui devait épouser le roi Christian II du Danemark. Le couple princier se rendit ensuite en Espagne pour que Jeanne puisse prêter devant les Cortes le serment coutumier. C'est en Espagne que Jeanne donnera naissance en 1503 à un second fils, Ferdinand. Malgré la mésentente entre les deux époux, due à la jalousie maladive et sans doute justifiée de Jeanne, le couple princier revenu aux Pays-Bas eut encore deux filles, Marie née en 1505 puis Catherine née après la mort de Philippe le Beau.

La mort d'Isabelle la Catholique, en 1504, laissa son mari Ferdinand d'Aragon maître de l'héritage castillan en tant que régent. Le roi d'Aragon chercha à écarter sa fille Jeanne du pouvoir. Celle-ci prit alors la route de l'Espagne en compagnie de son mari et réussit à faire reconnaître ses droits par les Cortes de Castille. Ferdinand d'Aragon se retira à Naples. Mais ce conflit avec son père avait quelque peu compromis la santé mentale de Jeanne. La mort brutale de Philippe le Beau, en 1506, mit à mal sa raison. Celle que l'on appellera désormais Jeanne la Folle fut recluse au château de Tordesillas, non loin de Valladolid, où son père revenu d'Italie aussitôt la fit enfermer [1]. Il reste que l'aîné des fils de Philippe le Beau et de Jeanne la Folle, élevé aux Pays-Bas auprès de sa tante Marguerite d'Autriche, était en passe de rassembler sur sa tête un double héritage, celui des Rois Catholiques et celui des Habsbourg. Cette situation n'était pas imputable aux calculs de Maximilien Ier, c'était le hasard — en l'occurrence la mort imprévue de don Juan — qui avait abouti à cette accumulation d'espérances sur la tête du jeune Charles.

En revanche, par les combinaisons matrimoniales échafaudées avec les Jagellon qui régnaient à la fois sur la Bohême et la Hongrie, Maximilien chercha délibérément à reconstituer l'ancien Empire d'Albert II qui avait rassemblé sous son autorité l'Autriche, la Bohême et la Hongrie. Depuis 1491, avec le traité conclu entre Vladislas Jagellon et Frédéric III, les Habsbourg s'étaient appliqué à sauvegarder leurs droits antérieurs sur la Bohême et la Hongrie, puisque au cas où Vladislas n'aurait pas eu de descendance directe, les couronnes de Bohême et de Hongrie devraient revenir aux Habsbourg. Mais Vladislas eut des enfants. Maximilien s'efforça dès lors de concrétiser par des mariages croisés le rapprochement entre les Jagellon et les Habsbourg. La première étape de cette politique fut franchie lorsque l'on envisagea les fiançailles d'un des petits-fils de Maximilien, Charles ou Ferdinand, avec Anne Jagellon, la fille et pour l'instant héritière du roi Vladislas. Puis Vladislas eut un fils, Louis, désormais prince héritier. Alors, on élabora un nouveau projet de fiançailles entre le jeune Louis et l'une des petites-filles de Maximilien, Marie d'Autriche. Ce projet, rendu officiel

1. D. G. Mac Guigan, *Les Habsbourg*, *op. cit.*, p. 54-57.

en 1507, ne remettait pas en question le précédent. Le pacte de « succession mutuelle » unissant les Jagellon et les Habsbourg fut concrétisé solennellement le 26 juillet 1515 en la cathédrale Saint-Étienne de Vienne[1], en présence du roi de Bohême et de Hongrie Vladislas Jagellon et de son frère le roi de Pologne Sigismond Jagellon d'un côté, et de l'empereur Maximilien Ier de l'autre. L'archevêque primat de Hongrie, Thomas Bakocz, reçut les promesses de mariage de Louis Jagellon — adopté comme son fils par Maximilien — et de Marie d'Autriche[2], l'un et l'autre âgés de neuf ans[3]. Au cours de la même cérémonie, l'empereur Maximilien, alors âgé de cinquante-six ans, fit promesse d'épouser Anne Jagellon, la sœur de Louis, âgée seulement de douze ans, mais cette promesse serait automatiquement annulée au cas où l'un de ses deux petits-fils, Charles ou Ferdinand, demanderait la main de la jeune princesse avant un an. En 1516, Ferdinand de Habsbourg fit sa demande et épousa peu après la princesse Anne[4].

Ces mariages croisés avaient dans l'esprit de l'empereur Maximilien un objectif précis, récupérer cette couronne de Hongrie qu'il considérait comme devant revenir de plein droit aux Habsbourg, en tant qu'héritiers d'Albert II. Déjà en 1463, comme nous avons eu l'occasion de le voir plus haut, Mathias Corvin avait conclu un traité avec Frédéric III selon lequel la Couronne de Hongrie reviendrait de plein droit à Frédéric III ou à ses héritiers au cas où il mourrait sans héritier direct, ce qui avait été le cas. Et puisqu'il y avait désormais union personnelle entre la Hongrie et la Bohême depuis l'avènement des Jagellon, Maximilien se considérait donc comme l'héritier légitime des deux couronnes. Pourtant, on doit remarquer que les accords de 1515 tout comme les précédents étaient des accords de droit privé et qu'ils ne pouvaient être matérialisés qu'avec le consentement des Diètes de Bohême et de Hongrie, puisque, dans ces deux pays, la monarchie était élective. On s'engageait là dans des conflits juridiques pour l'avenir que les Habsbourg devaient régler à leur profit. Mais, en 1515, nul ne pouvait prévoir que la dynastie des Jagellon s'éteindrait en 1526 sur le

1. J.-P. Bled, *Histoire de Vienne*, *op. cit.*, p. 37-38.

2. Le mariage officiel eut lieu en 1522 alors que Louis était déjà roi de Bohême et de Hongrie depuis la mort de son père en 1516.

3. Ch. d'Eszlary, *Histoire des institutions publiques hongroises*, *op. cit.*, t. II, p. 38.

4. E. Zöllner, *Histoire de l'Autriche des origines à nos jours*, *op. cit.*, p. 165-166.

champ de bataille de Mohács et que Ferdinand de Habsbourg, beau-frère du dernier Jagellon, serait choisi comme roi de Bohême puis comme roi de Hongrie. Cela limite quelque peu la portée réelle de l'accord dynastique de 1515, mais ledit accord démontrait cependant la volonté de Maximilien de sauvegarder les intérêts des Habsbourg pour l'avenir.

Il ne s'agissait pas dans ce cas d'une aspiration à la monarchie universelle, mais du désir de rehausser le prestige de la Maison d'Autriche et sa puissance dans l'espace danubien. Pourtant, à un moment, l'empereur Maximilien a donné l'impression qu'il aspirait à devenir le chef de la chrétienté occidentale. En effet, après la mort de sa seconde épouse Bianca Sforza en 1511, Maximilien envisagea d'entrer dans les ordres pour pouvoir accéder plus facilement au pontificat suprême. C'est du moins ce qui ressort des lettres qu'il échangea avec sa fille Marguerite d'Autriche, régente des Pays-Bas. Maximilien y fait allusion à la demande qu'il adressa à un évêque pour trouver un moyen de devenir le coadjuteur du pape, « de telle sorte qu'après sa mort, nous puissions être sûrs d'obtenir la papauté, de devenir prêtre, et ensuite un saint et ainsi après ma mort, vous devrez m'adorer », et il signe cette lettre adressée à sa fille : « Fait de la main de votre bon père, Maximilien, futur pape. » Ce projet quelque peu rocambolesque resta sans lendemain en raison du refus catégorique du pape Jules II, mais laisse supposer que Maximilien, au moment même où il échafaudait ses projets d'alliances matrimoniales avec les Jagellon, songeait également à devenir le chef spirituel de la république chrétienne [1].

Était-ce une réelle aspiration à réaliser à son profit la monarchie universelle, ou bien le souhait sincère d'un prince profondément chrétien de se rapprocher de Dieu pour mieux assurer son salut ? Ce projet, si besoin en était, souligne une fois de plus le caractère complexe de l'empereur Maximilien dans l'esprit duquel l'héritage de la pensée médiévale et l'esprit de la Renaissance se côtoient.

Au cours des dernières années de sa vie, Maximilien eut la joie de voir son petit-fils, Charles, devenir roi d'Espagne après la mort de Ferdinand d'Aragon en 1516, conjointement avec sa mère. Mais, déception, il ne put obtenir lors de la Diète d'Augsbourg, en 1518, que les électeurs élisent le jeune « Don Carlos » comme roi des

1. M. Le Glay, *Correspondance de l'empereur Maximilien Ier et de Marguerite d'Autriche, sa fille 1507-1519*, Paris, 1839, t. II, p. 37, cité par D. G. Mac Guigan, *Les Habsbourg*, *op. cit.*, p. 59.

Romains, en dépit des promesses de compensations financières faites aux électeurs. L'élection fut ajournée et Maximilien regagna Innsbruk avant de se retirer à Wels où il mourut le 12 janvier 1519. Selon sa volonté, il fut enterré à Wiener Neustadt et son cœur fut placé à Bruges auprès du corps de sa première épouse, Marie de Bourgogne[1].

1. D. G. Mac Guigan, *Les Habsbourg*, *op. cit.*, p. 69-70.

6

Charles Quint et l'*orbis christianus europeanus*

Le personnage de Charles Quint a beaucoup intéressé les historiens, ceux d'hier comme ceux d'aujourd'hui, car il représente une exception dans cette époque pleine de nouveautés et de transformations que fut la première moitié du XVIe siècle. Au moment où en Occident la tendance générale était à la constitution d'États-nations, Charles Quint s'est singularisé en se faisant le défenseur de l'idée de supranationalité et d'unité du monde chrétien occidental. En France, on lui a très longtemps prêté des visées hégémoniques, et l'image d'une France prise comme dans un étau entre l'Espagne et ses possessions extérieures d'un côté, et le Saint Empire romain germanique de l'autre, a été utilisée pour justifier la politique expansionniste de François Ier et de ses successeurs.

Aujourd'hui, alors que l'on vient de célébrer le cinq centième anniversaire de la naissance de l'empereur, les nombreux travaux récemment publiés nous présentent Charles Quint sous un jour beaucoup moins négatif et, à l'heure de l'Union européenne, on rend justice à ce souverain qu'il est de bon ton maintenant de présenter comme le premier *européen* [1]. Le véritable Charles Quint fut un homme complexe qui a évolué, qui s'est transformé ; il n'y a pas eu *un* Charles Quint mais *des* Charles Quint, même si un fil conducteur relie un certain nombre d'idées-force, notamment une fidélité indéfectible à la foi catholique et une aspiration permanente à l'unité de la chrétienté occidentale face au péril ottoman.

1. Parmi les nombreux ouvrages récents, citons entre autres le *Charles Quint* de Pierre Chaunu et Michèle Escamilla, celui de Jean-Pierre Soisson, celui de Jean-Michel Sallmann ainsi que le *Charles Quint, un César catholique* de Michel Georis, *Charles Quint, empereur des deux mondes* de Joseph Pérez, sans oublier l'ouvrage écrit par son lointain descendant, Otto de Habsbourg, *Charles Quint, un empereur pour l'Europe.*

Un prince bourguignon à l'épreuve de ses premières responsabilités

C'est dans le palais du *Prinzenhof*, à Gand, l'une des villes les plus prospères des Pays-Bas, que naquit dans la nuit du 24 au 25 février 1500 un jeune prince bourguignon plus connu par la suite sous le nom de Charles Quint. On lui donna comme premier prénom Charles qui rappelait le souvenir de son aïeul Charles le Téméraire ; aucun Habsbourg n'avait jusque-là porté ce prénom.

Par le sang qui coulait dans ses veines, le jeune Charles de Gand, comme on l'appela longtemps, personnifiait en quelque sorte l'Europe chrétienne. Son père, l'archiduc Philippe le Beau, était un Habsbourg, fils de l'empereur Maximilien — mais Maximilien avait épousé Marie de Bourgogne, fille du Téméraire issu lui-même d'une branche cadette de la Maison de France et qui avait épousé une princesse française, Isabelle de Bourbon. Ce qui fait que l'apport de sang paternel était bien plus français que germanique. La mère du futur Charles Quint était Jeanne — plus connue par la suite sous le nom de Jeanne la Folle —, deuxième fille du roi d'Aragon, Ferdinand, et de la reine de Castille, Isabelle. Sang ibérique par sa mère, sang en grande partie français par son père, comme le souligne la biographie classique de Karl Brandi, « ce n'était plus guère un Habsbourg que cet enfant... dans la masse de ses trente-deux ascendants, il n'y a qu'un seul rameau de sang germanique, celui de Maximilien [1] ». En fait, par son éducation, par ses racines, par les objectifs mêmes de sa politique, « Charles est essentiellement un prince bourguignon [2] » et toute sa vie il manifesta une tendresse particulière pour ces terres de Bourgogne qui lui venaient de sa grand-mère maternelle. C'est là qu'il se sentait chez lui et, dans le testament qu'il rédigea en 1522, il exprima le vœu d'être enterré à Dijon, au couvent des Chartreux de Champmol où reposaient déjà ses lointains parents Philippe le Hardi et Philippe le Bon, au pied du calvaire sculpté par Claus Sluter.

C'est en Flandre que le jeune Charles de Gand passa son enfance et son adolescence. C'est le français qui fut sa première langue maternelle, et à un moindre degré le flamand. Dès l'âge de six ans, le jeune Charles fut définitivement séparé de ses parents, car, au

1. K. Brandi, *Charles Quint*, Paris, 1951, p. 35.
2. P. Chaunu, *L'Espagne de Charles Quint*, Paris, 1973, p. 47.

printemps 1506, Jeanne accompagnée de son mari Philippe le Beau partit pour l'Espagne afin d'y faire valoir ses droits sur l'héritage d'Isabelle de Castille. Charles resta en Flandre en compagnie de ses sœurs. Les enfants princiers ne devaient jamais revoir leur père : Philippe le Beau mourut brutalement six mois après son arrivée en Espagne. Quant à leur mère, ils ne la retrouvèrent qu'en 1517, dans un état de dérèglement mental profond lié à la disparition de son mari. Au dire de Guillaume de Croÿ qui apporta aux enfants la nouvelle de la mort de leur père, Charles éprouva un profond chagrin, ce qui accrut sensiblement la mélancolie qui le caractérisait déjà.

En raison de la vacance du pouvoir aux Pays-Bas à la suite de la mort de Philippe le Beau, les États de Bourgogne demandèrent à l'empereur Maximilien de désigner un régent. Ce fut sa propre fille, Marguerite d'Autriche, qu'il choisit ; elle eut désormais la double mission d'élever Charles de Gand et ses sœurs, et d'administrer les Pays-Bas. C'est donc auprès de leur tante, dans le palais de Malines qu'elle venait de faire construire, que vécurent les enfants de Philippe le Beau et de Jeanne, mais Marguerite d'Autriche, constamment prise par les affaires politiques qu'elle conduisait d'ailleurs avec efficacité, ne consacra guère de temps à son neveu et à ses sœurs [1]. Le jeune Charles, privé d'affection, vécut en compagnie de jeunes nobles issus des diverses régions sur lesquelles s'exerçait l'autorité des Habsbourg ; Jean de Saxe et Frédéric de Fürstemberg y représentaient l'Allemagne, le jeune duc Maximilien Sforza assurait la présence du Milanais que les Habsbourg défendaient contre les visées françaises, mais il y avait aussi de nombreux jeunes gens issus des grands lignages de Bourgogne.

Marguerite d'Autriche, deux fois veuve [2], choisit avec soin ceux à qui furent confiées l'éducation et la formation du jeune Charles, et cela en accord avec l'empereur Maximilien. L'objectif était de le préparer aux hautes fonctions qui allaient un jour lui incomber. Et en premier lieu, celle de duc de Bourgogne. Peu après sa désignation comme régente, Marguerite d'Autriche fit proclamer solennellement Charles de Gand comme duc de Bourgogne et souverain

1. Otto de Habsbourg, *Charles Quint, un empereur pour l'Europe*, Bruxelles, 1999, p. 40-42.

2. Elle avait épousé en premières noces don Juan d'Aragon mais celui-ci était mort en 1497 ; elle se remaria à Philippe de Savoie qui mourut à son tour en 1505.

des Pays-Bas. À cette occasion, il fut investi grand maître de l'ordre de la Toison d'or au cours d'une cérémonie grandiose dans l'église Saint-Rambaud de Malines. Lourde responsabilité, mais combien prestigieuse pour un enfant de sept ans !

La formation intellectuelle du jeune duc de Bourgogne fut confiée à un clerc de modeste origine, Adrien Floriszoon Boyens, plus connu sous le nom d'Adrien d'Utrecht, professeur de théologie et vice-recteur de l'université de Louvain, qui devait devenir plus tard pape sous le nom d'Adrien VI. Cet humaniste austère et profondément pieux recruta pour parfaire l'éducation de son élève de nombreux érudits flamands, bourguignons et espagnols. À côté d'Adrien d'Utrecht, Guillaume de Croÿ, seigneur de Chièvres, un noble bourguignon fortement marqué par l'esprit de la chevalerie, devint dès 1509 le camérier et le conseiller du jeune duc.

Charles de Bourgogne reçut une éducation complète, littéraire et scientifique, mais aussi physique et militaire, sans négliger une formation artistique pour laquelle il éprouvait le plus vif intérêt. Outre le français et le flamand, Charles fut initié aux langues parlées dans son futur empire, le castillan, l'italien et aussi l'allemand qu'il ne parviendra d'ailleurs jamais à parler correctement. Ses précepteurs n'eurent guère plus de succès avec le latin. Le jeune duc lisait beaucoup. Il se passionna pour le *Chevalier délibéré*, un poème épique, écrit par Olivier de la Marche, qui retraçait la vie de son aïeul Charles le Téméraire ; il lut aussi avec avidité les *Chroniques* de Froissart. Sa formation physique fut particulièrement soignée, et, très tôt, il excella en escrime et en équitation. Comme tous les Habsbourg, Charles s'adonnait à la chasse, à la grande joie de son grand-père Maximilien qui reconnaissait à ce trait l'un des siens : « Nous aurions pu croire autrement qu'il ne fût un bâtard », écrivait-il à Marguerite d'Autriche[1]. Tout comme son grand-père, le jeune Charles était passionné de musique et de chant choral, et il devait s'y intéresser sa vie durant, y compris dans sa retraite de Yuste.

La religion occupa une place importante dans sa formation. Adrien d'Utrecht était un adepte de la *devotio moderna* qui accordait un grand intérêt à la méditation personnelle et à la lecture des Écritures. Comme les humanistes de son temps et en particulier Érasme, Adrien d'Utrecht était convaincu de la nécessité d'une profonde réforme de l'Église. Toutes ses idées, il chercha à les faire

1. D. G. Mac Guigan, *Les Habsbourg*, *op. cit.*, p. 75.

partager par le jeune duc de Bourgogne et y parvint facilement. L'éducation religieuse de Charles était assurée par la cohorte des prêtres espagnols qui composaient sa chapelle, notamment son confesseur Michel Pavye, ainsi que l'évêque de Badajoz Alfonso Manrique et le chanoine Mota, futur évêque de Badajoz qui, en 1519, défendra la cause de son ancien élève devant les Cortes de Castille au moment de l'élection impériale. Guillaume de Croÿ, par son austérité et sa piété profonde, exerça lui aussi une grande influence sur la formation religieuse du prince. Sa vie durant, Charles Quint demeura fidèle aux principes religieux reçus de ses éducateurs. Le sérieux de cette éducation imprégnée d'une profonde religiosité, l'absence d'un entourage familial chaleureux et les premières responsabilités qui lui échurent dès sa prime jeunesse eurent une profonde influence sur le caractère du futur empereur. Tous ceux qui l'approchèrent dans sa jeunesse trouvaient déjà en lui une personnalité d'adulte et le sérieux d'un vieillard[1]. C'est un peu ce que l'on ressent lorsque l'on regarde les deux portraits du prince que le peintre Bernard Van Orley a réalisé à dix ans de distance. Sur le premier, qui représente Charles à l'âge de dix ans, on voit un enfant triste, paraissant déjà fatigué de la vie, avec un visage ingrat caractérisé notamment par une mâchoire inférieure trop lourde et une grosse lèvre inférieure pendante, un caractère physique propre aux Habsbourg mais particulièrement marqué chez lui. Sur le second portrait, peint en 1516, la même mélancolie se dégage du visage du prince ; les traits du jeune duc de Bourgogne se sont quelque peu affinés, mais Charles paraît timide et presque apeuré, comme s'il redoutait le poids des responsabilités qui lui incombent. Le collier de l'ordre de la Toison d'or qui orne sa poitrine et la couronne royale d'Espagne qui figure sur son béret témoignent des lourdes charges qui pèsent sur ses jeunes épaules.

Ce sérieux et cette maturité avant l'âge ont sans doute poussé son grand-père l'empereur Maximilien à demander aux États-Généraux des Pays-Bas de proclamer l'émancipation du jeune duc de Bourgogne. La cérémonie eut lieu le 5 janvier 1515 à Bruxelles, dans la grande salle du palais des ducs de Brabant, exactement trente-huit ans jour pour jour après la mort de Charles le Téméraire. Charles de Bourgogne se voyait ainsi confier ses premières véritables responsabilités politiques. En tant qu'héritier des ducs de

1. Otto de Habsbourg, *Charles Quint, un empereur pour l'Europe*, *op. cit.*, p. 43-44.

Bourgogne, il se trouvait maintenant à la tête d'un puissant État, sans doute moins étendu que celui sur lequel avait régné en son temps son arrière-grand-père Charles le Téméraire, mais qui demeurait riche en hommes et en biens matériels.

L'ensemble bourguignon sur lequel il régnait maintenant comprenait à la fois des fiefs relevant de la Couronne de France : le comté de Bourgogne — notre Franche-Comté actuelle —, le Mâconnais, l'Auxerrois et le pays d'Avallon ; et aussi des terres relevant du Saint Empire : le Brabant, les comtés d'Artois, de Flandre, du Hainaut, de Namur, de Hollande et de Zélande, le marquisat d'Anvers, les duchés de Luxembourg et du Limbourg. Dans tous ces territoires, la noblesse était jalouse de ses prérogatives et veillait au respect des autonomies locales. Ses représentants et ceux des villes siégeaient aux États-Généraux dont la fonction essentielle était de voter l'impôt[1]. Souvent au cours du XVe siècle, les ducs de Bourgogne avaient dû composer avec cette noblesse turbulente et ces villes toujours promptes à se soulever. La régente Marguerite d'Autriche, grâce à son sens politique, était parvenue à maintenir la paix civile aux Pays-Bas ; elle continuera à le faire pour le compte de son neveu, lorsque celui-ci partira à la conquête de son héritage espagnol.

Charles de Bourgogne et l'héritage espagnol

La mort de son grand-père Ferdinand d'Aragon, le 23 janvier 1516, fit soudainement du jeune duc de Bourgogne l'héritier des Rois Catholiques. Comme nous l'avons vu précédemment, à la mort d'Isabelle la Catholique, Ferdinand d'Aragon avait cherché à écarter de l'héritage sa propre fille Jeanne qu'il jugeait incapable de gouverner en raison de son instabilité mentale. Celle-ci, accompagnée de son mari Philippe le Beau, s'était rendue en Castille dès avril 1506 pour y faire valoir ses droits devant les Cortes. Elle était en effet la seule héritière légitime du royaume de Castille et de ses dépendances puisque son frère, l'infant don Juan, et sa sœur Isabelle étaient morts respectivement en 1497 et 1498. Après la mort brutale de Philippe le Beau le 25 septembre 1506, Ferdinand d'Aragon, exploitant la « folie » de sa fille, se proclama régent de Castille et se fit représenter à Valladolid par l'archevêque de Tolède,

1. J.-M. Sallmann, *Charles Quint, l'empire éphémère*, Paris, 2000, p. 37 et suiv.

Jiménez de Cisneros. Pour éviter que l'héritage aragonais n'échoie un jour à Jeanne la Folle, Ferdinand s'était remarié à Germaine de Foix, héritière de Navarre, avec l'espoir d'assurer sa descendance. Effectivement, un fils naquit de cette union en mai 1509, mais il ne vécut que quelques heures. Ferdinand d'Aragon dut donc se résoudre à accepter la situation telle qu'elle résultait des règles successorales en vigueur. Jeanne la Folle était bien la reine de Castille comme l'avaient décidé les Cortes de 1506 et le fils aîné de celle-ci et de Philippe le Beau, Charles de Bourgogne, l'héritier présomptif. Quant à l'Aragon, faute d'autre héritier, c'est également à Jeanne qu'il devait revenir après la mort de Ferdinand, ainsi qu'à Charles de Bourgogne, bien que personnellement il eût préféré que son successeur soit le frère cadet du duc de Bourgogne, Ferdinandino, né en Espagne en 1503. Ferdinand d'Aragon s'était chargé de l'éducation de ce dernier et le chérissait particulièrement. Mais le vieux roi d'Aragon ne pouvait aller à l'encontre des lois successorales du royaume et, dans son testament, c'est sa fille Jeanne et son petit-fils Charles de Bourgogne qui furent désignés pour lui succéder [1].

Avec la mort de Ferdinand d'Aragon, Charles de Bourgogne devenait maître de l'héritage aragonais qui s'ajoutait à l'héritage castillan, en indivis avec sa mère Jeanne. Le 13 mars 1516, en la collégiale Sainte-Gudule de Bruxelles, un service funèbre fut célébré à la mémoire du défunt roi d'Aragon avec tout le faste et toute la pompe propres à la cour de Bourgogne ; à l'issue de la cérémonie, le héraut proclama : « Vivent dona Juana et don Carlos, les Rois Catholiques [2] ! » À quelques mois de là, le 14 mai, en cette même église, Charles — don Carlos — se fit proclamer conjointement avec sa mère Jeanne « roi de Castille, souverain d'Aragon et des deux Siciles, et souverain des Amériques ». Pour nombre de Castillans, cette proclamation constituait un véritable coup d'État, car les Cortes n'avaient pas été consultées et, même si le nom de Jeanne était associé à celui de son fils, ce n'en était pas moins à leurs yeux un abus de pouvoir. En fait, les conseillers bourguignons de Charles, et en particulier Guillaume de Croÿ, mais aussi l'empereur Maximilien, avaient voulu forcer le destin. Charles de Gand, duc de Bourgogne, était devenu grâce à eux « don Carlos Primero »,

1. J.-M. Sallmann, *Charles Quint, l'empereur éphémère*, *op. cit.*, p. 85-88 et P. Chaunu et M. Escamilla, *Charles Quint*, Paris, 2000, p. 80-81.
2. *Ibid.*, p. 96.

le roi des Espagnes et de leurs dépendances. Pour ne pas heurter davantage ses sujets castillans, don Carlos eut la sagesse de maintenir l'archevêque Cisneros dans ses fonctions de régent et de confier à l'archevêque de Saragosse la même charge en Aragon. De leur côté, les conseillers bourguignons, conscients qu'il fallait apaiser les craintes du roi de France François Ier, signèrent avec lui le traité de Noyon : François Ier laissait le duc de Bourgogne agir librement en Espagne et renonçait à ses droits sur Naples en échange de la rétrocession de la Haute-Navarre que Ferdinand d'Aragon avait occupée en 1512 [1]. La route de l'Espagne était donc ouverte pour le jeune roi, mais celui-ci ne semblait guère pressé de quitter les Pays-Bas auxquels le liaient tant de souvenirs.

Ce fut seulement le 7 septembre 1517 que Charles, accompagné de sa sœur Éléonore, quitta le port flamand de Flessingue. Le 19 septembre, après une traversée mouvementée, le jeune roi mit enfin pied sur le sol castillan dans le petit port asturien de Villaviciosa. Aussitôt, les arrivants prirent la route de Valladolid, tout en effectuant un détour jusqu'à Tordesillas pour y aller saluer la reine Jeanne. La rencontre eut lieu le 7 novembre ; cela faisait plus de douze ans que la mère n'avait pas revu ses enfants. À cette occasion, Charles et Éléonore firent connaissance avec leur sœur Catherine, née en Espagne et alors âgée de dix ans. Comment se déroula l'entrevue entre le jeune roi d'Espagne et sa mère ? Nous n'en savons rien, car elle eut lieu en dehors de la présence de tiers, et ni Jeanne « la Folle » ni Charles n'évoquèrent par la suite ces retrouvailles [2]. Après avoir salué sa mère, Charles avait l'intention de rencontrer le cardinal Cisneros, mais l'entrevue entre le vieux régent et son jeune maître n'eut jamais lieu car Cisneros, malade, mourut le 8 novembre alors qu'il allait à la rencontre du roi. En revanche, Charles fit connaissance, le 12 novembre, de son frère cadet Ferdinand — Ferdinandino comme se plaisait à l'appeler son grand-père — et c'est en sa compagnie qu'il effectua une semaine plus tard son entrée à Valladolid.

Le roi et ses conseillers bourguignons cherchèrent à s'occuper de l'avenir de Ferdinand. Certains redoutaient qu'il puisse se poser en rival de son aîné. On évoqua la possibilité de lui confier de hautes responsabilités en Espagne où il était populaire, une vice-

1. Otto de Habsbourg, *Charles Quint, un empereur pour l'Europe*, *op. cit.*, p. 55-56.
2. *Ibid.*, p. 56-57.

royauté par exemple, ce qui aurait permis à Charles de retourner dans sa chère Bourgogne et de préserver ses droits sur l'héritage des Habsbourg, car on savait l'empereur Maximilien malade. Mais Charles ne l'entendait pas ainsi et comptait bien assurer d'abord son autorité sur ses possessions d'Espagne. Finalement, Ferdinand fut envoyé aux Pays-Bas, pour lesquels il partit en mai 1518. Son arrivée combla de joie et Marguerite d'Autriche, la « gouvernante » des Pays-Bas, et l'empereur Maximilien[1]. Entre-temps, le nouveau roi des Espagnes faisait connaissance avec ses sujets. Dès le 7 février 1518, il avait prêté serment devant les Cortes réunies à Valladolid ; il s'était solennellement engagé à respecter les *fueros*[2] de Castille. Le malentendu né du coup de force de 1516 paraissait dissipé, d'autant plus que Charles exerçait la royauté conjointement avec sa mère, et cette fiction perdura jusqu'à la mort de Jeanne la Folle, en 1555.

Après avoir séjourné quelques mois à Valladolid où il s'initia aux coutumes castillanes — on le vit assister plusieurs fois à des corridas —, Charles se rendit en Aragon et il fit son entrée à Saragosse le 15 mai ; ici aussi, il prêta serment de respecter les privilèges aragonais. Puis il se rendit à Barcelone. Au cours de son séjour à Valladolid, le chancelier du roi, le Bourguignon Sauvage, était mort. Charles le remplaça par un humaniste piémontais, discret mais efficace, Mercurio Gattinara, ce qui, pour les Espagnols, diminuait quelque peu l'influence de l'entourage exclusivement bourguignon, donc étranger, de leur roi[3]. Le nouveau chancelier se révéla un homme de bon conseil pour le roi au moment de l'élection impériale de 1519.

C'est en effet alors qu'il se trouvait à Barcelone que le roi Charles apprit la mort de son grand-père paternel, l'empereur Maximilien décédé le 13 janvier 1519. La nouvelle lui parvint une dizaine de jours plus tard. La perspective d'accéder à la dignité impériale s'offrait désormais au roi d'Espagne, en tant qu'héritier le plus proche de l'empereur défunt. Mais il faut se rappeler que la dignité impériale était élective, même si, depuis près d'un siècle, les électeurs avaient régulièrement choisi un prince de la Maison de Habsbourg. Il s'agissait maintenant pour le roi d'Espagne de

---

1. *Ibid.*, p. 57-58.
2. Les *fueros* étaient l'ensemble des coutumes et privilèges que les souverains de Castille avaient autrefois accordés à leurs sujets.
3. P. Chaunu et M. Escamilla, *Charles Quint*, *op. cit.*, p. 115-116.

convaincre le Collège électoral qu'il était le plus digne d'accéder à l'Empire. La tâche risquait d'être difficile lorsque l'on sait qu'en août 1518, lors d'une Diète tenue à Augsbourg, les électeurs, malgré la demande pressante de l'empereur Maximilien, avaient remis à plus tard la désignation du futur Charles Quint comme « roi des Romains », montrant ainsi qu'ils entendaient conserver leur liberté de choix pour la prochaine élection impériale.

L'élection impériale de 1519

La mort de Maximilien Ier laissait le trône impérial vacant, un trône qui, depuis 1438, avait été constamment occupé par un prince de la Maison de Habsbourg. Cette longue continuité dans le choix des électeurs avait fait quelque peu oublier que la dignité impériale était élective, même si depuis plus d'un siècle et demi le principe héréditaire semblait se mettre en place *de facto*. Au moment où nous nous plaçons, les électeurs étaient conscients de cette dérive et entendaient rappeler qu'ils prétendaient conserver leur liberté de choix. On put le constater lorsqu'en 1518, comme nous l'avons vu plus haut, ils avaient apporté une réponse dilatoire à la demande de l'empereur Maximilien de faire élire comme « roi des Romains » l'aîné de ses petits-fils, Charles de Bourgogne, archiduc d'Autriche, qui régnait sur les Espagnes depuis 1516.

Lors de cette rencontre d'Augsbourg entre Maximilien et les électeurs, ceux-ci avaient laissé entendre à l'empereur qu'ils voteraient pour son petit-fils mais seulement au moment où s'ouvrirait la succession, seuls l'archevêque-électeur de Trêves et le duc de Saxe avaient refusé de s'engager. La volonté de conserver le caractère électif de la fonction impériale n'avait pas été l'unique raison qui avait poussé les électeurs en 1518 à remettre à plus tard la désignation du futur successeur de Maximilien. Tous redoutaient plus ou moins qu'en désignant pour futur empereur un prince qui était déjà roi d'Espagne l'Empire ne se trouve mêlé à des conflits à l'extérieur, notamment en Italie, comme cela avait déjà été le cas à plusieurs reprises dans le passé. Mais il y avait aussi de leur part des préoccupations beaucoup moins désintéressées. Tous étaient au courant des ennuis d'argent de Maximilien et savaient bien qu'il lui serait difficile de récompenser leur vote par l'octroi de compensations financières. En effet, en dépit des apparences, l'élection impériale était devenue une affaire d'argent avec le temps.

L'empereur Maximilien était conscient de cette évolution

lorsqu'il écrivait à son petit-fils le 18 mai 1518 : « Il ne faut pas se prévaloir de sa parenté pour faire pencher la balance du bon côté, il n'y a que l'argent[1]. » Marguerite d'Autriche ne pensait guère autrement lorsqu'elle écrivait : « Il y a deux voies qui mènent à la couronne, l'une est l'argent, l'autre c'est la force[2]. » Elle n'allait pas hésiter à utiliser ces deux voies avec succès.

Pour mener à bonne fin sa mission, Marguerite d'Autriche put compter sur l'appui sans réserve du nouveau chancelier Gattinara qui voyait dans l'élection de Charles de Bourgogne le meilleur moyen de réaliser le vieux rêve de monarchie chrétienne universelle ; elle bénéficiait bien sûr du soutien des alliés traditionnels des Habsbourg en Allemagne et *a fortiori* des représentants des territoires héréditaires de la Maison d'Autriche. La tâche à laquelle s'était attelée Marguerite d'Autriche n'était pas des plus faciles, car elle devait faire face à des concurrents sérieux qui aspiraient à ceindre la couronne de Charlemagne et qui étaient prêts pour cela à circonvenir les princes électeurs.

Selon les dispositions de la Bulle d'or de 1356, il appartenait à un collège de sept électeurs de choisir en toute liberté celui qu'ils jugeaient digne d'assumer la double fonction de roi de Germanie et d'empereur. En 1519, le Collège électoral était ainsi constitué : le duc de Saxe Frédéric le Sage et le comte palatin du Rhin Louis de Wittelsbach, chargés conjointement d'administrer l'Empire pendant la vacance du trône, le roi de Bohême Louis Jagellon également roi de Hongrie, le margrave de Brandebourg Joachim de Hohenzollern, auxquels s'ajoutaient les trois électeurs ecclésiastiques, l'archevêque de Mayence Albert de Hohenzollern, frère du précédent, l'archevêque de Trèves Richard von Greiffenklau, et celui de Cologne Hermann von Wied[3].

L'appât du gain fit vite oublier aux électeurs les promesses faites à Maximilien en 1518. À peine l'empereur avait-il été enterré que les électeurs se virent sollicités de toutes parts, si bien qu'il leur fallut près de six mois pour faire leur choix définitif.

Certes, depuis bien longtemps, l'empereur ne disposait que de pouvoirs fort limités à l'intérieur du Saint Empire. Mais, par tradi-

1. K. Brandi, *Charles Quint*, Paris, 1951, p. 99.

2. L. Schick, *Jacob Fugger, un grand homme d'affaires au début du* XVIe *siècle*, Paris, 1957, p. 167-168.

3. J.-M. Sallmann, *Charles Quint, l'empire éphémère, op. cit.*, p. 95.

tion, la couronne impériale valait à son détenteur un prestige considérable non seulement dans l'Empire, mais aussi dans toute la chrétienté occidentale. L'iconographie de l'époque représentait l'empereur placé au même niveau que le pape, symbolisant de la sorte la dualité du pouvoir dans l'Occident chrétien, le pouvoir temporel détenu par l'empereur, le pouvoir spirituel par le pape. De ce fait, l'empereur précédait en dignité tous les autres princes et monarques de l'Occident, même si le roi de France, selon les légistes, était « empereur en son royaume ». Cette conception, issue de la pensée des clercs du Moyen Âge, était encore partagée au début du XVIe siècle par une grande partie des élites. La conscience populaire y adhérait également et voyait dans l'empereur le chef naturel de la croisade contre les Turcs qui constituaient alors une menace sérieuse pour le monde chrétien, tant en Méditerranée que dans l'espace danubien. En Méditerranée, les Turcs menaçaient en effet directement l'Espagne, les États italiens et dans une moindre mesure les côtes françaises puisque le roi de France François Ier cherchait à nouer des relations privilégiées avec l'Empire ottoman. Du côté du Danube, les Turcs menaçaient en premier lieu la Hongrie et la Bohême, les possessions autrichiennes des Habsbourg et au-delà le cœur du Saint Empire, mais également la Pologne. C'est justement pour cela que les électeurs avaient conscience qu'ils devaient élire un prince suffisamment puissant pour arrêter la progression des Turcs.

Charles de Bourgogne, roi d'Espagne depuis 1516, l'aîné des petits-fils de l'empereur Maximilien, correspondait bien à ce qu'attendaient les électeurs, et il le leur fit savoir clairement dans la lettre qu'il leur adressa à la veille de l'élection, évoquant le passé glorieux de ses grands-parents maternels : « ... ce que notre... grand-père roi d'Aragon a fait en plusieurs années contre les infidèles, par l'aide et la puissance de cette noble nation germanique, nous ferions un grand exploit sur les dits infidèles en bref temps, avec l'aide des sujets des royaumes et autres pays que nous possédons à présent [1]. » Mais Charles de Bourgogne n'était pas seul en lice, d'autres princes s'estimaient capables de relever le défi ottoman. Il y avait d'abord le roi d'Angleterre, Henri VIII, encore marié à cette époque à Catherine d'Aragon, fille des Rois Catholiques, et de ce fait tante de Charles. Henri VIII, dès son avènement, s'était fait

1. Cité par J. Bérenger, *Histoire de l'Empire des Habsbourg*, *op. cit.*, p. 159-160.

remarquer comme un ardent défenseur de l'Église catholique face aux premières attaques que Martin Luther avait lancées contre elle. Mais le concurrent le plus redoutable pour Charles de Bourgogne était le roi de France François Ier, alors maître du Milanais et qui bénéficiait du soutien du pape Léon X. Pour des raisons propres à chacun, les deux souverains les plus puissants d'Europe occidentale, le roi de France et le roi d'Angleterre, redoutaient l'élection de Charles de Bourgogne. En effet, dans la perspective du regroupement du Saint Empire et des États de la Couronne d'Espagne sous l'autorité de Charles de Bourgogne, François Ier craignait l'encerclement de son royaume, tandis qu'Henri VIII voyait d'un mauvais œil la constitution sur le continent d'un Empire trop puissant qui aurait remis en question l'équilibre européen.

Le Collège électoral avait aussi la possibilité de choisir entre deux princes allemands, le duc Frédéric de Saxe connu pour sa grande piété, et l'archiduc Maximilien, frère cadet de Charles de Bourgogne, qui ne semblait guère disposé à s'opposer sur ce terrain aux intérêts de son aîné, mais qui, dans l'esprit de Marguerite d'Autriche, aurait pu être un candidat de recours pour maintenir la couronne impériale dans la Maison de Habsbourg au cas où l'élection de Charles se serait heurtée à une trop grande opposition des électeurs.

Il s'avéra rapidement que les deux candidats sérieux étaient Charles de Bourgogne et le roi de France, car le roi d'Angleterre se retira de la compétition. François Ier disposait d'un appui de poids en la personne du pape Léon X dont le nonce Orsini fit une propagande active auprès des électeurs en faveur de son élection. Pour le pape, en effet, l'élection de Charles représentait un danger certain pour les intérêts temporels de la papauté en Italie, d'autant plus que le roi d'Espagne contrôlait déjà toute l'Italie du Sud et entendait bien récupérer le Milanais alors détenu par François Ier. Le pape laissa entendre aux archevêques-électeurs de Trèves et de Mayence qu'il était disposé à leur donner le chapeau de cardinal en échange de leur renonciation à soutenir le roi d'Espagne. De son côté, François Ier s'efforçait de persuader les électeurs que rien ne s'opposait à ce qu'un prince non allemand fût élu empereur. C'est le sens de la lettre adressée à l'évêque Jérôme Schultz, chef du Conseil de l'électeur de Brandebourg, par le chancelier Duprat. Il y avait déjà eu dans le passé, sous Philippe III et sous Philippe VI de Valois, des tentatives pour faire élire un prince français et l'idée avait fait son chemin à l'époque où Charles VIII s'était lancé à la conquête du royaume de Naples, comme le montre le poème du Bordelais Guillaume Guilloche :

> *Et puis après Conquestera*
> *Vaillamment la cité de Romme*
> *Et obtiendra double couronne,*
> *Nommé sera roy des Romains*
> *Oultre le vouloir des Germains*[1].

S'appuyant sur de nombreux traités juridiques rédigés au début du XVIe siècle, Michel François souligne que « le roi de France ne reconnaît aucun supérieur, pas même l'empereur, et ce serait porter atteinte à son éminente dignité que de penser qu'il ne peut pas, le cas échéant, briguer la couronne impériale[2] ».

Pour appuyer sa candidature, François Ier n'hésita pas à utiliser les deux moyens que Marguerite d'Autriche avait évoqués plus haut, la force et l'argent. La force, François Ier y eut recours par personne interposée en suscitant des troubles en Allemagne contre son rival, en Basse-Saxe notamment où il encouragea la noblesse à se soulever contre les évêques de Hildesheim et de Minden ; de même, il soutint la révolte du duc de Gueldre et celle du duc de Würtemberg contre les autorités impériales. Mais c'est l'argent qui se révéla un élément décisif dans la course à l'Empire. Le roi de France l'utilisa abondamment, mais il ne fut pas le seul à le faire. La couronne impériale permettrait à François Ier de prendre la tête d'une nouvelle croisade, et il était prêt à y mettre le prix : « Je dépenserai trois millions pour être empereur », aurait-il dit alors, « si je suis élu, trois ans après l'élection, je jure que je serai à Constantinople ou que je serai mort[3]. » Sans qu'il faille attacher trop d'importance à cette déclaration, il est certain que François Ier fit envoyer en Allemagne des fourgons contenant quatre cent mille écus d'or en vue d'acheter les électeurs. Les largesses du roi de France lui valurent la promesse d'un vote en sa faveur des archevêques-électeurs de Cologne et de Mayence, de l'électeur de Brandebourg et de l'électeur palatin, ce qui lui assurait la majorité des voix du Collège électoral. En revanche, l'archevêque de Trèves,

1. Michel François, *L'Idée d'empire en France à l'époque de Charles Quint*, in *Charles Quint et son temps*, Paris, 1972, p. 25-26.
2. *Ibid.*, p. 28.
3. Cité par H. Vast, *Histoire de l'Europe 1270-1610*, Paris, 1893, p. 487.

le roi de Bohême Louis Jagellon et le duc Frédéric de Saxe restèrent sourds aux demandes de François Ier et demeurèrent fidèles aux Habsbourg.

En principe, le roi de France avait toutes les chances d'être élu. En réalité, la situation était plus complexe. D'abord, Marguerite d'Autriche en accord avec Charles de Bourgogne utilisa également l'argent pour acheter le vote des électeurs. Et l'on assista à une véritable surenchère menée par les agents de Marguerite d'Autriche. Pour trouver l'argent nécessaire, ils s'adressèrent au banquier Jacob Fugger d'Augsbourg, très lié aux Habsbourg, mais également aux Welser, aux Gualterotti de Florence, aux Fornari et Grimaldi de Gênes qui avaient tous des comptoirs à Anvers, le principal centre financier des Pays-Bas sur lesquels régnait Marguerite d'Autriche. Les banquiers d'Anvers avancèrent ainsi quelque trois cent mille florins du Rhin sous forme de lettres de change adressées à la banque Fugger d'Augsbourg ; Jacob Fugger y ajouta près de cinq cent cinquante mille florins en lettres de change payables après l'élection [1]. Au total, c'est une somme de huit cent quarante-six mille florins d'or qui fut mise à la disposition des électeurs s'ils se prononçaient en faveur de Charles de Bourgogne. On comprend ainsi pourquoi les plus fermes partisans du roi de France se rallièrent au candidat Habsbourg, après avoir obtenu des deux concurrents des lettres les déliant de leurs engagements précédents afin de pouvoir prêter, la conscience tranquille, le serment de voter en pleine indépendance.

L'argent avait joué un grand rôle dans le choix des électeurs, et sur ce plan Charles de Bourgogne avait manœuvré plus habilement que le roi de France. Comme le remarque Pierre Chaunu, « la France a payé avant d'être servie, alors que les paiements de la banque au service des Habsbourg ont été effectués après livraison de la “marchandise” [2] ». Mais d'autres facteurs, et non des moindres, ont joué en faveur du Habsbourg. En premier lieu, il y eut des démonstrations de force de la part des partisans de Charles de Bourgogne. Marguerite d'Autriche avait rallié à la cause de son neveu l'armée de la Ligue souabe dirigée par Franz von Sickingen en assurant le paiement de sa solde pour trois mois ; si bien qu'au moment où le Collège électoral réuni à Francfort s'apprêtait à voter, vingt mille hommes en armes encerclaient la ville, bien décidés à

1. J.-M. Sallmann, *Charles Quint, l'empire éphémère*, *op. cit.*, p. 98.
2. P. Chaunu et M. Escamilla, *Charles Quint*, *op. cit.*, p. 124.

agir si Charles n'était pas choisi [1]. En second lieu, et c'est peut-être ce qui fut le plus décisif, il y eut dans toute l'Allemagne l'émergence d'un sentiment national, d'un véritable patriotisme qui prit naissance à travers tout le pays et qui venait de la petite noblesse, des villes et aussi du petit peuple. On voyait dans Charles de Bourgogne l'héritier légitime de Maximilien, un empereur qui avait joui d'une grande popularité et auquel on était reconnaissant pour les quelques réformes qu'il avait pu réaliser et qui « avaient renforcé la liberté et la sécurité de ceux qui avaient tout à craindre de la puissance des chevaliers ou des seigneurs territoriaux [2] ». Aux yeux de l'opinion publique, François Ier était un étranger, un « welche ». L'humaniste alsacien Sébastien Brant exprimait bien cette hostilité générale à la candidature du roi de France quand il menaçait le Coq gaulois d'y laisser ses plumes s'il s'avisait de forcer les portes de l'Allemagne [3].

Le 18 juin 1519, les membres du Collège électoral s'enfermèrent dans l'église Saint-Barthélemy de Francfort. Après la messe du Saint-Esprit, les électeurs jurèrent sur les Évangiles de voter « libres de tout parti, de tout prix, de tous arrhes et de tout engagement quelque nom qu'on lui donne [4] ». Lors de ce conclave, la candidature de François Ier fut d'emblée écartée, car, comme l'explique l'archevêque-électeur de Mayence, François Ier est un étranger puissant et ambitieux qui risque de vouloir conquérir la Flandre, terre d'Empire [5]. Frédéric le Sage, en faveur duquel le nonce Orsini militait faute d'avoir pu faire triompher la candidature du roi de France, se désista. Le 28 juin, le vote solennel eut lieu : Charles de Bourgogne, désormais Charles Quint, fut élu à l'unanimité. Le soir même, à l'annonce de cette élection, la ville d'Augsbourg célébra l'événement en faisant allumer des feux de joie sur toutes les places de la ville [6].

C'est le 3 juillet que François Ier, alors à Poissy, apprit son échec et l'accession du roi d'Espagne au trône impérial. Pour lui,

1. J.-M. Sallmann, *Charles Quint, l'empire éphémère*, *op. cit.*, p. 97.
2. Otto de Habsbourg, *Charles Quint, un empereur pour l'Europe*, *op. cit.*, p. 94.
3. J.-F. Noël, *Le Saint Empire*, Paris, 1993, p. 69.
4. J. Lucas-Lebreton, « Une couronne à l'encan » in *Historia* n° 271, juin 1969, p. 91-93.
5. P. Chaunu et M. Escamilla, *Charles Quint*, *op. cit.*, p. 139.
6. R. Ehrenberg, *Le Siècle des Fugger*, Paris, 1955, p. 48 et P. Jeannin, *Les Marchands au XVIe siècle*, Paris, 1967, p. 7.

l'élection de Charles Quint représentait un danger pour la sécurité du royaume et pour la présence française à Milan ; Charles Quint devenait un ennemi potentiel contre lequel il fallait se préparer à la guerre.

De son côté, Charles Quint apprit son élection alors qu'il se trouvait à Barcelone. Il lui fallait désormais regagner l'Allemagne pour s'y faire couronner non sans pour autant se désintéresser de ses sujets espagnols. En Allemagne, dès le 3 juillet, les représentants de l'empereur présents à Francfort signèrent au nom de leur maître un engagement selon lequel il maintiendrait les privilèges des princes électeurs, gouvernerait l'Allemagne « avec des hommes capables, de nationalité allemande », ne conclurait aucune alliance et ne ferait venir aucune troupe étrangère sans l'assentiment du Collège électoral.

La situation en Espagne, notamment dans le royaume de Castille, était tendue. On avait mal réagi à l'élection de Charles Quint, qui « cristallisa » les oppositions et les mécontentements [1]. Le nouvel empereur était conscient de l'hostilité suscitée par l'élection impériale. Les Castillans, en particulier, craignaient que l'Espagne ne devienne une dépendance de l'Empire. Charles Quint tenta de les rassurer d'abord au niveau de la titulature : il serait désormais *don Carlos rey de Romanos semper augusto electo emperador, y doña Juana su madre, y el mismo don Carlos, por la gracia de Dios, reyes de Castilla y Léon*. Le 5 septembre, il confirma que les royaumes d'Espagne ne seraient jamais assujettis à l'Empire et que les privilèges desdits royaumes seraient conservés et « inviolablement » respectés [2]. Avant de se mettre en route pour l'Allemagne, Charles Quint convoqua les Cortes de Castille qui se réunirent à Saint-Jacques-de-Compostelle du 31 mars au 30 avril 1520. L'un des anciens précepteurs de l'empereur, l'évêque de Badajoz Pedro Ruiz de la Mota, se fit le porte-parole du souverain : il insista sur le fait que Charles avait accepté la dignité impériale non pour conquérir de nouveaux royaumes, mais pour avoir les moyens de combattre les grands maux de la chrétienté, et en particulier de lutter contre les infidèles, se plaçant ainsi dans la tradition des Rois Catholiques [3]. Mota déclara également que le titre impérial porté

1. J. Pérez, *Histoire de l'Espagne*, Paris, 1996, p. 186.
2. P. Chaunu et M. Escamilla, *Charles Quint*, *op. cit.*, p. 644-645.
3. R. Menendez Pidal, *Formacion del fundamental pensamiento politico de Carlos V*, in *Charles Quint et son temps*, *op. cit.*, p. 1-2.

désormais par leur souverain renforcerait le prestige de l'Espagne et de ses habitants. Les Cortes, d'abord réticentes, furent touchées par le discours de l'évêque et votèrent un subside de quatre cent mille ducats d'or pour le voyage de Charles Quint [1]. Celui-ci embarqua le 20 mai à La Corogne, mais, au lieu de se rendre directement en Allemagne, il fit un détour par l'Angleterre où il débarqua le 27 à Douvres et de là gagna par terre Canterbury où il rencontra du 27 au 29 mai Henri VIII et la reine Catherine d'Aragon. L'ébauche d'une alliance entre Charles Quint et son hôte fut évoquée à cette occasion, ce qui inquiéta, on le comprend aisément, le roi de France. François Ier chercha à empêcher ce rapprochement entre Charles Quint et Henri VIII en rencontrant celui-ci au camp du Drap d'or le 7 juin suivant et en concluant avec lui une alliance. Ce qui n'empêcha pas Henri VIII de rencontrer Charles Quint à Gravelines le 25 juin pour y confirmer leurs intérêts communs face à la France [2].

Après ces entretiens avec le roi d'Angleterre, Charles Quint prit la route des Pays-Bas où il retrouva non sans plaisir le pays de son enfance. Après avoir séjourné un temps auprès de la « gouvernante » Marguerite d'Autriche, l'empereur se dirigea vers Aix-la-Chapelle où il fit sa « joyeuse entrée » le 12 octobre. Le soir même, il s'empressa de confirmer par serment les capitulations signées en son nom par ses représentants au lendemain de l'élection impériale. Le 23 octobre, on procéda à la cérémonie du couronnement dans la cathédrale qui abritait tant de souvenirs liés à Charlemagne, en particulier son trône sur lequel Charles prit place aussitôt après qu'on lui eut remis les insignes impériaux et qu'il eut prononcé le serment traditionnel : « Je confesse et promets devant Dieu et ses anges vouloir conserver, maintenant et à l'avenir, les lois et le droit, comme aussi la paix dans la Sainte Église », une paix qui semblait d'ailleurs compromise depuis que, deux ans auparavant, un certain Martin Luther avait brandi l'étendard de la Réforme. Deux jours plus tard, le pape Léon X accorda à Charles le droit d'utiliser le titre d'« empereur romain élu ». Il faudra attendre près de dix ans pour que l'empereur « élu » soit couronné par le pape [3].

1. Otto de Habsbourg, *Charles Quint, un empereur pour l'Europe*, *op. cit.*, p. 93.
2. P. Chaunu et M. Escamilla, *Charles Quint*, *op. cit.*, p. 153-154.
3. Otto de Habsbourg, *Charles Quint, un empereur pour l'Europe*, *op. cit.*, p. 100-101 et P. Chaunu et M. Escamilla, *Charles Quint*, *op. cit.*, p. 156.

Pour la première fois dans l'histoire, celui qui avait été placé à la tête du Saint Empire exerçait son autorité sur un immense ensemble de territoires allant des confins septentrionaux du Maghreb jusqu'à l'Italie du Sud, de la Meuse jusqu'au moyen Danube, des Alpes jusqu'à la mer du Nord et la Baltique, sans oublier ces immenses terres des Amériques que l'on commençait à exploiter : « Un empire sur lequel le soleil ne se couchait jamais. »

7

La puissance des Habsbourg à l'époque de Charles Quint : mythes et réalités

Charles Quint, un monarque tout-puissant ?

Peut-on considérer que Charles Quint, au moment où il devint roi de Germanie et empereur élu des Romains, était le souverain le plus puissant d'Europe, et que lui et sa famille constituaient une menace pour les États voisins et plus particulièrement le royaume de France ? On pourrait à première vue le penser lorsque l'on voit sur une carte de l'Europe au début du XVIe siècle l'étendue des territoires relevant des Habsbourg.

À s'en tenir aux pays directement sous l'autorité de l'empereur, on constate qu'il s'agit d'un ensemble immense mais discontinu de territoires, divers par leurs populations, leur niveau de développement et leur statut juridique. Cette accumulation de possessions entre les mains d'un même homme est l'aboutissement à la fois de l'habile politique matrimoniale menée par l'empereur Maximilien et des circonstances favorables qui en ont facilité la réalisation.

L'Empire de Charles Quint repose sur un quadruple héritage. À la mort de son père, l'archiduc Philippe le Beau, Charles est entré en possession d'une partie de l'héritage bourguignon constitué des Pays-Bas et du comté de Bourgogne, sans le duché de Bourgogne repris par le roi de France en tant qu'apanage de la Couronne. Puis, en 1519, à la mort de son grand-père paternel l'empereur Maximilien, il a hérité de l'ensemble des biens patrimoniaux des Habsbourg, c'est-à-dire l'Alsace et des seigneuries en Allemagne du Sud, mais surtout l'Autriche et ses appendices en direction de l'Adriatique avec le port de Trieste et une partie de l'Istrie. Ce double héritage tenu de sa famille paternelle vaut à Charles Quint une solide implantation dans l'ancienne Lotharingie et dans le sud du royaume de Germanie. L'héritage qu'il tient de ses ancêtres maternels est davantage tourné vers l'Atlantique et la Méditerranée. Conjointement avec sa mère Jeanne la Folle, Charles a hérité successivement des possessions de sa grand-mère Isabelle la Catholique, c'est-à-dire les royaumes de Castille, y compris les trois provinces basques, et de Grenade, auxquelles il va ajouter rapidement des *presidios* sur les côtes d'Afrique du Nord, sans compter les immenses potentialités attendues des possessions coloniales des Indes occidentales — c'est-à-dire l'Amérique. En 1516, la mort de son grand-père maternel Ferdinand a apporté à Charles l'héritage aragonais constitué des royaumes d'Aragon, de Navarre et de Valence, de la principauté de Catalogne y compris les Baléares et le Roussillon, mais aussi le royaume de Naples, la Sardaigne et la Sicile auxquels devaient s'ajouter en 1530 quelques *presidios* sur la côte toscane.

Cette impressionnante énumération ne doit pas nous faire oublier que cet empire n'est que la juxtaposition d'États et de territoires qui ont chacun leurs propres lois, leurs propres institutions, et que le seul lien qui les unit est la personne de l'empereur. À tout cela, l'élection de 1519 ajoute naturellement un plus : Charles Quint en tant qu'empereur exerce désormais une autorité, d'ailleurs plus morale que politique, sur le Saint Empire et ses dépendances, c'est-à-dire l'Italie du Nord — à l'exception de la république de Venise —, le Dauphiné et la Provence devenus français mais pour lesquels le roi de France est vassal de l'empereur, et la Confédération helvétique, berceau de la famille des Habsbourg, mais dont les cantons sont indépendants de fait depuis près d'un siècle.

De ce fait, malgré son étendue, l'Empire de Charles Quint est loin de présenter la même cohésion que le royaume de France où François Ier exerce une autorité de plus en plus pesante. Charles Quint, lui, n'a jamais cherché à organiser son « Empire » en un État centralisé. « Il délègue, il ne tente jamais de centraliser ou de moderniser — par loyauté, par sagesse, par réalisme[1]. » Là où il ne réside pas habituellement, il se fait représenter par un gouverneur, choisi parfois au sein de l'aristocratie locale, mais le plus souvent c'est à un membre de sa famille qu'il confie cette fonction. Ainsi, sa tante, Marguerite d'Autriche, fut gouvernante des Pays-Bas jusqu'à sa mort en 1530 ; Marie de Hongrie, sa sœur, lui succéda dans cette fonction jusqu'en 1555. De la même façon, en 1521, Charles Quint confia à son frère cadet, l'archiduc Ferdinand, l'administra-

1. P. Chaunu et M. Escamilla, *Charles Quint*, *op. cit.*, p. 157.

tion de la Basse-Autriche et de l'Autriche intérieure auquel il ajouta l'année suivante, par la convention de Bruxelles, celle de l'Autriche antérieure, du Tyrol et du Würtemberg ; il lui donnait en outre, pendant ses périodes d'absence, la haute main sur les affaires du Saint Empire[1]. De même, lorsque Charles Quint devait quitter l'Espagne, il confia les fonctions de régent à son fils Philippe aussitôt que celui-ci fut majeur. Ce fut le cas en 1543, lorsqu'il partit pour l'Allemagne combattre les protestants de la Ligue de Smalkalde. Les gouverneurs et à plus forte raison les proches de l'empereur disposaient d'une assez large liberté de manœuvre, car, compte tenu des distances, ils devaient régler par eux-mêmes les problèmes urgents sans attendre les instructions impériales. Rappelons à ce propos qu'il fallait à un courrier rapide quinze jours l'été et dix-huit jours l'hiver pour relier Bruxelles à Grenade, et au moins cinq jours pour aller de Bruxelles à Innsbrück[2].

Aux possessions directement tenues par Charles Quint s'ajoutèrent bientôt les bénéfices de la politique matrimoniale de l'empereur Maximilien. En effet, le 29 août 1526, le roi de Bohême et de Hongrie, Louis II Jagellon, trouva la mort sur le champ de bataille de Mohács où il tentait d'arrêter l'armée ottomane de Soliman le Magnifique. Sa mort laissait les trônes de Bohême et de Hongrie vacants, car Louis II n'avait aucun héritier direct. Or, comme nous l'avons vu précédemment, il existait depuis 1515 un pacte de « succession mutuelle » entre les Habsbourg et les Jagellon, consolidé par le double mariage de Marie d'Autriche avec Louis II Jagellon, et d'Anne, sa sœur, avec Ferdinand d'Autriche. En cas d'extinction des Jagellon, leur héritage devait aller aux Habsbourg. Au lendemain de Mohács, Ferdinand d'Autriche, frère de Charles Quint et beau-frère de Louis II, fut facilement élu roi de Bohême par la Diète, le 23 octobre 1526. En Hongrie, la succession donna lieu à une crise provoquée par la candidature au trône de János Szapolyai, voïvode de Transylvanie, hostile aux Habsbourg. János Szapolyai, avec l'appui de la petite noblesse qui ne lui tint pas rigueur de sa passivité au moment de la bataille de Mohács, fut élu roi le 10 novembre 1526 par la Diète réunie à Székesfehérvár. Ferdinand d'Autriche contesta cette élection et réclama la couronne, faisant savoir que s'il était choisi comme roi il pourrait mettre toutes les

1. E. Zöllner, *Histoire de l'Autriche des origines à nos jours*, *op. cit.*, p. 167 et suiv.

2. B. Bennassar et J. Jacquart, *Le XVIe siècle*, Paris, 1972, p. 123.

forces des Habsbourg au service de la lutte contre les Turcs. Cet argument porta auprès de la haute noblesse et du clergé. Ferdinand fut élu roi de Hongrie le 17 décembre suivant par une nouvelle Diète réunie à Presbourg. La Diète de Croatie et de Slavonie se rallia peu après au candidat Habsbourg. La Bohême et la Hongrie allaient se trouver intégrées à l'Empire des Habsbourg jusqu'en 1918, tout en gardant leurs institutions particulières. Mais dans l'immédiat, le roi Ferdinand allait devoir gérer — avec l'aide de Charles Quint, du moins le pensait-il — la guerre contre les Turcs en Hongrie, et une guerre intérieure l'opposant à son rival János Szapolyai, prêt à s'entendre avec les Turcs et avec tous les ennemis des Habsbourg, y compris François Ier [1].

Le poids territorial de l'Empire habsbourgeois ne doit pas cependant faire illusion. Cet empire, en effet, aussi vaste qu'il puisse être, n'est que relativement peuplé. Le royaume de France, qui a à cette époque une population de près de 14 millions d'habitants avec une densité de l'ordre de 30 à 35 au km^2 — la plus forte d'Europe après celle des Pays-Bas —, est loin d'être en position d'infériorité par rapport aux États sur lesquels règnent *effectivement* les Habsbourg [2]. Les royaumes d'Aragon et de Castille ont alors respectivement 3,6 et 1,2 millions d'habitants, leurs dépendances italiennes environ 3,5 millions, l'héritage bourguignon — Pays-Bas et comté de Bourgogne — atteint à peine les 4 millions d'habitants. Si l'on ajoute à cela la population des possessions habsbourgeoises à l'intérieur du Saint Empire, on arrive à une population totale à peu près égale à celle de la France. Il existe donc un équilibre qui penche même en faveur de la France puisque, au moment où Charles Quint est élu empereur, elle détient le Milanais qu'elle devait conserver jusqu'en 1522 [3].

Autre avantage et non des moindres, François Ier règne sur une population relativement homogène et le français, par l'ordonnance de Villers-Cotterêts de 1539, va s'imposer comme langue unique de l'administration. Au contraire, dans les États qui relèvent de l'autorité de Charles Quint, on parle le français, le flamand, le castillan, le catalan, l'italien, l'allemand, le slovène, sans compter le

1. G. Bartha, *Az erdélyi fejedelemség születése* (*La Naissance de la principauté de Transylvanie*), Budapest, 1984, p. 9 et suiv., et *Magyarország története* (*Histoire de la Hongrie*), t. III, 1526-1686, Budapest, 1985, t. 1, p. 155 et suiv.

2. C'est-à-dire en excluant le Saint Empire à l'exception des possessions héréditaires de la dynastie qui s'y trouvent.

3. P. Chaunu et M. Escamilla, *Charles Quint*, *op. cit.*, p. 63-64.

tchèque et le hongrois lorsque, en 1526, l'archiduc Ferdinand devient roi de Bohême et de Hongrie.

La supériorité des Habsbourg résiderait-elle dans leur puissance militaire ? À l'époque de Charles Quint, c'est l'Espagne qui fournit l'essentiel des troupes. Depuis l'époque des Rois Catholiques, l'Espagne dispose d'une armée permanente reposant, en théorie du moins, sur le service militaire. Au début du XVIe siècle, cette armée a été organisée par Gonzalve de Cordoue sur la base d'une unité tactique, le *tercio*, qui regroupe aux côtés des fantassins — piquiers, mousquetaires et arquebusiers — des éléments de cavalerie et d'artillerie. La majorité des combattants est espagnole, mais il y a aussi des volontaires italiens, allemands et wallons. À cela s'ajoutent les mercenaires, recrutés principalement en Allemagne et aux Pays-Bas, en fonction des besoins. Cet appareil militaire puissant et efficace coûte cher et va contribuer largement à la dégradation des finances de Charles Quint, déjà fortement mises à mal par les dettes considérables contractées auprès des banques allemandes et italiennes au moment de l'élection impériale. En dépit des ressources croissantes tirées des mines d'or et d'argent d'Amérique qui ont enrichi le Trésor — mais qui ont également provoqué une forte inflation —, l'augmentation constante des dépenses a entraîné un recours permanent à l'emprunt auprès des banques, avec des taux d'intérêt qui s'élèvent jusqu'à 14 % autour de 1540. Le Trésor se tourna également vers les particuliers avec l'émission de *juros* gagés sur les revenus futurs de l'État, et n'hésita pas à multiplier la vente de titres et d'offices. Tous ces expédients n'ont pas empêché les mesures brutales d'assainissement prises en juin 1557 avec la suspension des paiements, l'interdiction de l'exportation d'or et la consolidation de la dette flottante aux dépens des détenteurs de *juros*.

Tout cela nous donne un éclairage beaucoup plus nuancé sur la puissance réelle de Charles Quint. Était-il vraiment « l'homme le plus puissant du monde [1] » ? On peut légitimement en douter, même si cette image de puissance apparente a suscité les craintes de François Ier, générant ainsi un conflit permanent entre celui-ci et son rival Habsbourg.

1. L. Theis, « Charles Quint, l'homme le plus puissant du monde », in *Le Point*, 18 février 2000, p. 98 et suiv.

L'impossible mission de Charles Quint

En dépit de moyens relativement limités, Charles Quint ne s'en croyait pas moins investi d'une mission liée à l'idée qu'il se faisait de la place de l'empereur au sein du monde chrétien. On a sans doute trop pris à la lettre le message que le chancelier Gattinara adressa à Charles au lendemain de son élection : « Sire, puisque Dieu vous a conféré cette grâce immense de vous élever, par-dessus tous les rois et princes de la chrétienté, à une puissance que jusqu'ici n'a possédée que votre prédécesseur Charlemagne, vous êtes sur la voie de la monarchie universelle, vous allez réunir toute la chrétienté sous une même tutelle [1]. » Cette vision impériale était-elle impérialiste ? On peut en douter. Charles Quint avait en effet deux objectifs. D'abord, conserver pour sa Maison l'héritage légué par ses ancêtres tant paternels que maternels, et c'est dans cette optique qu'il faut voir le conflit avec la France. Charles Quint s'est constamment attaché à récupérer les droits, « légitimes » à ses yeux, qu'il tenait sur le duché de Bourgogne. De même, il a toujours considéré l'Italie du Nord comme une terre d'Empire, ce qui devait l'opposer à François Ier qu'il chassera finalement du Milanais avant de l'inféoder à son propre fils en 1540. Malgré Gattinara, Charles Quint n'a jamais cherché à devenir le maître du monde. C'est ce qu'il explique au pape en 1536 : « Mon intention n'est pas de faire la guerre aux chrétiens mais contre les Infidèles, et que l'Italie et la chrétienté soient en paix et que chacun possède son bien [2]. » Le deuxième objectif de Charles Quint était en effet d'unir tous les peuples d'Occident pour défendre la chrétienté menacée par les musulmans, en l'occurrence les Turcs. Un objectif ambitieux qui présupposait l'unité religieuse d'une chrétienté occidentale divisée par la Réforme et l'établissement d'une paix durable entre les États chrétiens afin de les rassembler dans une croisade contre les Turcs.

La réalisation de tels objectifs se heurta à de nombreux obstacles dans un monde en pleine mutation dans lequel, face à la conception humaniste de l'unité du monde chrétien, se développait un nouveau concept politique, celui de l'État-nation défenseur de ses propres intérêts. Les premières difficultés rencontrées par Charles Quint se

1. P. Chaunu et M. Escamilla, *Charles Quint*, *op. cit.*, p. 142.
2. Cité par M. Vénard, *Les Débuts du monde moderne*, in *Le Monde et son histoire*, t. V, p. 257-258.

manifestèrent dans ses propres États. En effet, dès les débuts de son règne, des troubles éclatèrent en Espagne. Ce fut en 1520-1521 la révolte des *communeros* unissant les villes de Castille contre le régent Adrien d'Utrecht et ses conseillers flamands : le mouvement, xénophobe à l'origine, se transforma en une révolution antinobiliaire. Au même moment, dans le royaume de Valence et à Majorque, l'agitation sociale des *Germanias* se prolongea jusqu'au retour de Charles Quint sur place en 1527.

Beaucoup plus lourde de conséquences fut la crise provoquée dans le Saint Empire par la Réforme luthérienne. Crise religieuse au départ, elle devint crise sociale avec la guerre des Paysans et crise politique dans la mesure où les princes allemands passés au luthéranisme cherchèrent à se préserver contre toute velléité de l'empereur de rétablir par la force le catholicisme. Crise internationale enfin, car les princes protestants n'hésitèrent pas à nouer des alliances avec les ennemis de l'empereur, notamment le roi de France. La Réforme avait pris naissance en Saxe en 1517, quand le moine augustin Martin Luther avait affiché à Wittenberg quatre-vingt-quinze thèses où il dénonçait le commerce des indulgences et les abus de l'Église et du pouvoir pontifical. Par la bulle *Exsurge Domine* du 15 janvier 1520, le pape condamna 41 des 95 thèses de Luther comme « hérétiques, scandaleuses, fausses ou offensantes ». Érasme, auquel Charles Quint prêtait volontiers une oreille attentive, tenta de fléchir le pape en insistant sur le fait que la publication de cette bulle allait provoquer des troubles dans l'Empire. Rien n'y fit et la bulle fut diffusée en Allemagne. Ayant fait appel en vain de cette condamnation devant le concile général dont tout le monde, y compris Charles Quint, attendait la tenue, Luther répondit par un geste provocateur et symbolique en brûlant publiquement la bulle pontificale ainsi que des traités de théologie et de droit canon. La rupture entre Luther et Rome fut définitivement consommée avec la publication, le 3 janvier 1521, de la bulle *Decet romanum pontificem* qui jetait l'anathème sur Luther et ceux qui le suivaient [1].

Pris par les affaires italiennes et la révolte des *communeros*, Charles Quint évita longtemps de prendre parti malgré les pressions continuelles de Rome. Néanmoins, lors de la Diète qui s'ouvrit à

1. E.-G. Léonard, *Histoire générale du protestantisme*, Paris, 1980, t. I, p. 52 et suiv.

Worms le 27 janvier 1521, l'« affaire Luther » fut au centre des discussions. L'empereur s'était résigné à faire préparer un projet d'édit contre Luther et ses partisans, puis il le fit citer à comparaître devant la Diète, muni d'un sauf-conduit. Luther se présenta le 17 avril et pendant deux jours il eut tout loisir d'exposer ses griefs contre Rome et de justifier sa position. Dans sa conclusion, après avoir invoqué les textes de l'Écriture et rappelé qu'au cours de l'histoire les papes et les conciles avaient commis des erreurs, il s'écria : « Je suis lié par les textes de l'Écriture que j'ai présentés et ma conscience est captive des paroles de Dieu. Je ne puis donc ni ne veux me rétracter car ce n'est ni sûr ni convenable d'aller contre sa conscience. Que Dieu me vienne en aide ! Amen ! »

Fort de l'appui de l'immense majorité de la Diète, Charles Quint aurait pu agir comme l'avait fait l'empereur Sigismond avec Jean Hus lors du concile de Constance. Il n'en fit rien. Fidélité à la parole donnée ? Prudence politique ? Ou peut-être prise de conscience qu'une réforme en profondeur de l'Église était nécessaire ? Toujours est-il que, le 26 avril, Charles Quint invita Luther à quitter Worms, ce qu'il s'empressa de faire, mais tandis que le réformateur se dirigeait vers Wittenberg, des hommes de l'électeur Frédéric de Saxe le prirent sous leur protection et l'installèrent en lieu sûr au château de la Wartburg. Ce n'est qu'un mois plus tard, le 26 mai, que la Diète, à la demande pressante du nonce, vota l'édit de Worms qui mettait Luther au ban de l'Empire, ordonnait la destruction de ses écrits et soumettait à une stricte censure les livres traitant de questions religieuses ou concernant les Écritures.

Charles Quint ne semble pas avoir manifesté un zèle excessif contre Luther, et, avant de quitter Worms, il confia à son frère l'archiduc Ferdinand la gestion des affaires allemandes, ce que ce dernier fit avec beaucoup de prudence et de réalisme sans être autrement désavoué par son aîné. Il est vrai que la Réforme gagnait du terrain, principalement en Allemagne du Nord et dans beaucoup de villes libres d'Empire. La Diète de Spire présidée par l'archiduc Ferdinand en 1526 laissa à chaque prince « la liberté de croire et de se comporter dans l'application de l'édit de Worms comme il croirait pouvoir en répondre devant Dieu et devant leurs Majestés ». En 1529, une autre Diète tenue à Spire décida, à la demande de l'archiduc Ferdinand, que le luthéranisme serait toléré là où il était établi mais qu'il ne pourrait s'étendre à d'autres régions, et que le culte catholique devrait être rétabli partout, y compris là où les luthériens l'avaient supprimé [1]. Ces mesures provoquèrent une *protestation* de cinq princes et de quatorze villes libres d'Empire, car, à leurs yeux, cette mesure empêchait toute nouvelle expansion de la Réforme. Les réformés seront désormais qualifiés de *protestants*.

Charles Quint, après une longue absence, revint en Allemagne au début de l'été 1530, auréolé d'un prestige nouveau, car le pape Clément VII venait de le couronner empereur à Bologne, le 24 février, deux jours après qu'il eut ceint la couronne de fer des rois de Lombardie [2]. Peu avant sa mort, le chancelier Gattinara [3] avait recommandé à Charles Quint de rechercher une solution pacifique à la crise religieuse. Il est vrai que l'Empire et toute la chrétienté étaient sous la menace des Turcs qui, en 1529, avaient en vain tenté de s'emparer de Vienne [4]. Pour lutter contre l'ennemi commun, Charles Quint avait besoin du soutien des princes protestants, prêts à monnayer leur aide en échange de concessions en matière religieuse [5]. L'empereur invita alors les chefs des Églises réformées à la Diète d'Augsbourg en juillet 1530. Les luthériens présentèrent un texte de vingt-huit articles connu sous le nom de Confession d'Augsbourg, mais d'autres réformateurs comme le Suisse Zwingli et le Strasbourgeois Bucer refusèrent de s'y rallier. Les divergences entre protestants et l'intransigeance de Luther face aux appels d'Érasme en faveur d'une attitude plus souple firent échouer cette tentative de conciliation vivement souhaitée par l'empereur. Charles Quint réagit par le recès du 19 novembre 1530, voté en l'absence des représentants des princes protestants : les États luthériens étaient autorisés à suivre la Confession d'Augsbourg jusqu'au 15 avril 1531 à condition d'accepter chez eux le culte catholique. Faute d'être revenus au catholicisme à cette date, les mesures prévues par l'édit de Worms de 1521 seraient appliquées.

---

1. J. Rovan, *Histoire de l'Allemagne des origines à nos jours*, *op. cit.*, p. 295-296.
2. Otto de Habsbourg, *Charles Quint, un empereur pour l'Europe*, *op. cit.*, p. 154-155. Il faut noter que Charles Quint sera le dernier *imperator electus* couronné par le pape. La cérémonie n'eut pas lieu à Rome, car le sac de la Ville éternelle en 1527 par les soldats de Charles Quint avait laissé bien des rancœurs.
3. Après la mort de Gattinara survenue à Innsbrück le 5 juin 1530, le poste de chancelier demeura définitivement vacant.
4. J.-P. Bled, *Histoire de Vienne*, *op. cit.*, p. 42.
5. H. Hantsch, *Le Problème de la lutte contre l'invasion turque dans l'idée politique générale de Charles Quint*, in *Charles Quint et son temps*, *op. cit.*, p. 54-55.

L'empereur ordonnait également le rétablissement de l'autorité épiscopale là où on l'avait supprimée ainsi que la restitution des biens d'Église sécularisés[1].

Malgré cette apparente fermeté, Charles Quint avait accordé un délai de six mois aux protestants, manifestant ainsi son désir d'éviter l'épreuve de force dans l'immédiat. Il est vrai qu'il voulait aussi ménager le Collège électoral — dont deux membres étaient passés à la Réforme — pour obtenir l'élection de l'archiduc Ferdinand comme roi des Romains, ce qui fut fait le 5 janvier 1531[2]. En fin politique, Charles Quint était conscient que le recès de novembre 1530 avait suscité l'inquiétude des princes protestants qui décidèrent le 27 février 1531 de se regrouper au sein de la Ligue de Smalkalde pour défendre le droit des princes et des villes contre l'autorité impériale, et assurer la liberté religieuse pour les protestants. Bientôt, François Ier noua des liens étroits avec certains princes luthériens mais aussi avec la Bavière, pourtant catholique, au moment même où dans le cadre de la politique qu'il menait contre les Habsbourg.

Charles Quint avait toujours à cœur le rétablissement de l'unité religieuse dans le Saint Empire. On le vit lors de la Diète tenue à Ratisbonne d'avril à juillet 1532. L'empereur était alors au faîte de sa puissance. Le chroniqueur Leonhardt Widman souligne l'autorité qui se dégage de l'empereur, avec « le visage sérieux et viril d'un César, une barbe couleur d'or fin, des cheveux légèrement frisés, taillés en rond comme ceux des antiques empereurs », et de noter à la date du mercredi 17 avril : « Ouverture officielle de la Diète. Parviendra-t-elle à un compromis entre catholiques et protestants ? » À cette occasion, l'empereur suspendit les mesures prises en 1530 : « On apprend que Soliman se dirige à nouveau sur Vienne. Nos bons princes et pieux évêques ont accepté de faire taire leurs querelles pour s'allier contre les Turcs[3]. »

Ce n'est que bien plus tard, en 1546, que Charles Quint tenta de rétablir par la force l'unité religieuse de l'Allemagne. Les circonstances semblaient alors favorables, Luther venait de mourir et,

1. J.-M. Sallmann, *Charles Quint, l'empire éphémère*, *op. cit.*, p. 279-280, et H. Bogdan, *Histoire de l'Allemagne de la Germanie à nos jours*, *op. cit.*, p. 214-215.

2. P. Chaunu et M. Escamilla, *Charles Quint*, *op. cit.*, p. 251-252.

3. Cité par B. Pierre, *Le Roman du Danube*, Paris, 1987, p. 50-52.

l'année précédente, le concile tant attendu avait commencé ses travaux à Trente. Après sa victoire de Mühlberg, le 24 mai 1547, immortalisée par le tableau de Titien, Charles Quint crut pouvoir rétablir par l'Intérim d'Augsbourg, en 1548, le catholicisme dans toute l'Allemagne, tout en acceptant la présence des luthériens là où ils étaient présents et en faisant des concessions au sujet de la communion sous les deux espèces et du mariage des prêtres. Même vainqueur militairement de la coalition protestante, Charles Quint se voyait contraint de tolérer les luthériens alors même que les calvinistes supplantaient les luthériens au Brandebourg et au Palatinat ; l'Intérim d'Augsbourg oubliait volontairement la question des biens d'Église sécularisés [1]. Les princes protestants ouvertement alliés au nouveau roi de France, Henri II, par le traité de Chambord du 15 janvier 1552, entendaient bien obtenir mieux qu'une simple tolérance. L'empereur, après son échec devant Metz que les princes protestants avaient livré aux Français, dut laisser à son frère Ferdinand le soin de conclure un accord avec les protestants. La paix d'Augsbourg de 1555 devait consacrer la division religieuse de l'Allemagne.

À défaut de triompher des hérétiques du Saint Empire, Charles Quint eut au moins la consolation de maintenir l'unité religieuse aux Pays-Bas et en Espagne. Pourtant, dès 1518, les idées de Luther avaient pénétré à Anvers ; en 1520, l'empereur publia un placard punissant de mort les réformés et chargeant les évêques d'extirper l'hérésie, mais ceux-ci manifestèrent peu de zèle dans cette mission. On nomma finalement en 1523 trois Inquisiteurs généraux et, le 1er juillet de la même année, on procéda à l'exécution de deux moines augustins à Anvers. Le luthéranisme progressa peu à peu malgré la répression, tandis qu'à partir de 1530 le courant anabaptiste commençait à se manifester dans les provinces septentrionales. La population des Pays-Bas était cependant demeurée majoritairement attachée à la foi catholique et approuva la politique répressive menée par la « gouvernante » des Pays-Bas, notamment l'édit du 1er juin 1535 contre les anabaptistes [2]. Si en Allemagne Charles Quint avait dû composer avec les protestants, aux Pays-Bas, fort de l'appui de la population, il put par des mesures énergiques arrêter la propagation de l'hérésie. Ce qui souligne encore une fois le sens

1. J. Rovan, *Histoire de l'Allemagne des origines à nos jours*, *op. cit.*, p. 313.
2. F. Van Kalken, *Histoire de la Belgique et de son expansion coloniale*, Bruxelles, 1954, p. 290 et suiv.

politique de l'empereur qui savait tenir compte, pour la gestion des affaires, des sensibilités différentes de ses sujets.

Cela fut encore plus visible en Espagne. Ici, il existait une Église solide dans ses certitudes, associée étroitement à la Couronne à laquelle elle fournissait une partie des cadres de l'administration. C'est en terre espagnole que naquit, à l'initiative d'Ignace de Loyola, en 1539, la Compagnie de Jésus qui allait bientôt devenir l'instrument de la Contre-Réforme au service du pape. Dès sa naissance, la Compagnie fut soutenue par Charles Quint, puis par les Habsbourg d'Espagne et d'Autriche, au moins jusqu'au début du XVIIIe siècle[1]. En Espagne vivaient deux minorités religieuses, les juifs et les musulmans. Après 1492, les juifs durent se convertir ou quitter le pays, et cette mesure fut plus tard étendue à la Sicile et même au royaume de Naples en 1539. Officiellement, à l'époque de Charles Quint, il n'y avait plus de juifs en Espagne. Les *conversos* demeurés sur place étaient étroitement surveillés par l'Inquisition. L'opinion publique espagnole approuvait cette méfiance à l'égard des juifs convertis et même parfois à l'égard de dignitaires de l'Église qui n'étaient pas des *vieux-chrétiens*. Mais Charles Quint s'opposa aux mesures que l'archevêque de Tolède Juan Martinez de Siléceo voulait prendre contre des chanoines *conversos* au nom de la pureté du sang. La situation des musulmans de l'ancien royaume de Grenade était quelque peu différente. Obligés de se convertir au catholicisme ou de partir, la plupart des morisques demeurèrent sur place, mais leur conversion était plus apparente que réelle ; ils continuaient à parler arabe et à pratiquer l'islam secrètement. Des mesures de surveillance furent prises à leur égard en 1525-1526, si bien qu'à partir de cette date il n'y eut officiellement plus de musulmans en Espagne. Personne n'était dupe de la sincérité de ces conversions, mais Charles Quint estimait qu'avec le temps, l'assimilation se ferait d'elle-même, si bien que jusqu'au début des années 1550, date de reprise de la guerre avec les Ottomans en Méditerranée, il fit preuve d'une politique de tolérance à l'égard des morisques[2].

Beaucoup plus dure fut la politique menée en Espagne contre les protestants. Au moment où Luther se présentait devant la Diète de Worms, les autorités de Castille publièrent un décret ordonnant la recherche et la saisie des écrits de Luther, décret repris en 1525,

1. J.-M. Sallmann, *Charles Quint, l'empire éphémère*, *op. cit.*, p. 292 et suiv.
2. *Ibid.*, p. 311 et suiv.

1530 et 1544. En fait, c'est la nomination en janvier 1547 dans les fonctions de Grand Inquisiteur général de Fernando de Valès qui accentua la persécution. Un index des livres interdits fut publié, et parmi eux figuraient les traductions de la Bible jugées suspectes. La persécution des luthériens fut longtemps limitée, car les idées de Luther n'avaient eu sur l'Espagne qu'un impact restreint. Elle s'amplifia à la fin du règne de Charles Quint lorsque celui-ci, déjà retiré à Yuste, fut averti en avril 1558 de l'existence de nouveaux foyers luthériens. Dans une lettre à son fils, l'infant Philippe, le vieux monarque invite celui-ci « à couper le mal à la racine, avec la plus grande rigueur en appliquant le châtiment le plus dur[1] ». Charles Quint savait qu'en agissant ainsi, il pouvait compter sur le soutien de ses sujets espagnols.

Le troisième obstacle à la réalisation des objectifs ambitieux de Charles Quint fut l'impossibilité dans laquelle il se trouva d'établir un climat de concorde entre les États chrétiens d'Europe afin de les unir contre le péril turc. Voulait-il sincèrement cette paix entre les nations chrétiennes ? D'aucuns en doutèrent. Ce fut le cas de François Ier et de tous ceux qui, parmi les historiens jusqu'à une époque assez récente, ont voulu justifier sa politique et celle de ses successeurs, et qui considéraient la puissance des Habsbourg comme une menace pour la sécurité de la France. Nous avons eu l'occasion de signaler précédemment qu'en fait, la puissance de Charles Quint était à peu près équivalente à celle du roi de France. On peut ici analyser un exemple précis, certes d'importance secondaire, mais cependant très révélateur du désir sincère de Charles Quint de maintenir de bonnes relations entre les États chrétiens. Cet exemple concerne l'ordre des chevaliers Teutoniques dont le grand maître, depuis le second traité de Thorn de 1466, devait, après avoir été élu, prêter hommage au roi de Pologne, suzerain de l'ordre pour ses possessions de Prusse-Orientale. Tout comme son prédécesseur, le nouveau grand maître élu en 1511, Albert, fils du margrave de Brandebourg-Ansbach, avait refusé de prêter hommage au roi de Pologne et avait répondu aux remontrances présentées par la Diète polonaise de 1518 qu'il tenait ses possessions de Prusse de l'Empire et non de la Pologne. Le roi Sigismond de Pologne se tourna vers Charles Quint qui venait d'être élu empereur : celui-ci invita le grand maître Albert à prêter l'hommage requis car il désirait

1. P. Chaunu et M. Escamilla, *Charles Quint*, *op. cit.*, p. 596 et suiv. et p. 604.

vivement que les princes chrétiens vivent en paix et puissent s'unir « contre les ennemis de la religion ». Le grand maître persista dans son refus. Une nouvelle fois, Charles Quint, inquiet des progrès de la Réforme en Allemagne et de l'avance des Turcs en Europe centrale, invita le grand maître à s'entendre avec le roi Sigismond. S'estimant trahi par l'empereur, le grand maître Albert changea radicalement de politique : il se rallia à la Réforme luthérienne, sécularisa les biens de l'ordre, se maria et invita les chevaliers Teutoniques à faire de même. Après quoi, en 1525, Albert accepta de prêter hommage au roi de Pologne qui lui accorda à titre de fief héréditaire et indivisible le duché de Prusse [1].

L'échec des « bonnes intentions » de Charles Quint fut encore plus patent dans ses relations avec François Ier et Henri II. Bien qu'il eût d'une façon chevaleresque félicité le roi de France après sa victoire de Marignan, Charles Quint, dès 1521, se trouva opposé dans toute une série d'interminables guerres à François Ier à propos de l'Italie et aussi parce que le roi de France prenait ombrage de la puissance des Habsbourg. La première guerre, de 1521 à 1526, tourna à l'avantage de l'empereur. Apprenant la défaite de François Ier à Pavie et sa capture, Charles Quint déclara : « Les chrétiens ne doivent se réjouir que des avantages qu'ils remportent sur les Infidèles », ce qui ne l'empêcha pas d'imposer à son adversaire captif le traité de Madrid par lequel le roi de France renonçait à ses possessions italiennes, à toute suzeraineté sur l'Artois et la Flandre, et s'engageait à lui rendre sa « chère Bourgogne ». Dans l'esprit de Charles Quint, François Ier ne faisait que lui restituer ce que la France avait occupé indûment. Le roi de France n'avait pas du tout le même point de vue. Trois autres guerres mirent aux prises les deux adversaires jusqu'à la paix de 1546 qui maintint le *statu quo*, à l'exception de la Bourgogne à laquelle Charles Quint avait renoncé définitivement en 1529.

Sous Henri II, la guerre reprit et le roi de France chercha surtout à améliorer la frontière du côté du nord et de l'est. Allié aux princes protestants allemands, Henri II reçut d'eux l'autorisation d'occuper les trois évêchés de Metz, Toul et Verdun dont la possession à la France ne fut officiellement reconnue qu'en 1648 ! La paix ne

1. *Annales de l'ordre Teutonique ou de Sainte-Marie de Jérusalem*, Genève-Paris, 1986, p. 266-267, et H. Bogdan, *Les Chevaliers Teutoniques*, *op. cit.*, p. 183-185.

revint provisoirement qu'en 1559 avec le traité du Cateau-Cambrésis, mais Charles Quint était mort un an avant.

Ces guerres quasi permanentes avec la France mirent à mal les finances de Charles Quint et placèrent les Habsbourg en position de faiblesse face aux Turcs maîtres du cœur de la Hongrie depuis 1526, d'autant plus que la France joua la carte de l'alliance ottomane pour prendre à revers les Habsbourg.

L'accumulation d'une telle quantité d'obstacles a singulièrement entravé la réalisation de l'objectif qui tenait le plus à cœur à Charles Quint, la lutte contre les infidèles, à un moment où précisément la puissance ottomane avec Soliman le Magnifique était à son apogée.

Peu après son accession au trône, Charles Quint fut confronté à l'impérieuse nécessité de contenir la progression des Turcs sur plusieurs fronts. En effet, au début des années 1520, les Turcs ont repris l'offensive et ont remporté une série de succès décisifs tant en Méditerranée qu'en Europe centrale. Ici, depuis le début du XVIe siècle, à partir de la Serbie où ils étaient installés depuis plus d'un siècle, ils lançaient régulièrement des expéditions en direction de l'ouest, dévastant les plaines de la vallée de la Save tout en évitant Belgrade dont la forteresse constituait l'essentiel du dispositif de défense de la Hongrie sur sa frontière méridionale. Or, en 1521, les Turcs s'emparent de Belgrade : la Hongrie, dont le roi Louis II lance vainement des appels à l'aide aux souverains chrétiens d'Europe, en particulier à ses deux beaux-frères Charles Quint et Ferdinand de Habsbourg, se trouve dès lors directement menacée. C'est avec ses seuls moyens que Louis II doit faire face à une nouvelle offensive des Turcs au début de l'été 1526. Comme nous l'avons déjà évoqué, les Turcs écrasent l'armée hongroise à la bataille de Mohács, le 29 août 1526. Louis II est au nombre des victimes, ce qui, non sans difficulté, permet à son beau-frère Ferdinand de Habsbourg de devenir roi de Hongrie.

C'est désormais aux Habsbourg qu'incombe la tâche de contenir la poussée ottomane. Mais le roi Ferdinand n'est guère en mesure d'intervenir activement. Son frère, l'empereur, ne lui apporte qu'un soutien moral en raison des guerres qu'il mène en Italie. En outre, Ferdinand est contesté par une partie de la noblesse hongroise qui soutient un « roi » rival en la personne du voïvode de Transylvanie János Szapolyai. Ferdinand parvint cependant à reprendre à son concurrent plusieurs villes et notamment Buda en juillet 1527, ce qui poussa Szapolyai à s'allier aux Turcs. Les Turcs, qui au lendemain de Mohács avaient regagné leurs bases, réapparurent en Hongrie au printemps 1529 : le 18 août, à Mohács, sur le lieu même où trois ans auparavant Louis II avait trouvé la mort en combattant, János Szapolyai se reconnaissait vassal du sultan. Même aux yeux des protestants hongrois, ce comportement parut quelque peu indigne, ce qui profita indirectement à Ferdinand de Habsbourg.

Soliman le Magnifique poursuivit son offensive, reprit Buda le 11 septembre, puis marcha sur Vienne dont le siège commença dès le 22 septembre. Le roi Ferdinand se tourna vers la Diète de Spire pour obtenir une aide financière et la levée de troupes, mais n'obtint pratiquement rien. Quant à Charles Quint, libéré de la guerre contre la France par la paix de Cambrai, il envoya à son frère une troupe de quinze cents mercenaires espagnols dont la moitié se dispersa avant d'avoir atteint l'Autriche faute d'avoir reçu leur solde. Vienne, défendue par le comte Nicolas de Salm, résista. Le 14 octobre, les Turcs lancèrent l'assaut à la faveur d'une brèche dans la Kärntner Tor, mais ils furent repoussés. Le lendemain, au grand soulagement des assiégés, Soliman le Magnifique décida de lever le siège et se retira en Hongrie[1]. En 1530, Ferdinand envoya une armée conduite par Guillaume de Reggendorf pour reprendre Buda, mais cette expédition se solda par un échec. Les Turcs étaient bel et bien installés au cœur de la Hongrie : ils allaient y demeurer pendant encore plus d'un siècle et demi. En 1532, une armée turque dirigée par Ibrahim Pacha tenta à nouveau de marcher sur Vienne ; malgré leur échec devant Köszeg, les Turcs firent une brève apparition aux environs de Vienne puis se retirèrent. Ferdinand de Habsbourg se résigna à négocier. Tout comme Szapolyai, il dut se reconnaître le vassal du sultan pour les territoires hongrois qu'il tenait en Hongrie occidentale et septentrionale.

Les deux rois de Hongrie jusque-là opposés prirent conscience que leur rivalité ne profitait qu'aux Turcs et, en 1538, ils conclurent la paix de Nagyvárad[2] : à la mort de Szapolyai, la couronne royale reviendrait aux seuls Habsbourg et, en attendant, Szapolyai conservait à titre viager la Transylvanie. Quand il mourut en 1540, les Turcs soutinrent contre Ferdinand le jeune fils du prince défunt, Jean-Sigismond, mais le tuteur de celui-ci, le cardinal Martinuzzi, renouvela en 1541 le traité de Nagyvárad. Les Turcs, pendant ce

1. J.-P. Bled, *Histoire de Vienne*, *op. cit.*, p. 42, et *Magyar törtenet*, t. V, 1526-1683, vol. I, p. 188-192.

2. Aujourd'hui Oradea (Roumanie).

temps, consolidaient leurs positions au centre de la Hongrie où ils tenaient les principales villes, Buda, Esztergom, Székesfehérvár et Pécs. La paix de 1547, en fait une trêve, maintint la division du pays entre une Hongrie « royale » tenue par les Habsbourg, une Hongrie centrale aux mains des Turcs, et une Transylvanie « autonome » sous la double suzeraineté du sultan et du roi Ferdinand, lequel devait continuer à payer tribut[1].

La situation de Charles Quint face à l'offensive turque n'était guère meilleure en Méditerranée. Ici, ce sont ses possessions espagnoles et italiennes qui se trouvaient menacées. Pourtant, l'époque des Rois Catholiques avait été marquée par des succès spectaculaires contre les infidèles. Outre la prise, ô combien symbolique, de Grenade en 1492, les Rois Catholiques s'étaient assuré le contrôle d'un certain nombre de bases en Afrique du Nord, les *presidios*, Melilla, Mers el-Kébir, le Peñon d'Alger, Bougie, Tripoli. Avec le développement de la puissance ottomane sous Soliman le Magnifique, Charles Quint se trouve désormais dans une position défensive. En 1522, les Turcs conquièrent l'île de Rhodes, ce qui leur donne le contrôle total de la Méditerranée orientale, et s'allient à l'État barbaresque qui vient de se constituer autour d'Alger à l'initiative d'un certain Khayr al-Din, plus connu sous le nom de Barberousse et dont les corsaires sévissent bientôt en Méditerranée occidentale. Longtemps resté passif en raison des autres problèmes qu'il devait gérer, Charles Quint lança en 1535 une expédition en Tunisie qui permit aux Espagnols d'occuper pendant quelque temps La Goulette et Tunis, ce qui compensa la perte du Peñon d'Alger en 1529. Puis il s'intégra à la ligue qu'avait constituée le pape Paul III contre les Turcs, avec Gênes et Venise. Mais après la défaite navale de la Prevesa, en septembre 1538, la ligue se dissout. Les Turcs et leurs alliés sont désormais maîtres de la Méditerranée. Dès lors, Charles Quint accumule les échecs. En 1541 puis en 1543, la flotte espagnole échoue devant Alger tandis que la flotte turque hiverne à Toulon en 1543-1544 dans le cadre de l'alliance franco-turque de 1542. En 1551, c'est la perte de Tripoli, suivie par celle de Bougie en 1555. Les uns après les autres, les *presidios* d'Afrique du Nord tombent, tandis que les pirates barbaresques et la flotte turque multiplient les razzias le long des côtes de Sicile et d'Italie du Sud.

Le grand dessein de Charles Quint dont le but était de chasser

1. H. Bogdan, *Histoire de la Hongrie*, Paris, 1966, p. 35-37.

les Turcs d'Europe en unissant contre eux l'ensemble des États chrétiens se soldait par un échec cuisant. Obligé de se battre sur plusieurs fronts, à l'intérieur de ses États comme à l'extérieur, il s'était retrouvé pratiquement seul dans un combat inégal. Cette situation explique pour une large part la désespérance du monarque dans les dernières années de son règne.

La désespérance du monarque

Les dernières années de Charles Quint, les *años aflictivos* comme les appelle l'historien Ramon Grande, furent une suite de désillusions et de souffrances tant physiques que morales.

Désillusion d'abord à cause de l'échec de sa politique. Charles Quint était conscient que ses objectifs ambitieux et quelque peu déphasés par rapport à son époque n'avaient pas été réalisés. L'unité de la chrétienté d'Occident avait été mise à mal par les conflits incessants avec la France et ses alliés italiens, voire allemands, et par la Réforme luthérienne générant à son tour un protestantisme aux aspects multiples. Le Saint Empire en sortit affaibli moralement et politiquement, avec des princes toujours prêts à rechercher des appuis à l'étranger, du côté des ennemis de l'empereur. Certes, la paix d'Augsbourg, en 1555, a apporté une solution provisoire à la crise religieuse, mais elle constitue un double échec pour Charles Quint : d'abord parce que le luthéranisme est placé en Allemagne sur le même plan que le catholicisme, ensuite parce que les princes passés à la Réforme conservent les biens ecclésiastiques qu'ils avaient sécularisés avant 1552. Quant à la réforme de l'Église catholique à laquelle Charles Quint aspirait et dont il attendait le retour à l'unité religieuse, elle tardait à venir malgré l'ouverture en 1545 du concile de Trente : il faudra attendre jusqu'en 1563, après la mort de l'empereur, pour qu'elle aboutisse, sans pour autant ramener les protestants dans le giron de l'Église catholique.

Charles Quint eut-il plus de succès dans la lutte contre les infidèles qui avait été le but principal de sa politique ? Certes, en Méditerranée occidentale, les Turcs et leurs alliés barbaresques furent contenus comme nous avons eu l'occasion de le voir plus haut, mais, dans l'espace danubien, la plus grande partie de la Hongrie centrale fut abandonnée aux Turcs, la Hongrie orientale avec la Transylvanie dépendait de leur bon vouloir et seules les marges occidentales de la Hongrie et de la Croatie demeuraient sous le contrôle de Ferdinand de Habsbourg, mais sous la menace permanente d'une rupture des trêves conclues régulièrement avec le sultan.

En revanche, consolation non négligeable pour Charles Quint, l'Espagne renforça sa domination sur le continent américain et y imposa le catholicisme, même si les excès des *conquistadores* et les abus des colons altérèrent moralement les succès enregistrés. Face à ces abus, Charles Quint ne resta pas indifférent au sort des Amérindiens dont la cause fut plaidée devant lui par le dominicain Bartolomé de Las Casas. Les *leyes nuevas* de 1542 prises en faveur des Indiens montrent le souci de l'empereur de protéger ses nouveaux sujets, même si leur application dépendait du bon vouloir des administrateurs locaux.

Désillusion aussi du côté familial avec des relations qui se dégradèrent avec son frère, l'archiduc Ferdinand, à propos de la future succession. L'idée de Charles Quint était de maintenir une certaine unité de l'héritage au sein de la dynastie. Un double dilemme se posait à lui à propos de sa succession : fallait-il privilégier la branche aînée de la famille, c'est-à-dire son fils l'infant Philippe, ou bien la branche cadette, c'est-à-dire son frère Ferdinand, tout en maintenant une collaboration étroite entre l'ensemble des membres de la Maison de Habsbourg ; d'autre part, fallait-il maintenir l'unité de l'Empire qui en fait n'était plus qu'une unité de façade depuis la convention de Bruxelles de 1522 [1] ?

Un projet élaboré en 1550 prévoyait qu'à la mort de Charles Quint, Ferdinand, déjà roi des Romains depuis 1531, deviendrait empereur et devrait aussitôt faire élire comme roi des Romains l'infant Philippe, lequel, devenu empereur à son tour, ferait élire roi des Romains le fils de Ferdinand, l'archiduc Maximilien, ce qui assurerait une alternance des héritiers directs de Charles Quint et de ceux de Ferdinand. Du bout des lèvres, l'archiduc Ferdinand s'était rallié à ce plan le 1er mars 1551, avec l'espoir que le moment venu les princes électeurs choisiraient son fils Maximilien pour lui succéder directement, écartant ainsi du trône impérial son neveu l'infant Philippe [2]. Charles Quint, dans ce projet, pensait pouvoir resserrer les liens entre les deux branches des Habsbourg, l'austro-allemande et l'hispano-néerlandaise.

Malgré les efforts de leur sœur Marie de Hongrie, les relations déjà difficiles entre Charles Quint et Ferdinand ne s'améliorèrent

1. J.-M. Sallmann, *Charles Quint, l'empire éphémère*, *op. cit.*, p. 346.
2. I. Cloulas, *Philippe II*, Paris, 1992, p. 84-85.

pas, d'autant que les concessions faites aux luthériens par l'archiduc Ferdinand, soucieux de ramener la paix en Allemagne, furent mal acceptées par l'empereur et condamnées par le pape Paul IV. Le règlement successoral de 1550-1551 fut remanié en 1554 dans le cadre du contrat de mariage conclu à la veille de l'union de l'infant Philippe avec la reine d'Angleterre Mary Tudor. Il était prévu que si le couple avait un enfant, celui-ci hériterait, outre l'Angleterre, les États bourguignons et les Pays-Bas, l'héritage espagnol allant à don Carlos, fils de l'infant Philippe[1]. Le problème ne se posa pas, en raison de l'absence de descendance du couple et de la mort de Mary Tudor en 1559. Dans l'immédiat, Philippe reçut de son père le royaume de Naples en cadeau de mariage[2]. Manifestement, Charles Quint semblait donner la préférence à la branche aînée de la famille.

À toutes ces désillusions politiques s'ajoutèrent les souffrances physiques et morales d'un souverain vieilli avant l'âge. Souffrant depuis très longtemps de neurasthénie, éprouvé dans sa chair par de douloureuses crises de goutte auxquelles s'ajouta le diabète, Charles Quint dans les dernières années de sa vie n'était plus que l'ombre de lui-même, un vieillard « appuyé sur une canne, le dos voûté, aux cheveux blancs comme neige, dans une pâleur de mort... », ainsi que le décrivait l'ambassadeur de France[3]. Sur ces souffrances physiques se greffèrent celles provoquées par des deuils familiaux. Déjà, la mort de sa femme, l'impératrice Isabelle, le 1er mai 1539, l'avait profondément affecté et il ne se passait pas de semaines sans qu'il n'assistât à un office religieux à son intention. Puis ce fut le décès de cette mère qu'il n'avait vue qu'en de rares occasions : Jeanne la Folle s'éteignit le 11 avril 1555 à Tordesillas où elle vivait quasiment prisonnière depuis des décennies. Lorsque cette nouvelle lui parvint le mois suivant, alors qu'il était à Bruxelles, Charles Quint en conçut un profond chagrin. Il aurait alors confié à son entourage qu'à l'heure où Jeanne mourait, il avait entendu celle-ci qui l'appelait[4]. La mort de sa mère fut sans doute l'élément déterminant dans sa décision de renoncer au pouvoir et de se retirer du monde.

---

1. I. Cloulas, *Philippe II*, *op. cit.*, p. 95 et suiv., et Otto de Habsbourg, *Charles Quint, un empereur pour l'Europe*, *op. cit.*, p. 239.
2. P. Chaunu et M. Escamilla, *Charles Quint*, *op. cit.*, p. 380.
3. K.-E. Vehse, *Memoirs of the Court and Aristocracy of Austria*, London, 1896, t. I, p. 164, cité par D. G. Mac Guigan, *Les Habsbourg*, *op. cit.*, p. 122.
4. D. G. Mac Guigan, *Les Habsbourg*, *op. cit.*, p. 124.

Le processus de renonciation aux honneurs et au pouvoir se déroula en plusieurs étapes. Ce fut d'abord, à Bruxelles, le 22 octobre 1555, le renoncement de Charles Quint à la grande maîtrise de l'ordre de la Toison d'or au profit de son fils l'infant Philippe. Trois jours plus tard, dans la grande salle des États, devant les représentants des dix-sept provinces des Pays-Bas et en présence des chevaliers de la Toison d'or, de son fils Philippe et de ses sœurs Marie de Hongrie et Éléonore, Charles Quint, appuyé sur le jeune prince Guillaume d'Orange, vint annoncer son abdication. Évoquant « l'état d'accablement et de faiblesse » dans lequel il se trouvait, il remettait à son fils Philippe le gouvernement des Pays-Bas, il « sera, comme je l'espère, un bon prince pour tous mes sujets bien-aimés ». Charles Quint annonçait également qu'il cédait à Philippe ses autres États, c'est-à-dire les pays de la couronne d'Espagne, tandis que son frère Ferdinand, déjà roi des Romains, recevrait la dignité impériale. L'archiduc Ferdinand n'avait pas pris part à cette cérémonie d'abdication. Charles Quint ne semble pas lui en avoir tenu rigueur et lui adressa une lettre dans laquelle il lui exprimait, outre son affection fraternelle, l'espoir de voir se maintenir d'étroites relations entre tous les membres de la famille, émettant « le vœu fervent que l'amitié qui nous a unis se perpétue chez nos enfants, ce que j'essaierai de favoriser de toutes mes forces, certain que vous en ferez autant, non seulement parce que les liens du sang l'exigent, mais parce que cela servira nos intérêts communs[1] ». Comme la plupart de ses prédécesseurs, Charles Quint considérait que les liens familiaux avaient une importance capitale pour servir les intérêts de la dynastie.

Avant de regagner l'Espagne où il avait préparé sa retraite, Charles Quint, le 16 janvier 1556, renonça officiellement à ses possessions espagnoles, la Castille et l'Aragon, et à leurs dépendances d'outre-mer et d'Italie en faveur de l'infant Philippe. Puis, dans une lettre du 12 septembre 1556, il fit savoir à son frère Ferdinand qu'il lui transmettait la dignité impériale. En février suivant, la renonciation officielle fut portée aux électeurs par une délégation conduite par Guillaume d'Orange. Le 28 février 1558, après un an de réflexion, le Collège électoral réuni à Francfort prit acte de la décision de Charles Quint et, le 12 mars suivant, par un vote unanime, désigna Ferdinand Ier pour lui succéder[2].

---

1. P. Chaunu et M. Escamilla, *Charles Quint*, *op. cit.*, p. 389 et suiv.
2. J.-M. Sallmann, *Charles Quint, l'empire éphémère*, *op. cit.*, p. 357.

Une fois la succession réglée, Charles Quint, en compagnie des deux « reines veuves », Éléonore veuve du roi de France François Ier et Marie veuve de Louis II de Hongrie, quitta pour toujours cette Flandre qui l'avait vu naître. À la mi-septembre 1557, la flotte impériale appareilla à Flessingue, puis jeta l'ancre le 20 septembre dans le port de Lareda. L'empereur et sa suite gagnèrent par petites étapes Yuste, en Estramadure, un village blotti près d'un monastère de hiéronymites où il avait choisi de s'établir. En cours de route, le cortège impérial traversa Burgos, Valladolid, ces villes où, quelque cinquante ans plus tôt, jeune roi d'Espagne, il avait fait connaissance avec ses futurs sujets. La résidence qu'il avait fait construire à Yuste n'étant pas achevée, l'empereur fut l'hôte du comte d'Orogesa dans son château de Jarandilla[1]. Au début de février 1557, Charles Quint et sa suite purent enfin s'installer à Yuste ; l'empereur fut accueilli par les moines hiéronymites. « Je ne quitterai plus Yuste que pour rejoindre ma dernière demeure, car il m'a fallu un tel effort pour y parvenir », confia-t-il à son entourage. C'est à Yuste qu'il passa les derniers mois de sa vie, non en ermite mais dans un confort honnête avec une maison digne du monarque qu'il fut, mais où le personnage principal était son médecin personnel, se tenant informé des grandes affaires de ses anciens États. Auprès de lui se trouvait un jeune page, un enfant de treize ans nommé Jérôme, fruit d'une rencontre de Charles Quint avec une jeune fille de Ratisbonne, Barbara Blomberg. Ce jeune garçon pour lequel le vieux souverain éprouvait une grande tendresse sera connu plus tard sous le nom de don Juan d'Autriche, après avoir été reconnu officiellement comme son demi-frère par le roi Philippe II en 1559. L'empereur n'eut guère le temps de s'occuper de son jeune fils. Terrassé par la chaleur orageuse de l'été 1558, Charles Quint s'éteignit aux premières heures de la journée du 21 septembre, non sans avoir adressé en castillan une invocation à Dieu.

Ainsi s'achevait la vie d'un souverain qui sa vie durant avait parcouru l'Europe, un souverain qui fut considéré par beaucoup comme un homme du passé, un homme d'un autre temps, attaché aux traditions et à la culture de la chrétienté médiévale, hanté par l'idée de croisade dans un siècle en cours de laïcisation. D'aucuns voient aujourd'hui en Charles Quint un précurseur de l'unité européenne. C'est le point de vue qu'a exprimé son lointain successeur

1. J.-M. Sallmann, *Charles Quint, l'empire éphémère, op. cit.*, p. 367 et suiv.

sur le trône d'Espagne, le roi Juan Carlos, le 5 octobre 2000 devant un parterre de monarques et de chefs d'États sur lesquels Charles Quint avait régné autrefois directement ou par personne interposée [1], lorsqu'il saluait en Charles Quint « un précurseur de l'idéal de concorde entre les peuples d'Europe ».

1. Participaient à cette rencontre le roi des Belges, le grand-duc de Luxembourg, la reine des Pays-Bas, les présidents allemand, autrichien, croate, hongrois, slovène et suisse, cf. *Le Monde*, 7 octobre 2000.

Troisième Partie

UNE DYNASTIE AU DOUBLE VISAGE : VIENNE ET MADRID

Lorsque au crépuscule de sa vie, Charles Quint avait organisé sa succession en partageant ses possessions entre son fils l'infant Philippe et son frère l'archiduc Ferdinand, il pensait sincèrement que les deux princes copartageants, puis leurs héritiers, maintiendraient entre eux des liens étroits. Dans son esprit, le partage de l'Empire entre ceux que l'on va appeler désormais les « Habsbourg de Madrid » et les « Habsbourg de Vienne » ne devait en rien compromettre l'unité de la dynastie malgré la division administrative et politique du patrimoine territorial. Les dispositions prises par le vieil empereur en 1556 permirent effectivement pendant plus d'un siècle et demi de maintenir la fiction d'une dynastie unique quoique bicéphale.

Les deux branches de la dynastie, jusqu'à la mort du dernier Habsbourg d'Espagne Charles II en 1700, établirent entre elles des liens matrimoniaux qui confortaient au moins en apparence l'unité de la Maison. La pratique traditionnelle du mariage comme instrument de la politique se poursuivait, mais sous la forme de mariages croisés entre les deux branches de la dynastie, ce qui n'excluait pas des mariages à l'extérieur du « clan » Habsbourg pour des raisons politiques. C'est ainsi que Philippe II, trois fois veuf, épousa en quatrièmes noces sa propre nièce, Anne d'Autriche, sœur de l'empereur Maximilien II, tandis que sa sœur l'infante Marie était devenue l'épouse dudit Maximilien. L'une des filles de Philippe II, Isabelle-Claire, fut mariée à l'un des fils de Maximilien II, l'archiduc Albert d'Autriche. Le deuxième fils et héritier de Philippe II, qui lui succéda sous le nom de Philippe III, se maria quant à lui avec Marguerite d'Autriche, fille de l'archiduc Charles de Styrie, le troisième fils de Maximilien II. Cette politique de mariages croisés se prolongea tout au long du XVIIe siècle. Ainsi, l'empereur

Ferdinand III épousa l'infante Marie-Anne, fille du roi d'Espagne Philippe III, tandis que sa fille l'archiduchesse Marie-Anne fut la deuxième épouse du roi Philippe IV. Cette dernière donna à son mari une fille, Marguerite-Thérèse, qui épousa l'empereur Léopold Ier. Ces mariages consanguins donnaient l'impression de renforcer les liens entre les deux branches de la dynastie. De même, les choix des prénoms portés par les princes des deux branches semblaient aller dans le même sens. Il s'agissait de souligner à travers ces prénoms l'unité dynastique. Les souverains d'Espagne furent nombreux à s'appeler Philippe en souvenir du Habsbourg Philippe le Beau, et le dernier Habsbourg d'Espagne, Charles II — Carlos —, portait le prénom de Charles Quint, tout comme l'avait porté l'infortuné fils de Philippe II, don Carlos. Dans cette même perspective unitaire, plusieurs empereurs se sont appelés Ferdinand en l'honneur de leur aïeul maternel Ferdinand d'Aragon. D'autres portèrent des prénoms traditionnels dans la Maison d'Autriche comme Maximilien ou Rodolphe. Avec Léopold Ier, c'est un prénom typiquement autrichien, rappelant l'ancienne Maison de Babenberg, qui est remis à l'honneur, voulant ainsi montrer qu'en cette fin du XVIIe siècle, l'Autriche demeure le véritable centre névralgique de l'Empire des Habsbourg.

Il est vrai que, malgré ces apparences d'unité, les Habsbourg de Madrid et ceux de Vienne régnaient sur deux mondes dissemblables et étrangers l'un à l'autre, dont les intérêts étaient différents voire opposés. La mort de Charles II en 1700 sera l'occasion d'un véritable retour aux sources.

8

La prépondérance espagnole sous Philippe II et ses limites

Philippe II, lorsqu'il devint l'héritier de l'Espagne et de ses dépendances, bénéficiait par rapport à la branche autrichienne d'un triple avantage. Il était d'abord le fils de Charles Quint, ce qui lui donnait sans conteste une autorité morale et un prestige supérieurs à ceux de son oncle Ferdinand, l'autre héritier. En second lieu, Philippe II disposait de ressources financières considérables grâce aux revenus tirés de l'exploitation des gisements de métaux précieux d'Amérique, même si par la suite, dans la tradition des Habsbourg, il fut souvent à court d'argent. Enfin, à la différence des Habsbourg de Vienne, Philippe II a bénéficié de la durée. La longue période — quarante-deux ans — pendant laquelle il a régné sur l'Espagne et ses dépendances contraste avec les règnes relativement courts des « cousins » autrichiens. L'empereur Ferdinand Ier meurt dès 1564 ; son fils Maximilien II qui lui succède ne régna que douze ans et, à sa mort, son fils Rodolphe II (1576-1612) fut confronté à des difficultés sans nombre tant à l'extérieur qu'à l'intérieur, jusques et y compris au sein de sa propre famille qui l'obligea à se retirer au profit de son frère Mathias.

Rien d'étonnant à ce que Philippe II fût considéré comme le véritable chef de la Maison de Habsbourg [1]. En face de Philippe II, la branche austro-allemande faisait véritablement figure de parent pauvre.

Philippe II, un monarque espagnol, absolutiste et centralisateur

À la différence de son père qui avait été un grand voyageur, qui avait visité toutes les parties de son Empire — à l'exception de

1. J. Bérenger, *Histoire de l'Empire des Habsbourg*, *op. cit.*, p. 235.

l'Amérique — et qui avait fait l'effort d'apprendre la plupart des langues parlées par ses sujets, Philippe II fut un Espagnol, plus précisément un *Castillan*, et c'est en castillan qu'il s'exprima tout au long de sa vie. Pourtant, sur le plan physique, Philippe II n'avait rien d'espagnol. Blond, avec des yeux bleus comme son père Charles Quint et comme son grand-père Philippe le Beau, il était d'un tempérament réservé et discret, plus proche d'un Allemand que d'un Espagnol.

Né à Valladolid en 1527, le jeune infant Philippe passa la plus grande partie de son enfance et de son adolescence en Espagne, éduqué par des précepteurs en majorité castillans. La première fonction politique que lui confia son père fut d'assurer la régence d'Espagne en 1543. Puis, à la demande de Charles Quint, Philippe entreprit un long périple qui le conduisit de 1548 à 1551 en Italie, en Allemagne et aux Pays-Bas ; en 1554, il quitta une nouvelle fois sa chère Espagne pour l'Angleterre afin d'y épouser Mary Tudor, et de là il gagna les Pays-Bas où il participa aux cérémonies d'abdication de son père, avant de regagner définitivement l'Espagne en 1559, après avoir mis fin aux guerres contre la France par la paix du Cateau-Cambrésis.

À son retour, Philippe II choisit de s'installer à Madrid et cette ville récente, dépourvue de privilèges, devient en 1561 sa capitale, en lieu et place de Valladolid. Madrid avait l'avantage de se trouver au cœur de la Castille qui, dans l'esprit de Philippe II, devait être le centre de la monarchie espagnole. Il est vrai qu'en cette seconde moitié du XVIe siècle, la Castille occupe une position dominante en Espagne, d'abord par le nombre de ses habitants. Sa population à la fin du siècle est de l'ordre de six millions six cent mille habitants, alors que le reste de l'Espagne n'en compte guère plus d'un million et demi [1]. La Castille, d'autre part, constitue la partie la plus riche de la monarchie espagnole non pas tellement à cause de ses ressources naturelles, mais parce qu'elle dispose d'une double façade maritime, atlantique et méditerranéenne. Le port de Séville, où arrivent les galions chargés des richesses venues d'Amérique, symbolise la puissance de la Castille et avec elle celle de l'Espagne. Grâce aux travaux de Pierre Chaunu [2], on peut se faire une idée précise de l'importance de ces arrivées de métaux précieux qui devaient

1. I. Cloulas, *Philippe II*, *op. cit.*, p. 153-154.
2. Et notamment P. et H. Chaunu, *Séville et l'Atlantique (1504-1650)*, 12 vol., Paris, 1955-1959.

permettre à la monarchie espagnole de mener une « grande politique » en Europe. Outre l'or, l'argent des mines du Potosi, à partir de 1575, permet à Philippe II, non sans mal, de financer une politique extérieure active mais combien coûteuse.

Dans le choix de Madrid, il faut tenir compte d'un autre élément. Cette ville se trouve en effet au centre géographique de la péninsule Ibérique, au centre d'un pays que Philippe II veut unifier et centraliser, en cherchant à y incorporer le Portugal qu'il revendique par droit d'héritage. De Madrid, enfin, le roi pouvait surveiller les travaux qu'il avait fait entreprendre non loin de là pour la construction de l'Escorial. Pour perpétuer le souvenir de la victoire de Saint-Quentin sur les Français le 10 août 1557, le jour de la Saint-Laurent, Philippe II s'était promis de faire édifier un monastère consacré à saint Laurent et destiné à servir à la fois de résidence royale et de nécropole pour lui et ses successeurs. Les travaux commencés en 1563 furent achevés en 1584. Avec son plan en forme de gril en souvenir du martyre de saint Laurent, le monastère une fois achevé présentait de l'extérieur une austérité et une sévérité qui correspondent assez bien à l'image traditionnelle et parfois caricaturale que l'on a donnée de Philippe II.

Avec Philippe II, la monarchie espagnole devient absolutiste et centralisatrice. C'est la poursuite d'une tendance apparue déjà sous Charles Quint et qui se confirme et s'amplifie avec son fils, sans toutefois faire disparaître les spécificités des différentes composantes de la monarchie espagnole. Malgré le renforcement du pouvoir royal et l'importance de la Castille, l'Aragon, la Catalogne et la Navarre ont conservé les privilèges inscrits dans leurs *fueros*, même si on en limita grandement la portée. Ainsi lorsque, en 1590, le secrétaire du roi Antonio Pérez, en disgrâce depuis 1579, s'échappa de la prison où il était détenu depuis 1585 sans avoir été jugé, il se réfugia en Aragon et se plaça sous la protection de la justice aragonaise. Philippe II, prétextant que son ancien ministre était soupçonné d'hérésie et qu'il devait être remis au tribunal de l'Inquisition, exigea que le fugitif lui soit livré. Les Aragonais protestèrent au nom de leurs privilèges traditionnels. Saragosse se révolta le 24 septembre 1591, ce qui donna à Pérez le temps de passer en Navarre d'où il devait gagner la France. L'armée castillane intervint et occupa Saragosse après avoir écrasé les milices aragonaises. La répression fut très dure. L'Inquisition fit arrêter des centaines d'Aragonais soupçonnés d'hérésie ; quelques-uns furent condamnés au bûcher et exécutés, dont le grand juge d'Aragon

Lanuza. Philippe II en profita pour imposer aux *Cortes* d'Aragon une restriction significative des privilèges garantis par les *fueros*. Désormais, comme en Castille, le vote aux *Cortes* d'Aragon se fera à la majorité et non plus à l'unanimité et c'est le roi qui nommera le grand juge et les principaux magistrats[1]. À travers cet exemple, on peut constater qu'effectivement, à la fin du XVIe siècle, l'unification de l'Espagne sur le modèle castillan était en grande partie réalisée.

Ce poids de l'influence castillane, on le retrouve au sein même de l'entourage de Philippe II. Certes, tous les hommes de confiance du roi ne furent pas des Castillans ; on trouve parmi eux un Bourguignon, le cardinal de Granvelle, un Basque, Juan de Idiaquez, un Catalan, Luis de Requesens, des Portugais, des Aragonais. Mais les Castillans furent les plus nombreux et occupèrent des postes de premier plan, comme le duc d'Albe, le comte de Feria, les cardinaux Espinoza et Covarrubias, ou le grand Inquisiteur Quiroga. Au sein des nombreux conseils qui forment le gouvernement central de l'Espagne et de ses dépendances, les Castillans étaient également nombreux, tout comme parmi les juristes, les *letrados*, qui gravitent autour d'eux. Les Castillans étaient présents également dans l'administration des dépendances italiennes de l'Espagne : ainsi, le Conseil d'Italie créé en 1558 comprenait certes trois Italiens, mais aussi trois Castillans[2].

Ce renforcement de la centralisation au profit d'une des composantes de la monarchie, qui de ce fait se trouve privilégiée, apparaît à bien des égards comme une rupture de la tradition habsbourgeoise. Jusque-là, les Habsbourg n'avaient jamais cherché à privilégier telle ou telle province de leur Empire et leur avaient laissé un large degré d'autonomie. Charles Quint avait respecté en général cette tradition, comme devaient le faire ses successeurs de la branche austro-allemande. Philippe II au contraire, suivant en cela le modèle inauguré en France par François Ier, a voulu unifier et centraliser ses États en y imposant le modèle castillan, prenant ainsi le risque de provoquer des tensions, notamment dans les États périphériques toujours soucieux de conserver leurs privilèges traditionnels.

Aux yeux de Philippe II, l'unification des royaumes espagnols trouvait son terme logique dans l'unification de l'ensemble de la

1. B. Benassar et J. Jacquart, *Le XVIe siècle*, Paris, 1972, p. 276-277.
2. I. Cloulas, *Philippe II*, *op. cit.*, p. 154-155.

péninsule Ibérique. La mort du roi du Portugal Sébastien lui permit de réaliser cet objectif. Les liens entre les Maisons royales d'Espagne et la Maison de Bragance avaient été renforcés par une série de mariages croisés. Ainsi, l'une des filles des Rois Catholiques, Isabelle, avait épousé Alphonse de Portugal, fils du roi Jean II ; de même, le roi du Portugal Emmanuel Ier avait pris pour femme Éléonore d'Autriche, sœur de Charles Quint. Quant à Philippe II, sa première épouse Marie († 1545) était la fille du roi de Portugal Jean III et de Catherine d'Autriche, une autre sœur de Charles Quint. À la mort de Sébastien, en 1578, faute d'héritier direct, le pouvoir fut confié au parent le plus proche du défunt, son grand-oncle, le cardinal Henri, âgé de soixante-sept ans, qui fut proclamé roi. Compte tenu de l'état religieux du nouveau roi du Portugal, Philippe II mit tout en œuvre pour revendiquer la succession du cardinal-roi. Celui-ci, soucieux d'assurer sa descendance, entreprit des démarches auprès du pape pour se faire relever de ses vœux et pouvoir ainsi se marier. Entre-temps, le cardinal-roi décida de confier aux *Cortes* portugais le soin de choisir son successeur. Les agents de Philippe II s'efforcèrent d'intriguer auprès des députés pour qu'ils se prononcent en faveur de leur maître. Rien n'avait encore été décidé lorsque le cardinal-roi mourut, le 31 janvier 1580.

Philippe II qui s'était installé à Badajoz, non loin de la frontière portugaise, se décida à agir. Les troupes du duc d'Albe étaient massées en Estramadure, prêtes à intervenir. Le roi d'Espagne se heurta cependant à un nouveau prétendant, don Antonio, fils de don Luis, frère du cardinal-roi et dont la mère était une juive convertie. Malgré ce handicap, don Antonio, qui bénéficiait du soutien du patriarche de Lisbonne, fut proclamé roi à Santarem le 15 juin par une assemblée de notables. Début juillet, l'armée du duc d'Albe intervint et pénétra à Lisbonne. Le prétendant don Antonio prit la fuite, abandonnant sur place sa femme Anne ; celle-ci mourut en octobre, laissant trois enfants dont un seul, Philippe, âgé de deux ans, devint le prétendant potentiel. Philippe II arriva au début de 1581 dans un Portugal tenu par les troupes du duc d'Albe, reçut le serment des *Cortes* puis fit son entrée solennelle à Lisbonne, le 29 juin 1581. Malgré une certaine résistance encouragée par des agents français, le Portugal se rallia bon gré mal gré à son nouveau maître, tandis que les troupes espagnoles traquaient impitoyablement les partisans de don Antonio.

L'unité de la péninsule Ibérique est désormais réalisée, officiellement dans le cadre d'une simple « union personnelle », mais en réalité le Portugal est livré à l'administration espagnole que dirige le neveu de Philippe II, l'archiduc Albert d'Autriche, nommé vice-roi en 1583[1]. Le Portugal sera intégré à la monarchie espagnole jusqu'en 1640 et ne retrouvera officiellement son indépendance qu'en 1648 !

Philippe II, défenseur de la foi catholique en Espagne

Aux yeux de Philippe II, l'unité politique de ses États allait de pair avec l'unité religieuse. À l'inverse des Habsbourg de Vienne qui s'étaient vus contraints de composer avec l'hérésie protestante en Allemagne, Philippe II était bien décidé à extirper de ses États tous les éléments non catholiques.

En Espagne vivaient depuis longtemps deux communautés non chrétiennes, les Maures et les juifs. Déjà sous Charles Quint, le pouvoir avait essayé de convertir par la force les Maures, cette population de tradition musulmane qui, malgré les interdits, avait continué à pratiquer en secret la foi de ses ancêtres. Dès son avènement, Philippe II renforça les mesures prises contre les Maures et tenta de les évangéliser. Devant l'échec de cette politique, il prit en 1567 une série de mesures destinées à ramener les populations morisques — les Maures convertis — dans le droit commun : interdiction de l'usage de la langue arabe, du port du costume traditionnel et de la détention d'armes. Ces mesures appliquées avec beaucoup de rigueur déclenchèrent au cours de l'hiver 1568 une insurrection dans l'ancien royaume de Grenade où les Maures étaient particulièrement nombreux. Les insurgés désignèrent un roi, Aben Humeya, issu d'une famille proche des anciens émirs de Cordoue. Tout le royaume de Grenade fut mis à feu et à sang. Aux incendies d'églises et au massacre de prêtres répondirent les exactions des troupes du marquis de Los Velez, le « démon à la tête de fer », remplacé en mars 1569 par le demi-frère du roi, don Juan d'Autriche, nommé commandant en chef des armées. Philippe II, par un décret du 23 juin 1569, ordonna la déportation de tous les éléments mâles de la population morisque de Grenade. La détermination des insurgés demeura entière. En décembre 1569, don Juan lança une offensive générale qui, en trois mois, obligea les insurgés à se replier dans les régions montagneuses où ils furent traqués sans pitié. Il faut reconnaître que les menaces turques et barbaresques

1. I. Cloulas, *Philippe II, op. cit.*, p. 400-421.

en Méditerranée occidentale incitaient l'Espagne à mettre fin à la révolte des morisques qui auraient pu constituer une cinquième colonie. Le 17 avril 1569, don Juan avait promis une amnistie aux rebelles qui feraient leur soumission dans les vingt jours. Un certain calme revint, mais la révolte reprit à l'automne. Philippe II décida alors de disperser à travers toute l'Espagne les populations morisques : les quelque cinquante mille survivants de cette révolte qui avait fait parmi les Maures quelque vingt et un mille victimes furent ainsi installés à travers tout le royaume et contraints à la conversion. Ces « nouveaux chrétiens » étroitement contrôlés par les agents de l'Inquisition et soumis aux vexations du clergé local ne furent jamais intégrés à la société espagnole, et l'Église d'Espagne n'eut de cesse d'obtenir des souverains leur expulsion qui fut effectivement réalisée en 1610 [1]. Sur place, les morisques furent remplacés par des familles chrétiennes venues des provinces du Nord, Asturies et Galice notamment [2], mais les nouveaux venus ne furent pas en mesure de maintenir le haut niveau de l'agriculture locale ni le système d'irrigation dans lequel les morisques avaient excellé.

Cette même rigueur se retrouve dans la politique menée à l'encontre des juifs. Traditionnellement persécutés depuis le XIIIe siècle, les juifs avaient été contraints en 1492 à s'exiler ou à se convertir. Les *conversos* avaient bénéficié sous Charles Quint d'une certaine protection de la part du pouvoir royal qui tentait de limiter les excès des agents de l'Inquisition à leur encontre. Avec Philippe II, la surveillance de ces nouveaux convertis fut considérablement renforcée et nombre d'entre eux eurent à subir les rigueurs du Saint-Office.

Pour Philippe II, l'hérésie protestante constituait le pire des dangers. Charles Quint, dans les dernières années de son règne, s'était déjà attaqué aux foyers protestants qui s'étaient constitués notamment en Castille. Avec Philippe II, la répression s'intensifia. Ne prêtait-on pas au roi ces paroles : « Plutôt ne pas régner que de régner sur des hérétiques » ? Un de ses parents de la branche autrichienne, Ferdinand de Styrie — le futur empereur Ferdinand II — reprendra un demi-siècle plus tard cette formule, contraire à la politique traditionnelle des Habsbourg d'Autriche. Devenu roi d'Es-

1. I. Cloulas, *Philippe II, op. cit.*, p. 264 et suiv.
2. *Ibid.*, p. 320.

pagne, Philippe II appliqua ce principe avec rigueur. L'Inquisition, devenue un des rouages essentiels de l'État par le biais du Conseil suprême de l'Inquisition, multiplia les enquêtes et les arrestations ; elle s'en prit aussi bien aux Espagnols qu'aux étrangers qui, après 1570, furent ses principales victimes. Elle n'épargna pas les plus hauts dignitaires de l'Église puisque en août 1559, elle fit arrêter le cardinal-archevêque de Tolède, Bartolomé de Carranza, auteur d'un *Commentaire sur le catéchisme* jugé d'inspiration protestante. Les autodafés devinrent un spectacle banal auquel assistaient des foules nombreuses. Le roi lui-même en présida plusieurs et n'hésita pas à offrir en cadeau de bienvenue à sa jeune épouse Élisabeth de France le spectacle d'un autodafé à Valladolid en 1559. Parmi les victimes du bûcher se trouvait un noble florentin, Carlo Di Seso. Celui-ci en montant sur le bûcher se serait ainsi adressé à Philippe II : « Comment un gentilhomme comme vous laisse-t-il à ces moines un gentilhomme tel que moi ? » et le roi de répondre : « Si mon fils était un misérable comme toi, je porterais moi-même le bois au bûcher pour le brûler[1]. » On comprend mieux dans ces conditions pourquoi, à la fin du règne de Philippe II, l'Espagne était devenue le bastion de la catholicité la plus intransigeante, et pourquoi aussi le pays s'est trouvé isolé, fermé aux grands courants de pensée étrangers. La censure extrêmement pointilleuse sur tous les écrits publiés hors du royaume, l'interdiction faite aux étudiants, dès 1559, de fréquenter les universités étrangères à l'exception de celles de Bologne, de Rome, de Naples et de Coïmbra, tout cela aboutit rapidement à une « fermeture intellectuelle » de l'Espagne qui devait perdurer jusqu'à la fin du XVIIIe siècle[2].

Philippe II face aux difficultés extérieures

Tout au long de son règne, le roi fut confronté à de graves difficultés extérieures. Certaines furent surmontées, d'autres se soldèrent par un échec.

Il y avait tout d'abord la question des Turcs. Les Turcs et leurs alliés barbaresques d'Afrique du Nord constituaient depuis longtemps une menace sérieuse pour les pays chrétiens riverains de la Méditerranée. Lors de la révolte morisque, on crut un moment à la collusion entre les révoltés et les barbaresques. Le danger ottoman

1. Cité par H. Vast, *Histoire de l'Europe, et en particulier de la France*, Paris, 1893, p. 669.
2. I. Cloulas, *Philippe II*, *op. cit.*, p. 212.

s'avéra particulièrement présent lorsque, en juillet 1570, les Turcs enlevèrent à Venise l'île de Chypre. Le pape Pie V décida de réactualiser la Sainte Ligue qui s'était constituée à l'époque de Charles Quint. Il proposa de créer une flotte internationale dans laquelle l'élément espagnol majoritaire serait associé à Venise et aux autres États italiens, sous le commandement de don Juan d'Autriche. La ligue officiellement constituée le 25 mai 1571 se mit en devoir de rassembler les navires nécessaires. Le 16 septembre, la flotte quitta Messine, fit escale à Corfou, possession de Venise qui venait d'être mise à sac par les Turcs, et se porta à la rencontre de l'ennemi. La rencontre eut lieu le 7 octobre à Lépante à l'entrée du golfe de Patras. La flotte turque fut durement touchée, des milliers de chrétiens captifs furent libérés et un butin considérable récupéré. En dépit de cette « victoire de la Croix sur le croissant » qui valut à don Juan un prestige considérable dans toute l'Europe, la puissance ottomane demeurait intacte et les Turcs conservèrent Chypre[1]. Ni le roi de France ni l'empereur Maximilien II ne s'étaient associés à l'entreprise. Il est vrai que Maximilien II, comme ses prédécesseurs et plus tard ses successeurs, se trouvait confronté quotidiennement aux attaques turques sur les confins orientaux de l'Empire. La victoire de Lépante ne fut pas exploitée. La Méditerranée orientale était bien loin des préoccupations immédiates de Philippe II, soucieux avant tout d'assurer la sécurité des *presidios* d'Afrique du Nord où les actes de piraterie des barbaresques se poursuivaient.

Dans l'immédiat, Philippe II se trouvait confronté à la révolte de ses sujets des Pays-Bas, soulevés depuis 1567. Avant de regagner l'Espagne à la fin août 1559, le roi avait confié le gouvernement des Pays-Bas à sa demi-sœur Marguerite de Parme, épouse du duc Octave Farnèse, en plaçant à ses côtés pour l'aider à gouverner la *Consulta*, véritable Conseil secret dont le pouvoir se substituait aux institutions traditionnelles, notamment au Conseil d'État. Si le Conseil d'État représentait la noblesse locale — Guillaume de Nassau, prince d'Orange, plus connu sous le nom du « Taciturne », prince du Saint Empire et gouverneur de Hollande et de Zélande, y siégeait, ainsi que nombre de grands seigneurs comme les comtes d'Egmont et de Hornes —, la *Consulta* représentait un pouvoir royal qui, comme en Espagne, se voulait absolu. L'existence de

1. I. Cloulas, *Philippe II*, *op. cit.*, p. 331-334.

cette *Consulta* inquiétait la noblesse des Pays-Bas qui redoutait la mise en place d'un gouvernement centralisateur « à l'espagnole ».

La réforme de la géographie ecclésiastique décidée par le roi en 1559, avec la création de quatorze nouveaux diocèses, renforçait cette inquiétude. En effet, alors que les évêques des six anciens diocèses étaient désignés par les chapitres, le roi seul nommait ceux des nouveaux diocèses et, parmi les premiers nommés, on trouvait nombre d'anciens inquisiteurs. Face au mécontentement grandissant, Philippe II fit cependant une concession de taille en janvier 1561, en retirant des Pays-Bas les troupes espagnoles qui y stationnaient.

La diffusion du calvinisme dans le sud du pays n'allait pas tarder à provoquer une nouvelle crise, car l'Inquisition toujours présente se montrait vigilante. Si la majorité des habitants demeurait fidèle au catholicisme, tout le monde était hostile à l'Inquisition et aux méthodes de ses agents. La démarche faite en Espagne en 1565 par le comte d'Egmont en vue d'obtenir du roi plus de modération dans l'application des placards antiprotestants demeura vaine. Certes, Philippe II fit bon accueil à son visiteur, mais, en même temps, il envoya à Marguerite de Parme des instructions secrètes dans lesquelles il lui demandait d'appliquer avec rigueur les édits contre les protestants, avec le recours au huis clos pour les exécutions capitales. La gouvernante se heurta aussitôt à l'opposition du Conseil d'État. Une ligue formée de quelques grands seigneurs calvinistes dont Jean de Marnix et Louis de Nassau, frère du Taciturne, s'engagea par serment à défendre les privilèges des Pays-Bas et à s'opposer à l'Inquisition. Puis, à l'initiative du Taciturne, une délégation de trois cents seigneurs se rendit auprès de Marguerite de Parme le 5 avril 1566 pour lui présenter une requête réclamant, outre la suppression de l'Inquisition et des placards antiprotestants, la réunion des États-Généraux pour y définir une nouvelle politique à l'égard des « hérétiques ». La gouvernante leur répondit qu'en attendant les instructions de Philippe II, les édits en vigueur seraient appliqués « avec modération ». Deux jours plus tard, les pétitionnaires organisèrent le « banquet des Gueux », tous portant des habits de moines mendiants, et firent savoir qu'ils étaient prêts à aller jusqu'à la « gueuserie » pour défendre les privilèges des Pays-Bas et la tolérance religieuse[1]. Prudemment, Marguerite de Parme

1. F. Van Kalken, *Histoire de la Belgique et de son expansion coloniale*, *op. cit.*, p. 304-307.

préféra laisser s'établir un climat de tolérance dans lequel les catholiques autant que les protestants modérés trouvaient leur compte. Les éléments calvinistes les plus radicaux remirent tout en question lorsque, le 11 août 1566, ils s'attaquèrent aux églises de la région d'Armentières et de Hondschoot, brisant les autels et les statues. Le mouvement s'étendit rapidement au nord des Pays-Bas. Pour ramener le calme, le Conseil d'État obtint de Marguerite de Parme l'abolition de l'Inquisition et l'autorisation provisoire du culte réformé. Philippe II en avait donné l'autorisation à sa sœur, mais en même temps, devant notaire, il annulait cette autorisation et invitait les autorités à punir sévèrement les fauteurs de troubles [1]. La duplicité de Philippe II était flagrante. La suggestion du gouverneur du Luxembourg Pierre-Ernest de Mansfelt d'exiger des nobles un nouveau serment de fidélité au roi mit le feu aux poudres. Beaucoup de nobles cédèrent, mais les Gueux calvinistes conduits par Jean de Marnix et Louis de Nassau refusèrent le serment, comme Guillaume d'Orange.

Une première guerre civile, courte mais meurtrière, éclata en janvier 1567. Avec des mercenaires recrutés dans le Saint Empire et en Wallonie, la gouvernante décida de soumettre par la force les calvinistes, principalement concentrés dans le Cambrésis et dans le sud du Hainaut. Les rebelles furent écrasés. Marguerite de Parme remit aussitôt en vigueur la législation antiprotestante. C'est alors que Philippe II, désireux d'en finir, envoya sur place le duc d'Albe avec des troupes espagnoles, afin d'y rétablir le catholicisme : « Je tâcherai d'arranger les choses de la religion aux Pays-Bas, si c'est possible sans recourir à la force parce que ce moyen entraînerait la totale destruction du pays ; mais je suis déterminé à l'employer cependant si je ne puis d'une autre manière régler le tout comme je le désire [2]. »

L'arrivée du duc d'Albe et de son armée de mercenaires allemands, castillans, napolitains, sardes et siciliens accrut les tensions de part et d'autre. Dès le 9 septembre 1567, le duc d'Albe fit arrêter Egmont et Hornes, et créa, contrairement aux privilèges du pays, un tribunal d'exception, le Conseil des Troubles, constitué en majorité d'Espagnols. Marguerite de Parme, se considérant désavouée par son frère, demanda son rappel et quitta le pays en décembre.

1. F. Van Kalken, *Histoire de la Belgique et de son expansion coloniale, op. cit.*, p. 310.
2. *Ibid.*, p. 311-312.

Pendant le gouvernement du duc d'Albe (1567-1573), un régime de terreur régna aux Pays-Bas malgré les appels à la modération du pape Pie V, du cardinal de Granvelle et du Habsbourg de Vienne, l'empereur Maximilien II. En vain. Le Conseil des Troubles, appelé à juste titre le « Conseil du Sang », le *Bloet Raedt*, multiplia les condamnations à mort ; le 5 juin 1568, il fit exécuter les comtes d'Egmont et de Hornes, chevaliers de la Toison d'or, auxquels l'Église fit des obsèques solennelles, montrant ainsi que le clergé catholique était solidaire des défenseurs des libertés des Pays-Bas, et se démarquait des méthodes de l'occupant espagnol. Pendant trois ans, il y eut plus de huit mille exécutions accompagnées de la confiscation des biens des condamnés. La réaction de la population fut vive. Un peu partout se constituèrent des bandes de partisans calvinistes, les *Gueux des bois*, les *bosquillons* ou *boschgenzen*, tandis que Guillaume d'Orange constituait une armée pour libérer les Pays-Bas de la tyrannie espagnole et recherchait l'appui des protestants d'Europe en levant des mercenaires dans les États protestants du Saint Empire.

Lorsque, en 1569, le duc d'Albe voulut établir de nouveaux impôts sans l'accord des États-Généraux, tout le pays se révolta ; à Bruxelles et à Louvain, les boutiquiers et les artisans cessèrent le travail pour ne pas avoir à payer le nouvel impôt qui pesait sur toutes les transactions. Le mouvement s'étendit aux ports de la mer du Nord en 1572, Flessingue, Rotterdam, Gouda, bientôt rejoints par la Hollande et la Zélande où le calvinisme était solidement implanté. Les troupes de Guillaume d'Orange, fortes de vingt-quatre mille hommes, se ruèrent sur le Brabant en direction de Bruxelles, mais leurs exactions contre les prêtres et les moines indisposèrent les catholiques, fidèles à leur foi mais opposés à l'oppression espagnole. Cette nouvelle guerre civile provoqua le rappel du duc d'Albe qui regagna l'Espagne en décembre 1573. Mais les problèmes étaient loin d'être réglés. Le nord des Pays-Bas avec la Hollande et la Zélande prenait la voie de la sécession [1]. Le nouveau gouverneur nommé par Philippe II, Requesens, accepta volontiers l'offre de médiation de l'empereur Maximilien II. Le congrès de Bréda, en mars 1575, ne fit que constater la divergence des points de vue : Philippe II exigeait la restauration du catholicisme dans toutes les provinces, tandis que Guillaume d'Orange exigeait la

1. F. Van Kalken, *Histoire de la Belgique et de son expansion coloniale*, *op. cit.*, p. 313 et suiv.

liberté de conscience. La mort de Requesens en mars 1576 provoqua une vacance provisoire du pouvoir aux Pays-Bas, que les États-Généraux mirent à profit pour tenter un rapprochement entre catholiques et protestants, tandis que les troupes espagnoles, qui n'avaient pas été soldées depuis deux ans, se mutinaient et se livraient au pillage dans tout le pays. Leur violence culmina le 4 novembre avec la mise à sac d'Anvers qui coûta la vie à plus de sept mille personnes. La « furie espagnole » incita les États-Généraux à trouver un compromis. Le 8 novembre, par la Pacification de Gand, les délégués des dix-sept provinces se promettaient assistance mutuelle, décidaient l'expulsion des troupes espagnoles, l'amnistie générale et la suspension des mesures contre les protestants. Si Guillaume d'Orange était favorable à ce texte, les calvinistes de Hollande et de Zélande refusaient tout compromis avec les catholiques. Un *modus vivendi* fut finalement trouvé : dans quinze des provinces des Pays-Bas, le catholicisme conserverait sa position dominante mais le protestantisme serait toléré ; en Hollande et en Zélande, le culte protestant serait le seul admis [1]. On s'acheminait doucement vers une scission à l'intérieur des Pays-Bas.

Qu'allait faire Philippe II face à cette nouvelle donne ? Il envoya un nouveau gouverneur en la personne de son demi-frère, don Juan d'Autriche, le vainqueur de Lépante. Dans un premier temps, il se rallia à un nouveau compromis, l'Union de Bruxelles, en date du 9 janvier 1577, qui maintenait dans toutes les provinces le caractère exclusif de la religion catholique, ce qui provoqua son rejet par le Taciturne et par les États de Hollande et de Zélande. Toutefois, don Juan, le 12 février, par l'édit perpétuel de Marche-en-Famenne, s'engageait à respecter les privilèges des États et renvoyait les troupes espagnoles tant détestées. Le répit fut de courte durée. Don Juan, débordé et dépassé par les événements, s'était retiré à Namur d'où il avait rappelé les troupes espagnoles.

À Bruxelles, le petit peuple favorable à la démocratie, en accord avec les délégués des provinces du Nord dissidentes, rappelait Guillaume d'Orange qui fut accueilli en héros à son arrivée le 23 septembre. Partisan de la tolérance et de l'Union des dix-sept provinces, soutenu par Philippe et Jean de Marnix, le Taciturne eut contre lui les calvinistes les plus radicaux et les catholiques de la haute noblesse. Ceux-ci, hostiles aux Espagnols mais fidèles à la

1. F. Van Kalken, *Histoire de la Belgique et de son expansion coloniale*, *op. cit.*, p. 326-329.

dynastie, firent appel à un autre Habsbourg, l'archiduc Mathias, frère de l'empereur Rodolphe II. Guillaume d'Orange se rallia à cette solution et obtint de Mathias la seconde Union de Bruxelles du 10 décembre 1577 qui reprenait l'essentiel de la Pacification de Gand mais renforçait la liberté de conscience, en accordant aux catholiques la liberté de culte d'une façon très nette, et également aux protestants mais d'une façon plus discrète. Le 18 janvier 1578, l'archiduc Mathias était officiellement intronisé souverain des Pays-Bas tandis que Guillaume d'Orange était nommé lieutenant-général du royaume [1]. Trois Habsbourg étaient maintenant partie prenante aux Pays-Bas, le roi légitime Philippe II, le chef de la Maison, son représentant don Juan, et l'archiduc Mathias qui se posait en rival de son cousin de Madrid. À cela s'ajoutait une situation des plus confuses sur place que sut utiliser habilement don Juan en appelant à la rescousse des renforts espagnols commandés par Alexandre Farnèse, le fils de l'ancienne gouvernante, renforcés de ligueurs français. Dès la fin janvier 1578, les Espagnols bousculent l'armée des États, obligeant l'archiduc Mathias et Guillaume d'Orange à se replier vers le nord.

La mort de don Juan d'Autriche le 1er octobre 1578 et son remplacement par Alexandre Farnèse se produisent à un moment où le pays est en pleine décomposition. Philippe II, conscient de la gravité de la situation, lui a fixé comme objectif la recherche d'un compromis au niveau politique qui permettrait le maintien du particularisme local, mais aussi l'éradication de l'hérésie en poussant les protestants à quitter le pays. La paix d'Arras, conclue en janvier 1579 avec les représentants des provinces du Sud constitués en Confédération d'Arras, rétablissait les privilèges politiques des Pays-Bas en échange du rétablissement exclusif du catholicisme. Face à la Confédération d'Arras, l'Union d'Utrecht avec les provinces du Nord et certaines grandes villes de Brabant et de Flandre néerlandophone se posa en défenseur de l'autonomie des Pays-Bas et de la liberté des cultes partout — sauf en Hollande et en Zélande, bastions des calvinistes. Ainsi se dessinait à petites touches une nouvelle géographie politique des Pays-Bas avec au nord la république des sept Provinces-Unies à dominante protestante, et au sud les provinces francophones, catholiques, fidèles à Philippe II mais hostiles à la présence des troupes espagnoles.

L'avenir des Pays-Bas dépendait maintenant du sort des armes.

1. F. Van Kalken, *op. cit.*, p. 332 et suiv.

Dès 1581, les troupes d'Alexandre Farnèse commencèrent une offensive généralisée contre les provinces septentrionales et contre l'allié français du Taciturne, le duc d'Anjou, frère du roi Henri III, promu « défenseur de la liberté des Pays-Bas ». La prise d'Anvers, en 1585, concrétisa la division amorcée entre les provinces méridionales catholiques et celles du Nord acquises à la Réforme. L'année précédente, l'assassinat de Guillaume d'Orange avait privé l'Union d'Utrecht de son chef, mais son fils Maurice de Nassau continua la lutte et s'allia avec Elizabeth d'Angleterre. Sous les gouvernements des archiducs Ernest (1594-1595) et Albert (1595-1621), les combats se poursuivirent avec une nouvelle dimension, depuis que le roi de France Henri IV avait déclaré la guerre à Philippe II au début de 1595. Le conflit coûtait cher au roi d'Espagne. La guerre catastrophique engagée contre l'Angleterre en 1586 s'était soldée par un désastre maritime avec la perte de l'Invincible Armada, en 1588, tout comme avaient échoué les interventions en France pour soutenir les ligueurs contre le protestant Henri IV.

À la fin du règne de Philippe, aux Pays-Bas, la rupture est définitive entre le Nord et le Sud. Alors que le Nord s'est organisé en véritable république démocratique et calviniste à la fois, les provinces méridionales pacifiées ont retrouvé leur autonomie sous le gouvernement des « archiducs », l'archiduc Albert et sa femme Isabelle-Claire, fille de Philippe II, régnant conjointement sur les Pays-Bas — ou ce qu'il en restait — et la Franche-Comté. Si la paix est conclue avec la France au traité de Vervins de mai 1598 — qui reprend l'essentiel des clauses de celui du Cateau-Cambrésis avec en plus l'abandon par l'Espagne de Calais et de certaines places fortes du sud des Pays-Bas comme Doullens et La Capelle —, la guerre se poursuit avec ce qu'il est convenu d'appeler désormais les Provinces-Unies [1]. Il faudra attendre 1609 et la conclusion de la trêve de Douze Ans pour que la paix revienne dans un pays exsangue. L'échec est cuisant pour la politique de Philippe II qui meurt le 13 septembre 1598. C'en est fini de la prépondérance espagnole en Europe.

1. I. Cloulas, *Philippe II*, *op. cit.*, p. 569 et suiv.

9

Les Habsbourg de Vienne face à leurs difficultés

En face de Philippe II, véritable chef de la Maison des Habsbourg, qui régnait sur un empire immense aux richesses nombreuses et variées, son oncle l'empereur Ferdinand Ier et ses successeurs firent longtemps figure de « parents pauvres ». Soumis à une surveillance étroite et à un contrôle pointilleux de la part des représentants de la branche aînée, les Habsbourg de la branche austro-allemande, confrontés à des difficultés sans nombre, ont cherché à préserver la paix intérieure pour mieux affronter leurs ennemis extérieurs, et sont parvenus au prix de lourds sacrifices liés à la guerre de Trente Ans à constituer — ou à reconstituer — en Europe centrale un ensemble politique cohérent et viable qui allait devenir la « monarchie autrichienne ».

Réforme et Contre-Réforme sous Ferdinand Ier et Maximilien II

Lorsque Ferdinand Ier devint empereur en 1556, la Réforme luthérienne s'était imposée à la plus grande partie de l'Allemagne du Nord ; elle dominait en Bohême sous une forme influencée par la tradition hussite du pays ; elle occupait de fortes positions dans les États patrimoniaux des Habsbourg. À Vienne même, dès 1548, la moitié de la population était passée à la Réforme, et cette proportion allait s'élever jusqu'à 80 pour cent en 1578 [1]. De plus, dans les années 1550, les idées calvinistes avaient touché l'Empire et ses dépendances, en Rhénanie notamment où l'électeur palatin Frédéric III avait abandonné le luthéranisme pour se rallier au calvinisme ; peu après, l'électeur de Brandebourg devait effectuer la même démarche. De même en Hongrie royale, une grande partie des sujets

1. J.-P. Bled, *Histoire de Vienne*, *op. cit.*, p. 44.

de l'empereur — ici il n'était que le roi Ferdinand — avait choisi le calvinisme par méfiance à l'égard du luthéranisme jugé trop « allemand » ; la situation était identique en Transylvanie et dans les territoires hongrois tenus par les Turcs.

À la différence de l'Espagne de Philippe II où les hérétiques et les non-chrétiens étaient minoritaires face à une population majoritairement très attachée au catholicisme, les Habsbourg de la branche austro-allemande devaient gérer une situation beaucoup plus complexe, ce qui les amena à composer avec les non-catholiques, faute de quoi ils auraient eu à faire face à une véritable guerre civile. Par prudence et réalisme politique, tout autant que par choix personnel, les Habsbourg de Vienne ont recherché l'apaisement tout en demeurant fidèles à la foi catholique.

Ferdinand Ier, qui avait reçu dès 1522 de son père Charles Quint la mission de gouverner l'Empire et les possessions autrichiennes et qui en 1526 était devenu roi de Bohême et de Hongrie, fut confronté à la menace des Turcs qui s'étaient installés dans la plaine hongroise et qui, à plusieurs reprises, comme nous l'avons vu plus haut, avaient cherché à marcher sur Vienne. Pour rendre plus efficace la gestion de ses États, Ferdinand avait cherché à mettre en place une administration centrale performante. Ce fut l'objet du *Hofstaatsordnung* du 1er janvier 1527, avec la création d'un Conseil secret où étaient traitées en comité restreint les grandes affaires de l'État, de la Chancellerie de cour (*Hofkanzlei*) dont la mission était de faire exécuter les décisions prises en Conseil secret[1], du Conseil aulique (*Hofsrat*), instance judiciaire supérieure, de la Chambre des domaines (*Hofskammer*) chargée d'administrer les revenus des domaines de la Couronne. En 1556, Ferdinand Ier devenu empereur y ajouta le Conseil de guerre (*Hofkriegsrat*), chargé des affaires militaires et du financement de la guerre[2].

Sur le plan intérieur, les progrès du protestantisme étaient sensibles. La paix d'Augsbourg avait apporté un apaisement certain, ce qui n'avait pas facilité les relations entre Ferdinand Ier et le roi d'Espagne. Devenu empereur, Ferdinand appliqua loyalement les dispositions de la paix d'Augsbourg qui entérinait la division religieuse du Saint Empire. Dans les États patrimoniaux, Ferdinand Ier

1. Par souci d'efficacité, on y ajouta en 1537 deux autres chancelleries, l'une pour la Bohême, l'autre pour la Hongrie.

2. J.-P. Bled, *Histoire de Vienne*, *op. cit.*, p. 40.

aurait voulu faire jouer le principe « *cujus regio ejus religio* », mais il n'avait guère les moyens de le faire appliquer, car une grande partie de la noblesse autrichienne avait rallié la Réforme. Tout ce que put faire l'empereur, ce fut de soutenir la Contre-Réforme ou plus exactement la réforme catholique qui se mettait en place avec le concours de nouveaux ordres religieux, les jésuites et les capucins notamment. Avant même que ne s'achève le concile de Trente (1545-1563), les jésuites, avec l'appui des princes catholiques et de l'empereur, avaient créé dans les principales villes de l'Empire des collèges où ils dispensaient un enseignement moderne et ouvert sur le monde. Le premier de ces collèges et le plus célèbre fut celui d'Ingolstadt, ouvert en 1556, protégé par la maison de Bavière et où vinrent étudier les princes des familles régnantes catholiques. La même année, Ferdinand, en tant que roi de Bohême, autorisa les jésuites à ouvrir à Prague un collège, le *Clementinum*, un défi dans cette terre de contestation religieuse qu'était la Bohême, mais qui joua un rôle essentiel dans le retour progressif au catholicisme d'une partie de la noblesse allemande et tchèque du royaume. De leur côté, partout, les capucins par leur prédication cherchèrent à toucher les milieux populaires. Alors qu'en Espagne, Philippe II avait entrepris l'éradication du protestantisme en donnant carte blanche à l'Inquisition, dans l'Empire au contraire, c'est grâce à l'instruction dispensée par les jésuites et par l'action sur le terrain des capucins que l'Église catholique récupérait par un travail de longue haleine certaines des positions qu'elle avait perdues.

Pour Ferdinand Ier, l'idéal aurait été une réconciliation entre catholiques et luthériens, et c'est en vain que ses représentants au concile de Trente plaidèrent en faveur de cette solution d'apaisement. Toutefois, l'empereur demeura sa vie durant fermement attaché à la foi catholique. Philippe II ne ménageait pas ses remontrances, et jugeait sévèrement le comportement du fils de Ferdinand, l'archiduc Maximilien, qui ne cachait pas ses sympathies pour les protestants. Cette situation n'était pas nouvelle. Du vivant même de Charles Quint, l'archiduc Ferdinand avait mis en garde son fils. Pour mieux l'intégrer à la tradition catholique des Habsbourg, il lui avait conseillé d'épouser sa cousine, Marie, la sœur du futur Philippe II. Le mariage, célébré à Valladolid le 13 septembre 1548, ne changea rien [1], malgré tous les efforts de l'archiduchesse Marie pour ramener son époux dans le droit chemin. Après

1. D. G. Mac Guigan, *Les Habsbourg*, *op. cit.*, p. 141.

l'abdication de Charles Quint, le roi d'Espagne Philippe II et le pape Paul IV pressèrent Ferdinand, devenu empereur, d'agir. Le pape manifesta d'ailleurs son mécontentement à l'égard de Ferdinand en le faisant attendre jusqu'en 1558 avant de le reconnaître comme empereur, estimant qu'il se montrait trop indulgent envers son fils. La crise entre le père et le fils éclata lorsque l'archiduc Maximilien invita un prédicateur protestant, Sébastien Pfauser, à venir prêcher en l'église des Augustins de Vienne. Pour l'empereur, c'en était trop, son confesseur le père jésuite Canisius le poussait à agir. Le chef de la Maison des Habsbourg, Philippe II, ne décolérait pas et envoya en mission à Vienne un franciscain espagnol, officiellement comme confesseur de l'archiduchesse Marie, en réalité pour espionner Maximilien. Cet étrange confesseur alla même jusqu'à suggérer à l'archiduchesse Marie de se séparer de son mari. Celle-ci refusa catégoriquement, car elle était très éprise de Maximilien dont, il faut le rappeler, elle eut seize enfants parmi lesquels neuf seulement atteignirent l'âge adulte. Les arguments de l'empereur portèrent davantage ; il rappela en effet à son fils qu'il ne pourrait jamais être élu « roi des Romains » s'il n'était pas bon catholique. L'archiduc Maximilien se soumit, du moins en apparence ; il renvoya son prédicateur protestant et jura solennellement devant son père et ses frères qu'il resterait sa vie durant et jusqu'à sa mort fidèle à la foi catholique. Cet acte de soumission lui permit d'être élu « roi des Romains » en 1562[1]. Philippe II n'était pas dupe, et, pour sauvegarder l'avenir catholique de la branche austro-allemande de la dynastie, il demanda à l'empereur Ferdinand d'envoyer en Espagne les deux fils aînés de l'archiduc Maximilien, Rodolphe et Ernest. L'empereur, non sans réticence, céda à cette exigence et les deux jeunes princes prirent la route de l'Espagne à l'automne 1563 : ils devaient demeurer à la cour de Philippe II jusqu'en 1571 après avoir subi une éducation espagnole rigoureuse et vécu les tragiques moments qui entourèrent la mort du fils du roi, l'infant don Carlos, en 1568[2].

Peu avant de mourir, l'empereur Ferdinand avait rédigé un testament qui reprenait une ancienne tradition des Habsbourg, celle du partage de l'héritage entre les descendants mâles. L'aîné de ses fils, l'archiduc Maximilien, outre la dignité impériale, reçut les duchés de Basse et de Haute-Autriche, les pays de la couronne de Saint-

1. D. G. Mac Guigan, *Les Habsbourg, op. cit.*, p. 145-147.
2. *Ibid.*, p. 152 et suiv.

Venceslas — c'est-à-dire le royaume de Bohême et ses dépendances (Moravie, Silésie, Lusace) ainsi que la « Hongrie royale ». Le deuxième fils, l'archiduc Ferdinand, dut se contenter de l'Autriche antérieure (*Vorderösterreich*), c'est-à-dire le Tyrol, les possessions habsbourgeoises d'Allemagne du Sud et l'Alsace ; cette part modeste de l'héritage s'explique par la déception qu'il avait causée à son père en épousant secrètement une roturière, Philippine Welser. Quant au troisième, l'archiduc Charles, l'empereur lui attribua l'Autriche intérieure (*Inner-Osterreich*) avec les duchés de Styrie et de Carinthie, le comté de Görtz et Trieste ; cette Autriche intérieure allait rapidement devenir le principal bastion de la Contre-Réforme et le centre directionnel de la reconquête catholique dans les États des Habsbourg.

Les craintes du roi d'Espagne et du pape n'étaient pas sans fondement. L'archiduc Maximilien devenu l'empereur Maximilien II (1564-1578) demeura toujours attaché aux idées érasmiennes que lui avaient inculquées autrefois ses précepteurs. À cet égard, il se posa en véritable défenseur de l'idée de tolérance, n'hésitant pas à déclarer au légat du pape qui s'inquiétait de sa passivité face aux progrès du protestantisme : « Je ne suis ni papiste ni évangélique mais seulement chrétien [1]. » Cet esprit de tolérance, ses sujets autrichiens le partageaient comme le soulignait dès 1564 l'ambassadeur de Venise : « Ici, les gens se sont entendus pour se tolérer les uns les autres. Dans les communautés mixtes, la question est rarement posée de savoir si quelqu'un est catholique ou protestant. Protestants et catholiques se marient entre eux sans soulever le moindre scandale ni même le moindre commentaire [2]. » C'était là une situation tout à fait originale dans une Europe où régnait partout l'intolérance. Lorsque Maximilien II apprit le massacre de la Saint-Barthélemy en France, il écrivit : « Cela n'est ni juste ni justifiable. Les questions de religion ne seront pas résolues par l'épée mais par la parole divine et par une entente et une justice chrétiennes [3]. »

Devant de telles prises de position, on comprend aisément les inquiétudes de Philippe II envers cet empereur qu'il considérait comme un hérétique. L'impératrice Marie ne ménageait pas ses efforts, sans résultat. Philippe II attendait beaucoup de l'influence que pouvaient exercer sur leur père Rodolphe et Ernest dont il avait

1. W. Knappich, *Die Habsburger Chronik*, Salzburg, 1959, p. 132.
2. Cité par D. G. Mac Guigan, *Les Habsbourg*, *op. cit.*, p. 160.
3. V. Bibl, *Maximilian II. Der rätselhafte Kaiser*, Dresden, 1929, p. 298.

assuré l'éducation. Avant qu'ils ne quittent l'Espagne, ne leur avait-il pas fait jurer de rester toujours fidèles à la foi catholique, et en particulier à Rodolphe de persécuter les hérétiques lorsqu'il aurait succédé à son père ? Le 28 mai 1571, en prenant congé des deux princes qui regagnaient Vienne, Philippe II ajouta ces dernières recommandations : « Puisque vous retournez dans des pays dangereux pour votre âme, je veux vous mettre en garde comme si vous étiez mes propres enfants. Que personne ne puisse vous détourner de votre foi qui est la seule vraie ! Ne lisez que des livres donnés par votre confesseur ou par des hommes connus pour leur piété ! Recevez très souvent les sacrements ! C'est aussi nécessaire pour votre salut que, dans ce monde, pour votre gloire et votre honneur[1]. » L'influence espagnole avait tellement marqué Rodolphe et Ernest qu'à leur retour, Maximilien II les invita « à changer d'attitude », car « les manières et les façons de penser espagnoles » risqueraient de les rendre impopulaires en Allemagne[2].

Extérieurement du moins, Maximilien II demeura sa vie durant fidèle à la religion catholique, bien que la plupart du temps, quand il lui arrivait de communier, il le fît sous les deux espèces selon l'usage des utraquistes de Bohême[3]. Dans le Saint Empire, il s'efforça néanmoins de maintenir une politique du « juste milieu », ne faisant rien pour contrer les progrès du protestantisme ni pour empêcher l'action des agents de la Contre-Réforme. La politique de Maximilien II en Bohême traduit bien cette recherche de l'équilibre, ce qui n'exclut ni les ambiguïtés ni les contradictions. Ainsi, dans ce pays majoritairement protestant aussi bien dans la noblesse que dans le peuple, Maximilien II n'hésita pas à placer à la tête du consistoire de l'Église utraquiste un administrateur proche des jésuites, Henri Dvorsky, et laissa l'évêque d'Olomouc persécuter les élites protestantes de Moravie, autant de mesures et d'attitudes qui favorisaient le parti catholique. Mais en même temps, pour calmer les inquiétudes des protestants, il se rallia non sans réticence à la demande de la Diète de Bohême de reconnaître la *Confessio bohemica*, un document qui était une synthèse des professions de foi des différents courants réformés de Bohême et dans lequel on posait le principe de la liberté religieuse pour les luthériens, les utraquistes et les Frères de l'Unité. Le 25 août 1575, Maximilien II

1. Ph. Erlanger, *Rodolphe II de Habsbourg*, Paris, 1983, p. 58.
2. G. von Schwarzenfeld, *Rudolf II*, München, 1961, p. 30.
3. Ph. Erlanger, *Rodolphe II de Habsbourg*, *op. cit.*, p. 71.

accepta le texte présenté par la Diète, mais par une simple déclaration orale [1]. Les membres de la Diète se contentèrent de cet engagement verbal et acceptèrent, comme le leur demandait Maximilien, d'élire son fils aîné Rodolphe comme roi de Bohême, ce qui fut fait dès le 7 septembre. Après son couronnement, le roi élu de Bohême s'installa au château royal de Prague, au Hradschin, qu'il ne devait plus guère quitter. Prague n'allait pas tarder à devenir, pour près de trente-cinq ans, la capitale de l'Empire et la résidence du chef de la branche austro-allemande des Habsbourg [2].

Une fois réglée sa succession en Bohême — elle l'avait déjà été en Hongrie avec l'élection et le couronnement de l'archiduc Rodolphe en 1572 —, l'empereur, très affaibli par la maladie, se rendit à Rastisbonne pour la session de la Diète d'Empire qui s'ouvrit le 25 juin 1576 ; il voulait obtenir du Collège des électeurs le choix de Rodolphe comme « roi des Romains ». Le vote fut acquis sans difficulté. Au cours de l'été, l'état de santé de l'empereur s'aggrava. En dépit de tous les remèdes des médecins et des guérisseurs appelés à la rescousse, chacun s'attendait à la mort du souverain d'un jour à l'autre. L'impératrice, son fils l'archiduc Mathias, le légat du pape, l'ambassadeur d'Espagne, tous avaient à cœur de sauver l'âme de l'empereur et le conjuraient de se mettre en règle avec Dieu en se confessant. Rien n'y fit ; l'empereur mourant refusa de recevoir le chapelain de la Cour. Pour Maximilien II, c'était devant Dieu seul qu'il devait s'expliquer. L'archiduc Rodolphe, venu de Prague, se tint à l'écart de ceux qui harcelaient l'empereur dans ses derniers moments, montrant ainsi que, malgré l'éducation espagnole qu'il avait reçue, il respectait la décision de son père. La mort de Maximilien II le 12 octobre fit de l'archiduc Rodolphe le chef de la branche austro-allemande des Habsbourg [3].

Le solitaire du Hradschin et ses frères

Avec l'empereur Rodolphe II (1576-1612), c'est un personnage extraordinairement complexe qui, depuis le château royal de Prague, règne sur une grande partie des possessions habsbourgeoises d'Europe centrale. Outre la dignité impériale, Rodolphe II est roi de Bohême et de Hongrie, et duc de Basse et de Haute-Autriche. Sans procéder à un partage des biens patrimoniaux

1. J. Bérenger, *Histoire de l'Empire des Habsbourg*, *op. cit.*, p. 264.
2. Ph. Erlanger, *Rodolphe II de Habsbourg*, *op. cit.*, p. 65-68.
3. D. G. Mac Guigan, *Les Habsbourg*, *op. cit.*, p. 161-162.

comme l'avait fait son père, il donna cependant de substantielles compensations financières à ses frères cadets et leur imposa un pacte de bonne entente par lequel ils s'engageaient à « rester mutuellement aimables, unis pacifiquement et sans méfiance [1] ». Les frères de Rodolphe II occupèrent occasionnellement d'importantes fonctions. L'archiduc Ernest, qui autrefois l'avait accompagné en Espagne et qui avait été très fortement influencé par Philippe II, reçut un moment le gouvernement de Basse et de Haute-Autriche avant d'être envoyé en 1594 aux Pays-Bas comme gouverneur pour le compte du roi d'Espagne. Son frère l'archiduc Albert lui succéda dans cette fonction et épousa l'infante Isabelle, fille de Philippe II. Le troisième frère de l'empereur, l'archiduc Maximilien, grand maître de l'ordre Teutonique, se vit confier le gouvernement de l'Autriche antérieure et du Tyrol après la mort de l'archiduc Ferdinand, en 1591. Quant à l'archiduc Mathias, l'héritier du trône — puisque l'empereur Rodolphe II n'eut pas de fils —, après avoir tenté en vain de s'imposer en arbitre aux Pays-Bas entre 1577 et 1582, au grand dam de Philippe II, il reçut en 1594 le titre de gouverneur impérial de Basse-Autriche, faisant rapidement de Vienne un lieu d'intrigues destinées à déstabiliser l'empereur afin de mieux l'évincer du trône [2].

Bien que d'esprit moins tolérant que son père — l'influence de sa jeunesse passée en Espagne y était pour quelque chose —, Rodolphe II souhaitait sincèrement le retour à la paix religieuse dans ses États. Profitant de sa faiblesse et de la profonde mélancolie qui le rongeait, les jésuites, activement soutenus par le légat du pape et l'ambassadeur d'Espagne à Prague, prirent sous son règne une place de plus en plus importante dans la vie de l'État et dans la société. Reclus volontairement dans son château de Prague, d'où le qualificatif de « solitaire du Hradschin » qu'on lui donna parfois, Rodolphe II se désintéressait la plupart du temps des affaires de l'État et laissa à d'autres, en particulier à ses frères, le soin de gouverner [3].

Lors de l'avènement de Rodolphe II, les premiers résultats de la reconquête catholique menée par les jésuites et les capucins étaient perceptibles. Si en Autriche une partie de la noblesse demeurait

1. Ph. Erlanger, *Rodolphe II de Habsbourg*, *op. cit.*, p. 78.
2. E. Zöllner, *Histoire de l'Autriche des origines à nos jours*, *op. cit.*, p. 197-198.
3. Ph. Erlanger, *Rodolphe II de Habsbourg*, *op. cit.*, p. 82-83.

fidèle au luthéranisme, à Vienne, en revanche, la position des protestants était menacée. Dès 1576, un édit impérial leur avait interdit de célébrer leur culte et d'entretenir des écoles. En 1590, on alla plus loin encore et leur bannissement fut ordonné, mais l'application de cette mesure extrême fut menée avec une relative modération[1]. L'un des principaux artisans de la reconquête catholique en Autriche fut Melchior Khlesl, ancien chancelier de l'université de Vienne, qui, en tant qu'official du prince-évêque de Passau, mena activement la recatholicisation de la Basse-Autriche ; puis, en 1588, nommé administrateur de l'évêché de Wiener Neustadt, il entreprit avec succès la reconquête des villes qui relevaient des Habsbourg[2].

Dans les autres possessions héréditaires des Habsbourg, la Contre-Réforme allait bon train. En Autriche intérieure, l'archiduc Charles, très dévoué aux jésuites et influencé par son épouse Marie de Bavière, appuyait l'œuvre de reconquête, mais, face à la résistance des États, il fut amené à adopter une politique moins intransigeante. Déjà, à la Diète de Graz, en 1572, l'archiduc Charles avait dû garantir la liberté religieuse aux nobles et aux chevaliers, à leurs familles, serviteurs et paysans, et accorder aux protestants le droit d'ouvrir des écoles et d'avoir des prédicateurs ; puis, à la Diète de Brück an der Mur, en 1578, il avait étendu cette tolérance aux villes et aux marchés. Face aux protestations de l'Église catholique, l'archiduc fit machine arrière et la « Paix de Brück » fut vidée d'une grande partie de son contenu. Charles, toujours dévoué aux jésuites, leur permit en 1585 de transformer leur collège de Graz en une université qui allait rapidement devenir un des hauts lieux de la Réforme catholique.

À sa mort, en 1590, les archiducs Ernest et Maximilien prirent en charge l'administration de l'Autriche intérieure au nom de son fils mineur Ferdinand de Styrie. Celui-ci, devenu majeur en 1595, s'engagea dans une politique radicale d'éradication du protestantisme de ses États ; les temples protestants, les écoles furent fermés ou détruits, les pasteurs expulsés et leurs ouailles invitées fermement à revenir à la vraie foi, si bien qu'en moins de dix ans, le protestantisme avait totalement disparu de ses États[3]. En fait, Ferdinand de Styrie s'était borné à faire appliquer strictement le principe « *cujus regio ejus religio* » tel que l'avait posé la paix d'Augsbourg,

1. J.-P. Bled, *Histoire de Vienne*, *op. cit.*, p. 47.
2. E. Zöllner, *Histoire de l'Autriche des origines à nos jours*, *op. cit.*, p. 199.
3. J. Rovan, *Histoire de l'Allemagne*, *op. cit.*, p. 344.

une rigueur quelque peu contraire à la tradition de relative tolérance qu'avaient toujours respecté les Habsbourg d'Autriche. Au Tyrol et en Autriche antérieure, la majorité des habitants, en particulier dans les campagnes, était restée fidèle au catholicisme ; l'archiduc y soutint l'action des jésuites en vue de reconquérir les villes. Le collège d'Innsbrück où le père Canisius vint prêcher devint un foyer actif de la Contre-Réforme. Le successeur de Ferdinand, l'archiduc Maximilien, amplifia cette politique. À l'exception de quelques foyers marginaux de calvinistes dans le Voralberg, l'Autriche antérieure demeura un bastion solide du catholicisme [1].

Dans ce climat de Contre-Réforme triomphante, l'empereur Rodolphe II, malgré son indifférence pour les choses du monde, avait conscience qu'un succès trop voyant du catholicisme risquait de déstabiliser le Saint Empire et de provoquer une rupture entre les princes protestants et les Habsbourg, traditionnels détenteurs de la dignité impériale. Comme son père, il aurait souhaité une réconciliation entre chrétiens — ce qui correspondait à sa pensée intime d'homme de la Renaissance —, d'autant plus nécessaire qu'il avait besoin du concours financier de tous, princes protestants inclus, pour mener la guerre contre les Turcs qui avait repris en 1591. À défaut de pouvoir réaliser cette impossible réconciliation, Rodolphe II s'efforçait d'arbitrer les perpétuels conflits liés à la question religieuse, recherchant toujours une solution d'apaisement, ce qui provoquait la colère des princes catholiques, et en particulier du duc de Bavière, et celle de ses frères : « Nous sommes arbitre, intermédiaire et juge, nous ne devons prendre parti en aucun cas. » Cela n'empêchait pas les protestants, de leur côté, de reprocher à l'empereur de trop favoriser les partisans de la Contre-Réforme [2].

La famille de Rodolphe II, l'ambassadeur d'Espagne et le légat du pape avaient des doutes sur la sincérité des sentiments catholiques du monarque. Il est vrai que Rodolphe II, passionné de sciences et d'ésotérisme, aimait à s'entourer d'une foule d'astrologues, de mages, mais aussi de savants et d'artistes. En ce sens, il était un homme de la Renaissance, voulant tout connaître, faisant mal la distinction entre le naturel et le surnaturel. Il faut dire que Prague, par sa tradition, était une ville où l'ésotérisme se mêlait aux

1. E. Zöllner, *Histoire de l'Autriche des origines à nos jours*, *op. cit.*, p. 196-200.
2. Ph. Erlanger, *Rodolphe II de Habsbourg*, *op. cit.*, p. 95-96 et p. 122.

traditions juives de la Kabbale et du Golem. Rodolphe II n'aurait pu mieux choisir que la capitale de la Bohême pour sa résidence. À côté d'astrologues et d'alchimistes comme John Dee et Edmond Kelley qui avaient été au service de la reine Elizabeth Ire d'Angleterre, Rodolphe II accueillit à sa Cour des artistes éminents comme Giuseppe Arcimboldo qui fut nommé peintre officiel de la Cour ou Hans von Aachen qui décora certaines salles du Hradschin de nus quelque peu érotiques. L'empereur fut aussi un grand collectionneur qui acheta à prix d'or les œuvres des peintres italiens de la Renaissance, qui fit venir une quantité considérable de pièces de joaillerie, de pierres précieuses, et aussi beaucoup d'œuvres antiques comme le *Gemma augusta*, un marbre qui représentait l'apothéose de l'empereur Auguste [1]. Très tôt, Rodolphe II entretint des relations suivies avec l'astronome Tycho Brahé dont il autorisa en 1590 la publication des œuvres à Hambourg, puis il le fit venir à Prague en 1599. Là, il fit construire à son intention un observatoire où il allait fréquemment lui rendre visite. Le « mauvais esprit de l'empereur » — c'est ainsi que la Cour qualifiait l'astronome — invita en 1600 le jeune et célèbre mathématicien Johannes Kepler à venir le rejoindre à Prague. Kepler, professeur à Graz, persécuté par la Contre-Réforme triomphante en Styrie, s'installa volontiers auprès de son impérial mécène. À la mort de Tycho Brahé, en 1609, Rodolphe II lui offrit de grandioses funérailles. La perte de ce « cher trésor » porta un coup terrible à l'esprit du souverain. Kepler le remplaça comme astrologue et mathématicien impérial [2].

La famille impériale confrontée à ce monarque aux idées révolutionnaires, et souvent confuses, ne ménagea pas ses efforts pour le ramener dans le droit chemin. Malgré les protestations de l'envoyé du pape, Rodolphe II alla en 1590 jusqu'à nommer comme vice-chancelier des affaires ecclésiastiques un frère de l'Unité, Christophe Zelinsky, puis en 1594 il n'hésita pas à s'attaquer au chancelier de Bohême Georges Lobkowitz, très lié aux jésuites. En fait, la nomination de Zelinsky, aussi choquante qu'elle ait pu paraître aux yeux du parti catholique, tenait compte du poids considérable des protestants en Bohême. À cette époque, les catholiques étaient devenus très minoritaires, moins en Moravie cependant qu'en Bohême. On estime que vers 1600, 10 pour cent de la population

1. Ph. Erlanger, *Rodolphe II de Habsbourg, op. cit.*, p. 104 et suiv.
2. *Ibid.*, p. 155-157 et 171-177.

de la Bohême proprement dite demeurait fidèle à Rome [1]. Pour les jésuites comme pour les capucins, la Bohême était devenue une terre de mission qu'il fallait recatholiciser. Pour le nonce Spinelli, Rodolphe II se montrait beaucoup trop laxiste à l'égard des protestants : il fallait donc sauver son âme en le ramenant à la vraie foi. Après avoir été longtemps éconduit, Spinelli put enfin rencontrer l'empereur le 25 septembre 1600, mais l'entrevue se solda par un échec. L'empereur, qui passait de la colère au découragement le temps d'une conversation, demeurait inflexible, renvoyant les prêtres et les moines qu'on lui envoyait. Mieux, Rodolphe II demanda à l'archevêque de Prague d'éloigner de Bohême les capucins. Le prélat lui répondit que les capucins étaient « des gens pieux et obéissants » dont l'expulsion « flétrirait la réputation de Sa Majesté et la dignité d'un empereur catholique ». On crut déceler un changement d'attitude du souverain lorsque celui-ci se sépara de Zelinsky ; il alla même jusqu'à se confesser et à communier pour Pâques 1601. Mais ce revirement fut de courte durée. L'empereur continuait à se méfier de son entourage : « Je sais, disait-il, qu'ils veulent m'enlever ma couronne car je ne suis pas assez catholique pour eux », et de s'en prendre une fois encore aux capucins, « ces filous » qui le martyrisaient [2].

À Vienne, les archiducs rassemblés autour de leur aîné Mathias complotaient ouvertement avec le soutien de Khlesl devenu entre-temps le confident et le chef du Conseil de l'archiduc Mathias [3] ; l'ambassadeur d'Espagne les poussait à agir au nom de la défense des intérêts catholiques.

Les événements de Hongrie allaient dans le même sens : la guerre contre les Turcs avait repris en 1591 ; la Hongrie royale avait fourni des mercenaires à l'armée impériale et le prince de Transylvanie Sigismond Báthory, un catholique qui régnait sur des sujets en majorité protestants, recherchait l'alliance avec Rodolphe II. À cet effet, il envoya à Prague son capitaine István (Étienne) Bocskay, chargé de négocier une alliance avec l'empereur. Un traité fut signé, par lequel les deux parties s'engageaient à combattre ensemble les Turcs et à renoncer à toute paix séparée ;

1. J. Bérenger, *Histoire de l'Empire des Habsbourg*, *op. cit.*, p. 255.
2. Ph. Erlanger, *Rodolphe II de Habsbourg*, *op. cit.*, p. 168 et 175.
3. J. Bérenger, *Histoire de l'Empire des Habsbourg*, *op. cit.*, p. 267.

en outre, Sigismond Báthory devait épouser l'archiduchesse Marie-Christine de Habsbourg.

Le mariage, célébré en 1595, se solda bientôt par un échec en raison de l'état mental du prince. L'alliance permit aux Impériaux de reprendre le contrôle de la Transylvanie tandis que les troupes de Bocskay repoussaient les Turcs vers les Balkans avec le concours du voïvode de Valachie Michel le Brave. Ces succès furent compromis par la défaite de l'archiduc Maximilien et de Bocskay à Mezökeresztes, le 26 octobre 1596.

Le retrait provisoire de Sigismond au profit de son frère le cardinal André Báthory provoqua une révolte des protestants de Transylvanie. Le voïvode Michel en profita pour occuper la principauté de 1599 à 1601 et ses troupes s'y livrèrent à un pillage en règle. Les troupes impériales du général Basta intervinrent et soumirent la Transylvanie à un régime de terreur qui fit contre lui l'unanimité[1]. Bocskay appela alors les Hongrois à la révolte ; pourtant, jusque-là, il s'était toujours montré loyal à l'égard des Habsbourg. Mais la réaction de Rodolphe II face à ces événements avait heurté ses sentiments calvinistes. L'empereur, en effet, qui n'en était pas à une contradiction près, avait donné carte blanche à Basta, et donnait carte blanche aux partisans de la Contre-Réforme en Hongrie royale, mettant hors la loi les protestants[2]. Élu « roi de Hongrie » par la Diète de Szerencs le 20 avril 1605, Bocskay refusa ce titre, se contentant de celui de « prince de Hongrie », car il voulait éviter une rupture totale avec les Habsbourg ; il accepta cependant la somptueuse couronne ornée de pierres précieuses offerte par le sultan, et que l'on peut admirer aujourd'hui dans le *Schatzkammer* de la *Hofburg* de Vienne. La Transylvanie, longtemps méfiante à l'égard de Bocskay, le reconnut comme prince le 14 septembre suivant[3]. Bocskay n'était plus seul désormais ; il pouvait compter sur les Turcs, tout en étant conscient que leur soutien était loin d'être désintéressé.

L'archiduc Mathias sut tirer profit de la situation et de la passivité de l'empereur, tombé dans une profonde apathie face aux événements. Lui qui s'était toujours présenté comme le défenseur de la vraie foi face à Rodolphe II n'hésita pas pour satisfaire ses

1. L. Makkai, *Histoire de Transylvanie*, Paris 1946, p. 190 et suiv.
2. Ph. Erlanger, *Rodolphe II de Habsbourg*, *op. cit.*, p. 193.
3. L. Makkai, *Histoire de Transylvanie*, *op. cit.*, p. 207-208.

ambitions à se rapprocher des protestants hongrois. À l'initiative de l'archiduc Maximilien, tous les membres de la famille des Habsbourg tinrent conseil à Linz et envoyèrent une délégation à Prague pour exiger de Rodolphe II qu'il confie le gouvernement de la Hongrie à l'archiduc Mathias, et qu'il désigne dès maintenant son successeur. L'empereur refusa catégoriquement[1], alors que la menace turque se précisait en Hongrie avec la chute d'Esztergom le 8 octobre 1605. Privé du soutien financier du pape, Rodolphe II se résigna à donner à Mathias les pleins pouvoirs pour négocier avec les rebelles hongrois.

Le 23 juin 1606, le traité de Vienne mit fin à l'insurrection de Bocskay. Celui-ci, reconnu prince de Transylvanie, recevait sa vie durant d'importants territoires en Haute-Hongrie. Rodolphe II, de son côté, reconnaissait la liberté religieuse en Hongrie royale « sans préjudice pour la religion catholique romaine » ainsi que l'autonomie administrative du pays : la Diète hongroise pourrait élire un palatin qui gouvernerait le pays en l'absence du souverain, assisté d'un conseil formé de nobles hongrois[2]. L'empereur ne fut guère satisfait de ce traité négocié par son frère, d'autant que, peu après, le 15 novembre, Mathias, d'accord avec Bocskay, concluait avec les Turcs la paix de Zsitvatorok qui maintenait le *statu quo* frontalier mais qui libérait la Hongrie de la tutelle du sultan moyennant le versement d'une somme forfaitaire de deux cent mille gulden d'or. Rodolphe II donna cependant son aval au traité mais refusa d'envoyer au sultan le document signé. À défaut de l'être *de jure*, la guerre de Quinze Ans était terminée *de facto* et les Habsbourg étaient libérés des liens de vassalité qui les liaient au sultan.

L'archiduc Mathias avait maintenant les mains libres pour chasser son frère du trône. Conseillé par Khlesl, devenu entre-temps cardinal, il multiplia les démarches auprès des Diètes de Hongrie, d'Autriche, de Bohême et de Moravie pour obtenir d'elles la destitution de Rodolphe. À ce moment-là, dans le Saint Empire, les forces catholiques et protestantes s'organisaient. Face à l'Union évangélique qui regroupait autour de l'électeur palatin la plupart des princes protestants à l'exception de l'électeur de Saxe, les princes catholiques, à l'initiative du duc de Bavière, avaient formé la Sainte Ligue. Pour l'archiduc Mathias, il était temps d'agir.

1. Ph. Erlanger, *Rodolphe II de Habsbourg*, *op. cit.*, p. 194-195.
2. L. Makkai, *Histoire de Transylvanie*, *op. cit.*, p. 210.

Proclamé « chef de la Maison » par les archiducs « étant de notoriété publique qu'une faiblesse d'esprit... rend l'empereur incapable de gouverner plus longtemps », Mathias prit l'initiative de faire entrer ses troupes en Moravie au printemps 1608. L'ambassadeur d'Espagne à Prague San Clemente s'interposa ; sur ses conseils, Rodolphe II fit savoir le 8 mai « qu'il serait très heureux que son très cher frère (*sic*) gouvernât en son nom l'Autriche et la Hongrie ». Cette concession était insuffisante aux yeux de Mathias dont les troupes poursuivirent leur marche en direction de Prague ; l'archiduc exigea une réunion de la Diète de Bohême, espérant qu'elle le désignerait comme roi de Bohême. La Diète réunie le 23 mai exigea de Mathias la liberté religieuse pleine et entière en Bohême, ce qui était inacceptable pour lui.

Finalement, Mathias accepta de négocier avec son frère ; par le traité du Hradschin en date du 25 juin, Rodolphe II céda à son cadet la couronne de Hongrie, ainsi que l'Autriche et la Moravie, et la perspective de l'héritage de Bohême dont il devenait le « roi désigné »[1]. Les conséquences de ce « coup d'État » furent que Mathias se vit couronner roi de Hongrie dès novembre suivant, après s'être engagé à respecter la liberté religieuse et l'autonomie administrative. Les Diètes de Basse et de Haute-Autriche se firent de leur côté confirmer la liberté religieuse et le libre exercice du culte réformé pour la noblesse et ses paysans.

À Prague, Rodolphe II ne cessait de s'indigner de la trahison de son frère. Les protestants majoritaires à la Diète de Bohême voulurent profiter de la faiblesse du souverain pour obtenir la liberté de conscience que leur avait précédemment refusée Mathias. L'empereur résista d'abord, mais ses conseillers catholiques et l'ambassadeur d'Espagne lui-même lui recommandèrent de s'entendre avec la Diète. Le 9 juillet 1609, Rodolphe II accorda aux protestants de Bohême un statut religieux connu sous le nom de *Lettre de Majesté pour la liberté religieuse*, qui officialisait la *Confessio bohemica* de 1575 et proclamait la liberté de conscience pour l'ensemble des sujets du royaume, car il fallait maintenir la paix civile afin que « chaque parti puisse pratiquer librement et pleinement la religion dans laquelle il croit trouver son salut, sans rencontrer d'obstacles de la part de l'autre parti ». Les protestants et les utraquistes se firent attribuer l'université Charles de Prague, les catholiques disposant de l'académie jésuite, le *Clementinum* ; ils eurent désormais le

1. Ph. Erlanger, *Rodolphe II de Habsbourg*, *op. cit.*, p. 216-219.

droit de construire des écoles et des temples, aussi bien dans les domaines de la Couronne que dans les villes royales. Enfin, pour veiller à l'application de la Lettre de Majesté, les protestants disposèrent au sein de la Diète d'une véritable Diète protestante, formée des membres protestants des trois ordres, qui élisait trente *Défenseurs de la Foi*. Peu après, Rodolphe II étendit à la Moravie et à la Silésie les dispositions de la Lettre de Majesté.

Le parti catholique subissait là une sévère défaite, mais c'était aussi un échec pour les Habsbourg car la Lettre de Majesté renforçait le pouvoir des Diètes aux dépens de celui du souverain. Si Rodolphe II avait cédé, c'était pour pouvoir conserver la couronne de Bohême ; il savait que Mathias était prêt à tout pour la lui arracher. Pour le contrer, Rodolphe songea à offrir la succession à son cousin l'archiduc Léopold, prince-évêque de Passau depuis 1605. L'intervention armée de celui-ci en Bohême, en 1610, se solda par des exactions de toutes sortes qui dressèrent les États de Bohême contre Rodolphe II. L'archiduc Mathias sut exploiter ce mécontentement et obtint le ralliement de la Diète de Bohême à sa cause en échange de la promesse du respect des libertés religieuses.

Abandonné de tous, Rodolphe II « invita » son frère à Prague. Le 24 mars 1611, Mathias fit son entrée dans la capitale de Bohême où son frère accepta de lui céder « gentiment » la couronne. Après avoir juré de respecter la Lettre de Majesté, Mathias, déjà roi de Hongrie, fut couronné roi de Bohême le 26 mai 1611 [1]. Désormais seul et malade, entouré de ses astrologues et de ses médecins, Rodolphe II qui n'avait conservé que le titre impérial demeura reclus dans son château de Hradschin, invectivant la ville dont il avait fait sa capitale en ces termes : « Prague, ville ingrate, tu as été élevée par moi et aujourd'hui tu renies ton bienfaiteur ! Puisse la vengeance de Dieu te poursuivre ainsi que toute la Bohême [2] ! »

L'archiduc Mathias aurait voulu être désigné immédiatement « roi des Romains », mais le Collège électoral différa sa décision. La mort dans la plus complète solitude de l'empereur Rodolphe II, le 20 janvier 1612, plongea le petit peuple de Bohême dans une profonde affliction. Mathias ne daigna même pas aller saluer la dépouille mortelle de ce frère auquel il avait tout pris et se fit

---

1. H. Bogdan, *La Guerre de Trente Ans*, Paris, 1997, p. 51-53, et E. Zöllner, *Histoire de l'Autriche des origines à nos jours*, *op. cit.*, p. 205.
2. Ph. Erlanger, *Rodolphe II de Habsbourg*, *op. cit.*, p. 244.

représenter par sa femme Anne du Tyrol[1]. Le 13 juin 1612, le Collège électoral accorda à Mathias le titre impérial, mais chacun savait que c'était un « empereur de transition » qui avait été élu. L'empereur Mathias, âgé alors de cinquante-cinq ans, n'avait pas d'enfant et on spéculait déjà sur sa succession.

1. Ph. Erlanger, *Rodolphe II de Habsbourg, op. cit*, p. 253.

10

Les Habsbourg et la guerre de Trente Ans

Comme nous venons de le voir, la mort de Rodolphe II donna à son frère Mathias, déjà maître de l'Autriche, de la Bohême et de la Hongrie, la lourde responsabilité de régner sur un Saint Empire où les tensions religieuses se radicalisaient. La paix d'Augsbourg n'était plus qu'un lointain souvenir et depuis 1555 bien des changements s'étaient produits. Le calvinisme, ignoré à Augsbourg, s'était solidement implanté dans les États de l'électeur palatin, tandis que l'électeur de Brandebourg s'apprêtait à abandonner le luthéranisme pour rejoindre les calvinistes. Partout, la sécularisation des biens d'Église se poursuivait en dépit des dispositions de la paix d'Augsbourg, car nombre d'évêques et d'abbés qui passaient à la Réforme entendaient conserver le temporel attaché à leur charge, multipliant les conflits comme ce fut le cas à Cologne en 1592 et à Strasbourg dix ans plus tard. Ailleurs, en revanche, la Contre-Réforme obtenait ses premiers résultats et les catholiques reprenaient possession d'évêchés autrefois passés aux mains des protestants. Sans oublier les conflits locaux comme celui qui, en 1607, opposa dans la ville de Donauwörth la municipalité protestante aux habitants catholiques et qui aboutit, sur ordre de Rodolphe II, à une intervention armée du duc de Bavière pour faire respecter la liberté religieuse dans cette ville.

La succession de l'empereur Mathias

Au moment où Mathias accède à la dignité impériale, les deux camps, l'Union évangélique et la Ligue catholique, qui se sont constituées en 1608-1609, sont sur le point de s'affronter à propos de la succession de Juliers, ouverte en 1609 et où l'héritage est disputé entre l'électeur de Brandebourg protestant et le duc de

Neubourg catholique. Les deux prétendants recherchèrent des appuis extérieurs, le protestant se tournant vers le roi de France Henri IV, le catholique s'adressant à l'Espagne. La guerre fut évitée de justesse grâce à la mort d'Henri IV, et finalement l'accord de Xanten, en 1614, partagea l'héritage entre les deux candidats qui s'engagèrent l'un et l'autre à respecter la liberté religieuse.

C'est dans ce climat tendu que débuta le règne de l'empereur Mathias. Âgé et malade, souffrant cruellement de la goutte, le souverain avait mal vécu le fait de n'être que le « cadet méprisé ». Maître de l'essentiel du pouvoir dès 1611, Mathias s'était alors marié avec sa cousine Anne du Tyrol, très dévote et qui fit venir à Vienne les capucins. À l'initiative de l'impératrice, on creusa sous l'église des Capucins de Vienne une somptueuse et vaste crypte destinée à accueillir plus tard ses restes et ceux de son mari[1]. La crypte des Capucins sera désormais le lieu de sépulture des souverains Habsbourg et de nombreux membres de la dynastie. La dernière inhumation fut celle de l'impératrice Zita, veuve du dernier empereur d'Autriche Charles, qui eut lieu le 1er avril 1989.

Mathias n'eut pas d'héritier de son mariage avec Anne du Tyrol. Dès lors, les négociations secrètes allèrent bon train pour régler sa succession. Khlesl, devenu cardinal en 1615, en tant que confesseur, confident et véritable Premier ministre de l'empereur, estimait qu'il fallait rechercher un compromis entre catholiques et protestants, et chercha à influencer les membres de la Maison d'Autriche pour qu'ils choisissent un candidat au trône qui ne soit pas trop « engagé ». En principe, la dignité impériale était élective, mais depuis plus d'un siècle le Collège électoral avait toujours choisi un Habsbourg. C'est au sein même de la famille qu'on prépara la succession de Mathias, sans même que celui-ci prît part aux discussions.

Nombreux étaient ceux qui pouvaient y prétendre à la succession. D'abord, les plus proches parents de Mathias, ses deux frères, l'archiduc Albert qui depuis 1598 gouvernait les Pays-Bas pour le compte du roi d'Espagne Philippe III, et l'archiduc Maximilien, grand maître de l'ordre Teutonique et qui régnait sur le Tyrol, mais ni l'un ni l'autre n'aspirait à la succession. D'autres prétendants possibles étaient le cousin de Mathias, l'archiduc Ferdinand de Styrie qui avait en charge l'Autriche intérieure, mais aussi son frère l'archiduc Léopold, prince-évêque de Strasbourg et de Passau, peu

1. D. G. Mac Guigan, *Les Habsbourg*, *op. cit.*, p. 171-172.

enclin à se lancer dans de nouvelles aventures après sa malheureuse campagne en Bohême en 1610-1611. Philippe III enfin pouvait être un candidat possible en tant que petit-fils de Charles Quint. Après la renonciation des archiducs Albert, Maximilien et Léopold, puis celle du roi d'Espagne, c'est Ferdinand de Styrie qui fut choisi. Sous les auspices de l'ambassadeur d'Espagne Oñate, la succession de Mathias fut définitivement réglée par le traité de Graz du 20 mars 1617 : Ferdinand de Styrie serait le successeur de Mathias et, lorsqu'il serait élu empereur, il s'engageait à céder à son lointain parent le roi d'Espagne le Tyrol et les possessions des Habsbourg en Alsace[1].

Le parti de la paix représenté par le cardinal Khlesl considérait le choix de Ferdinand de Styrie comme dangereux et Khlesl lui-même fit part de ses réserves. Cela lui vaudra d'être arrêté en juillet 1618 par les hommes de Ferdinand de Styrie en plein palais de la Hofburg, d'où il sera transféré captif dans un château du Tyrol. L'empereur Mathias, malgré l'attachement qu'il portait à son confident, ne put rien faire d'autre qu'entériner le fait accompli[2].

La désignation de Ferdinand comme futur successeur de Mathias représentait pour les protestants de l'Empire une sérieuse menace, car le jeune archiduc était connu pour l'acharnement avec lequel il avait éliminé les luthériens de Styrie. Dans l'immédiat, il fallait d'abord faire ratifier les décisions prises à Graz. L'empereur Mathias accepta le choix fait par sa famille ; mieux encore, le 5 juin 1617 il vint lui-même devant la Diète de Bohême présenter son successeur désigné. Contrairement à toute attente, la Diète majoritairement protestante proclama le 15 juin Ferdinand roi de Bohême puis, après avoir confirmé la Lettre de Majesté de 1609 et s'être engagé par serment à respecter les privilèges du royaume « tels que les avaient établis l'empereur actuel et ses prédécesseurs les rois de Bohême », Ferdinand fut solennellement couronné en la cathédrale Saint-Guy. Cependant, Ferdinand avait fait savoir secrètement au pape et au roi d'Espagne que ces engagements étaient liés aux circonstances du moment et n'avaient aucune valeur[3]. En tant que roi de Bohême, Ferdinand de Styrie devenait membre du

1. J. Bérenger, *Histoire de l'Empire des Habsbourg*, *op. cit.*, p. 289, et H. Bogdan, *La Guerre de Trente Ans*, *op. cit.*, p. 40-41.

2. D. G. Mac Guigan, *Les Habsbourg*, *op. cit.*, p. 172-173, et H. Sacchi, *La Guerre de Trente Ans*, Paris, 1991, t. 1, p. 256-257.

3. P. Belina, P. Cornej et J. Pokorny, *Histoire des pays tchèques*, *op. cit.*, p. 184.

Collège des princes électeurs et, en ajoutant sa voix à celle des trois électeurs ecclésiastiques, il était certain d'être élu empereur, mais avec le risque de passer pour l'empereur du seul parti catholique. Aussi, accompagné de l'empereur Mathias, se rendit-il à Dresde où l'électeur Jean-Georges de Saxe, bien que luthérien, s'engagea à voter pour lui lors de l'élection impériale. Ferdinand devait enfin obtenir l'accord de la Diète hongroise pour pouvoir succéder à Mathias. Après s'être engagé par un Diplôme daté du 15 mai 1618 à reconnaître partout en Hongrie la liberté religieuse et à respecter les droits de la Diète, Ferdinand fut couronné roi le 1er juillet. Quelques jours auparavant, un orage s'était abattu sur Presbourg et avait incendié le château, mais, miraculeusement, la Sainte Couronne et les insignes royaux avaient échappé à la destruction. Ce signe du destin renforça aux yeux de beaucoup la légitimité du nouveau souverain[1]. Mais à ce moment-là déjà l'irréparable avait été commis à Prague avec la *Défenestration* des lieutenants royaux, le 23 mai.

La révolte de la Bohême et ses conséquences

L'origine directe du conflit en Bohême est liée à la protestation des Défenseurs de la Foi contre la destruction de deux temples protestants construits sur des terres appartenant à l'Église catholique. L'empereur Mathias leur fit répondre que rien dans la Lettre de Majesté n'autorisait la construction de temples sur des terres relevant de l'Église catholique. Accusant les lieutenants du Conseil de régence qui représentaient Mathias à Prague en son absence d'avoir rédigé la réponse négative de l'empereur, les Défenseurs de la Foi et les représentants de la noblesse et de la bourgeoisie protestantes réunis par le comte Mathias de Thurn préparèrent au cours d'une réunion secrète l'élimination des lieutenants considérés comme les plus hostiles aux protestants. Le 23 mai 1618, les chefs protestants accompagnés d'une foule nombreuse se rendirent au Hradschin et, après un simulacre de procès, précipitèrent dans le vide à partir d'une fenêtre du palais deux des lieutenants royaux, Martinic et Slawata, ainsi que le secrétaire Fabricius. Les victimes de cette *Défenestration de Prague* s'en tirèrent avec de simples contusions, mais cet acte de rébellion fut le point de départ de la révolte de cette Bohême où les passions religieuses mêlées aux

1. H. Sacchi, *La Guerre de Trente Ans*, *op. cit.*, t. 1, p. 241-242.

ambitions de l'aristocratie allaient enflammer pour trente ans la partie centrale de l'Europe.

Les révoltés, maîtres de Prague, s'organisèrent ; ils s'empressèrent d'expulser les jésuites et de confisquer les biens des principaux chefs catholiques. Le Directoire qui prit le pouvoir constitua aussitôt une armée et fit appel à des mercenaires allemands protestants, tandis que le gouverneur des Pays-Bas espagnols envoyait à son cousin de Vienne quelques mercenaires wallons. Dans l'immédiat, rien de fatal ne se produisit. Sur ces entrefaites, le 20 mars 1619, l'empereur Mathias s'éteignit à Vienne et, dans ce monde imprégné d'irrationnel, on évoqua aussitôt l'horoscope des sept M que Kepler avait donné pour l'année 1619 : MAGNUS MONARCHA MUNDI MEDIO MENSE MARTII MORIETUR, « un grand monarque de ce monde mourra au milieu du mois de mars[1] ». Une double succession était ouverte, celle au trône de Bohême, bien compromise depuis les événements de mai 1618, et celle du trône impérial. Aussitôt, bien que le Directoire révolutionnaire eût fait sonner le glas dans toutes les églises de Prague en l'honneur du souverain défunt, il fit savoir en accord avec la Diète de Bohême que l'élection royale de 1617 était considérée comme nulle et que de ce fait le trône était vacant. Au même moment, les Diètes de Basse et de Haute-Autriche, et celle de Moravie, où les protestants étaient nombreux, adoptèrent la même attitude. En Hongrie même, le prince de Transylvanie Gábor Bethlen poussait à la révolte contre Ferdinand et donnait son soutien au Directoire de Prague.

Pour la première fois dans l'histoire des Habsbourg, l'ensemble des États patrimoniaux se soulevait contre le souverain légitime. L'archiduc Ferdinand quitta Vienne en juillet 1619 pour participer en tant qu'électeur de Bohême à l'élection impériale. Le 28 août, après de longues tractations, il fut élu à l'unanimité empereur sous le nom de Ferdinand II. Même l'électeur palatin, le chef de l'Union évangélique, avait voté en sa faveur[2].

En Bohême, l'élection impériale ne changea rien à la détermination de la Diète qui adopta une nouvelle Constitution où étaient

1. Cité par D. G. Mac Guigan, *Les Habsbourg*, *op. cit.*, p. 173 d'après K. E. Wehse, *Memoirs of the Court and Aristocracy of Austria*, London, 1896, p. 250.

2. H. Sacchi, *La Guerre de Trente Ans*, *op. cit.*, t. 1, p. 295-302, et H. Bogdan, *Histoire de l'Allemagne*, Paris, 1999, p. 196-198.

repris les principes de la Lettre de Majesté et où les prérogatives de la Diète étaient considérablement renforcées. La Diète, pour remplacer Ferdinand déchu de son titre royal, choisit l'électeur palatin Frédéric V, gendre du roi d'Angleterre ; le roi élu arriva à Prague le 31 octobre et fut aussitôt couronné, après qu'il eut prêté serment d'observer la nouvelle Constitution.

En acceptant cette couronne, l'électeur palatin s'était rendu coupable de félonie à l'égard de l'empereur. Ferdinand II reçut aussitôt le soutien du duc de Bavière qui mit à sa disposition les forces de la Ligue catholique. Le roi de France Louis XIII, par solidarité monarchique et par hostilité à l'égard des protestants, se rangea aux côtés de l'empereur, mais, pour éviter qu'une guerre n'éclate, il obtint des chefs de la Ligue catholique et de l'Union évangélique, qui étaient prêts à en découdre, qu'ils s'abstiennent de se faire mutuellement la guerre en Allemagne. Cela laissait carte blanche à la Ligue catholique pour intervenir en Bohême et y rétablir l'ordre. Les troupes de la Ligue commandées par le Wallon Tilly pénétrèrent en Bohême et n'eurent guère de mal à écraser les forces du Directoire, le 8 novembre 1620 sur la colline de la Montagne blanche, aux portes de Prague. L'anti-roi Frédéric, le « roi d'un hiver » comme on l'appela, quitta précipitamment la capitale de son éphémère royaume pour se réfugier avec les siens en Hollande, auprès de son parent Maurice de Nassau.

La Bohême fut rapidement reprise en main par les autorités impériales. Le pays fut soumis à une sévère répression. Les principaux chefs de la révolte — vingt-sept Tchèques et trois Allemands — furent exécutés à Prague le 21 juin 1621, et tous leurs biens confisqués. Mais Ferdinand II se rendit aussitôt après l'exécution au sanctuaire marial de Mariazell afin d'y prier pour le salut de l'âme des suppliciés ! Les partisans de l'anti-roi furent traqués et leurs biens confisqués en totalité ou en partie : les biens saisis furent attribués aux partisans de Ferdinand II ou mis en vente. Cette brutale répression ne toucha que la Bohême et la Moravie. La Silésie qui faisait également partie du royaume de Bohême et où les luthériens étaient majoritaires fut épargnée à la demande de l'électeur de Saxe qui, par ailleurs, avait reçu de l'empereur à titre provisoire les deux Lusaces pour le dédommager des dépenses engagées pour l'avoir soutenu en 1620. Ferdinand II entendit appliquer à la Bohême, terre d'Empire, le principe de la paix d'Augsbourg, *cujus regio ejus religio*, ce qui impliquait ici que ses sujets devaient comme lui être catholiques. La Lettre de Majesté fut abolie et Ferdinand II, à ce qu'on dit, en aurait lacéré le texte d'un coup d'épée. Les pasteurs calvinistes et les prêtres de l'Unité des Frères furent expulsés dès 1621, une mesure étendue l'année suivante aux pasteurs luthériens, la communion sous les deux espèces chère aux utraquistes fut interdite. Finalement, en 1624, les protestants furent mis hors la loi et beaucoup d'entre eux prirent le chemin de l'exil. La persécution religieuse s'accompagna d'une politique de recatholicisation. Ferdinand II fit appel à des missionnaires étrangers, italiens, polonais, slovaques, allemands, souvent issus des ordres religieux nés de la Contre-Réforme, servites, capucins, augustins, faute d'un clergé local suffisant. L'université Charles, le Carolinum, fut donnée aux jésuites qui reprirent leur action de formation de la jeunesse dans leurs collèges fermés lors de la révolution de 1618. Enfin, la Bohême perdit, avec la *Constitution renouvelée* du 31 juillet 1627, une grande partie de ses privilèges : la monarchie devint héréditaire dans la famille des Habsbourg, les pouvoirs de la Diète furent désormais limités à l'approbation — ou au rejet — des projets de loi dont seul le souverain avait l'initiative, et à l'autorisation de la levée de l'impôt.

Ferdinand II se devait aussi de punir l'électeur palatin. Dès le 29 juin 1621, Frédéric V fut mis au ban de l'Empire, ainsi que ses alliés, notamment Christian d'Anhalt ; leurs biens furent confisqués, à moins qu'ils ne fassent amende honorable. Les États de l'électeur palatin avaient été occupés dès 1621 par des troupes espagnoles venues des Pays-Bas — ce qui montre qu'il existait encore une solidarité, bien que limitée, entre les Habsbourg de Madrid et ceux de Vienne —, mais aussi par les troupes du duc de Bavière. Une députation, c'est-à-dire une Diète réduite aux princes électeurs et aux princes catholiques et protestants les plus représentatifs et dans laquelle les catholiques étaient majoritaires, fut réunie en juin 1623 par Ferdinand II. On y décida que la dignité électorale du palatin serait attribuée au duc Maximilien de Bavière, mais, qu'à la mort de celui-ci, elle reviendrait aux descendants de Frédéric V. Le duc de Bavière reçut également le Haut-Palatinat, tandis que le Palatinat rhénan fut placé sous séquestre, sous occupation espagnole à l'ouest du Rhin et sous occupation bavaroise à l'est[1].

Ces mesures légitimes sur le plan juridique suscitèrent l'inquiétude de beaucoup de princes allemands tant catholiques que protestants ; tous craignaient en effet que l'empereur ne profitât de la

1. G. Pagès, *La Guerre de Trente Ans*, Paris, 1949, p. 76.

situation pour renforcer ses pouvoirs au sein de l'Empire, ce qui aurait remis en question les « libertés germaniques ». Pourtant, jusque-là, Ferdinand II avait bénéficié du loyalisme de la plupart des princes et des villes libres d'Empire, et de l'attitude attentiste des États étrangers : seule l'Espagne par solidarité dynastique s'était engagée.

L'arrivée au pouvoir en France de Richelieu, en 1624, n'allait pas tarder à transformer ce conflit interne à l'Allemagne en une guerre européenne. Pour Richelieu, il fallait éviter que l'empereur ne devienne trop puissant, et ne collabore dans ce cas plus étroitement avec l'Espagne, ce qui aurait constitué une menace sérieuse pour la sécurité de la France. Ne pouvant agir directement dans l'immédiat, Richelieu s'efforça de soutenir les ennemis protestants de Ferdinand II. Au printemps de 1625, à la demande de certains princes allemands et avec les encouragements de la France, le roi du Danemark s'engagea dans le conflit. Plusieurs fois battu par les généraux de Ferdinand II, Tilly et Wallenstein — ce dernier était un *condottiere* issu d'une famille de la petite noblesse tchèque de Bohême —, il préféra négocier et conclut avec l'empereur la paix de Lübeck, en 1629.

Les victoires sur le Danemark encouragèrent Ferdinand II à remettre de l'ordre dans la situation religieuse de l'Allemagne. Il ne s'agissait pas pour lui de recatholiciser les régions protestantes mais de faire respecter partout les dispositions de la paix d'Augsbourg relatives aux sécularisations. Ce fut l'objet de l'*édit de restitution* du 28 mars 1629, une décision prise par l'empereur seul, et non pas une loi approuvée par la Diète, ce qui fut considéré par nombre de princes protestants comme un abus de pouvoir. Pourtant, rien n'était changé en ce qui concerne la liberté religieuse des princes et des villes libres et l'on en restait au *Cujus regio ejus religio* de la paix d'Augsbourg avec l'exclusion des calvinistes et des « sectes extrémistes » comme cela avait été décidé en 1555. Mais l'édit de 1629 imposait la restitution à l'Église catholique de tous les biens d'Église, bénéfices et abbayes, sécularisés *illégalement* depuis 1552. Or ces biens avaient souvent fait l'objet de cessions et de partages et pouvaient même parfois se trouver entre les mains de princes catholiques. Dans l'esprit de Ferdinand II, il s'agissait seulement de rendre justice à l'Église catholique en lui permettant de récupérer ce qu'on lui avait enlevé d'une façon illicite. Mais pour les princes protestants, il s'agissait de la première étape d'une recatholicisation forcée de l'Allemagne[1]. Le roi de Suède Gustave-Adolphe, à la demande de certains princes protestants allemands et vivement encouragé par les agents de Richelieu, décida d'intervenir militairement après la défection du Danemark. En juillet 1630, ses troupes débarquèrent sur les côtes allemandes de la Baltique.

La guerre s'étendit bientôt à l'ensemble du territoire de l'Empire. Wallenstein écarté du commandement à la demande de la Diète, c'est Tilly qui fut chargé d'organiser la défense de l'Empire. Après avoir mis à sac la ville rebelle de Magdebourg, Tilly subit à Breitenfeld le 17 septembre 1631 une grave défaite, ce qui amena Ferdinand II à rendre son commandement à l'incontournable Wallenstein. Après la mort de Tilly, Wallenstein, devenu généralissime des armées impériales, ne fut pas plus heureux que son rival. Battu à Lützen le 16 novembre 1632, il put cependant sauver son armée : au cours de la bataille, le roi Gustave-Adolphe avait trouvé la mort, ce qui pouvait s'avérer positif. Le territoire du Saint Empire se trouva livré à la soldatesque. À Vienne, une fois encore, les intrigues allèrent bon train contre Wallenstein accusé de trahison ; les catholiques lui reprochaient de vouloir sacrifier à la paix l'édit de restitution. En réalité, ce que recherchait Wallenstein, c'était le retour à la paix dans l'Empire sur la base d'un compromis acceptable par les catholiques et les protestants, ce que certains Habsbourg autrefois, comme Maximilien II et même Rodolphe II, avaient vainement tenté de réaliser. Ferdinand II, sous l'influence des jésuites et du « parti espagnol » de la Cour, sacrifia son généralissime. Dans la nuit du 25 au 26 février 1634, Wallenstein fut assassiné sur ordre de l'empereur, dans sa retraite d'Eger. Pris de scrupules, l'empereur n'hésita pas à faire célébrer trois mille messes à l'intention de son ancien serviteur. En cela, Ferdinand II était beaucoup plus proche de Philippe II que des Habsbourg de la branche austro-allemande[2].

Tout le monde cependant souhaitait la fin de cette guerre qui ruinait le pays et dont les seuls bénéficiaires étaient les puissances étrangères. La défaite des Suédois à Nordlingen le 6 septembre 1634 redonna espoir aux partisans de la paix. Le 30 mai 1635, le traité de Prague mit fin à la guerre entre l'empereur et l'électeur de Saxe

1. H. Bogdan, *Histoire de l'Allemagne*, *op. cit.*, p. 202-204.
2. H. Bogdan, *La Guerre de Trente Ans*, *op. cit.*, p. 154 et suiv., et H. Sacchi, *La Guerre de Trente Ans*, *op. cit.*, t. 2, p. 481-482.

qui avait rejoint le camp suédois après le sac de Magdebourg. Ce traité suspendait l'application de l'édit de restitution pour une période de quarante ans ; c'était là une concession importante de Ferdinand II. Il était prévu que la paix de Prague serait ouverte à tous les princes allemands. L'électeur de Brandebourg et le duc de Mecklembourg y souscrivirent en septembre. Tout le monde s'attendait à un rapide retour à la paix, mais cette paix n'arrangeait pas les affaires des puissances étrangères qui avaient mené le combat contre les Habsbourg.

La guerre européenne

À partir de 1635, la guerre de Trente Ans devient véritablement une guerre européenne. La Suède entend continuer la lutte, car elle aspire à faire de la Baltique un lac suédois, et Richelieu l'encourage dans cette voie. À ce moment-là, le Cardinal, libéré des problèmes intérieurs, est en mesure de participer directement à la guerre. Ses objectifs demeurent identiques : affaiblir suffisamment l'empereur pour qu'il ne puisse aider efficacement l'Espagne, défendre les « libertés germaniques » pour pouvoir ainsi se constituer une « clientèle » parmi les princes allemands protestants ou catholiques, et cela pour pouvoir contrôler l'accès au Rhin déjà facilité par l'occupation en 1633 de la Lorraine dont le duc Charles IV était l'un des plus fidèles alliés de Ferdinand II.

L'enlèvement d'un « client » de la France, l'archevêque-électeur de Trèves Philippe de Sötern, par des mercenaires lorrains au service de l'Espagne, provoqua en mai 1635 la rupture avec Madrid, donnant ainsi une nouvelle dimension à la guerre en cours. Au conflit opposant Ferdinand II à la Suède et à ses alliés protestants s'ajoutait maintenant une guerre entre le roi de France allié aux Provinces-Unies et l'Espagne. Il s'agissait de la reprise du conflit traditionnel entre la Maison de France et les Habsbourg pour la suprématie en Europe. La rupture entre la France et les Habsbourg de Vienne ne se produisit qu'en septembre 1636. L'intervention des troupes françaises en terre franc-comtoise amena Ferdinand II à déclarer la guerre à la France, car la Franche-Comté, bien qu'administrée par les Espagnols, était terre d'Empire.

Alors que l'Allemagne était encore un gigantesque champ de bataille et que les populations y subissaient les « malheurs de la guerre », les institutions du Saint Empire continuaient tant bien que mal à fonctionner. C'est ainsi que Ferdinand II, gravement malade depuis quelques mois, convoqua le collège des princes électeurs à Ratisbonne afin d'y faire procéder à l'élection de son successeur. Après de longues négociations, le fils de Ferdinand II, l'archiduc Fedinand-Ernest qui avait déjà été élu roi de Hongrie peu avant, fut élu « roi des Romains » à l'unanimité des six électeurs présents — dont deux protestants, les électeurs de Saxe et de Brandebourg —, le septième, l'électeur de Trèves Philippe de Sötern, étant retenu prisonnier à Vienne depuis son arrestation l'année précédente. L'empereur Ferdinand II mourut peu après, le 15 février 1637, et son corps fut transféré à Graz, la ville de sa jeunesse. Son successeur Ferdinand III, qui s'était illustré lors de la bataille de Nordlingen, avait épousé selon la tradition une de ses parentes de la branche espagnole, l'infante Marie-Anne, fille du roi Philippe III et sœur de la reine de France Anne d'Autriche ; il était « d'une loyauté absolue envers la cause catholique [1] » mais aussi très soucieux de « la sauvegarde des intérêts de la Maison de Habsbourg [2] », ce qui l'amena à donner toute son attention à la conduite de la guerre sans fermer la porte à la négociation, et, s'il continua la lutte, ce fut pour être en meilleure position au moment de traiter.

Le retour à la paix

Depuis 1636, la guerre se déroulait sur plusieurs fronts. Français et Espagnols s'affrontaient principalement aux Pays-Bas et sur les Pyrénées, tandis que les Suédois associés à des éléments français combattaient les Impériaux en Allemagne du Sud, en Silésie et jusqu'en Bohême. La lassitude était cependant générale chez les princes allemands qui s'efforçaient de trouver une issue à un conflit dont les principaux protagonistes étaient maintenant des puissances étrangères. Dès 1644, les premières négociations commencèrent en Westphalie, à Münster et à Osnabrück ; elles se poursuivirent jusqu'en 1648 ; là, les représentants de tous les belligérants se hâtèrent lentement de négocier, car chacun comptait sur une victoire de dernière minute sur le terrain pour être en position favorable dans la négociation. On aboutit finalement, en octobre 1648, à la conclusion d'un ensemble de traités regroupés sous le nom de « paix de Westphalie », qui modifièrent sensiblement la carte politique de

1. E. Zöllner, *Histoire de l'Autriche des origines à nos jours*, *op. cit.*, p. 216.
2. V. Valentin, *Deutsche Geschichte*, München-Zürich, 1969, t. 1, p. 231.

l'Europe et mirent en place une nouvelle organisation du Saint Empire.

Face à la France et à la Suède qui tirèrent de substantiels avantages de cette paix, les Habsbourg de la branche austro-allemande, malgré les efforts déployés par leur principal négociateur le comte Trauttmannsdorf, sortirent affaiblis de cette longue guerre. Après avoir d'une façon officielle reconnu la pleine et entière indépendance de la Confédération helvétique, la terre de leurs ancêtres à laquelle ils avaient renoncé *de facto* depuis près de deux siècles, les Habsbourg de Vienne durent céder au roi de France un certain nombre de leurs possessions héréditaires d'Autriche antérieure en Haute-Alsace et dans le Sundgau, cela s'ajoutant à l'abandon de terres d'Empire en Basse-Alsace, sans oublier les trois évêchés de Metz, Toul et Verdun administrés par la France depuis 1552. Ils confirmèrent à l'électeur de Saxe la possession des deux Lusaces tenues par lui depuis la paix de Prague de 1635. Ces pertes territoriales relativement limitées étaient peu de chose par rapport à l'affaiblissement de la fonction impériale résultant de la *Constitutio westphalica.* Ainsi se trouvait consacré l'échec de la politique de Ferdinand qui avait visé au renforcement des pouvoirs de l'empereur. Parmi les innovations introduites, l'empereur se vit imposer par la Diète une *capitulation générale* qui fixait une fois pour toutes les limites de son autorité. Les princes disposaient maintenant, et d'une façon officielle, de la « suprématie territoriale » (*Landeshoheit*), c'est-à-dire du droit de conclure entre eux et avec les princes étrangers des traités « pour leur conservation et sûreté réciproques », à condition que ces traités « ne soient pas dirigés ni contre l'empereur et l'Empire ni contre la paix publique d'Empire[1] ». Les princes territoriaux devenaient ainsi des souverains indépendants et les plus puissants d'entre eux étaient en mesure désormais de se poser en rivaux, voire en adversaires de l'empereur. Ajoutons que le duc de Bavière devint prince-électeur, ce qui porta le Collège électoral à huit membres puisque les héritiers de Frédéric V retrouvèrent la dignité électorale[2] autrefois retirée à leur père. C'est dans ses seuls États héréditaires et patrimoniaux que les Habsbourg pouvaient exercer leur pleine et entière souveraineté, ce qui n'était pas négligeable dans la mesure où le chef de la branche austro-alle-

1. G. Pagès, *La Guerre de Trente Ans*, *op. cit.*, p. 244-245.
2. Cf. p. 179.

mande de la dynastie régnait sur un ensemble territorial conséquent qui, avec la Hongrie, débordait les frontières du Saint Empire.

Les Habsbourg d'Espagne sortirent encore plus affaiblis du conflit que leurs parents autrichiens. En marge du congrès de Westphalie, l'Espagne par le traité du 30 janvier 1648 renonça définitivement à toute souveraineté sur les Pays-Bas du nord et reconnut l'indépendance des Provinces-Unies. Mais dans l'immédiat, aucun accord ne put être trouvé avec la France. La guerre continua jusqu'en 1659 et, lors de la paix des Pyrénées, les Habsbourg d'Espagne durent céder à la France une partie conséquente de l'héritage de Charles Quint, avec au nord l'Artois et un certain nombre de places fortes le long de la frontière méridionale des Pays-Bas, et au sud la Cerdagne et le Roussillon.

Le rapport de force entre les Habsbourg de Vienne et ceux de Madrid s'était sensiblement modifié par rapport à la situation de 1555. Alors que les Habsbourg de Madrid régnaient sur un État diminué territorialement et aux finances incertaines malgré les richesses tirées d'Amérique, la Maison d'Autriche régnait sur un ensemble de territoires compact constitué par ses possessions héréditaires d'Autriche, du royaume de Bohême et de la Hongrie royale ; elle « tournait toutes ses forces vers la construction d'un État danubien [1] », avec en perspective la reconquête des territoires hongrois encore tenus par les Turcs.

1. G. Stadtmüller, *Geschichte Südosteuropas*, München-Wien, 1976, p. 312.

11

Naissance et affirmation de la monarchie autrichienne

Si la *Constitutio westphalica* a consacré la division du Saint Empire en États territoriaux souverains ainsi que l'affaiblissement de l'institution impériale, le titre impérial reste encore auréolé d'un certain prestige et les Habsbourg d'Autriche qui le détiennent, mis à l'écart des affaires allemandes, ont pu recentrer facilement leur pouvoir sur leurs possessions héréditaires.

La puissance des Habsbourg de Vienne au milieu du XVIIe *siècle*

Malgré les pertes territoriales — limitées d'ailleurs — imposées par les traités de Westphalie, la Maison d'Autriche règne sur un vaste ensemble de territoires et son chef est le prince territorial le plus puissant du Saint Empire. Ce nouvel État dirigé par les Habsbourg, désigné souvent sous le nom de *Gesamtösterreich*, est formé de trois ensembles territoriaux d'inégale richesse et aux populations variées, l'Autriche et ses dépendances, les pays de la Couronne de saint Venceslas, c'est-à-dire la Bohême, la Moravie et la Silésie, et les pays de la Couronne de saint Étienne, c'est-à-dire la Hongrie, la Transylvanie et la Croatie-Slavonie — mais les Habsbourg n'en contrôlent que la partie occidentale et septentrionale désignée habituellement sous le terme de « Hongrie royale », le reste étant sous la dépendance plus ou moins directe des Turcs. Ce qui unit les trois composantes de cet État autrichien, c'est le danger turc toujours présent depuis Mohács et qui a fait de la monarchie habsbourgeoise le « rempart de la chrétienté », *der Vormauer der Christenheit*[1].

Dans cet État, les Habsbourg se sont attachés à construire une organisation politique cohérente et centralisée malgré son caractère

1. G. Stadtmüller, *Geschichte Südosteuropas*, *op. cit.*, p. 312.

multinational et la diversité des statuts. À la différence de la politique menée en Espagne par Philippe II et accentuée par ses successeurs, les Habsbourg de Vienne ont cherché à consolider et à renforcer l'autorité du pouvoir central pour les grandes questions d'intérêt général, tout en laissant un large degré d'autonomie aux institutions représentatives des États (*Stände*) pour les affaires locales. Chaque province d'Autriche avait sa Diète dont le rôle était d'autoriser le souverain à lever l'impôt et d'en assurer la répartition et la perception. En Bohême, malgré la Constitution de 1627 qui lui a enlevé le droit d'élire le roi et de légiférer, la Diète continue à autoriser le roi à lever l'impôt. La Diète de Moravie, elle, a conservé dans le cadre de la Constitution de 1628 l'initiative des lois refusée à celle de Bohême jusqu'en 1640 : à ce moment-là, Ferdinand III rendra à la Bohême ce droit important, en le limitant aux questions administratives et financières [1]. La Hongrie royale, de son côté, a conservé sa Constitution ; la Diète a gardé le droit d'élire le roi, même si depuis 1526 c'est le chef de la Maison de Habsbourg qui est toujours choisi ; elle vote les lois et veille jalousement au respect par le roi des libertés et privilèges de la nation. L'élection royale peut parfois donner lieu à des débats accompagnés de marchandages, comme en 1655 lorsque Ferdinand III demanda à la Diète de désigner comme roi son fils l'archiduc Léopold [2]. En 1687-1688, comme nous le verrons, la Diète hongroise renoncera à son droit d'élection, rendant ainsi la couronne héréditaire dans la Maison de Habsbourg, sans pour autant abandonner ses autres privilèges politiques.

L'élection de Léopold Ier

En dehors du pouvoir absolu qu'ils exerçaient dans la *Gesamtösterreich*, les Habsbourg étaient investis de la dignité impériale conférée à l'issue d'un vote du collège des princes électeurs. Si Ferdinand III en 1637, en pleine guerre de Trente Ans, succéda sans difficulté à son père, sa mort le 2 avril 1657 faillit provoquer une crise dans le Saint Empire. L'héritier désigné et déjà élu « roi des Romains », le fils aîné de Ferdinand III, l'archiduc Ferdinand était mort en 1654 à l'âge de vingt-deux ans et son frère cadet, le nouvel héritier du trône, l'archiduc Léopold, n'avait alors que qua-

1. P. Belina, P. Cornej et J. Pokorny, *Histoire des pays tchèques*, *op. cit.*, p. 217.
2. B. Hóman et Gy. Szekfü, *Magyar történet*, *op. cit.*, t. 4, p. 170.

torze ans. Certains princes électeurs, pressés par les agents de la diplomatie française, envisagèrent un moment de choisir le nouvel empereur en dehors de la Maison d'Autriche. On pensa au duc de Bavière, l'électeur Ferdinand-Marie, mais celui-ci, par loyalisme à l'égard des Habsbourg, refusa de se porter candidat. Mazarin songea alors à soutenir la candidature du comte palatin.

La diplomatie française n'hésita pas à circonvenir les électeurs en leur distribuant de substantiels « cadeaux ». Louis XIV lui-même aurait volontiers fait acte de candidature, comme l'avait fait autrefois François Ier, mais le fait qu'il n'était pas allemand rendait son élection improbable. Après dix-huit mois de négociations et de tractations, l'archiduc Léopold fut finalement choisi par les princes électeurs. Le couronnement impérial eut lieu à Francfort le 31 juillet 1658, après que le nouvel empereur eut signé une *capitulation* particulièrement contraignante. Outre le respect des « libertés germaniques » et des privilèges des princes territoriaux définis en 1648 par la *Constitutio westphalica*, l'archevêque-électeur de Mayence Schönborn exigea de celui qui était devenu Léopold Ier qu'il renonce à aider son cousin d'Espagne Philippe IV, alors en guerre contre la France. À cette occasion, Schönborn s'associa aux deux autres électeurs ecclésiastiques ainsi qu'à plusieurs princes rhénans pour constituer une Ligue du Rhin destinée à défendre les « libertés germaniques », et dont Louis XIV fut le « protecteur [1] ».

L'archiduc Léopold n'était pas destiné à accéder à de telles responsabilités. Très pieux dès sa plus tendre enfance, il se sentit attiré par l'Église et manifesta très tôt le désir d'entrer dans les ordres. On raconte même qu'enfant, il prenait plaisir à construire des églises avec son jeu de cubes. À la mort de son frère aîné, en 1654, le jeune Léopold dut renoncer à sa vocation religieuse et ses précepteurs le préparèrent non sans mal à son métier de souverain. D'un aspect physique peu avenant, timide et très attaché au cercle familial, peu doué pour les armes à la différence de son père, Léopold Ier était un amateur d'art averti, passionné de musique, en particulier d'opéra, et aussi de peinture, vivement intéressé par les sciences — il suivra avec intérêt les travaux de Leibniz. Il passait de longues heures dans la bibliothèque du palais où il consultait avec avidité manuscrits anciens et livres de toutes sortes [2]. Léopold Ier, qui s'intéressait aussi à la diffusion de la culture, fut à

1. L. André, *Louis XIV et l'Europe*, Paris, 1950, p. 68.
2. D. G. Mac Guigan, *Les Habsbourg*, *op. cit.*, p. 190-191.

l'origine de la création de nouvelles universités, Innsbrück, Breslau et Olomouc. Tout au long de son règne, il considéra comme une épreuve le fait d'être investi des responsabilités du pouvoir, ce qui ne l'empêcha pas d'accomplir sa mission avec le plus grand soin. N'écrivait-il pas en 1680 à son confesseur : « En toute sincérité, je préférerais vivre seul dans un désert que dans ma *Hofburg*. Mais puisqu'il a plu à Dieu de placer ce fardeau sur mes épaules, j'espère qu'il me donnera la force de le porter jusqu'au bout [1] » ?

Dès son accession à l'Empire, bien qu'il n'eût encore que dix-huit ans, on songea à le marier. Selon la tradition, c'est vers la famille des Habsbourg d'Espagne que l'on se tourna. Et, au moment où Louis XIV épousait l'aînée des filles du roi Philippe IV, Léopold Ier fut fiancé à la cadette, l'infante Marguerite-Thérèse qui, en raison des liens étroits entre les deux branches des Habsbourg, était également sa nièce. L'infante n'avait alors que huit ans et il fallut attendre jusqu'en 1667 pour que le mariage puisse être célébré. L'empereur avait néanmoins reçu de Madrid plusieurs portraits de la jeune princesse réalisés par Vélasquez et visibles de nos jours au *Kunsthistorisches Museum* de Vienne. Le jeune Léopold, impressionné par la beauté de la jeune princesse, lui offrit en juillet 1667 un somptueux mariage à Vienne, à l'occasion duquel on présenta l'opéra féerique, *Il Pomo d'Oro*, dans un théâtre spécialement construit à cette occasion à côté de la *Hofburg*, le tout accompagné de feux d'artifice et de festivités auxquelles fut conviée la population de Vienne [2]. Cinq enfants naquirent de cette union : quatre d'entre eux moururent très tôt, seule une fille survécut. La jeune impératrice mourut en 1673. Léopold Ier se remaria alors avec sa cousine Claude du Tyrol qui mourut en couches sans lui donner d'héritier. La survie de la dynastie fut assurée par le troisième mariage de l'empereur avec la très dévote Éléonore de Neubourg qui lui donna dix enfants, dont deux garçons, les archiducs Charles et Joseph [3].

À l'intérieur, le long règne de Léopold Ier (1657-1705) fut consacré à la reconstruction de l'Empire et des États héréditaires,

---

1. Cité par D. G. Mac Guigan, *Les Habsbourg*, *op. cit.*, p. 189, d'après E. Schaeffer, *Habsburger schreiben Briefe : Privatbriefe aus fünf Jahrhunderten*, Leipzig, 1935, p. 32.
2. J.-P. Bled, *Histoire de Vienne*, *op. cit.*, p. 57.
3. D. G. Mac Guigan, *ibid.*, p. 192-193.

notamment la Bohême et la Silésie, dévastés par la guerre de Trente Ans. Tout en cherchant à développer l'agriculture, l'activité fondamentale de ses sujets, en encourageant des cultures nouvelles et en s'efforçant de maintenir les paysans dans les domaines, Léopold Ier voulut doter ses États d'activités manufacturières. Très tôt, il prit conscience qu'en appliquant les principes du mercantilisme, il serait en mesure de « favoriser le progrès général et le relèvement de ses États ». Mais les premières manufactures ne se développèrent vraiment qu'après 1683, lorsque le danger turc fut définitivement écarté. Dans l'immédiat, les « caméralistes », c'est-à-dire les partisans du mercantilisme, s'intéressèrent en premier lieu au développement des échanges commerciaux avec le monde ottoman, rendus possibles par la paix de Vasvár de 1664[1].

Outre la reconstruction matérielle de ses États, Léopold Ier eut à cœur leur reconstruction morale et spirituelle. Souverain catholique, pieux et particulièrement attaché au culte marial, tout en sachant montrer un esprit de tolérance, Léopold comme ses prédécesseurs immédiats estimait qu'il était de son devoir de ramener tous ses sujets à la vraie foi, dans l'intérêt même du salut de leur âme. En fait, à son avènement, l'Autriche et la Bohême avaient été recatholicisées et le problème pour lui était de consolider la foi des nouveaux convertis. Le développement du culte marial, avec les pèlerinages à la Vierge de Mariazell promue en 1676 « généralissime » de ses armées, l'adoration du saint sacrement, les somptueuses processions de la Fête-Dieu où l'on utilisait toute la richesse de la décoration baroque pour toucher la sensibilité des foules furent autant de moyens employés pour rendre au catholicisme la place qu'il occupait autrefois dans la société. Cette politique fut épaulée par les jésuites qui bénéficiaient de la protection impériale[2]. En revanche, en Hongrie, l'œuvre de recatholicisation ne rencontra pas le même succès malgré les résultats non négligeables obtenus au début du siècle par le cardinal Pierre Pázmány. Les calvinistes y demeuraient solidement implantés tant en Hongrie royale qu'en Hongrie « turque » et en Transylvanie. Ici, l'action de l'empereur se trouvait limitée par les pouvoirs de la Diète et la question religieuse était beaucoup plus compliquée à résoudre, car toute tentative de recatholicisation forcée était considérée par la noblesse hongroise, tant protestante que catholique, comme une atteinte aux

1. J. Bérenger, *Histoire de l'Empire des Habsbourg*, *op. cit.*, p. 331-332.
2. J. Bérenger, *ibid.*, *op. cit.*, p. 335 et suiv.

droits de la nation. La présence des Turcs et la menace qu'ils faisaient peser sur la monarchie autrichienne réduisaient d'autant les possibilités d'action de l'empereur en ce domaine.

Léopold Ier et la Hongrie

Depuis la paix de Zsitvatorok en 1606, une certaine accalmie avait régné sur le front turc même si, à plusieurs reprises au cours de la guerre de Trente Ans, les Turcs avaient encouragé les menées antihabsbourgeoises des princes de Transylvanie. À partir de 1660 cependant, les Turcs reprirent leurs attaques et, à la mort du prince de Transylvanie Georges II Rákoczi, ils imposèrent pour lui succéder leur protégé Barcsai contre le candidat élu par la Diète, Jean Kemény (1661-1662) ; celui-ci demanda l'aide de Léopold Ier. Longtemps différée, l'intervention des Impériaux sous les ordres du général Montecuccoli, dont les troupes occupèrent un moment le nord de la Transylvanie avant de s'en retirer non sans avoir pillé le pays, provoqua le retour en force des Turcs. Après avoir défait Kemény le 22 janvier 1662 lors de la bataille de Nagyszöllös au cours de laquelle le prince tomba au milieu de ses soldats, les Turcs imposèrent pour lui succéder leur candidat, Michel Apafi (1662-1690)[1].

Léopold Ier se décida enfin à agir sérieusement lorsque, en 1663, les Turcs attaquèrent la Hongrie royale et s'emparèrent de la ville forte d'Érsekújvár[2]. Face à la menace turque, l'empereur avait lancé un appel à tous les princes allemands et la Diète lui accorda aussitôt les subsides demandés. Un noble de Hongrie occidentale, Miklós (Nicolas) Zrinyi, sans attendre l'intervention des Impériaux, avait pris les devants en constituant une petite armée qui se livrait au harcèlement des garnisons turques de la Hongrie méridionale et qui s'illustra dans la destruction du pont d'Eszék (Osijek), l'un des principaux points de passage des invasions turques. Peu après, Montecuccoli prit la tête d'une véritable armée internationale constituée de contingents autrichiens, d'éléments saxons et brandebourgeois, de l'armée de Zrinyi et même de six mille Français envoyés par Louis XIV qui se joignirent aux troupes envoyées par la Ligue du Rhin. Le 1er août 1664, l'armée de Montecuccoli fut victorieuse à Szent-Gottárd, non loin de la frontière autrichienne.

1. L. Makkai, *Histoire de Transylvanie*, *op. cit.*, p. 245-246.
2. Aujourd'hui Nové Zamky (Slovaquie).

Malgré cette victoire, Léopold Ier s'empressa de conclure avec les Turcs la paix de Vasvár le 10 août suivant, une paix de vingt ans qui maintenait le *statu quo* territorial et laissait aux Turcs leurs dernières conquêtes ; en outre, l'empereur, en tant que roi de Hongrie, se reconnaissait vassal du sultan et lui versait un tribut annuel de deux cent mille thalers. Cette paix fut considérée par les Hongrois comme une véritable humiliation. Catholiques et protestants estimèrent que l'empereur avait sacrifié les intérêts de la Hongrie à la grande politique qu'il menait alors à l'Ouest. Lors de la Diète de 1665, le palatin Wesselényi, soutenu par la plupart des magnats, éleva une solennelle protestation. Après la mort de Wesselényi en 1667, le président du Conseil aulique, François Nadásdy, prit la tête d'une conjuration à laquelle participèrent Pierre Zrinyi — son frère Nicolas était mort en 1664 —, François Frangepany et le Styrien Tallenbach. Les conjurés recherchèrent l'appui de Louis XIV, alors en guerre contre Léopold Ier, prêts à lui offrir la couronne de Hongrie avec Pierre Zrinyi comme régent. Des troubles éclatèrent en Haute-Hongrie. Mais les conjurés furent abandonnés à leur sort par Louis XIV dès que le roi eut fait la paix avec l'empereur. Les chefs de la conjuration furent arrêtés et exécutés en 1671 [1].

Après ce complot, Léopold Ier accusa la nation hongroise de s'être rendue coupable de trahison et de rébellion. La Diète ne fut plus convoquée et la charge de palatin fut supprimée. L'empereur fit stationner en Hongrie royale trente mille hommes afin de parer à toute éventualité. Il en profita pour s'attaquer aux protestants. Léopold Ier aurait souhaité pratiquer en Hongrie la même politique que celle menée autrefois en Bohême et qui avait abouti à la recatholicisation du pays. Les pasteurs furent les premières victimes de cette politique et deux cent cinquante d'entre eux furent envoyés aux galères de Naples. Cette politique se solda par un échec et une nouvelle révolte éclata en 1675, dirigée par Imre (Émeric) Thököly. Fils d'un des conjurés de 1667, il harcelait depuis 1672 avec ses hommes, les *Kuruc*, les partisans de l'empereur, les *Lábanc*. Thököly s'allia en 1677 avec Louis XIV, engagé à ce moment dans une nouvelle guerre contre Léopold Ier. Comme en 1668, le roi de France lâcha les révoltés au lendemain de la paix de Nimègue et Thököly fut à son tour abandonné par les moins engagés de ses partisans. Léopold Ier eut la sagesse de faire quelques concessions

---

1. E. Zöllner, *Histoire de l'Autriche des origines à nos jours*, *op. cit.*, p. 240-241.

et, lors de la Diète convoquée en 1681, il s'engagea à rétablir la liberté de conscience en Hongrie. Thököly se tourna alors vers les Turcs, conjointement avec le prince de Transylvanie Apafi. En 1682, dans Buda occupée par les Turcs, il n'hésita pas à se faire investir « prince de Haute-Hongrie » par le grand vizir Kara-Mustapha.

Poussé par Thököly, le sultan se décida à intervenir et refusa de renouveler la paix de Vasvár. En mars 1683, il lança une grande offensive en direction de Vienne, la « pomme d'or » dont il convoitait les richesses. L'Autriche, épuisée par ses guerres contre la France, n'avait que peu d'hommes disponibles pour faire face à cette attaque. Le pape Innocent XI appela à l'aide les États chrétiens. Quelques États italiens, l'Espagne et le Portugal fournirent une aide financière. Seuls le roi de Pologne Jean Sobieski et les États allemands s'engagèrent militairement aux côtés de l'empereur. Le siège de Vienne, défendu par les onze mille hommes du comte Starhemberg auxquels se joignirent les milices bourgeoises, débuta le 14 juillet, l'empereur et la Cour avaient quitté la ville dès le 7. Face aux défenseurs, Kara-Mustapha disposait de cent cinquante mille hommes. Le 11 septembre, l'armée impériale grossie des contingents polonais prit position sur la colline du Kahlenberg, aux portes de Vienne, face au camp turc. Le lendemain, sous le commandement nominal du roi de Pologne, le duc Charles de Lorraine dirigea les opérations et lança toutes ses forces contre le camp ennemi. Les Turcs, surpris, prirent la fuite, laissant sur place un butin considérable, et se replièrent vers l'est[1].

La victoire du Kahlenberg sauva non seulement Vienne, mais aussi la monarchie autrichienne. L'heure de la reconquête de la Hongrie était venue et c'est Charles de Lorraine qui s'en chargea, assisté du prince Eugène de Savoie. Le 16 octobre 1683, le duc de Lorraine reprenait possession d'Esztergom, l'ancienne capitale de la Hongrie à l'époque de saint Étienne. En 1684, Visegrad, Vác puis Pest étaient libérés, puis ce fut au tour, l'année suivante, d'Érsekújvár, la dernière place forte que les Turcs tenaient encore dans l'ouest de la Hongrie. La libération de Buda était proche. Le 2 septembre 1686, Buda, « le bouclier de l'Islam » comme l'appelaient les Turcs, tombait à son tour, libérée par le duc de Lorraine et le

1. J.-P. Bled, *Histoire de Vienne*, *op. cit.*, p. 58-63, et E. Zöllner, *Histoire de l'Autriche des origines à nos jours*, *op. cit.*, p. 243-244.

prince Eugène à la tête d'une armée où se côtoyaient des soldats de toutes les nationalités. Des chevaliers Teutoniques menés par leur grand maître Louis-Antoine von Pfalz-Neubourg[1] prirent part à l'assaut. Au même moment, les Impériaux reprenaient le contrôle de la Haute-Hongrie avec la reconquête d'Eperjes (Presov) et d'Ungvár (Uzshorod) et la reddition de nombreux *Kuruc*[2].

Fort de ces succès complétés le 12 août 1687 par la victoire du duc de Lorraine à Harsany, en un lieu symbolique tout proche de Mohács — là où en 1526 les Turcs avaient écrasé l'armée du roi de Bohême et de Hongrie Louis II —, Léopold Ier s'attaqua à la remise en ordre du pays. Les partisans de Thököly furent pourchassés et nombre d'entre eux livrés au tribunal extraordinaire constitué à Eperjes sous la présidence du général italien Caraffa ; de nombreuses sentences capitales furent prononcées et aussitôt exécutées par une équipe de trente bourreaux spécialement recrutés à cet effet. La « boucherie d'Eperjes » frappa les esprits ; la rigueur de la répression avait pour objet de dissuader les Hongrois de se lancer dans une nouvelle rébellion, à un moment où Léopold Ier se préparait à reprendre les armes contre la France. Une fois les rebelles châtiés, l'empereur convoqua la Diète à Presbourg en octobre 1687. Comme le lui demandait le « roi » Léopold et par reconnaissance pour son rôle dans la libération du pays de l'occupation turque, la Diète vota le principe de l'hérédité de la couronne dans la Maison de Habsbourg avec ordre de primogéniture pour les descendants de Léopold Ier. À la demande de l'ambassadeur d'Espagne, il fut précisé qu'en cas d'extinction de la branche austro-allemande de la dynastie, la couronne devait aller aux Habsbourg d'Espagne. Mais — et cela était une réserve très importante qui rappelait le système de la *capitulation* dans le Saint Empire —, l'héritier du trône ne pouvait être couronné roi qu'après la délivrance d'un *diploma inaugurale* confirmant les droits et les libertés de la nation hongroise et après la prestation de serment[3]. Désormais, en Hongrie comme en Bohême, les Habsbourg avaient obtenu l'hérédité du trône.

La guerre contre les Turcs se poursuivit quelques années encore.

---

1. *Annales de l'ordre Teutonique*, Genève-Paris, 1986, p. 349-350.
2. J. Bérenger, *Histoire de l'Empire des Habsbourg*, *op. cit.*, p. 364.
3. B. Hóman et Gy. Szekfü, *Magyar történet*, *op. cit.*, t. 4, p. 204, et Ch. d'Eszlary, *Histoire des institutions hongroises*, *op. cit.*, t. 3, p. 28-29.

Tandis que le duc de Lorraine et le général Caraffa prenaient le contrôle de la Transylvanie en 1688, Thököly, avec l'aide des Turcs, tenta de poursuivre la lutte. Devenu prince de Transylvanie grâce aux Turcs en 1690, il fut battu par les Impériaux et dut s'exiler en territoire turc où il mourut en 1705. La Diète de Transylvanie négocia un compromis avec l'empereur. Par le *Diploma leopoldinum* du 4 décembre 1691, la Transylvanie se voyait confirmer son autonomie administrative et la liberté religieuse y était réaffirmée. C'en était fini du protectorat turc. La Transylvanie se trouvait désormais intégrée dans l'ensemble habsbourgeois [1].

Dans le sud de la Hongrie, la reconquête se poursuivait avec succès. En 1688, le duc Max-Emmanuel de Bavière s'emparait de Belgrade, mais la ville fut perdue deux ans plus tard. En 1697, le prince Eugène de Savoie, récemment promu par Léopold Ier au rang de commandant des armées impériales, inaugura ses nouvelles fonctions en remportant le 11 septembre la victoire décisive de Zenta [2]. Enfin, le 26 janvier 1699, Léopold Ier signait avec les Turcs la paix de Carlowitz (Karlovici) par laquelle il récupérait la Hongrie historique avec la Transylvanie mais sans le Banat de Temesvár pour lequel il faudra attendre jusqu'en 1718. La Hongrie était libérée, mais sa population avait subi des pertes considérables ; elle s'élevait alors à 2,5 millions d'habitants dont 900 000 allogènes alors qu'elle était de l'ordre de trois millions et demi, à 85 pour cent magyars, à la veille de Mohács. Pour repeupler le pays, Léopold Ier appliqua le plan préparé par le cardinal Kollonich, qui consistait à faire venir des colons, allemands pour la plupart. Le mouvement de colonisation commença dès 1683 avec l'installation de Souabes à l'est du lac de Fertö (Neusiedler See) ; les grandes familles de magnats, les Károlyi, les Esterházy, les évêques de Pécs et de Veszprèm installèrent des milliers de paysans d'origine allemande sur leurs domaines ; de même en 1690, après la reprise de Belgrade par les Turcs, trente mille familles serbes du Kosovo furent installées entre le Danube et la basse Tisza, dans la Voïvodine actuelle [3].

Léopold Ier n'en avait cependant pas fini avec les affaires de Hongrie. Profitant de la guerre de Succession d'Espagne qui mobilisait à l'ouest le gros des forces impériales, un magnat de Haute-Hongrie, François Rákoczi, apparenté aux Thököly et aux Zrinyi,

---

1. L. Makkai, *Histoire de Transylvanie*, *op. cit.*, p. 252-254.
2. E. Zöllner, *Histoire de l'Autriche des origines à nos jours*, *op. cit.*, p. 246.
3. G. Stadtmüller, *Geschichte Osteuropas*, *op. cit.*, p. 320 et suiv.

appela en 1703 les Hongrois à la révolte et se fit proclamer prince de Transylvanie sous le nom de François II en juillet 1704[1]. À la mort de Léopold Ier, le 5 mai 1705, les partisans de Rákoczi refusèrent de reconnaître pour roi son fils Joseph Ier et proclamèrent la déchéance des Habsbourg. Mais le pays aspirait à la paix et l'Église catholique demeurait fidèle aux Habsbourg. Les difficultés financières de Louis XIV l'amenèrent à suspendre l'aide promise à François II, si bien qu'à partir de 1708, avec les succès des Impériaux, il se trouva réduit à la défensive. Abandonné par ses partisans qui préférèrent se réconcilier avec les Habsbourg, Rákoczi se réfugia en Turquie en 1711. Des négociations s'engagèrent avec les représentants de Joseph Ier, mais, celui-ci étant mort entre-temps, c'est au nom du jeune archiduc Charles devenu roi que les représentants de l'impératrice mère conclurent avec les chefs de l'insurrection la paix de Szatmár le 30 avril 1711. Les révoltés qui se soumettaient étaient amnistiés ; la liberté religieuse était, en Hongrie comme en Transylvanie, réaffirmée pour toutes les confessions et les droits constitutionnels de la nation. La Hongrie retrouvait la paix au terme de près de deux siècles de guerres et de troubles, elle retrouvait ses institutions dans le cadre de sa Constitution historique, mais elle avait désormais un souverain étranger, le chef de la Maison de Habsbourg, qui régnait également sur d'autres pays. La Hongrie se trouvait pleinement intégrée à la *Gesamtösterreich*. Comme l'avait souligné dès 1684 Philippe-Guillaume von Hörnigk dans son ouvrage *Österreich über alles wenn er nur will*, « par Autriche, j'entends tous les pays et royaumes héréditaires, qu'ils fassent ou non partie de l'Empire romain... Isolément chacun de ces pays est sans moyens ; tous ensemble, ils forment un corps naturel ». Et cette Autriche ainsi définie devait perdurer jusqu'à l'automne 1918 sous l'autorité des Habsbourg.

1. B. Köpeczi (sous la direction de), *Erdély rövid Története* (Courte Histoire de Transylvanie), Budapest, 1989, p. 331 et suiv.

12

Le retour à l'unité de la dynastie

Le partage en 1556 de l'héritage de Charles Quint avait provoqué la division de la dynastie en deux branches, l'une régnant sur l'Espagne et ses dépendances, l'autre ayant en charge le patrimoine austro-allemand de la famille. L'extinction de la branche espagnole des Habsbourg en 1700 allait rétablir l'unité de la dynastie.

Les Habsbourg de Madrid et la décadence de l'Espagne

La mort de Philippe II en 1598 marqua sans nul doute le début du déclin de l'Espagne en tant que grande puissance européenne, et également celui de la prépondérance de la branche aînée. Les difficultés financières de Philippe II dues à sa politique extérieure trop présente, la perte du nord des Pays-Bas, les échecs face à la France et à l'Angleterre, tout cela a précipité l'Espagne dans une phase d'affaiblissement. La tâche n'était pas facile pour les héritiers de Philippe II qui ne pouvaient guère compter sur leurs cousins d'Autriche, eux-mêmes confrontés à de nombreuses difficultés.

Le successeur direct de Philippe II était son second fils Philippe III, un prince faible, peu doué pour les affaires de l'État, qui abandonna le pouvoir au duc de Lerma. L'Espagne fut alors livrée à une noblesse avide et turbulente, et à une bureaucratie de plus en plus corrompue. À l'intérieur, Philippe III, fidèle à la tradition paternelle, acheva l'œuvre d'unification religieuse en faisant procéder en 1609 à l'expulsion de tous les Morisques d'Espagne, convertis ou non, et considérés *a priori* comme inassimilables. Leur départ provoqua en Andalousie une véritable catastrophe économique, car les agriculteurs morisques étaient passés maîtres dans l'art de l'irrigation. Leurs terres furent attachées à des Grands d'Espagne et à des ordres religieux qui y introduisirent l'élevage extensif, ruinant ainsi le potentiel agricole de la région.

À l'extérieur, la politique de Philippe III visa à mettre fin aux conflits en cours. La paix fut conclue en 1604 avec l'Angleterre et une trêve de douze ans signée en 1609 aboutit à une reconnaissance de fait de l'indépendance des Provinces-Unies. Avec la France, les relations, tendues sous Henri IV, considéré par Madrid comme un hérétique malgré sa conversion, s'améliorèrent sensiblement au début du règne de Louis XIII. Une alliance franco-espagnole fut même conclue en 1611, accompagnée d'un projet de mariage réalisé en 1615 entre le jeune roi de France et la fille de Philippe III, l'infante Anne d'Autriche. Cette alliance entre les Bourbons et les Habsbourg de Madrid laissait pour l'avenir la porte ouverte à d'éventuelles prétentions de la France sur l'héritage espagnol, malgré la renonciation d'Anne d'Autriche et de ses héritiers à ses droits.

Les relations avec la branche cadette austro-allemande continuèrent à se distendre, bien que l'Espagne, par ses agents diplomatiques à Vienne et à Prague, continuât à veiller sur les intérêts catholiques dans les provinces et États relevant des Habsbourg de Vienne. C'est ainsi que, comme nous l'avons vu plus haut, l'ambassadeur d'Espagne Oñate soutint activement la candidature à la succession de l'empereur Mathias du jeune Ferdinand de Styrie entièrement acquis aux idées de la Contre-Réforme, et lorsque, en 1618, la Bohême se révolta et porta sur le trône l'électeur palatin, le calviniste Frédéric V, Philippe III prit le parti de l'empereur Ferdinand et lui envoya depuis les Pays-Bas quelques renforts, faisant ainsi de l'Espagne une partie prenante dans la guerre de Trente Ans. Le fils de Philippe III, Philippe IV, qui n'avait que seize ans à la mort de son père en 1621, continua la même politique.

Sous Philippe IV (1621-1665), le pouvoir fut d'abord exercé par un premier ministre, Gaspar de Guzman, comte puis duc d'Olivarès, et cela jusqu'en 1643, date à laquelle il fut remplacé par Luis de Haro. Olivarès chercha en vain à rendre à l'Espagne son prestige d'antan. L'Espagne intervint en Italie et surtout aux Pays-Bas où, en 1621, à l'expiration de la trêve de douze ans, la guerre reprit contre les « révoltés » des Provinces-Unies alliés aux princes protestants du Saint Empire. L'alliance entre la France et les Hollandais se traduisit en 1635 par la reprise de la guerre avec la France : le duel entre les Bourbons et les Habsbourg commencé sous Charles Quint reprit de plus belle. Au cours de cette guerre, Richelieu appuya les Catalans révoltés contre le pouvoir central madrilène depuis 1637 et encouragea la révolte du Portugal qui recouvra son indépendance en 1640[1]. Lors du congrès de Westphalie, l'Espagne, par le traité de Münster du 30 janvier 1648, se résigna à reconnaître l'indépendance pleine et entière de ses « très chers et puissants amis » les seigneurs des États-Généraux des Provinces-Unies auxquels elle abandonna de nouveaux territoires, la Flandre zélandaise avec les bouches de l'Escaut, le nord du Brabant ainsi que la région de Maastricht, qui vinrent rejoindre les provinces primitives de Hollande, Zélande et Utrecht au sein des Provinces-Unies. Une partie de l'héritage du Téméraire se trouvait ainsi définitivement perdue pour les Habsbourg[2]. Libérée de la guerre au nord, l'Espagne tenta vainement de continuer le conflit avec la France. Après plusieurs défaites, elle se vit contrainte de signer en 1659 la paix des Pyrénées, abandonnant à Louis XIV la Cerdagne et le Roussillon au sud, l'Artois et un certain nombre de places fortes du sud des Pays-Bas. Une nouvelle fois, un mariage vint sceller la réconciliation franco-espagnole : Louis XIV épousait l'infante Marie-Thérèse, fille de Philippe IV. La jeune reine de France s'engageait à renoncer à ses droits sur l'héritage espagnol, mais, pour éviter que cet héritage n'échoie un jour aux Habsbourg de Vienne, le négociateur français Hugues de Lionne fit préciser dans le contrat que cette renonciation était subordonnée au versement d'une dot de cinq cent mille écus d'or. Une telle somme dépassait de beaucoup les possibilités du Trésor espagnol. De la sorte, le non-paiement vraisemblable de la dot annulerait *ipso facto* la clause de renonciation, ce qui laissait à la France toute latitude dans l'avenir pour faire valoir les droits de Marie-Thérèse en cas d'ouverture de la succession espagnole[3].

Ainsi se confirmait le déclin de l'Espagne. Au moment même où à Vienne l'empereur Léopold Ier entreprenait une politique de reconstruction de l'Autriche sur de nouvelles bases après les déboires de la guerre de Trente Ans, les Habsbourg de Madrid régnaient désormais sur une Espagne dont la décadence s'affirmait. On était loin de l'époque où Philippe II regardait avec condescendance les « parents pauvres » de Vienne.

1. H. Bogdan, *La Guerre de Trente Ans*, *op. cit.*, p. 207-211.
2. F. Van Kalken, *Histoire de la Belgique et de son expansion coloniale*, *op. cit.*, p. 366-367.
3. H. Bogdan, *La Guerre de Trente Ans*, *op. cit.*, p. 268.

La succession d'Espagne

La paix des Pyrénées avait évoqué indirectement le problème de la succession d'Espagne en prévoyant une renonciation monnayée de la reine Marie-Thérèse à ses droits. Il ne s'agissait pas d'une hypothèse d'école, car Philippe IV, malgré une vie sentimentale passablement mouvementée, n'avait pas d'héritier mâle au moment de la paix des Pyrénées. L'avenir de la branche aînée des Habsbourg semblait d'autant plus compromis que Philippe IV n'était plus tout jeune — il était né en 1605. De son premier mariage avec Élisabeth de France, fille d'Henri IV, il avait eu une fille, l'infante Marie-Thérèse qui épousa Louis XIV. Sa seconde épouse, l'archiduchesse Marie-Anne, fille de l'empereur Ferdinand III, lui donna une fille, Marguerite-Thérèse, qui devait épouser en 1666 l'empereur Léopold Ier, et un fils né en 1660, l'infant don Carlos — le futur roi Charles II — de constitution très fragile et auquel on ne prêtait que quelques années à vivre. Lorsque, en 1665, Charles II monta sur le trône à la mort de son père, le problème de sa succession devint aussitôt la principale préoccupation des chancelleries européennes. En dépit des pronostics guère encourageants quant à sa survie, Charles II devait régner pendant trente-cinq ans...

Au moment de l'avènement de Charles II, certains évoquaient la possibilité d'une extinction de la Maison des Habsbourg. L'empereur Léopold Ier, en effet, n'avait pas encore d'enfant et on le disait de santé médiocre. Ce n'est que par son troisième mariage avec une princesse d'une branche collatérale des Wittelsbach, Éléonore de Palatinat-Neubourg, que sa succession fut assurée avec la naissance de deux fils, l'archiduc Joseph né en 1678, et l'archiduc Charles né en 1685.

Au moment de la naissance de l'archiduc Joseph, Charles II d'Espagne épousa Marie-Louise d'Orléans, fille de Monsieur, frère de Louis XIV, un mariage au demeurant stérile qui aurait dû en principe rapprocher les Maisons de France et d'Espagne mais que n'appréciait guère le « parti allemand » de la cour de Madrid. Aussi lorsque, en 1689, la reine Marie-Louise mourut empoisonnée, on accusa le « parti allemand » d'avoir éliminé cette princesse française. On accusa la comtesse de Soissons, mère du prince Eugène de Savoie entièrement dévoué aux Habsbourg de Vienne, d'être à l'origine de cet empoisonnement : n'avait-elle pas été en son temps mêlée à l'« affaire des poisons »[1] ? On maria alors le roi Charles II

1. J. Bérenger, *Histoire de l'Empire des Habsbourg*, *op. cit.*, p. 392-393.

une princesse allemande, Marie-Anne de Palatinat-Neubourg, œur de la troisième épouse de l'empereur Léopold Ier, mais aucun nfant ne naquit de cette union.

Ainsi, pendant tout le règne de Charles II, on échafauda à Paris, Madrid, à Londres et à Vienne des plans de partage de l'héritage spagnol au cas où le roi d'Espagne viendrait à disparaître. Tous s grands États européens se sentaient concernés, car depuis les aités de Westphalie, la notion d'équilibre européen était devenue n nouveau paramètre dont devaient tenir compte les diplomates. ous redoutaient que l'équilibre fragile établi en 1648 ne soit remis n question à la mort du roi d'Espagne.

Louis XIV et l'empereur Léopold Ier étaient les plus directement oncernés par l'héritage espagnol. Tous deux avaient épousé des œurs du roi Charles II et tous deux par leur mère étaient petits-fils e Philippe III. Si Louis XIV pouvait tirer avantage d'avoir épousé aînée des filles de Philippe IV, Léopold Ier et ses fils étaient des absbourg, comme le roi d'Espagne, et étaient bien décidés à éfendre les droits de leur Maison.

Un premier traité de partage fut conclu en 1668 à l'issue de la uerre dite de « Dévolution ». Cette guerre était liée aux prétentions mises par Louis XIV sur les Pays-Bas espagnols au lendemain de mort de Philippe IV. Faute de pouvoir revendiquer l'héritage spagnol puisqu'il y avait un héritier mâle en la personne de harles II, Louis XIV, au nom de sa femme, fille de Philippe IV, éclama la cession des Pays-Bas en invoquant une ancienne coutume en vigueur dans certaines provinces des Pays-Bas selon quelle les biens patrimoniaux étaient « dévolus » aux enfants du remier lit du défunt. L'Espagne rejeta cette prétention et déclara guerre à la France en 1667. À l'issue de la guerre, la paix d'Aix--Chapelle, en mai 1668, permit tout au plus à Louis XIV d'obtenir e nouvelles places en Flandre, notamment Lille. Au début de 1668 ependant, des contacts eurent lieu entre Léopold Ier et l'ambassaeur français à Vienne Grémonville, qui débouchèrent sur un prenier plan de partage du futur héritage espagnol. En échange de la econnaissance par Léopold Ier des droits de sa femme sur l'héritage e Charles II, Louis XIV renonçait à l'Espagne et à ses colonies nsi qu'au Milanais au profit des Habsbourg de Vienne, mais obteait d'importantes concessions territoriales avec la Navarre et la atalogne, l'Italie du Sud avec Naples et la Sicile, les *presidios*

d'Afrique du Nord et surtout l'ensemble du Cercle de Bourgogn
c'est-à-dire les Pays-Bas et la Franche-Comté [1].

L'accord demeura sans lendemain, car les relations entr
Louis XIV et l'empereur se dégradèrent à partir de 1673 et surtou
après 1686, lorsque Léopold Ier mit sur pied la Ligue d'Augsbour
pour contrer les visées hégémoniques de la France. Au lendemai
de la guerre de la Ligue d'Augsbourg, de nouvelles combinaison
furent élaborées auxquelles participèrent le roi d'Angleterre Gui
laume III, décidé à éviter toute remise en question de l'équilibr
européen.

Le deuxième plan de partage mis au point en 1698 attribuait l
plus grande partie de l'héritage espagnol à un Wittelsbach, Joseph
Ferdinand de Bavière, fils de l'électeur de Bavière dont la mèr
Maria-Antonia était une Habsbourg, fille de l'empereur Léopold I
et de sa première épouse espagnole Marguerite-Thérèse. Comm
Joseph-Ferdinand était trop jeune pour régner, on avait prévu qu
son père assurerait la tutelle. La France devait recevoir en compen
sation l'Italie du Sud et les *presidios* espagnols de la côte toscan
ainsi que la province basque du Guipuzcoa. Quant aux Habsbour
de Vienne, ils devaient recevoir le Milanais. Ce plan de partage, e
dépit des apparences, favorisait la branche austro-allemande de
Habsbourg, car le principal héritier était un prince du Saint Empire
très proche des Habsbourg. Mais la mort de Joseph-Ferdinand d
Bavière en février 1699 rendit caduc ce dernier plan. On pensa à l
réanimer en faisant de l'électeur de Bavière le principal bénéficiair
de l'héritage espagnol en lieu et place de son fils, mais Louis XI
s'opposa à cette solution. On s'achemina vers un troisième plan d
partage qui aurait fait de l'archiduc Charles, second fils de l'empe
reur, le bénéficiaire unique de l'héritage de Charles II sous réserv
de compensations territoriales pour la France, plus importantes qu
celles prévues par le plan de 1698. En cas de refus de ce plan par l
France, l'héritage irait en totalité à l'archiduc Charles sans aucun
compensation pour la France. À Vienne, on se préparait activemen
à prendre possession de l'héritage espagnol. On s'attendait d'u
jour à l'autre à la mort du roi d'Espagne. Si le fils aîné de l'empe
reur, l'archiduc Joseph, recevait une éducation allemande destiné
à faire de lui le futur empereur, le cadet, l'archiduc Charles, se mi
à apprendre le castillan, la langue de la majorité de ses futurs sujets

1. J. Droz, *Histoire diplomatique de 1648 à 1919*, Paris, 1972, p. 28,
J. Bérenger, *Histoire de l'Empire des Habsbourg*, *op. cit.*, p. 395.

C'était sans compter avec le principal intéressé, le roi Charles II. ien que très affaibli par la maladie, le souverain estimait que ses ousins de Vienne ne seraient pas en mesure de maintenir l'intégrité e l'héritage espagnol. Il fut facile à ses ministres de le persuader u'une autre solution était possible. L'influence du cardinal-rchevêque de Tolède Portocarrero fut déterminante. Le 2 octobre 700, Charles II signa un testament qui attribuait la totalité de son éritage à son petit-neveu Philippe, duc d'Anjou, petit-fils de ouis XIV, et cela au détriment de l'archiduc Charles, issu pourtant e la lignée des Habsbourg[1]. Le contenu du testament longtemps nu secret provoqua la surprise de l'ambassadeur impérial Harrach. u lendemain de la mort de Charles II, un mois après la rédaction u testament, le duc d'Abrantès à la sortie du Conseil s'adressa au omte Harrach — il était persuadé que c'était l'archiduc Charles ui allait hériter — et l'interpella avec ces mots : « Vengo a despa-rme de la casa de Austria », c'est-à-dire « Je viens prendre congé e la Maison d'Autriche[2] ».

Pour calmer les inquiétudes éventuelles de l'Angleterre, harles II avait indiqué dans son testament qu'en aucun cas les ouronnes de France et d'Espagne ne pourraient être réunies. En utre, au cas où la France refuserait l'héritage, celui-ci serait attri-ué en totalité à l'archiduc Charles sans compensation pour les héri-ers de la reine Marie-Thérèse.

En écartant la branche autrichienne des Habsbourg, et en sacri-ant ainsi les intérêts de sa Maison au profit de ceux de l'Espagne, harles II avait montré qu'il était un véritable souverain espagnol, onfirmant l'hispanisation des Habsbourg d'Espagne depuis la fin u XVIe siècle[3].

Louis XIV s'empressa d'accepter le testament de Charles II au om de son petit-fils qui fut aussitôt reconnu en Espagne sous le om de Philippe V. L'acceptation du testament engendra une grave ise qui déboucha rapidement sur une nouvelle guerre européenne, 'autant plus que le roi de France, le 1er février 1701, fit savoir que hilippe V conserverait, ainsi que ses héritiers, ses droits éventuels la couronne de France.

1. J. Bérenger, *Histoire de l'Empire des Habsbourg*, *op. cit.*, p. 398 et suiv.
2. Voltaire, *Le Siècle de Louis XIV*, Paris, 1929, éd. Garnier, t. 1, p. 238.
3. J. Bérenger, *Histoire de l'Empire des Habsbourg*, *op. cit.*, p. 401-402.

L'unité dynastique retrouvée : la montée en puissance de l'Autriche

La guerre de Succession d'Espagne (1705-1713/1714) opposa l
France et l'Espagne dorénavant alliées à une vaste coalition rassem
blant, autour de l'empereur Léopold Ier, l'Angleterre et les Pro
vinces-Unies, l'électeur de Brandebourg devenu en 1701 roi « e
Prusse » et la grande majorité des princes allemands, à l'exceptio
de l'électeur de Bavière qui avait rallié le camp franco-espagno
On assista une fois de plus à un affrontement entre les Bourbons e
les Habsbourg, et, comme lors des conflits précédents, la Franc
tenta d'affaiblir la Maison d'Autriche en suscitant contre elle de
révoltes parmi ses sujets. Ainsi, Louis XIV appuya financièremen
la révolte du prince hongrois François II Rákoczi qui avait ras
semblé derrière lui tous ceux qui, chez les protestants hongrois e
dans la noblesse de Transylvanie, n'avaient pas accepté l'hérédit
de la Couronne au profit des Habsbourg et gardaient la nostalgi
de l'indépendance. Dès mai 1703, fort du soutien des agents d
Louis XIV, Rákoczi avait appelé les Hongrois à la révolte, pu
s'était fait proclamer prince de Transylvanie en juillet 1704. À l
mort de Léopold Ier en 1705, les révoltés hongrois refusèrent d
reconnaître leur nouveau roi, Joseph Ier. Lors d'une Diète tenue
Onod en mai-juin 1707, les chefs de l'insurrection firent proclame
la déchéance des Habsbourg et désignèrent François Rákocz
comme « Prince[1] » d'une Hongrie devenue temporairement indé
pendante. Les défaites subies par la France, notamment en 1709, e
les difficultés financières amenèrent Louis XIV à « lâcher » so
allié hongrois et à rechercher la paix. Dès 1708, les armées impé
riales avaient commencé la reconquête de la Hongrie. L'entourag
de Rákoczi profita d'un voyage de celui-ci en Pologne pour se rap
procher de l'empereur-roi Joseph. La paix fut conclue à Szatmár l
30 avril 1711. Les insurgés, y compris Rákoczi, étaient amnistiés
condition de faire acte de soumission dans les trois semaines : tou
ou presque se soumirent, à l'exception de Rákoczi qui, fidèle à se
convictions, préféra s'exiler. La liberté religieuse était réaffirmé
ainsi que les garanties constitutionnelles obtenues en 1687[2]. Pou
les Habsbourg, la paix de Szatmár représentait un succès considé

1. Rákoczi avait décliné le titre royal que la Diète voulait lui attribuer.
2. D. Sinor, *History of Hungary*, London, 1959, p. 218 et suiv.

able, car leur autorité était consolidée en Hongrie, ce qui renforçait a cohésion de leurs États en Europe centrale [1].

Quant à la succession d'Espagne qui n'intéressait plus guère les Habsbourg de Vienne, elle fut définitivement réglée par les traités l'Utrecht (1713) et de Rastatt (1714). Si Philippe V pouvait garder 'Espagne et ses colonies, il dut céder à l'empereur les Pays-Bas spagnols et tous les territoires d'Italie qui dépendaient de l'Espa- ;ne [2]. Désormais, les Habsbourg de Vienne, en l'occurrence Charles VI devenu empereur à la mort de son frère Joseph Ier, rede- 'enaient les seuls représentants de la dynastie, à la tête d'un Empire noins étendu certes que celui sur lequel Charles Quint en son temps vait étendu son autorité, mais d'un Empire plus concentré géogra- hiquement avec un noyau central constitué par l'Autriche au sens arge du mot et les États unis à elle : les royaumes de Bohême et le Hongrie, avec un double accès à la mer, vers la Méditerranée l'une part avec le Milanais, les *presidios* de Toscane, le royaume le Naples, la Sicile et la Sardaigne et vers la mer du Nord d'autre art avec les Pays-Bas espagnols désormais devenus Pays-Bas utrichiens. Chacune des composantes de ce qu'il convint désor- nais d'appeler la « monarchie autrichienne » conservant son admi- istration propre et ses privilèges particuliers [3].

L'installation des Habsbourg sur le trône d'Espagne en 1516 'avait été somme toute qu'une incidence, « un accident de par- ours » dans l'histoire d'une Maison princière fondamentalement nracinée en Europe médiane.

1. H. Bogdan, *Histoire de la Hongrie*, Paris, 1966, p. 46-48.
2. P. Belina, P. Cornej et J. Pokorny, *Histoire des pays tchèques*, *op. cit.*, . 221-222.
3. *Ibid.*

Quatrième Partie

LES HABSBOURG À L'ÉPOQUE DES LUMIÈRES

Lorsque, en 1711, l'archiduc Charles, le second fils de l'empereur Léopold Ier, succède à son frère Joseph Ier, c'est un pays pacifié qui s'offre à lui. Quant à la Hongrie, la paix de Szatmár vient de mettre fin aux velléités d'indépendance de la noblesse hongroise. Après plus d'un siècle et demi d'occupation turque et de guerres civiles, le pays vient de retrouver enfin la paix dans le respect de ses institutions et avec le maintien de ses privilèges, mais au prix de l'hérédité de la couronne dans la Maison de Habsbourg. L'Autriche et la Bohême ont pansé les plaies des guerres qui se sont déroulées sur leur territoire : l'heure est maintenant à la modernisation.

La Maison d'Autriche est encore auréolée d'un grand prestige non seulement dans le Saint Empire, mais aussi dans toute l'Europe chrétienne. Le mérite en revient à Léopold Ier, « Léopold le Grand », *Leopoldus Magnus*, titre qui lui fut donné après la victoire de ses armées sur les Turcs, un titre qui le mettait à égalité avec Louis XIV, « Louis le Grand », mais auquel le petit peuple de Vienne a substitué celui plus familier de *Turkenpoldl*. Joseph Ier pendant son court règne n'a pu réaliser ses projets de réformes tant il était accaparé par la guerre à mener contre Louis XIV et ses alliés. C'est à son frère, l'archiduc Charles devenu Charles VI, qu'il allait appartenir de mettre en route cette modernisation.

Dans l'immédiat, il fallait régler, comme nous l'avons évoqué plus haut, la succession d'Espagne. Avant de devenir empereur, l'archiduc Charles avait en vain tenté de s'imposer en Espagne contre Philippe d'Anjou. À la paix de Rastatt en 1714, Charles VI dut renoncer à l'héritage espagnol mais obtint en compensation les Pays-Bas et d'importants territoires en Italie. Ce semi-échec du côté de l'Espagne n'entama en rien le prestige de la Maison d'Autriche en Europe. Nul ne lui contestait sa place de grande puissance européenne.

13

Charles VI et la Pragmatique Sanction

Si Léopold Ier avait eu suffisamment de descendants pour assurer la pérennité de la dynastie, son fils aîné Joseph Ier n'avait pas eu de fils. De son mariage avec Vilma-Amalia, fille du duc Jean-Frédéric de Brunswick-Lunebourg, Joseph Ier avait eu deux filles, Marie-Josèphe et Marie-Amélie. Ce mariage avec une princesse d'origine protestante convertie au catholicisme n'avait pas en son temps suscité l'enthousiasme à la cour de Vienne mais il rendit, au moins à ses débuts, le couple heureux malgré les aventures amoureuses de Joseph Ier. En 1711, l'impératrice devenue veuve trouva refuge dans un cloître salésien fondé par son défunt mari et dont elle occupa les fonctions d'abbesse jusqu'à sa mort en 1742. Les deux filles de Joseph Ier avaient épousé des princes allemands catholiques ; en 1719, l'aînée Marie-Josèphe était devenue l'épouse du prince Frédéric-Auguste, fils de l'électeur de Saxe et roi de Pologne Auguste II, tandis que la cadette Marie-Amélie avait épousé en 1722 Charles-Albert, fils de l'électeur et duc de Bavière Maximilien-Emmanuel. Joseph Ier avait bien eu un fils né en 1700, Léopold-Joseph, mais celui-ci n'avait vécu que quelques mois [1].

Pour éviter que ses nièces et leurs maris ne puissent un jour prétendre à l'héritage des Habsbourg, l'empereur Charles VI, dès son avènement, chargea les juristes de la Cour de rédiger une *Pragmatique Sanction* où seraient fixées les règles de sa propre succession. Le jeune empereur n'avait à ce moment-là que vingt-six ans, et penser à cet âge à sa succession pouvait sembler quelque peu prématuré. Il est vrai que son mariage en 1708 avec la princesse Élisabeth-Christine de Brünswick-Wolfenbüttel, d'origine

1. J. Sára, *A Habsburgok és Magyarország* (Les Habsbourg et la Hongrie), Budapest, 2000, p. 344-345.

protestante et qui dut se convertir au catholicisme à son corps défendant, était demeuré jusqu'à présent stérile. Régler dès maintenant sa succession était pour Charles VI un problème de la plus haute importance, il voulait éviter que ne se reproduisent les difficultés qui avaient empoisonné les dernières années du règne de son lointain parent Charles II d'Espagne.

Pour s'assurer dans cette affaire le soutien d'une Hongrie toujours tentée de se rebeller, Charles VI s'empressa de prendre contact avec les représentants de la Diète hongroise et leur fit part de son intention de gouverner la Hongrie « avec bonté et circonspection » ; il confirma les dispositions de la paix de Szatmár et publia le traditionnel Diplôme inaugural (*Hitlevél*) par lequel il s'engageait à maintenir les droits et privilèges de la Hongrie, à laisser la Sainte Couronne dans le pays et à rattacher à la Hongrie tous les anciens territoires hongrois qui seraient repris aux Turcs ; il rappela également qu'en cas d'extinction de la Maison de Habsbourg, la Diète hongroise recouvrerait son ancien droit d'élire le roi. Ces engagements détaillés et précis rassurèrent la Diète, si bien que le 22 mai 1712, l'empereur Charles VI fut couronné solennellement à Presbourg roi de Hongrie sous le nom de Charles III [1].

La Pragmatique Sanction qui vit le jour le 19 avril 1713 complétait et précisait les dispositions successorales antérieures. Il existait en effet depuis 1703 un « pacte de succession mutuelle » — *pactum mutuae successionis* —, tenu secret jusqu'en 1713, selon lequel l'héritage des deux branches des Habsbourg formait un tout. Ce pacte avait été rédigé à la demande de Léopold Ier à une époque où l'archiduc Charles tentait de s'assurer l'héritage espagnol. D'après cet acte, en cas de décès sans héritier mâle de l'un des deux fils de Léopold Ier, Joseph et Charles, la totalité de la succession devait aller au survivant. C'est ce qui s'était effectivement produit en 1711 lorsque, à la mort de Joseph Ier, l'archiduc Charles devint empereur et maître de l'ensemble des biens patrimoniaux des Habsbourg.

La Pragmatique Sanction de 1713 complétait le Pacte de succession mutuelle ; elle réaffirmait le principe de l'indivisibilité de l'héritage des Habsbourg — *indivisibiliter et inseparabiliter* — qui figurait désormais dans leurs armes, mais ajoutait une disposition nouvelle par rapport au texte de 1703. En effet, au cas où Charles VI mourrait sans héritier mâle, l'héritage irait à ses filles

---

1. J. Sára, *A Habsburgok és Magyarország*, *op. cit.*, p. 346 et B. Hóman et Gy. Szekfü, *Magyar történet*, *op. cit.*, t. III, p. 332 et suiv.

éventuelles selon l'ordre de primogéniture. Dans l'éventualité où Charles VI n'aurait aucune descendance, la succession irait aux filles de Joseph Ier par ordre de primogéniture, et dans le cas où celles-ci n'auraient pas de descendants, il faudrait remonter aux autres descendants de Léopold Ier, et toujours par ordre de primogéniture [1]. En fait, comme le souligne Jean Bérenger, dans l'hypothèse où Charles VI n'aurait pas d'héritier mâle, mais uniquement des filles, « il déshéritait ses nièces au profit de ses filles [2] ».

Le couple impérial, cependant, désireux d'assurer sa descendance directe, faisait appel tant à une intervention divine — on le vit souvent en pèlerinage au sanctuaire marial de Mariazell — qu'aux vertus thérapeutiques des sources thermales, en particulier celles de Karlsbad [3]. Leurs vœux parurent exaucés en 1716 avec la naissance de l'archiduc Léopold, mais celui-ci ne vécut que quelques semaines. L'année suivante, la naissance d'une fille, Marie-Thérèse, puis celle de Marie-Anne en 1718 ramena la joie à la cour de Vienne : la succession semblait désormais assurée [4].

Mais un problème important demeurait : il fallait en effet faire entériner la Pragmatique Sanction par les États et les Diètes des différentes composantes de l'Empire habsbourgeois, et surtout la faire accepter par les Puissances européennes. Fort de l'expérience de la succession d'Espagne, l'empereur était conscient que les dispositions de la Pragmatique Sanction pourraient un jour être remises en question. La naissance d'un garçon aurait en revanche écarté toute possibilité de contestation. En 1723, l'impératrice se trouva enceinte. L'espoir revint. On évoqua à ce moment un bruit qui courait en Bohême selon lequel seul un roi couronné de Bohême pouvait avoir une descendance mâle. Le couple impérial décida donc de partir pour Prague où Charles VI se fit couronner le 7 novembre 1723, mais amère déception : au lieu du garçon tant espéré, ce fut une fille, Marie-Amélie, qui vint au monde en avril 1724 et qui devait mourir six ans plus tard [5].

Entre-temps, Charles VI avait entrepris les démarches nécessaires pour faire accepter par tous la Pragmatique Sanction de 1713. Les deux nièces de l'empereur furent les premières sollicitées :

1. J. Sára, *A Habsburgok és Magyarország*, *op. cit.*, p. 355.
2. J. Bérenger, *Histoire de l'Empire des Habsbourg*, *op. cit.*, p. 427.
3. Aujourd'hui Karlovy Vary en République tchèque.
4. D. G. Mac Guigan, *Les Habsbourg*, *op. cit.*, p. 226-227.
5. *Ibid.*, p. 227-230.

Marie-Josèphe et Marie-Amélie s'engagèrent par serment à accepter la Pragmatique Sanction comme « une loi irrévocable et véritable pour la famille ». Puis aussitôt après la naissance de l'archiduchesse Marie-Thérèse, héritière *de facto* du trône, Charles VI présenta la Pragmatique Sanction aux divers États et Diètes. Dès 1720, les États de Basse et de Haute-Autriche, les Diètes de Bohême, de Moravie et de Silésie, celles du Tyrol, de Carinthie, de Carniole et de Styrie acceptèrent le texte qui leur était soumis, puis ce fut au tour du Voralberg en 1722. Dans les pays de la Couronne de Saint Étienne, la première à entériner la Pragmatique Sanction fut celle de Croatie en 1722, suivie par celle de Transylvanie l'année suivante. La Diète hongroise approuva à l'unanimité la Pragmatique Sanction le 30 juin 1722. Les Hongrois étaient reconnaissants à leur roi d'avoir reconstitué le royaume dans son intégralité puisque, à la suite d'une guerre contre les Turcs (1716-1718), la paix de Passarowitz avait rendu à la Hongrie le Banat de Temesvár.

La version hongroise de la Pragmatique Sanction promulguée par le roi sous le nom officiel des lois I/II/III-1723 fixait ainsi l'ordre de succession : en premier lieu les filles de Charles III (VI) et leurs descendants en cas d'absence d'héritier mâle, puis les filles de Joseph Ier et leurs descendants de n'importe quel sexe en cas d'extinction de la descendance directe de Charles III, et enfin les filles de Léopold Ier si la branche précédente disparaissait à son tour. On se trouvait aux yeux du droit hongrois devant un « ordre de succession mixte » (*successio linealis mixta*) : la femme la plus proche de la branche masculine éteinte montait sur le trône et était considérée comme un *fils*. La fille devenait ainsi l'ancêtre d'une nouvelle branche. Cet ordre fut observé en 1740 avec Marie-Thérèse, « considérée comme un fils » par les juristes hongrois. La loi VII-1723 exigea cependant que l'héritier du trône de Hongrie soit catholique. À la différence de la Pragmatique Sanction autrichienne qui est un acte décidé par le souverain usant de son pouvoir absolu, la Pragmatique Sanction dans sa version hongroise est un acte constitutionnel incorporé par la Diète au *corpus juris*[1]. Une fois de plus, le souverain Habsbourg reconnaissait le caractère particulier du royaume de Hongrie par rapport aux autres posses-

1. Ch. d'Eszlary, *Histoire des institutions publiques hongroises*, *op. cit.*, t. III, p. 30-33.

sions de la dynastie. On était loin de la tendance centralisatrice qui régnait alors dans la plupart des États européens.

Dans une étape ultérieure, l'empereur Charles VI a cherché à faire reconnaître la Pragmatique Sanction comme un « Pacte international ». La plupart des princes du Saint Empire acceptèrent les dispositions de la Pragmatique Sanction, y compris le roi de Prusse et les princes directement concernés par la succession, Auguste III de Saxe et Charles-Albert de Bavière. Le duc de Bavière, en épousant en 1722 Marie-Josèphe, la fille aînée de Joseph Ier, avait déjà confirmé la renonciation de sa femme à l'héritage des Habsbourg, et l'électeur de Saxe Auguste III avait fait de même au nom de Marie-Amélie, mais avait demandé en échange que l'empereur Charles VI le soutienne dans la guerre de Succession de Pologne qui débuta en 1733. Auguste III évinçait ainsi le candidat soutenu par la France, Stanislas Leszczynski, beau-père de Louis XV, qui devait recevoir à titre de dédommagement le duché de Lorraine cédé par le duc François-Étienne, fiancé à l'archiduchesse Marie-Thérèse et futur gendre de l'empereur. Il était d'autre part prévu qu'à la mort du roi Stanislas, la Lorraine reviendrait à la France. Cette combinaison diplomatique fut le prix à payer pour que la France reconnaisse la Pragmatique Sanction [1], comme l'avaient déjà fait l'Espagne dès 1726, la Russie en 1727 et l'Angleterre en 1735 sous réserve que Marie-Thérèse n'épouse pas un prince issu d'une grande Maison [2].

Le mariage de Marie-Thérèse, l'aînée des filles de Charles VI et son héritière, qui fut célébré à Vienne le 12 février 1737, fut le résultat des longues négociations diplomatiques menées avec la France, mais il fut aussi l'aboutissement d'une longue histoire d'amour [3]. Il faut replacer ce mariage dans les relations étroites que la Maison d'Autriche entretenait depuis longtemps avec la Maison ducale de Lorraine. À plusieurs reprises au cours du XVIIe siècle, les ducs de Lorraine s'étaient rangés spontanément sous la bannière impériale. Le grand-père de François-Étienne, le duc Charles V-Léopold, avait commandé en 1683 l'armée impériale qui dégagea Vienne assiégée par les Turcs et libéra Buda trois ans plus tard. Quant à son père, le duc Léopold de Lorraine, il avait été l'ami d'enfance du futur empereur Charles VI. C'est lors du

1. H. Bogdan, *Histoire de l'Allemagne*, *op. cit.*, p. 247-248.
2. E. Zöllner, *Histoire de l'Autriche des origines à nos jours*, *op. cit.*, p. 260.
3. J.-P. Bled, *Marie-Thérèse d'Autriche*, Paris, 2001, p. 29-30.

couronnement de Charles VI comme roi de Bohême que le jeune François-Étienne rencontra pour la première fois Marie-Thérèse ; elle n'avait que six ans et lui n'en avait que quinze. Les deux jeunes gens se rencontrèrent par la suite et la jeune Marie-Thérèse tomba amoureuse de François-Étienne, devenu duc de Lorraine en 1729. L'ambassadeur d'Angleterre à Vienne notait que Marie-Thérèse « soupire et languit toute la nuit après le duc de Lorraine. Quand elle dort, ce n'est que pour rêver de lui ; quand elle se réveille, c'est uniquement pour parler de lui à sa dame de compagnie[1] ». Le prix à payer pour que ce mariage soit accepté par Louis XV était la renonciation à la Lorraine. Après bien des hésitations, François-Étienne consentit à renoncer à la terre de ses ancêtres, à la grande indignation de ses sujets lorrains, ce qui lui permit d'épouser celle qui l'attendait depuis si longtemps. À défaut de la Lorraine, François-Étienne se vit attribuer le duché de Toscane devenu vacant après la mort du dernier Médicis en juin 1737. C'est là que s'installa le jeune couple jusqu'au printemps 1739, date à laquelle il dut regagner Vienne.

Charles VI aurait pu s'estimer satisfait. Il avait réglé de son vivant une succession qui aurait pu s'avérer délicate. Sa fille et héritière avait désormais à ses côtés un prince dont la Maison avait toujours été loyale à l'égard des Habsbourg. Toutefois, la fin du règne fut assombrie par des échecs à l'extérieur. La guerre de Succession de Pologne (1733-1738) où les Habsbourg une fois encore affrontèrent la France désormais alliée de l'Espagne se termina sur un demi-échec : Charles VI dut renoncer à l'Italie du Sud au profit des Bourbons d'Espagne mais renforça ses positions en Italie centrale avec les duchés de Parme et de Toscane, et même si le nouveau grand-duc de Toscane était son propre gendre, la renonciation de celui-ci à la Lorraine renforçait la position de la France. La guerre contre les Turcs (1737-1739), mal gérée par son gendre promu au rang de général en chef, fit perdre à l'Autriche une partie de ses acquisitions de 1718 : Belgrade et le nord de la Serbie retombèrent sous la domination ottomane. Ces guerres malheureuses avaient mis à mal les finances de l'Empire et souligné les faiblesses et les lacunes de l'armée.

Charles VI, lorsqu'il mourut le 20 octobre 1740, pensait sans doute un peu naïvement que sa fille Marie-Thérèse et son gendre François-Étienne pourraient prendre possession de l'héritage des

1. Cité par D. G. Mac Guigan, *Les Habsbourg*, *op. cit.*, p. 231-232.

Iabsbourg sans trop de difficultés. C'était sans compter avec les randes puissances de l'Europe d'alors qui avaient parfaitement onscience des points faibles de la monarchie autrichienne.

14

Marie-Thérèse, la « mère de la Patrie »

Lorsque, à la mort de son père, Marie-Thérèse se trouve brutalement placée à la tête d'un immense ensemble territorial[1], c'est une jeune femme de vingt-trois ans, épanouie et insouciante auprès d'un mari dont elle est follement amoureuse. Cette année 1740 est très éprouvante pour la jeune archiduchesse : elle vient de perdre un père qu'elle chérissait mais auquel elle n'a pu dire adieu en raison de l'opposition des médecins qui redoutaient la contagion du mal mystérieux qui avait terrassé l'empereur ; cette épreuve douloureuse vient s'ajouter à celle vécue quelques mois plus tôt avec la mort de l'aînée de ses trois filles, Marie-Élisabeth, âgée seulement de trois ans[2], et à celle aussi, moins visible mais tout aussi réelle, de ne pas avoir encore donné un fils à son mari. À cela s'ajoute la fatigue due à une nouvelle grossesse dont tout le monde espère qu'elle aboutira à la naissance d'un prince héritier.

Marie-Thérèse n'a guère été préparée aux lourdes responsabilités qui vont désormais être les siennes. Sa gouvernante, la comtesse Fuchs, eut en charge sa première éducation et sa formation humaine ; ce fut elle qui reçut ses premières confidences et Marie-Thérèse lui voua une réelle affection au point qu'à sa mort, elle ordonna que son corps repose dans la crypte des Capucins aux côtés des membres de la famille des Habsbourg. L'éducation religieuse de la jeune archiduchesse avait été confiée à un jésuite, le père Vogel, alors que son confrère Spannagl lui avait donné ses premiers rudiments de latin et lui avait enseigné l'histoire. Un soin tout particu-

1. Les possessions propres des Habsbourg regroupaient alors quelque onze millions d'habitants et, si on y ajoute le territoire du Saint Empire extérieur au patrimoine habsbourgeois, on arrive au chiffre de vingt-deux millions.

2. D. G. Mac Guigan, *Les Habsbourg*, *op. cit.*, p. 236 et suiv.

ier fut apporté à l'enseignement des langues vivantes, selon une vieille tradition des Habsbourg. En dehors de sa langue natale, l'allemand ou plus exactement le dialecte viennois, Marie-Thérèse connaissait bien le français, l'italien et l'espagnol, c'est-à-dire les angues que l'on parlait dans l'Empire de son ancêtre Charles Quint. Des professeurs italiens lui avaient donné des cours de chant, de danse et de musique. Ce goût pour toutes ces disciplines qui venaient d'Italie était général à la cour de Vienne depuis le XVIIe siècle. Marie-Thérèse, elle-même, s'était imprégnée de culture italienne pendant les courtes années passées à Florence aux côtés de son mari devenu grand-duc de Toscane. En revanche, bien que devenue héritière présomptive selon la Pragmatique Sanction, elle n'avait reçu aucune formation politique et son père l'avait délibérément écartée des affaires publiques.

Dès son avènement, Marie-Thérèse va se trouver confrontée à de sérieuses difficultés qu'elle parviendra à maîtriser grâce à son ardeur à la tâche et à son sens politique, grâce aussi à son sens du devoir et à sa disponibilité au service de ses sujets[1].

Pendant son règne, Charles VI s'était efforcé de préparer sa succession de telle façon que sa fille puisse prendre possession de l'héritage sans difficultés, et pour cela, il n'avait pas hésité à payer parfois le prix fort. Et pourtant, à peine l'empereur défunt avait-il été enterré que Marie-Thérèse dut faire face à des attaques venues de toutes parts, notamment de ceux qui, il y a peu de temps encore, s'étaient engagés par traité à respecter les dispositions de la Pragmatique Sanction.

La guerre de Succession d'Autriche (1740-1748)

Le premier qui chercha à tirer avantage de la faiblesse supposée de Marie-Thérèse fut Frédéric II. Roi « en Prusse », prince électeur du Brandebourg et occupant de solides positions en Allemagne du Nord, l'héritier des Hohenzollern avait à sa disposition le formidable instrument militaire que lui avait laissé son père Frédéric-Guillaume Ier, le « roi-sergent », une armée de cent mille hommes, bien encadrée et bien entraînée. La diplomatie autrichienne n'avait pas conscience du danger prussien, d'autant moins que Frédéric II avait multiplié les gestes de sympathie envers Marie-Thérèse au

1. J.-P. Bled, *Marie-Thérèse d'Autriche*, *op. cit.*, p. 20-22, p. 32.

lendemain de la mort de son père. Au début de décembre 1740, le ton changea : Frédéric II fit savoir à Marie-Thérèse qu'il était prêt, lors de l'élection impériale, à voter pour son mari François de Lorraine et à lui fournir éventuellement son appui militaire. Pour prix de ce service, il ne demandait rien de moins que... la Silésie. Or, cette province, fortement peuplée — près de 1,4 million d'habitants —, faisait partie du royaume de Bohême au sens large du mot. La population était en majorité luthérienne, mais la paix de Westphalie avait accordé à la noblesse silésienne et à ses paysans, ainsi qu'à la ville de Breslau (Wroclaw), la libre pratique du luthéranisme [1]. La richesse légendaire de son agriculture et la réputation de son artisanat ne pouvaient qu'attirer la convoitise des Hohenzollern. Marie-Thérèse, indignée, rejeta la proposition de Frédéric II qu'elle considérait comme insultante.

Le roi de Prusse qui s'attendait à un tel refus riposta immédiatement. Le 16 décembre 1740, les troupes prussiennes pénétraient en Silésie et occupèrent en quelques jours la plus grande partie de la province à l'exception de la forteresse de Glogau [2]. Marie-Thérèse répondit par la négative à une nouvelle offre de Frédéric II : le roi de Prusse réclamait à nouveau la Silésie mais était prêt à laisser le duché de Teschen à l'Autriche. La guerre continua donc. Fait beaucoup plus grave pour Marie-Thérèse, plusieurs grandes puissances européennes se préparaient à intervenir. On s'était vite rendu compte que la monarchie autrichienne était fragile, notamment sur le plan militaire.

De plus, la présence d'une femme à sa tête ne pouvait, selon le mode de pensée de l'époque, que les conforter dans cette opinion — une femme ne pouvait mener de front les affaires de l'État et sa vie d'épouse. Le 13 mars 1741, Marie-Thérèse avait mis au monde un garçon, prénommé Joseph, sur le berceau duquel son père déposa aussitôt les insignes de la Toison d'or, le désignant ainsi comme le futur héritier de la Maison de Habsbourg [3]. La joie du couple fut vite gâchée par l'aggravation de la situation en Silésie. Un peu plus d'un mois après la naissance du futur Joseph II, Frédéric remporta une nouvelle victoire : le 19 avril, il battait, non sans mal il est vrai, les troupes autrichiennes du général Neipperg. La Silésie était bel et bien perdue.

---

1. H. Bogdan, *La Guerre de Trente Ans*, *op. cit.*, p. 266.
2. E. Zöllner, *Histoire de l'Autriche des origines à nos jours*, *op. cit.*, p. 284-285.
3. D. G. Mac Guigan, *Les Habsbourg*, *op. cit.*, p. 236-237.

À ce moment-là, on envisageait dans beaucoup de capitales européennes la disparition prochaine de la Maison d'Autriche, comme le soulignait à Paris le cardinal de Fleury : « Il n'y a plus de Maison d'Autriche[1]. » Les voisins de l'Autriche pensaient déjà à se partager les possessions des Habsbourg. C'était le cas en particulier du duc de Bavière, Charles-Albert, cousin par alliance de Marie-Thérèse, qui tournait un regard intéressé en direction du Tyrol, de la Haute-Autriche et de la Bohême[2].

La France, qui avait souvent entretenu des relations amicales avec les Wittelsbach de Bavière, se rangea aux côtés de Charles-Albert. Après avoir dénoncé le traité par lequel elle avait accepté les dispositions de la Pragmatique Sanction, elle signa avec la Bavière le traité de Nymphenburg du 28 mai 1741 par lequel elle s'engageait à appuyer la candidature du duc de Bavière au trône impérial et reconnaissait ses droits sur la Bohême de par son mariage avec la fille de l'empereur Joseph Ier. Louis XV se déclarait prêt à lui envoyer une armée de trente mille hommes pour l'aider à conquérir la Bohême.

La situation dc Marie-Thérèse de grave devint critique lorsque le camp franco-bavarois reçut le renfort de l'Espagne et de la Savoie ; Frédéric II se joignit à la coalition antihabsbourgeoise le 9 juin, tandis que l'Angleterre sur laquelle comptait s'appuyer Marie-Thérèse demeurait neutre[3]. Quant aux princes allemands, certains d'entre eux rejoignirent la coalition, d'autres demeurèrent dans l'expectative. Les adversaires de Marie-Thérèse avaient déjà prévu un projet de partage des possessions habsbourgeoises. L'électeur et duc de Bavière devait recevoir la Bohême — ce qui lui donnait deux voix au Collège électoral —, la Haute-Autriche, l'Autriche antérieure et le Tyrol, ainsi que le titre impérial. On avait prévu pour l'électeur de Saxe la Moravie et quelques districts de Silésie. La France, de son côté, avait des vues sur les Pays-Bas autrichiens, tandis que l'Espagne et la Savoie cherchaient à renforcer leurs positions en Italie aux dépens des Habsbourg.

En Autriche même, on assistait à des défections et, en Haute-Autriche, on s'apprêtait à accueillir les Bavarois et le contingent français du maréchal de Belle-Isle qui faisaient leurs derniers préparatifs en vue de marcher sur l'Autriche et la Bohême. Faute d'autres

1. W. Knappich, *Die Habsburger Chronik*, Salzburg, 1959, p. 215.
2. J.-P. Bled, *Histoire de Vienne*, *op. cit.*, p. 78.
3. J.-P. Bled, *Marie-Thérèse d'Autriche*, *op. cit.*, p. 83-85.

appuis, Marie-Thérèse se tourna en désespoir de cause vers la Hongrie. Dès janvier 1741, elle avait pris contact avec des représentants de la Diète à la fois pour préparer son couronnement et obtenir de l'aide. Dans plusieurs comitats, les autorités avaient lancé un appel à l'« insurrection [1] », non sans succès car près de trois mille « hussards de la nation » s'étaient mis au service de Marie-Thérèse [2]. La question du couronnement fut rapidement réglée. Le 20 juin, Marie-Thérèse et sa suite arrivèrent à Presbourg et s'installèrent dans le château qui domine la ville. Deux jours plus tard, elle désignait le comte Pálffy qui avait été l'intermédiaire entre la Diète et la Cour comme palatin. Puis, le 25 juin, on procéda à la cérémonie du couronnement dans la cathédrale Saint-Martin. Le primat de Hongrie, l'archevêque d'Esztergom Esterházy, déposa sur la tête de la jeune souveraine la couronne de saint Étienne. Puis à l'issue de la cérémonie, selon le rite traditionnel, Marie-Thérèse gravit à cheval la « colline du couronnement » faite de terre apportée de toutes les régions du royaume et prêta serment de défendre le royaume quels que fussent ses ennemis [3].

Pendant les mois qui suivirent le couronnement, les tractations se poursuivirent entre la souveraine et son gouvernement d'une part, et les représentants de la Diète d'autre part, en vue de la tenue d'une nouvelle Diète. Celle-ci se tint à Presbourg le 11 septembre. Marie-Thérèse, toute de noir vêtue, portant sur les bras le jeune archiduc Joseph, vint en personne réclamer l'aide de la Hongrie. S'exprimant en latin — la langue officielle du royaume —, elle parla en ces termes aux représentants de la nation : « Il s'agit du royaume de Hongrie, de notre personne, de nos enfants et de la Couronne. Abandonnée de tous, nous cherchons notre unique refuge dans la fidélité des Hongrois et dans leur valeur éprouvée. Menacée d'un péril extrême, nous prions pour notre personne, pour nos enfants, pour la Couronne et pour l'Empire. » Les yeux embués de larmes, elle poursuivit : « Nous vous adjurons de nous porter un secours efficace et sans le moindre retard. » Puis, avec habileté, Marie-Thérèse évoqua les grandes lignes de sa politique à l'égard de la Hongrie : « Pour nous, notre mission est de rétablir la Hongrie et son peuple dans leur ancienne prospérité et la gloire de leur nom. Les États de Hongrie éprouveront en toutes choses les effets de

1. C'est-à-dire la levée en masse.
2. B. Hóman et Gy. Szekfü, *Magyar történet*, *op. cit.*, t. IV, p. 393.
3. *Ibid.*, p. 492-493.

notre bienveillante affection. » Le comte Pálffy qui nous relate la scène dans ses *Mémoires* décrit ainsi l'enthousiasme que les paroles de sa souveraine suscitèrent dans l'assistance : « Nous nous dressâmes d'un bond comme animés d'une seule âme, nous tirâmes nos sabres et nous écriâmes : "*Vitam et sanguinem pro Majestate vostra, rege nostro Maria-Theresia.*" » Dans un vote unanime, les représentants de la nation votèrent la levée de soixante mille hommes ; en fait, ce furent seulement un peu plus de vingt mille hommes qui rejoignirent les rangs de l'armée impériale, et encore seulement au début de 1742 [1]. Lors de cette même séance, le « roi » Marie-Thérèse émit le vœu que son mari François de Lorraine puisse partager avec elle la responsabilité du pouvoir. La Diète acquiesça à sa requête et vota une loi spéciale qui faisait du duc François le « corégent » du royaume. Quelques jours plus tard, le 20 septembre, François de Lorraine prêtait serment de fidélité aux institutions [2]. Marie-Thérèse demeura toujours reconnaissante à la Hongrie et au palatin Pálffy de leur soutien dans les heures difficiles du début de son règne. Dans une lettre de 1744 adressée au comte Pálffy qu'elle appelle son « père », elle écrit : « Vous savez combien grand fut toujours mon amour et ma confiance envers la nation hongroise si chère à mon cœur. »

Quels que soient les effectifs fournis, la décision de la Diète marqua une nouvelle étape dans le renforcement des liens entre la Hongrie et le reste de la monarchie autrichienne. Jusque-là, les soldats hongrois avaient pour mission essentielle la défense du royaume ; avec ce vote de la Diète, ils étaient mis à la disposition du souverain pour défendre la *Gesamtösterreich* [3].

L'aide militaire fournie par la Hongrie s'avérait plus que jamais indispensable. Au cours de l'été 1741, les événements s'étaient précipités. Les Franco-Bavarois, passés à l'offensive dès septembre, avaient occupé Linz et avaient poussé jusqu'à Sankt-Pölten à moins de cent kilomètres de Vienne. Puis le gros des troupes alliées était remonté vers le nord en direction de la Bohême où elles devaient faire leur jonction avec celles de l'allié saxon. Les coalisés avaient pour objectifs Prague et l'installation sur le trône de Bohême de

1. D. G. Mac Guigan, *Les Habsbourg*, *op. cit.*, p. 237, et B. Hóman et Gy. Szekfü, *Magyar történet*, *op. cit.*, t. IV, p. 494-496.
2. Ch. d'Eszlary, *Histoire des institutions publiques hongroises*, *op. cit.*, t. III, p. 56.
3. V. L. Tapié, *Monarchie et peuples du Danube*, *op. cit.*, p. 205.

l'électeur de Bavière. Le 26 novembre, Prague fut prise. Une partie de la Diète de Bohême, principalement les représentants de la petite noblesse, vint prêter hommage au nouveau roi Charles-Albert de Bavière.

L'aristocratie, dans sa grande majorité, était restée fidèle à Marie-Thérèse. L'objectif du nouveau « roi » de Bohême était d'accéder à la dignité impériale. Comme dans le Saint Empire une femme ne pouvait pas être élue, Marie-Thérèse se trouvait *ipso facto* exclue de la compétition : elle aurait souhaité faire désigner comme empereur son mari François de Lorraine. En son temps, Charles VI avait émis le même vœu. En raison des événements de 1740-1741, le Collège électoral était hésitant. Les pressions exercées sur les électeurs par le maréchal de Belle-Isle venu spécialement à Francfort pour les convaincre portèrent leurs fruits. Le 24 janvier 1742, c'est à l'unanimité que le Collège électoral choisit pour succéder à Charles VI son gendre, Charles-Albert de Bavière, qui fut couronné le 12 février suivant sous le nom de Charles VII. La couronne impériale échappait ainsi aux Habsbourg pour la première fois depuis plus de trois siècles. Pour Marie-Thérèse, cette élection était nulle sur le plan juridique puisque l'électeur de Bohême, le pseudo-roi Charles-Albert, était un usurpateur. Mais dans l'immédiat, Marie-Thérèse était confrontée à des problèmes beaucoup plus graves.

En effet, la guerre avait repris en Silésie. Pourtant, en octobre 1741, Marie-Thérèse et Frédéric II avaient conclu l'armistice de Kleinschnellendorf qui laissait la plus grande partie de la Silésie à la Prusse. La divulgation de cet accord qui devait rester secret provoqua une nouvelle guerre. Mais l'arrivée des premiers contingents fournis par la Hongrie modifia le rapport des forces. L'armée impériale fit d'abord porter tous ses efforts à l'ouest. Linz fut repris aux coalisés en janvier 1742, et bientôt toute la Haute-Autriche. Puis, les troupes de Marie-Thérèse commandées par le maréchal Khevenmüller entrèrent en Bavière et firent leur entrée à Munich, le jour même où Charles-Albert était couronné. La cavalerie légère des *Pandours* du baron von Trenk se livra au pillage systématique des campagnes bavaroises. Après avoir obtenu grâce à ses alliés deux couronnes, l'impériale et celle de Bohême, Charles-Albert était sur le point de perdre le contrôle de la terre de ses ancêtres. Ces victoires à l'ouest compensaient mal les échecs subis en Silésie où, le 17 mai 1742, Frédéric II avait remporté une nouvelle victoire à Chotusitz. Marie-Thérèse jugea prudent d'accepter l'offre de médiation anglaise. Les préliminaires de Breslau, confirmés par le traité de Berlin du 28 juillet 1742, donnèrent à Frédéric II le comté de Glatz et toute la Silésie à l'exception des duchés de Teschen, Troppau et Jaegerndorf, ce qui représentait une population de 1,2 million d'habitants sur les 1,4 que comptait la Silésie, et renforçait considérablement la puissance des Hohenzollern. La Saxe à son tour se détacha de la coalition et signa la paix avec Marie-Thérèse en septembre 1742 [1].

Pour Marie-Thérèse, la paix avec la Prusse n'était rien d'autre qu'une trêve destinée à lui permettre de refaire ses forces. Elle eut ainsi la possibilité de concentrer ses troupes pour la reconquête de la Bohême. Dès juin 1742, les armées autrichiennes commencèrent le siège de Prague défendu par le maréchal de Belle-Isle. Par un coup d'audace, Belle-Isle réussit le 1er décembre à faire sortir de la ville la plus grande partie de ses troupes ; le reste de la garnison commandée par le colonel Chevert quitta Prague le 1er janvier 1743, la tête haute et avec les honneurs de la guerre, à la suite d'un accord passé avec les assiégeants. Marie-Thérèse, grâce aux renforts fournis par la Hongrie, put reprendre possession de la Bohême et se rendit personnellement à Prague à la fin d'avril. La répression qui s'abattit sur l'élite bohême qui avait trahi la souveraine fut modérée : quelques condamnations à mort mais aucune exécution, des nobles exilés sur leur domaine puis bientôt amnistiés. En agissant ainsi, Marie-Thérèse avait fait preuve d'une grande sagesse politique et s'était comportée en véritable « homme d'État » ; elle justifiait de la sorte l'expression *clementia austriaca* [2]. Le 12 mai 1742, Marie-Thérèse se fit couronner « reine de Bohême » par l'archevêque d'Olmütz (Olomouc) et s'engagea par serment à respecter les droits et privilèges des États de Bohême, à « ne rien aliéner du territoire du royaume », mais au contraire à « l'agrandir selon ses moyens » [3].

La guerre contre les Franco-Bavarois prit une nouvelle dimension avec l'intervention de George II, roi d'Angleterre mais aussi électeur de Hanovre. Ses troupes chassèrent d'Allemagne celles de Louis XV, après leur victoire de Dettingen, sur le Main, le

1. E. Zöllner, *Histoire de l'Autriche des origines à nos jours*, *op. cit.*, p. 285-286.
2. A. Reszler, *Le Génie de l'Autriche-Hongrie*, Genève, 2001, p. 22.
3. J.-P. Bled, *Marie-Thérèse d'Autriche*, *op. cit.*, p. 107-108.

27 juin 1743. Les troupes de Marie-Thérèse réapparurent en Bavière et poussèrent jusqu'au Rhin. Frédéric II, inquiet de ce rapide redressement autrichien, chercha à renouer avec la France et renouvela en juin 1744 l'alliance de Nymphenburg. Son armée tenta d'envahir la Bohême mais fut arrêtée par les Saxons passés dans le camp de Marie-Thérèse.

La mort de Charles VII, le 20 janvier 1745, mit fin aux espoirs de la France d'évincer les Habsbourg du trône impérial. Son fils, le duc Maximilien de Bavière, préféra se réconcilier avec Marie-Thérèse et, par le traité de Füssen du 22 avril, il s'engagea à donner sa voix à l'époux de Marie-Thérèse lors de la prochaine élection impériale : en échange, ses possessions lui étaient rendues. La décision de Maximilien entraîna celle des autres membres du Collège électoral. Le 13 septembre 1745, François de Lorraine fut élu empereur sous le nom de François Ier ; il devint ainsi le fondateur de la nouvelle dynastie des Habsbourg-Lorraine. Les Habsbourg récupéraient le trône impérial : si François de Lorraine n'était pas un Habsbourg, son fils, le futur Joseph II, représentait la continuité de la dynastie.

Restait à régler la question de la Silésie, si chère au cœur de Marie-Thérèse. Les nouvelles victoires de Frédéric II à l'automne de 1745 le mirent en position de force pour imposer ses conditions lors des pourparlers de paix. La paix de Dresde du 21 décembre 1745 reprit dans ses grandes lignes les termes du traité de Berlin : la Silésie était définitivement perdue pour Marie-Thérèse. En revanche, Frédéric II reconnut sans difficulté François Ier comme empereur. En attaquant Marie-Thérèse, le roi de Prusse n'avait en aucune façon voulu attenter aux « droits » des Habsbourg sur la couronne impériale ; dans l'immédiat, seule la riche Silésie l'intéressait et il avait su utiliser les circonstances favorables qui s'étaient offertes à lui au moment où la monarchie autrichienne se trouvait affaiblie par la mort de Charles VI. Les dernières péripéties de la guerre de Succession d'Autriche se déroulèrent hors du territoire allemand et opposèrent la France et le Royaume-Uni. La paix d'Aix-la-Chapelle qui mit fin officiellement au conflit en 1748 reconnut enfin la Pragmatique Sanction de 1713, mais au prix de la renonciation à la Silésie et de la cession à l'infant don Philippe, gendre de Louis XV, des duchés de Parme et de Plaisance.

Marie-Thérèse et la guerre de Sept Ans (1756-1763)

La paix fut de courte durée, mais ce bref répit permit à Marie-Thérèse de mettre en route une série de réformes afin de restaurer les finances et de permettre la constitution d'une armée plus efficace et mieux équipée. Ce plan de réformes sur lequel nous reviendrons plus loin fut l'œuvre du comte Haugwitz.

La situation internationale était cependant loin d'être apaisée. Marie-Thérèse, dont le prestige à l'intérieur du Saint Empire avait été rehaussé par l'élection de son mari à la dignité impériale, n'avait toujours pas renoncé à la Silésie. Sur le conseil du comte Kaunitz, un jeune et brillant diplomate qui avait représenté l'Autriche aux négociations de la paix d'Aix-la-Chapelle, Marie-Thérèse repoussa les offres d'alliance de l'Angleterre ; pour Kaunitz en effet, l'Angleterre, uniquement préoccupée par sa rivalité coloniale et maritime avec la France, ne ferait rien pour aider l'Autriche à récupérer la Silésie. Dès 1749, il se fit le défenseur de l'idée d'un rapprochement avec la France et d'un renversement des alliances. Pour lui, « l'ennemi le plus grand, le plus dangereux et le plus irréductible » des Habsbourg était le roi de Prusse [1].

L'Autriche, officiellement du moins, demeurait l'alliée de Londres, mais lorsque, en mars 1755, le gouvernement anglais lui demanda de renforcer sa présence militaire aux Pays-Bas dans la perspective d'un nouveau conflit franco-anglais, Kaunitz qui dirigeait maintenant la politique étrangère de Vienne fit une réponse dilatoire. Londres se tourna vers Frédéric II, et ce rapprochement entre le Royaume-Uni et la Prusse confirma Kaunitz dans ses projets d'éventuelle alliance avec la France. La signature le 16 janvier 1756 du traité de Westminster entre l'Angleterre et la Prusse poussa la France à donner suite aux avances de l'Autriche. Le 1er mai 1756, les deux pays signèrent le traité de Versailles, à la fois convention de neutralité en cas de conflit avec des tiers et alliance défensive [2].

Dès le mois d'août suivant, Frédéric II ouvrait les hostilités en attaquant la Saxe désormais alliée de l'Autriche, tandis que dans les colonies et sur mer, Français et Anglais s'affrontaient. Face aux Anglo-Prussiens, Louis XV tomba d'accord avec Kaunitz pour

1. J.-P. Bled, *Marie-Thérèse d'Autriche*, *op. cit.*, p. 174-175.
2. *Ibid.*, p. 196-198.

transformer l'alliance défensive en alliance offensive : le traité du 1er mai 1757 entre les deux nouveaux alliés envisagea même le démembrement de la Prusse et la restitution de la Silésie à l'Autriche. Frédéric II venait de lancer ses troupes sur la Bohême, s'emparant même un court moment de Prague, mais il fut finalement battu à Kolin le 18 juin 1757 par une armée autrichienne de secours commandée par le maréchal Daun. En souvenir de cette victoire, la souveraine créa l'ordre de Marie-Thérèse qui demeura jusqu'en 1918 la plus haute décoration militaire autrichienne et dont le maréchal Daun fut fait grand-croix[1].

Peu après, les Autrichiens réapparurent en Silésie, tandis que Frédéric II devait faire face à une attaque conjuguée des Suédois au nord et des Russes à l'est. Une action audacieuse permit même à une unité des hussards hongrois du comte Hadik d'entrer par surprise à Berlin le 16 octobre 1757[2]. Mais Frédéric II était loin d'être battu ; la victoire de Leuthen le 5 décembre suivant lui permit de reconquérir la Silésie. De son côté, l'armée anglo-hanovrienne repoussait vers le Rhin les dernières troupes françaises présentes en Allemagne. Cependant, les succès de Frédéric II étaient moins nets qu'auparavant et il lui fallait compter avec les Russes qui en 1758 s'emparèrent même de Königsberg et poussèrent jusqu'à l'Oder où Frédéric parvint à les arrêter. L'année suivante, Frédéric II était à nouveau battu par le maréchal Daun à Kunersdorf le 12 août, mais l'absence d'entente entre les Autrichiens et les Russes lui permit de redresser la situation, en dépit d'une nouvelle attaque des Russes qui occupèrent même Berlin en septembre-octobre 1760. L'avènement en 1762 de Pierre III, marié à Catherine d'Anhalt-Zerbst — la future Catherine II — détacha la Russie de l'alliance autrichienne ; la Suède fit de même si bien que Frédéric II, confronté désormais à la seule Autriche, put réoccuper la Silésie dès l'automne 1762. Marie-Thérèse, une fois de plus, dut se résigner à négocier avec son vieil ennemi. La paix de Hubertsburg du 15 janvier 1763 laissait la Silésie entre les mains de Frédéric II, mais celui-ci s'engageait à donner sa voix à l'archiduc Joseph, le fils aîné de Marie-Thérèse, lors de l'élection impériale[3].

1. E. Zöllner, *Histoire de l'Autriche des origines à nos jours*, *op. cit.*, p. 288 et suiv.

2. B. Hóman et Gy. Szekfü, *Magyar történet*, *op. cit.*, t. IV, p. 499.

3. Déjà roi des Romains depuis 1764, l'archiduc Joseph deviendra empereur à la mort de son père François Ier le 18 août 1765 et exercera le pouvoir conjointement avec sa mère en tant que « corégent ».

Malgré tout, la situation de l'Autriche était meilleure qu'en 1748 : elle avait certes subi des défaites mais elle avait aussi remporté des victoires, et, surtout, Frédéric II sortait très affaibli de cette guerre. La Prusse et le Brandebourg avaient été dévastés et les finances étaient en très mauvais état. Désormais, le roi de Prusse cherchera à éviter tout conflit avec l'Autriche, et c'est en accord avec elle et la Russie qu'il participera en août 1772 au premier partage de la Pologne. L'Autriche y obtint les royaumes de Galicie et de Lodomérie avec Lemberg (Lwow, Lviv) comme capitale, de riches régions agricoles peuplées de Polonais et de Ruthènes (Ukrainiens), ce qui compliquait encore le puzzle ethnique de la monarchie habsbourgeoise [1].

Marie-Thérèse et la modernisation de la monarchie habsbourgeoise

Charles VI avait en son temps entamé timidement quelques réformes destinées à rendre plus efficace l'administration de ses États. C'est à Marie-Thérèse cependant que revient le mérite d'avoir mis en route le processus d'entrée de l'Autriche dans la modernité. Les graves difficultés auxquelles elle avait dû faire face dans les premières années de son règne la convainquirent de la nécessité d'agir rapidement. À son avènement, l'armée, nombreuse par ses effectifs, était souvent mal encadrée et mal équipée ; les finances n'étaient guère mieux loties avec un déficit permanent qu'avait encore accentué le coût des guerres de Charles VI. La guerre de Succession d'Autriche retarda la mise en route des réformes, mais elle rendit encore plus impérieuse la nécessité de les réaliser.

La volonté de réformer la monarchie n'était pas inspirée par l'esprit du temps. L'idéologie des Lumières commençait lentement à se diffuser chez les élites européennes. Marie-Thérèse voulait entreprendre des réformes pour doter la monarchie habsbourgeoise des moyens de se défendre contre ses adversaires, mais, dans son esprit, il fallait également tenir compte des intérêts de ses peuples, respecter leur autonomie et les particularismes locaux.

Très significative de ce réalisme politique fut la stratégie adoptée dans les régions périphériques, notamment aux Pays-Bas devenus autrichiens en 1714 et en Hongrie. Aux Pays-Bas, Marie-Thérèse

1. E. Zöllner, *Histoire de l'Autriche des origines à nos jours*, *op. cit.*, p. 291.

suivit la politique traditionnelle des Habsbourg et confia à des princes proches de sa Maison le soin de la représenter. À l'archiduchesse Marie-Élisabeth, sœur de Charles VI, succéda en 1744 comme gouverneur Charles de Lorraine, frère de son mari ; ce fut « un prince loyal et bienveillant » qui maintint en place les institutions traditionnelles et qui gouverna de concert avec les États-Généraux et les États provinciaux, allant même jusqu'à s'opposer aux directives de Kaunitz visant à renforcer le pouvoir central. Pour les habitants des Pays-Bas, le règne de Marie-Thérèse fut une période faste où les relations entre la population et le gouverneur furent harmonieuses ; il est vrai que, comme le remarquait Charles de Lorraine dans une lettre à Marie-Thérèse, « ces pays-ci sont très faciles à gouverner avec de la douceur[1] ». De même, en Hongrie Marie-Thérèse ne changea rien aux institutions traditionnelles et, conformément aux engagements pris par ses prédécesseurs, elle respecta le libre exercice du culte pour ses sujets de religion non catholique, bien que personnellement, elle n'éprouvât guère de sympathie pour les protestants. Son attitude bienveillante à l'égard de la Hongrie s'explique en grande partie par l'aide que la Diète hongroise lui avait accordée dans les moments difficiles. Marie-Thérèse témoigna sa reconnaissance par quelques gestes symboliques qui allèrent droit au cœur de ses sujets. C'est ainsi qu'en 1771, elle fit transférer à Buda le reliquaire contenant la « Sainte Dextre », la main droite du premier roi saint Étienne, qui se trouvait jusque-là conservée à Raguse (Dubrovnik), et décida que désormais le 20 août, jour de la Saint-Étienne, serait fête officielle[2]. Tout comme elle avait en 1748 chargé un magnat hongrois, le maréchal comte Batthyány, de veiller à l'éducation du prince héritier, le futur Joseph II[3]. C'est aussi à un corps d'élite de hussards hongrois qu'elle confia le soin d'assurer sa propre garde à Vienne et cette garde noble hongroise avec ses uniformes rutilants devait conserver cette mission jusqu'en 1918. Marie-Thérèse reprit l'ancien titre de « roi apostolique » que les souverains hongrois avaient longtemps porté et ce droit lui fut reconnu en 1758 par le pape Clément XIII[4]. En revanche, en Transylvanie, elle s'opposa fermement au rattache-

1. F. Van Kalken, *Histoire de la Belgique et de son expansion coloniale*, *op. cit.*, p. 430 et suiv.
2. Ch. d'Eszlary, *Histoire des institutions publiques hongroises*, *op. cit.*, t. III, p. 50.
3. J.-P. Bled, *Marie-Thérèse d'Autriche*, *op. cit.*, p. 311 et suiv.
4. B. Hóman et Gy. Szekfü, *Magyar történet*, *op. cit.*, t. IV, p. 499.

ment de la province à la Hongrie comme le lui demandait la noblesse hongroise depuis 1741 ; elle entendait préserver le caractère particulier de cette principauté où, à côté des Hongrois, vivaient des Allemands et des Roumains. Marie-Thérèse y favorisa l'émergence d'une Église catholique de rite grec qualifiée d'« uniate » depuis son ralliement à Rome au début du XVIIIe siècle, malgré les réticences de la Diète de Transylvanie. Les uniates, dans leur majorité, étaient roumains et leur évêque Micu-Klein aurait voulu obtenir de la souveraine l'entrée des nobles roumains uniates en tant que tels à la Diète transylvaine. Mais Marie-Thérèse, pour ne pas heurter les sentiments des Hongrois, s'opposa à cette demande. La majorité des Roumains de Transylvanie était demeurée fidèle à la foi orthodoxe, considérée comme « religion tolérée » alors que le catholicisme de rite latin ou grec ainsi que les différentes confessions protestantes bénéficiaient du « statut de religion reconnue [1] ». C'est avec ce subtil dosage de concessions et de privilèges que Marie-Thérèse et les Habsbourg en général parvinrent à maintenir un climat de paix civile entre les différentes nationalités, au moins jusqu'à ce que le démon du nationalisme ne remette en question ce fragile équilibre au XIXe siècle.

En excluant du champ d'application des réformes la Hongrie et les Pays-Bas, Marie-Thérèse faisait preuve d'une clairvoyance politique incontestable ; elle voulait éviter des complications avec des peuples qui, à plusieurs reprises dans un passé plus ou moins récent, n'avaient pas hésité à prendre les armes pour défendre leurs droits et privilèges ; mais elle ne désespérait pas d'y introduire par touches successives et en douceur les réformes qu'elle était en train de mettre en œuvre en Autriche et en Bohême.

Les réformes envisagées par Marie-Thérèse visaient un double objectif : unifier les différentes parties de la monarchie autrichienne afin de pouvoir mieux en assurer la défense, et si possible récupérer la Silésie. Dès 1747, la reine chargea un Saxon, le comte Haugwitz, de lui soumettre un plan de réformes destinées à financer l'entretien d'une armée de cent huit mille hommes ; elle avait autrefois apprécié ses services dans la mission qu'elle lui avait confiée d'abord en Silésie, puis en Carinthie et en Carniole. Malgré l'opposition du chancelier de Bohême, le comte Harrach, et de la plupart des membres de la *Geheime Konferenz*, véritable conseil privé du souverain, Marie-Thérèse accepta le plan proposé par Haugwitz le

1. L. Makkai, *Histoire de Transylvanie*, *op. cit.*, p. 272 et suiv.

29 janvier 1748. On comprend l'attitude des adversaires de celui-ci, car les réformes qu'il proposait enlevaient à l'aristocratie une partie de ses pouvoirs dans l'administration. Fort de l'appui de Marie-Thérèse et malgré les tentatives de sabotage de la part des autorités locales, Haugwitz mit aussitôt en application son plan de réformes.

La première réforme concerna le système judiciaire. La justice fut séparée de l'administration avec la création d'une Cour suprême de justice (*Oberste Justizkammer*) et les paysans purent désormais faire appel des jugements rendus par les tribunaux seigneuriaux devant la justice impériale[1].

La réforme principale visait l'administration politique et financière des pays autrichiens et de la Bohême avec la création d'un Directoire, le *Directorium in publicis et cameralibus*, dirigé par Haugwitz lui-même, et dont dépendaient les États et les Diètes qui perdaient ainsi une partie de leurs pouvoirs. Le rôle des États et des Diètes se limitait à voter une contribution forfaitaire pour dix ans destinée à financer l'entretien de l'armée permanente[2]. Les pouvoirs administratifs enlevés aux États et aux Diètes furent désormais exercés par des représentants du pouvoir central dans le cadre d'une nouvelle unité administrative, le cercle (*Kreis*), à la tête de laquelle se trouvait le capitaine de cercle (*Kreislandeshauptmann*), assisté de ses agents. Au début, le capitaine de cercle devait veiller à la répartition et à la perception de la contribution militaire. Par la suite, il devint une sorte de préfet nommé par l'État et rémunéré par lui. Grâce au cadastre concernant les terres paysannes (*rustical*), achevé en 1749, et à celui des réserves seigneuriales (*dominical*), l'administration eut entre les mains un instrument de travail fiable.

Au niveau de l'administration centrale, Haugwitz modifia le système des chancelleries ; celle de Bohême fut supprimée et intégrée à la chancellerie d'Autriche, mesure considérée plus tard — et à tort — par les historiens tchèques comme la fin de l'indépendance de l'État bohême. En fait, il s'agissait plutôt de l'intégration administrative de la Bohême dans l'ensemble autrichien, sans pour autant que le caractère particulier du royaume de saint Venceslas ne fût remis en cause[3].

1. J. Bérenger, *Histoire de l'Empire des Habsbourg*, *op. cit.*, p. 468.
2. E. Zöllner, *Histoire de l'Autriche des origines à nos jours*, *op. cit.*, p. 293, et J. Bérenger, *Histoire de l'Autriche*, *op. cit.*, p. 38-39.
3. V. L. Tapié, *Monarchie et peuples du Danube*, *op. cit.*, p. 212.

La mise en place de ces réformes se traduisit par une augmentation sensible du nombre des fonctionnaires qui quadrupla au cours du règne de Marie-Thérèse : en 1780, le nombre des serviteurs de l'État atteignait le chiffre considérable pour l'époque de vingt mille [1].

Kaunitz, qui depuis 1753 dirigeait la politique extérieure de l'Autriche, estimait que les réformes de Haugwitz n'avaient pas permis de régler tous les problèmes financiers, et que de nouvelles réformes devaient être envisagées faute de quoi l'État se trouverait en état de cessation de paiement. À la demande de Kaunitz, Marie-Thérèse décida de séparer les finances de l'administration. Les finances furent placées sous le contrôle de la Cour des comptes aulique (*Hofrechnungskammer*) qui exerçait son autorité sur la *Hofkammer*, responsable de l'administration des finances, et sur la *GeneralKasse*, chargée de la comptabilité [2]. Puis, le 23 décembre 1760, le Directoire fut supprimé tandis que l'administration était rattachée à la chancellerie d'Autriche-Bohême. Le pouvoir central fut renforcé avec la création du Conseil d'État (*Staatsrat*) dont la première séance se tint le 26 janvier 1761. Le Conseil d'État reprenait l'essentiel des fonctions de la Conférence secrète et devait veiller à la coordination du travail des différentes divisions administratives : ses membres, six au début puis huit, étaient payés par l'État. Kaunitz en tant que chancelier, responsable de la politique extérieure, y siégeait et fut de fait le véritable Premier ministre sans en porter le titre. À côté de lui, on trouvait entre autres le maréchal Daun et le comte Haugwitz [3]. Le Conseil d'État supervisait l'action des six ministères collégiaux qui furent créés en 1762, présidés par un ministre en relation permanente avec le Conseil d'État. Assisté d'une bureaucratie nombreuse, ce Conseil d'État était en fait le véritable gouvernement de la monarchie habsbourgeoise [4]. Ce système collégial devait perdurer jusqu'en 1848.

L'administration provinciale subit également les effets du plan Kaunitz. On mit en place dans toutes les provinces austro-bohêmes un gouvernement désigné sous des noms divers, *Gubernium* dans le royaume de Bohême, *Regierung* en Haute-Autriche, etc. Ce

1. J. Bérenger, *Histoire de l'Empire des Habsbourg*, *op. cit.*, p. 468.
2. V. L. Tapié, *Monarchie et peuples du Danube*, *op. cit.*, p. 218.
3. J.-P. Bled, *Marie-Thérèse d'Autriche*, *op. cit.*, p. 236-240.
4. J. Bérenger, *Histoire de l'Empire des Habsbourg*, *op. cit.*, p. 490-491, et E. Zöllner, *Histoire de l'Autriche des origines à nos jours*, *op. cit.*, p. 299.

gouvernement était présidé par un membre de la haute noblesse locale et exerçait le pouvoir administratif au nom du souverain[1].

Telles étaient les grandes réformes politiques sur lesquelles comptait Marie-Thérèse pour construire une monarchie autrichienne moderne.

Marie-Thérèse au service de la culture et de la société

Le règne de Marie-Thérèse coïncide avec une période d'intense renouveau intellectuel, favorisé à la fois par la politique de la souveraine et par l'ouverture grandissante de l'Autriche aux influences extérieures. L'apport des Lumières, de l'*Aufklärung*, n'est pas à négliger, mais il fut relativement modeste. Vienne, avec ses deux cent mille habitants à la fin du règne de Marie-Thérèse, est devenu une véritable capitale, riche par la diversité du style de ses monuments ; c'est le principal centre de la vie culturelle dans le Saint Empire.

L'intérêt de Marie-Thérèse pour les choses de l'esprit s'est manifesté sous plusieurs formes et les motivations qui l'ont inspirée sont diverses. Il y a d'abord des raisons politiques. Les réformes mises en œuvre par Haugwitz et Kaunitz ne pouvaient être menées à bien que si l'on disposait d'hommes compétents pour les appliquer, d'où l'intérêt porté par la souveraine à l'enseignement, et principalement à celui destiné aux élites. Plusieurs créations importantes illustrent ce désir de Marie-Thérèse de donner à l'État le haut personnel dont il avait besoin. Ce fut d'abord le soutien donné aux jésuites lorsqu'ils créèrent en 1746 leur collège à Vienne : on y enseignait l'histoire, les langues vivantes et le droit en tout premier lieu. Cette institution dont les élèves étaient pour la plupart issus de la petite ou de la moyenne noblesse prit bientôt le nom de *Collegium Theresianum* ou plus simplement celui de *Theresianum*, et devait fournir à l'État des générations de hauts fonctionnaires civils. Puis, en 1754, Marie-Thérèse supervisa l'ouverture d'une Académie orientale destinée à fournir à l'Autriche un personnel diplomatique capable d'agir sur le terrain grâce à une bonne connaissance des langues et des civilisations des Balkans et du Proche-Orient. Enfin, pour la formation des cadres de l'armée, Marie-Thérèse fut à l'origine de la création en 1751 de l'Académie militaire de Wiener Neustadt dont le premier directeur fut le maréchal Daun, complétée

1. V. L. Tapié, *Monarchie et peuples du Danube*, *op. cit.*, p. 218.

en 1753 par une Académie d'ingénieurs destinée à former des officiers du génie[1].

L'intérêt de Marie-Thérèse pour l'enseignement n'était pas seulement dicté par la nécessité de former des serviteurs efficaces de l'État. Il y eut aussi de sa part une volonté incontestable d'élever le niveau culturel de ses peuples. La réforme scolaire de 1774 mise en œuvre à sa demande par le prélat Ignace Felbiger est intervenue après la dissolution par le pape Clément XIV de l'ordre des Jésuites qui occupait une place dominante dans l'enseignement secondaire ; d'autres ordres les remplacèrent, en particulier les piaristes dont l'enseignement était plus moderne. Marie-Thérèse s'opposa sur ce point à Kaunitz qui aurait voulu exclure les prêtres et les religieux de l'enseignement. La réforme de 1774 ne s'appliqua pas aux Pays-Bas qui disposaient déjà d'un système d'enseignement de haut niveau, et cela depuis longtemps. Partout ailleurs, elle prévoyait la création d'écoles élémentaires où des maîtres salariés de l'État donneraient aux enfants un enseignement de base reposant sur la lecture, l'écriture et le calcul ; les seigneurs et les responsables des paroisses étaient encouragés à créer de nouvelles écoles. La formation des maîtres devait être assurée par la création d'écoles normales dans chaque province. Les biens des jésuites saisis par l'État serviraient à financer cette réforme. En Hongrie, on appliqua la réforme en accord avec la Diète ; en 1770, il y avait environ 4 000 écoles pour 18 700 villes et villages, dix ans plus tard il y en avait plus de 5 000[2].

Marie-Thérèse, qui prit vite conscience du taux élevé de mortalité dans les États, porta un intérêt particulier à l'amélioration de la formation du corps médical. À cet effet, dès 1749, elle avait confié à son médecin personnel, un Hollandais converti au catholicisme, Gerard Van Swieten, qui enseignait à la faculté de médecine de Vienne, le soin de réformer l'enseignement de la médecine. Cet enseignement fut soumis au contrôle de l'État et on ajouta à la faculté de nouvelles chaires en chirurgie, botanique et pharmacie[3]. Dans le même élan, une école vétérinaire fut fondée à Vienne en 1766. Marie-Thérèse dota la Hongrie de sa première faculté de

1. J.-P. Bled, *Marie-Thérèse d'Autriche*, *op. cit.*, p. 147 et suiv.
2. *Ibid.*, p. 364 et suiv., et B. Hóman et Gy. Szekfü, *Magyar történet*, *op. cit.*, t. IV, p. 528 et 560-561.
3. J. Bérenger, *Histoire de l'Autriche*, *op. cit.*, p. 41.

médecine en 1769, dans le cadre de l'université de Nagyszombat (Tirnava), et confia à Van Swieten la mission de l'organiser[1].

Dans toutes ces mesures, Marie-Thérèse s'était personnellement impliquée et elle avait montré qu'elle entendait exercer son contrôle. Elle n'alla pas aussi loin dans le domaine religieux. Ici la situation était beaucoup plus complexe, car Marie-Thérèse régnait sur des sujets de confessions différentes. Il y avait des orthodoxes aux confins méridionaux et orientaux de l'Empire, et des protestants avec des statuts différents selon qu'ils vivaient en Hongrie et en Transylvanie où ils jouissaient d'une totale liberté de culte, ou bien dans le bloc austro-bohême où le protestantisme était officiellement hors-la-loi. On vit même Marie-Thérèse ordonner le transfert en Transylvanie d'un groupe clandestin de protestants découvert en Haute-Autriche. La souveraine était profondément hostile aux juifs et estimait que son devoir de bonne catholique était de les chasser de ses États. Elle décida de s'attaquer en premier lieu aux juifs de Bohême, notamment à ceux de Prague qui durent quitter temporairement la ville : Marie-Thérèse les accusa d'avoir pris le parti de Frédéric II. En revanche, les juifs de Vienne ne furent guère inquiétés[2].

Comme la majorité de ses sujets, Marie-Thérèse était catholique, une fervente catholique même. On pouvait à ce titre la considérer comme une illustration vivante de la *pietas habsburgica*. Cependant, la reine n'était pas pour autant décidée à renoncer à ses droits régaliens ; au contraire, elle entendit, avec prudence et souplesse, renforcer le contrôle de l'État sur l'Église. Après avoir eu pour précepteurs des jésuites, elle subit par la suite l'influence des idées jansénistes par l'intermédiaire de son entourage et de la Cour. Son médecin Van Swieten était janséniste, tout comme son confesseur le père Ignace Muller[3]. Marie-Thérèse subit également l'influence des deux archevêques successifs de Vienne, Trautson et Migazzi, deux prélats réformateurs et proches des idées « gallicanes », inquiets de la trop grande place tenue par les jésuites. Sous leur influence, Marie-Thérèse retira aux jésuites leur monopole sur la censure qui fut confiée désormais à une commission présidée par Van Swieten. La souveraine ne voulait cependant pas prendre le

1. B. Hóman et Gy. Szekfü, *Magyar történet*, *op. cit.*, t. IV, p. 518.
2. W.-O. Mac Cagg Jr, *Les Juifs des Habsbourg*, Paris, 1996, p. 43-44.
3. E Zöllner, *Histoire de l'Autriche des origines à nos jours*, *op. cit.*, p. 294-295.

risque de s'engager dans un conflit avec Rome. C'est par la négociation qu'elle obtint du pape des concessions non négligeables. Benoît XIV lui donna ainsi son accord pour la création d'un évêché à Gorizia dont le territoire était jusqu'alors rattaché au patriarcat d'Aquilée qui relevait de Venise ; de même, Marie-Thérèse s'entendit avec le pape pour diminuer le nombre des fêtes religieuses chômées. Pour les questions dépendant directement de son autorité, la reine entendit faire respecter ses droits. C'est ainsi que l'Église perdit ses privilèges fiscaux et les propriétés ecclésiastiques furent soumises à l'impôt pour l'armée au même titre que les propriétés laïques, de même que les relations entre le clergé et la papauté furent soumises à l'obligation du *placet royal*[1]. Le chancelier Kaunitz, soutenu par Joseph II devenu corégent en 1765, aurait voulu aller beaucoup plus loin et domestiquer l'Église comme cela venait de se produire en Lombardie avec la dissolution de la plupart des ordres religieux et la confiscation de leurs biens. Marie-Thérèse s'y opposa catégoriquement, bien qu'en son temps, son défunt époux lui eût donné des conseils identiques ; il est vrai que l'empereur François Ier n'éprouvait pas à l'égard du catholicisme le même zèle que son épouse et protégeait même les francs-maçons qui avaient ouvert à Vienne leur première loge dès 1742.

Le désir de renforcer la puissance de la monarchie autrichienne se retrouve dans la volonté de développer l'économie de ses États. Dans l'ensemble austro-bohême, on assiste à un développement des activités industrielles notamment. C'est le cas à Vienne où les industries de luxe, soierie, porcelaine, sont en pleine essor à côté des industries de consommation nécessaires à une ville dont la population ne cessait d'augmenter. En Bohême, l'aristocratie foncière installe dans ses domaines des manufactures : c'est ainsi que le comte Kinsky crée deux minoteries. En Bohême, en Haute et Basse-Autriche, l'industrie textile est en plein essor. Malgré Kaunitz, favorable à une ouverture du marché sur l'extérieur, le Conseil du commerce créé en 1761 resta fidèle au protectionnisme et à la politique d'interdiction. Cependant, l'agriculture demeurait le principal secteur d'activité. Marie-Thérèse tenta d'améliorer la condition des paysans qui, dans le cadre du régime seigneurial, subissaient la lourde charge de la corvée, et s'efforça de la réglementer. En Hongrie, la situation était différente. Une partie du pays

1. J.-P. Bled, *Marie-Thérèse d'Autriche*, *op. cit.*, p. 163-165.

avait été dépeuplée après plus d'un siècle et demi de domination ottomane. Poursuivant la politique de colonisation menée par Léopold Ier et Charles VI, Marie-Thérèse favorisa l'établissement de nouveaux habitants, notamment dans le Banat de Temesvár (Timisoara) ; pour les inciter à venir, on leur accorda de substantielles exemptions fiscales. Toutes les régions du Saint Empire ont fourni des colons, principalement l'Allemagne du Sud-Ouest, la Lorraine et même l'Alsace ; tous furent désignés en Hongrie sous le nom de « Souabes » (*Svábok*). Selon les estimations, la population de la Hongrie au sens large du mot aurait été de l'ordre de 4 100 000 habitants en 1723 ; elle atteignit le chiffre de 8 356 000 au recensement de 1787, mais la politique de repeuplement n'explique pas tout. Le retour à la paix et les progrès de l'agriculture provoquèrent une diminution de la mortalité [1]. En Hongrie, où l'agriculture était de loin la principale activité, Marie-Thérèse tenta d'imposer l'abaissement du poids de la corvée, mais elle se heurta à une vive opposition de l'aristocratie. Il faudra attendre Joseph II pour que le sort des paysans connaisse un début d'amélioration.

Malgré le poids de ses responsabilités, la reine ne resta pas indifférente à la vie artistique de son temps. Comme beaucoup de Habsbourg, elle s'intéressait au chant et à la musique. Elle-même chantait en s'accompagnant à la contrebasse, tandis que son mari jouait du violon. Le futur Joseph II, lui, penchait plutôt pour le clavecin et le violoncelle. Les musiciens célèbres de passage à Vienne étaient reçus avec égards à la Cour. Le 5 mai 1762, c'est devant la Cour que Glück présenta à la famille impériale son *Orphée et Eurydice*. En cette même année, la famille Mozart fut reçue à Schönbrunn, la résidence favorite de Marie-Thérèse. On ne peut manquer d'évoquer la scène touchante où le jeune Wolfgang Mozart, alors âgé de six ans et déjà considéré comme un petit prodige, s'assit sur les genoux de Marie-Thérèse et lui déclara : « Mon impératrice, tu es la plus belle femme que j'aie jamais vue. » Puis, après que l'enfant se fut installé au piano et eut joué et rejoué sous les applaudissements de la famille impériale, Marie-Thérèse, mue par son instinct maternel, pria que l'on laisse tranquille le jeune artiste et demanda à ses plus jeunes filles, Marie-Caroline et Marie-Antoinette, guère plus âgées que le petit Mozart, de lui faire visiter le palais. Puis les trois enfants se mirent à jouer. Le jeune Mozart,

1. J. Kovacsics, *Magyarország történeti demográfiája* (Démographie historique de la Hongrie), Budapest, 1963, p. 159.

qui était tombé au cours d'une partie de colin-maillard avec les deux jeunes archiduchesses, fut relevé par Marie-Antoinette qui s'efforça de le consoler. Et le jeune garçon de lui déclarer : « Tu es bonne et gentille... Veux-tu être ma femme quand je serai grand[1] ? »

À côté de la Marie-Thérèse véritable « homme d'État », il y avait aussi la Marie-Thérèse, femme et mère, amoureuse de son mari dont la mort en 1765 fut pour elle un drame — elle continua à porter le deuil jusqu'à sa propre mort —, une mère de famille qui veillait scrupuleusement à la bonne éducation de ses enfants et cela parfois avec sévérité, surtout quand il s'agissait de l'archiduc héritier Joseph[2]. Mais dans ce domaine également, selon la tradition des Habsbourg, ses devoirs envers les peuples de son Empire furent toujours placés au premier rang. Comme elle le soulignait dans son *Testament politique* : « Quel que soit l'amour que je porte à ma famille et à mes enfants, quels que soient les efforts, les soucis, les soins et le travail que je suis prête à leur donner sans compter, je leur aurais pourtant préféré, sans hésiter, le bien du pays si, en conscience, j'avais été persuadée que j'eusse pu le servir, ou que le bien-être de mes peuples l'exigeait, étant donné que je suis la mère de tous et celle de mon pays[3]. »

1. B. Pierre, *Le Roman du Danube*, *op. cit.*, p. 103-104, et D. G. Mac Guigan, *Les Habsbourg*, *op. cit.*, p. 241.
2. D. G. Mac Guigan, *ibid.*, p. 248-249.
3. A. Wandruszka, *The House of Habsburg*, New York, 1964, p. 148.

15

Joseph II, l'empereur philosophe

La succession qui s'ouvrit le 28 novembre 1780 avec la mort de Marie-Thérèse ne suscita aucune contestation comme cela avait été le cas en 1740 au moment de la mort de Charles VI. Joseph II, le fils de Marie-Thérèse et de l'empereur François Ier, recueillit immédiatement l'héritage des « pays héréditaires » relevant de l'autorité des Habsbourg et fut automatiquement reconnu empereur du Saint Empire puisque son élection en 1764 comme roi des Romains le dispensait d'une nouvelle élection.

Le nouvel empereur avait alors trente-neuf ans. Élevé à la dure par sa mère qui n'hésitait pas à le fouetter elle-même, le jeune archiduc Joseph avait été confié à l'âge de sept ans à un gouverneur, le maréchal Batthyány auquel devait succéder en 1754 le baron Bartenstein, ancien secrétaire de la Conférence secrète. Le programme d'éducation du prince héritier avait été décidé en commun par Marie-Thérèse et son mari : il avait pour objectif de préparer l'héritier des Habsbourg à ses tâches futures. À côté de sa langue maternelle, l'allemand, l'archiduc dut apprendre les deux langues que tout homme cultivé de son temps devait connaître, le français et l'italien, mais aussi les langues parlées par le plus grand nombre de ses sujets non germanophones, le hongrois et le tchèque. Le prince héritier avait aussi reçu une solide formation classique avec l'étude du latin et surtout celle de l'histoire, en particulier celle de la dynastie, sans que fussent pour autant négligées les disciplines scientifiques ainsi que le droit et la connaissance des institutions des différents pays de son futur empire [1].

À sa majorité, le futur empereur fut admis à siéger au Conseil d'État. Déjà à cette époque, il songeait à renforcer la politique de

1. J.-P. Bled, *Marie-Thérèse d'Autriche*, *op. cit.*, p. 311.

centralisation mise en route par Haugwitz puis par Kaunitz, et à « abaisser » les nobles. Après la mort de son père, Joseph II fut associé au pouvoir par sa mère en tant que corégent. Marie-Thérèse cependant, inquiète des idées trop révolutionnaires à ses yeux qu'exprimait avec fougue son fils, ne lui laissa que des responsabilités réduites, ce qui n'alla pas sans provoquer des tensions entre le futur empereur et sa mère. Pour parfaire son information, Joseph II n'hésita pas à se rendre personnellement dans les divers territoires de la monarchie habsbourgeoise, et aussi dans le Saint Empire ; il se rendit également incognito en Italie, en France et en Russie où il fut reçu par Catherine II[1].

C'est donc un prince cultivé, au courant des problèmes de ses États et du Saint Empire, qui en 1780 va devoir assurer seul la responsabilité du pouvoir. C'est aussi un homme de son temps, imprégné de l'idéologie de l'*Aufklärung*.

Le despote éclairé

Les dix années qui vont de la mort de Marie-Thérèse au début de la Révolution française correspondent au règne personnel de Joseph II. Jusque-là, les Lumières avaient été présentes dans la vie culturelle de la société autrichienne, en particulier au sein des élites, mais il fallut attendre le règne de Joseph II pour qu'elles produisent leurs premiers effets au niveau de l'État.

Joseph II, à la différence de sa mère qui était toujours restée attachée aux valeurs traditionnelles, a voulu être un monarque « éclairé », un homme de l'*Aufklärung*, et il s'est efforcé de gouverner la monarchie des Habsbourg selon les principes de ce que l'on a appelé le « despotisme éclairé ». Ce type de gouvernement correspondait à une volonté d'adapter la monarchie absolue traditionnelle à l'esprit nouveau issu des Lumières. Il s'agissait non seulement de « dépoussiérer » le cadre politique ancien — Marie-Thérèse avait déjà œuvré dans cette voie —, mais aussi de le rénover radicalement pour lui substituer un système politique régi par la Raison afin d'assurer, par le progrès, le bonheur de l'individu. On considère traditionnellement Frédéric II de Prusse comme le modèle de « despote éclairé », et ce n'est pas par hasard que Joseph II au cours de ses voyages en Allemagne eut par deux fois, en 1769 et en 1770, l'occasion de le rencontrer, au grand dam de Marie-Thérèse.

1. J.-P. Bled, *Marie-Thérèse d'Autriche*, *op. cit.*

D'autres souverains comme Catherine II de Russie, Charles III d'Espagne, Gustave III de Suède ou Charles-Emmanuel III de Savoie avaient essayé de gouverner leurs États selon les principes de la Raison et sont à ce titre considérés également comme des « despotes éclairés ». En ce sens, Joseph II est un homme de l'Europe des Lumières, inspiré par les philosophes français du XVIIIe siècle ; il a lu avec passion — et dans le texte — l'*Encyclopédie* et les œuvres de D'Alembert. Il est convaincu que la philosophie doit guider la politique du souverain. À ses yeux, l'empereur doit être le premier serviteur de l'État, et pour cela, il doit réformer les structures sociales anciennes et mettre au pas l'Église catholique en la soumettant à l'État. Par rapport aux autres « despotes éclairés » de son temps, Joseph II est sans doute celui qui est allé le plus loin dans la voie des réformes, celui aussi qui a voulu brûler les étapes, « faisant le deuxième pas avant le premier » comme le soulignait Frédéric II [1]. À ce titre, on a pu dire que Joseph II était un « empereur révolutionnaire » pour reprendre l'expression de F. Fejtö [2]. Ses réformes, pas toujours appréciées à leur juste valeur, ont eu au moins le mérite de désamorcer les tensions sociales et d'éviter aux Habsbourg le sort des Bourbons.

Pour réaliser son programme de réformes, Joseph II avait besoin de paix. Il a cherché à éviter les aventures extérieures périlleuses, et, lorsqu'il a tenté de s'y lancer, il n'a pas hésité à faire marche arrière lorsqu'il a pris conscience des risques encourus. En cela, il a suivi la politique traditionnelle des Habsbourg, la recherche d'autres moyens que la guerre pour régler leurs différends avec les autres États. Kaunitz, sous Joseph II, conserva la direction de la politique extérieure. La politique d'alliance avec la France fut maintenue, quitte à renoncer à un projet d'échange des Pays-Bas autrichiens contre la Bavière à la mort du dernier Wittelsbach, Max-Joseph. Après la mort de Frédéric II, Joseph II envisagea un moment de se rapprocher de la Prusse, mais Kaunitz s'y opposa pour ne pas remettre en question les alliances avec la France et la Russie, aux côtés de laquelle il s'engagea en 1788 dans une guerre contre l'Empire ottoman qui se termina l'année suivante par la prise de Belgrade.

La politique extérieure n'occupe pas une place primordiale dans l'œuvre de Joseph II. L'essentiel du règne fut consacré à la

1. E. Zöllner, *Histoire de l'Autriche des origines à nos jours*, *op. cit.*, p. 302.
2. F. Fejtö, *Joseph II, l'empereur révolutionnaire*, Paris, 1953.

réalisation des réformes qu'il jugeait indispensables, réformes politiques, réforme de l'Église et des relations entre l'Église et l'État, réformes sociales. À la différence de Marie-Thérèse qui avait agi par touches successives pour amorcer une politique visant à faire fusionner « en douceur » les différentes composantes de la *Gesamtösterreich*, Joseph II dans son impétuosité a voulu agir très vite ; en dix ans de règne, il n'a pas publié moins de six mille décrets et onze mille lois nouvelles [1]. Toutes ces réformes, c'est au nom de la Raison qu'il entendait les réaliser, comme il en convenait lui-même : « Depuis que je suis monté sur le trône, j'ai fait de la philosophie le législateur de mon Empire [2]. »

Le réformateur

Marie-Thérèse avait mis en place les premiers jalons d'une politique de réformes. Joseph II chercha à en accélérer la réalisation. Alors que sa mère, dans le domaine politique notamment, avait entamé avec prudence, et en respectant les traditions locales, la rénovation de la monarchie, Joseph II, comme s'il se sentait pris par le temps, a voulu agir vite. Dans son esprit, il fallait faire de la monarchie autrichienne un État centralisé et unitaire dans lequel aucune nation ne serait privilégiée : « Je suis l'empereur du *Reich* allemand, donc toutes les autres possessions que j'ai en sont les provinces [3]. » Joseph II en effet ne se considérait ni comme le roi de Hongrie, ni comme celui de Bohême, ni comme un archiduc autrichien, ni comme le comte du Tyrol, mais comme le souverain d'un unique empire [4]. Au nom de ces principes, il a toujours refusé de ceindre les couronnes de ses différents royaumes ; ce qui lui valut de la part des Hongrois le surnom de *kalapos király*, le « roi en chapeau ».

En ce qui concerne le gouvernement central, Joseph II voulait simplifier un système administratif très complexe reposant sur des services dont les compétences se chevauchaient parfois, et s'appuyant sur une bureaucratie nombreuse. Pour l'empereur, cette bureaucratie devait être au service exclusif du bien public. Dans un mémoire de 1783, il écrit : « Celui qui n'a pas d'amour pour le service de la patrie et de ses concitoyens, qui ne se sent pas

1. V. L. Tapié, *Monarchie et peuples du Danube*, *op. cit.*, p. 241.
2. Cité par A. Reszler, *Le Génie de l'Autriche-Hongrie*, *op. cit.*, p. 27.
3. A.-J.-P. Taylor, *The Habsburg Monarchy*, London, 1957, p. 17.
4. B. Hóman et Gy. Szekfü, *Magyar történet*, *op. cit.*, t. V, p. 39.

enflammé d'une ardeur particulière pour l'établissement du bien, celui-là n'est pas fait pour les affaires publiques, il n'est pas digne de porter un titre honorifique et de toucher un traitement[1]. » Ce type idéal de fonctionnaire ainsi défini, le souverain l'a trouvé beaucoup plus dans la bourgeoisie que dans la haute noblesse.

Le souci d'unifier et de centraliser la monarchie autrichienne reposait sur cette idée de Joseph II que les facteurs d'unité l'emportaient sur ceux de diversité : il fallait donc éliminer ces derniers. Joseph II ne modifia pas profondément les institutions du gouvernement central. Cependant, la chancellerie austro-bohême dirigée par le comte Kolowrat étendit ses compétences à toutes les affaires civiles et regroupa sous son autorité la Chambre des comptes et la Banque d'État ; elle absorba également la chancellerie de Galicie. Quant à la chancellerie de Hongrie qui siégeait à Presbourg, sa sphère de compétence fut accrue avec la suppression des chancelleries de Transylvanie et d'Illyrie. C'est dans l'administration locale que les changements furent les plus importants, avec le renforcement de l'autorité des représentants du pouvoir central. L'ensemble austro-bohême fut divisé en six *gouvernements*, certains regroupant plusieurs provinces. Le « gouvernement » était dirigé par des commissaires nommés par le pouvoir central[2]. La Hongrie n'échappa pas à ces réformes : en 1785, elle fut divisée en dix *cercles*, ce qui correspondait à plusieurs anciens comitats, chaque cercle ayant à sa tête un commissaire royal qui supervisait toute l'administration locale. Quant à la Diète, elle ne fut jamais réunie pendant le règne de Joseph II[3]. Le système des cercles fut étendu en 1787 aux Pays-Bas ; neuf cercles dirigés par un intendant nommé par Vienne remplacèrent les anciennes provinces[4]. Dans le duché de Milan où le duc, c'est-à-dire Joseph II, était représenté par un gouverneur, le Sénat fut remplacé par un Conseil de gouvernement comportant des départements spécialisés et où siégeaient des personnalités nommées par le gouvernement central. Ici encore, les circonscriptions administratives furent dirigées par des intendants nommés par Vienne[5].

1. Cité par V. L. Tapié, in *Monarchie et peuples du Danube*, *op. cit.*, p. 241.
2. J. Bérenger, *Histoire de l'Empire des Habsbourg*, *op. cit.*, p. 508.
3. Ch. d'Eszlary, *Histoire des institutions publiques hongroises*, *op. cit.*, t. III, p. 212.
4. F. Van Kalken, *Histoire de la Belgique et de son expansion coloniale*, *op. cit.*, p. 454-455.
5. V. L. Tapié, *Monarchie et peuples du Danube*, *op. cit.*, p. 249.

Le renforcement de l'autorité centrale sur les pouvoirs locaux fut encore plus visible avec l'obligation imposée partout d'utiliser l'allemand comme seule langue de l'administration. Pour Joseph II, dans un empire multinational, il semblait logique d'utiliser comme langue officielle celle qui était parlée par le plus grand nombre de ses sujets. L'empereur aurait pu choisir le français que parlaient toutes les élites quelle que fût leur nationalité d'origine, mais Joseph II était un défenseur de la culture allemande, comme il l'avait déjà montré du vivant de sa mère en imposant l'emploi exclusif de l'allemand dans les spectacles donnés au *Burgtheater* de Vienne. Le moment était cependant mal venu, car, aussi bien en Bohême qu'en Hongrie et en Croatie, on assistait alors à un renouveau des langues nationales et à leur codification. Pourtant, en imposant l'allemand, Joseph II avait voulu agir *rationnellement*, dans un souci d'efficacité, et non avec la volonté de briser les cultures nationales [1].

Mû par les principes philosophiques qui guidèrent sa politique, l'empereur voulut également moderniser le système judiciaire. Ce fut l'objet de la grande réforme de 1787 qui établissait l'égalité entre les justiciables, introduisait des représentants du souverain dans tous les tribunaux y compris dans la justice seigneuriale et abolissait la torture [2]. Partout, des procédures d'appel intermédiaires furent mises en place pour éviter que tous les recours en appel soient adressés à l'*Oberste Justizstelle* de Vienne [3].

C'est au nom de ces mêmes principes que Joseph II s'attaqua à la réforme de l'Église qui revêtait à ses yeux une importance toute particulière. La première mesure qui enlevait à l'Église catholique son monopole religieux fut l'édit de tolérance du 13 octobre 1781 qui accordait la liberté de culte aux protestants et aux orthodoxes, et leur rendait tous leurs droits civiques ; toutefois, l'Église catholique était considérée comme « religion dominante » et conservait la tenue des registres d'état civil. Les juifs n'obtinrent pas la liberté de culte par l'édit de 1781, mais leur situation s'améliora considérablement et Joseph II pensait qu'avec le temps ils se convertiraient. Un rescrit de 1781 supprima l'impôt personnel (*Leibment*) qu'ils étaient tenus de payer en Autriche et leur donna libre accès aux

1. J. Bérenger, *Histoire de l'Empire des Habsbourg*, *op. cit.*, p. 509, et J.-P. Bled, *Histoire de Vienne*, *op. cit.*, p. 95.
2. J. Sára, *A Habsburgok és Magyarország*, *op. cit.*, p. 400.
3. V. L. Tapié, *Monarchie et peuples du Danube*, *op. cit.*, p. 249.

écoles et à certaines professions ; ils reçurent également le droit de créer des manufactures. Joseph II déplorait que l'isolement social des juifs, l'usage de l'hébreu, le port de vêtements différents des « habits chrétiens » les empêchent d'être utiles à l'État. Pour lui, il fallait que la « nation juive » s'intègre et adopte la culture allemande[1]. Par la suite, il y eut effectivement quelques conversions et certains juifs furent anoblis, tels Karl Abraham Wetzlar, un fournisseur aux armées et collecteur d'impôts qui fut l'un des hommes d'affaires les plus riches de Vienne, ou Joseph von Sonnenfels qui joua un rôle important dans la diffusion de la culture allemande en Autriche[2].

Aussitôt après avoir pris ces mesures en faveur de la tolérance religieuse, Joseph II s'attaqua à une réforme en profondeur de l'Église. C'est ce qui est connu sous le nom de *joséphisme* dans son acception la plus stricte. Le décret du 29 novembre 1781 étendu à la Hongrie le 12 janvier 1782 porta un coup très dur à l'institution monastique. Toutes les congrégations religieuses tant masculines que féminines furent supprimées à l'exception de celles qui s'occupaient d'enseignement ou des malades. Leurs biens furent confisqués et servirent à constituer un fonds spécial destiné à créer de nouvelles paroisses là où cela s'avérait nécessaire. De nombreux ordres religieux, les chartreux, les clarisses, les carmélites, furent dissous. Dans tout l'Empire, sept cents monastères et abbayes furent supprimés dont cent trente-six en Hongrie. Le décret du 4 février 1782 modifia sensiblement la géographie ecclésiastique de l'Autriche. Certains diocèses comme celui de Passau furent supprimés, de nouveaux évêchés furent créés à Linz, Sankt-Pölten, Laybach (Ljubljana) et Budweis (Budejovice). On créa aussi de nombreuses paroisses, si bien que les fidèles disposèrent de davantage de prêtres. Les prêtres désormais formés dans des « séminaires généraux » contrôlés par l'État et dont les enseignants, tous favorables aux idées joséphistes, étaient nommés par l'État. Lequel prit à sa charge le salaire des membres du clergé séculier devenus ainsi des fonctionnaires.

À ces réformes institutionnelles s'ajoutèrent des dizaines de décrets concernant les fêtes religieuses, les pèlerinages, les rites d'inhumation, avec une tentative pour interdire l'usage des cercueils. Tout cela choqua souvent les fidèles qui refusèrent de se

1. W.-O. Mac Cagg Jr, *Les Juifs des Habsbourg*, *op. cit.*, p. 60-61, p. 64.
2. *Ibid.*, p. 71-73.

plier à la nouvelle réglementation. Frédéric II, considérant comme parfois ridicules ou mesquines certaines mesures prises par Joseph II, n'hésita pas à parler de lui en le qualifiant de « mon cousin, le sacristain[1] ».

Restait à régler la question des rapports avec la papauté. Les relations entre les évêques de l'Empire et Rome furent soumises au contrôle de l'État. Le pape Pie VI estimait qu'il était de son devoir de se rendre à Vienne pour rechercher un compromis avec l'empereur. En avril 1782, le pape arriva en Autriche et Joseph II vint en personne l'accueillir à quatre relais de poste de Vienne, puis l'installa lui-même au palais de la Hofburg. Malgré ces marques extérieures de respect que l'on retrouva au moment du départ de Pie VI — Joseph II accompagna le pape jusqu'à Mariabrunn et lui fit don d'un superbe carrosse de voyage ainsi que d'un crucifix orné de diamants —, rien de concret ne sortit de ce séjour pontifical en Autriche. Joseph II était souvent absent lorsqu'une rencontre avec le pape était prévue. En revanche, Pie VI eut l'occasion de constater combien il était populaire lorsqu'il rencontra les foules viennoises[2]. L'année suivante, en décembre, ce fut au tour de Joseph II de se rendre à Rome : le pape fit quelques concessions à l'empereur tandis que celui-ci accepta le maintien en vigueur de la bulle *Unigenitus* qui avait autrefois condamné le jansénisme. Les réformes de Joseph II furent maintenues, mais Rome conservait la primauté sur le plan doctrinal. Les principes du joséphisme demeurèrent la règle jusqu'au Concordat de 1855[3].

Joseph II entendait également assurer le bien-être de ses sujets. Les réformes dans ce sens prirent deux directions principales. D'abord, poursuivant l'œuvre entreprise par sa mère, il s'efforça de développer l'enseignement, aussi bien au niveau élémentaire — l'école fut rendue obligatoire, même pour les filles, pour les enfants de six à douze ans — qu'au niveau secondaire et universitaire. L'enseignement primaire ne disposait pas de suffisamment de maîtres et de locaux, notamment en Hongrie. En dépit du manque de moyens, l'analphabétisme recula et le nombre d'élèves scolarisés

1. F. Fejtö, *Requiem pour un Empire défunt : histoire de la destruction de l'Autriche-Hongrie*, *op. cit.*, p. 93.
2. D. G. Mac Guigan, *Les Habsbourg*, *op. cit.*, p. 268-269.
3. J. Bérenger, *Histoire de l'Empire des Habsbourg*, *op. cit.*, p. 512, et J. Sára, *A Habsburgok és Magyarország*, *op. cit.*, p. 397.

fut multiplié par deux par rapport à 1780. En ce qui concerne l'enseignement supérieur, Joseph II privilégia le droit et la philosophie pour la préparation des fonctionnaires à leurs tâches futures, mais aussi la médecine et la chirurgie pour améliorer l'état sanitaire de la population. On créa aussi de nombreuses écoles vétérinaires. L'utilitarisme avait présidé à toutes ces réalisations.

Le bien-être des sujets passait aussi par l'amélioration des conditions de vie. Pour mieux connaître la population de l'Empire, Joseph II fit procéder en juillet 1784 au premier recensement général organisé dans la monarchie habsbourgeoise. On aboutit à un total de 20 800 000 habitants répartis comme suit : 4 200 000 pour les pays de la couronne de saint Venceslas, 9 300 000 pour les pays de la couronne de saint Étienne (y compris la Croatie-Slavonie et les confins militaires), 4 300 000 pour les États autrichiens proprement dits et 3 000 000 pour la Galicie cédée par la Pologne en 1772[1]. L'immense majorité de la population vivait d'une terre dont elle était rarement propriétaire. Joseph II voulut étendre à l'ensemble de la monarchie le statut du paysan de Basse-Autriche où celui-ci, libre de toute servitude, était seulement tenu de payer au seigneur des redevances en argent ou en corvée. La patente du 1er novembre 1781 mit fin au servage dans les pays de la couronne de saint Venceslas et permit aux paysans de vendre leurs tenures et de quitter le domaine. Son application fut étendue à la Hongrie en août 1785 mais se heurta à la résistance des grands propriétaires. La Transylvanie, en raison du soulèvement des paysans roumains en octobre 1784, ne fut pas touchée par la réforme[2]. Dans l'esprit de Joseph II, l'amélioration du sort de la paysannerie conditionnait les progrès de l'agriculture.

L'empereur s'intéressa également au développement du secteur industriel naissant et chercha à le protéger en maintenant le protectionnisme. La libération des paysans permit de fournir de la main-d'œuvre aux manufactures. La Bohême du Nord devint un important centre d'industrie textile qui s'ajoutait à l'exploitation des mines, présente également dans l'Autriche intérieure. Les industries de luxe (porcelaine en Autriche, Bohême et Hongrie, cristallerie en Bohême) et l'industrie du papier bénéficièrent d'une protection particulière. Les progrès furent cependant limités en raison du manque de crédits et de l'insuffisance du réseau bancaire. De plus,

1. J. Sára, *A Habsburgok és Magyarország, op. cit.*, p. 399.
2. *Ibid.*, p. 400-403.

on pouvait constater un contraste saisissant entre la Hongrie, pays exclusivement agricole, et le reste de l'Empire, celle-ci tendant à constituer une véritable colonie du groupe austro-bohême[1].

Malgré tous ses efforts pour faire le bonheur de ses sujets, Joseph II s'est heurté à la résistance du conservatisme de l'aristocratie, mais aussi à la résistance des États périphériques auxquels on avait enlevé leurs privilèges historiques. L'« empereur des pauvres gens », le « dieu des paysans », comme certains appelèrent Joseph II, fut mal compris, même par ceux qui bénéficièrent de ses réformes. « Aucun autre souverain d'Europe n'aura jamais pris aussi bien à cœur, avec tellement de passion, le sort des non-privilégiés, des pauvres, des dépossédés. » Mais Joseph II avait manqué de souplesse dans la réalisation de ses réformes, lesquelles, à long terme, se sont révélées payantes et évitèrent aux Habsbourg de connaître une crise révolutionnaire « à la française ». Pourtant, à sa mort, la Hongrie et les Pays-Bas étaient prêts à se soulever pour défendre leurs droits historiques.

Le règne pacificateur du successeur de Joseph II, son frère Léopold II (1790-1792), qui avait régné pendant vingt-cinq ans sur le grand-duché de Toscane où il avait fait preuve d'un sens politique certain, permit l'apaisement des tensions. Léopold II eut la sagesse de tempérer l'application des réformes de son frère. Le nouveau souverain renonça à imposer l'allemand comme langue d'administration dans l'ensemble des possessions des Habsbourg. En Hongrie comme aux Pays-Bas, l'ancien système administratif fut rétabli. À la différence de Joseph II, Léopold II se fit couronner roi de Hongrie et s'engagea à réunir la Diète tous les trois ans. En revanche, la réforme de l'Église et la plupart des mesures prises en faveur des paysans, ainsi que celles concernant l'éducation, furent maintenues. Léopold II, comme beaucoup d'autres Habsbourg, sut comprendre les aspirations profondes de ses sujets. Lui aussi fut un « despote éclairé » soucieux de l'intérêt de l'État comme de celui de ses sujets[2]. C'est grâce à lui sans doute que la monarchie des Habsbourg, malgré ses défaites, put résister aux assauts de la France révolutionnaire et napoléonienne contre lesquels les peuples de l'Empire firent bloc autour de la dynastie.

1. V. L. Tapié, *Monarchie et peuples du Danube*, *op. cit.*, p. 252 et suiv., et J. Bérenger, *Histoire de l'Empire des Habsbourg*, *op. cit.*, p. 512 et suiv.

2. E. Zöllner, *Histoire de l'Autriche des origines à nos jours*, *op. cit.*, p. 308-309, et A.-J.-P. Taylor, *The Habsburg Monarchy*, *op. cit.*, p. 19-20.

Cinquième Partie

LES HABSBOURG, DÉFENSEURS DE L'ORDRE ÉTABLI

Au moment où s'achève le règne de Léopold II, la France se trouve plongée dans une crise profonde dont les effets vont rapidement toucher toute l'Europe monarchique, et plus particulièrement la monarchie autrichienne. Tout a commencé le 14 juillet 1789 avec la prise de la Bastille, symbole de l'absolutisme royal. Dans un premier temps, les États européens ont vu sans déplaisir les événements de Paris. En Angleterre, le gouvernement s'est réjoui d'une crise qui ne pouvait qu'affaiblir la puissance française. Les souverains de Prusse et de Russie, au début tout au moins, ont considéré que les réformes mises en œuvre par l'Assemblée constituante allaient dans le sens des Lumières qui avaient inspiré leur propre politique.

Le point de vue de l'empereur Léopold II n'était guère différent ; les réformes en France lui rappelaient celles qu'avait tenté d'imposer son frère Joseph II et la Constitution civile du clergé de 1791 n'était pas loin du joséphisme autrichien. Mais la reine de France, Marie-Antoinette, était sa propre sœur, une Habsbourg par le sang, et celle-ci lui envoyait sans cesse des appels à l'aide. Longtemps, Léopold II demeura sourd à ces appels et il justifia ainsi ce refus d'intervenir : « Nous avons une sœur, la reine de France. Mais le Saint Empire n'a pas de sœur, et l'Autriche pas davantage. Je ne puis agir que pour protéger les intérêts de mes peuples et non ceux de ma famille [1]. » Après la fuite manquée de Varennes, lorsque Louis XVI et sa famille quasiment prisonniers au Louvre furent devenus les otages du peuple de Paris, l'empereur commença à s'inquiéter, d'autant plus que certains chefs révolutionnaires préconisaient une croisade des peuples contre les rois et reprenaient à

1. Cité par D. G. Mac Guigan, *Les Habsbourg*, *op. cit.*, p. 279.

leur compte l'idée des « frontières naturelles », ce qui menaçait directement les intérêts autrichiens aux Pays-Bas. Les menées expansionnistes de la France révolutionnaire inquiétaient aussi le roi de Prusse Frédéric-Guillaume II qui prit contact avec les autres souverains en vue d'envisager une action. Sa proposition fut bien accueillie à Vienne. Léopold II et Frédéric-Guillaume se rencontrèrent au château de Pillnitz, en Saxe, du 25 au 27 août 1791, et publièrent une déclaration dans laquelle ils se montraient résolus à « mettre le roi de France en état d'affermir les bases d'un gouvernement monarchique ». Il fallut cependant attendre jusqu'au 7 février 1792 et la signature d'un traité d'alliance entre l'Autriche et la Prusse pour qu'une action concrète soit envisagée, et cela malgré les réserves du chancelier Kaunitz. Moins d'un mois plus tard, l'empereur Léopold mourait, laissant à son fils François une situation difficile à gérer.

16

L'empereur François II et la France

Lorsque, le 20 avril 1792, l'Assemblée législative déclara la guerre à François II en tant que « roi de Bohême et de Hongrie », on ne pouvait imaginer ni d'un côté ni de l'autre que le conflit qui commençait allait durer près d'un quart de siècle et que, dépassant le sempiternel affrontement entre la France et les Habsbourg, il allait rapidement se transformer en une guerre européenne aux multiples facettes. Dans l'esprit des révolutionnaires français, il s'agissait d'une guerre des peuples contre les rois, une guerre de la France révolutionnaire contre l'Europe monarchique, mais très vite les ambitions impérialistes des uns et des autres l'emportèrent sur les grands principes. Pour les Habsbourg cependant, il s'agissait surtout d'une guerre pour la survie de la monarchie autrichienne, cet édifice patiemment construit à travers les siècles par les prédécesseurs de François II.

Un début de règne difficile

La mort subite de Léopold II avait placé à la tête de la monarchie habsbourgeoise et du Saint Empire son fils aîné, François, âgé seulement de vingt-quatre ans. Né en 1768 à Florence où son père régnait alors sur le grand-duché de Toscane, François avait reçu une éducation sévèrement contrôlée par son oncle Joseph II. Celui-ci, qui n'avait pas eu d'héritier mâle de ses deux épouses successives, avait veillé personnellement à ce que son neveu, destiné un jour à régner, reçût la meilleure éducation possible. Dès 1784, Joseph II avait fait venir auprès de lui à Vienne le jeune François pour parfaire son éducation, puis l'avait initié lui-même à l'art de la guerre en l'emmenant à ses côtés lors de la guerre contre les Turcs en 1788. Peu à peu, François fut apprécié par son oncle et en conçut une réelle satisfaction[1]. Avec l'accord de Joseph II, avait épousé Élisabeth de Würtemberg dont il était follement amoureux. Le bonheur du jeune couple fut de courte durée. L'archiduchesse Élisabeth alors enceinte vint rendre visite à Joseph II mourant et fut tellement effrayée par le spectacle qu'offrait l'empereur agonisant qu'elle accoucha prématurément dans des conditions particulièrement difficiles auxquelles elle ne devait pas survivre. Quant à l'enfant, une petite fille, elle ne vécut que quelques semaines. L'empereur Joseph II, responsable involontaire de ce drame familial, mourut le lendemain de la mort de sa nièce[2]. L'archiduc François fut chargé d'organiser les obsèques de son oncle, en l'absence de Léopold II encore à Florence. Ce fut là son premier acte politique. Le jeune prince se trouva profondément marqué par cet enchaînement d'événements tragiques et la mélancolie qui l'affectait depuis sa plus jeune enfance s'accentua encore. Moins de deux ans après ces deuils successifs, son père Léopold II s'éteignit brutalement. C'était maintenant à François qu'il appartenait d'assumer les responsabilités du pouvoir à un moment particulièrement difficile.

Les premiers échecs

Moins de deux mois après son accession au trône, la France déclarait la guerre non au Saint Empire en tant que tel, mais au seul « roi de Bohême et de Hongrie », c'est-à-dire au chef de la Maison de Habsbourg. Paris comptait ainsi éviter une confrontation générale avec les États allemands. En vain, car la Prusse se rangea immédiatement aux côtés de François II. Les premières attaques françaises contre les Pays-Bas autrichiens furent facilement repoussées et l'armée française se replia. À Paris, on cria aussitôt à la trahison. On accusa Marie-Antoinette de diriger un prétendu « comité autrichien » chargé d'écraser la Révolution et de travailler à la victoire des ennemis de la France. Peu après, les troupes prussiennes du duc de Brunswick faisaient leur apparition aux confins de la Lorraine. À Paris, on proclama « la patrie en danger » et partout, des milliers d'hommes s'engagèrent pour défendre le pays menacé. La proclamation menaçante du duc de Brunswick promettant aux Parisiens « une vengeance exemplaire » si « le moindre

1. D. G. Mac Guigan, *Les Habsbourg*, *op. cit.*, p. 272 et suiv.
2. J. Sára, *A Habsburgok és Magyarország*, *op. cit.*, p. 454.

mal était fait à la famille royale » fut considérée comme une provocation. Le peuple y répondit le 10 août en prenant d'assaut les Tuileries ; l'Assemblée législative suspendit le roi qui, avec toute sa famille, fut interné dans la prison du Temple. Après la prise de Longwy et de Verdun, la route de Paris semblait s'ouvrir devant les armées austro-prussiennes, mais le 20 septembre, à Valmy, les Prussiens étaient arrêtés puis décrochèrent. Une contre-offensive française permit à l'armée du Rhin d'occuper le Palatinat et les possessions des électeurs de Mayence et de Trèves. Le 23 octobre, les troupes du général Custine entraient à Francfort, là où quelques mois plus tôt, le 14 juillet, on avait procédé au couronnement impérial de François II avec le faste habituel. François II était le vingtième Habsbourg à accéder ainsi à la dignité impériale : on ne savait pas que c'était le dernier couronnement impérial auquel on assistait. Du côté des Pays-Bas, à l'annonce de la défaite des Prussiens à Valmy, l'armée autrichienne avait levé le siège de Lille. Le 6 novembre, le général Dumouriez battait les Impériaux à Jemmapes, et, en quelques semaines, l'ensemble des Pays-Bas autrichiens tombait aux mains des Français.

Le procès et l'exécution de Louis XVI le 21 janvier 1793 suscitèrent une vive émotion dans les cours européennes. L'Angleterre, jusque-là réticente, s'engagea aux côtés de la Prusse et de l'Autriche, d'autant plus facilement qu'elle considérait l'installation des Français aux Pays-Bas comme une menace directe pour sa sécurité. La Russie, l'Espagne et les États italiens rejoignirent la coalition qui se formait autour de l'Autriche. L'empereur François II était directement concerné par l'expansionnisme français. En tant qu'empereur, l'occupation des pays rhénans le touchait, mais plus encore celle des Pays-Bas, dernier vestige de l'héritage bourguignon auquel les Habsbourg furent toujours attachés. L'exécution de Marie-Antoinette le 16 octobre 1793, la persécution des prêtres réfractaires, la Terreur, achevèrent de transformer François II en un adversaire résolu de toute révolution.

Malgré quelques succès aux Pays-Bas, notamment à Neerwinden le 18 mars 1793 — ce qui permit aux Impériaux de réoccuper temporairement le pays —, et la reconquête de la rive gauche du Rhin au cours de l'été 1793, la contre-offensive française de l'hiver 1793-1794 mit fin aux espoirs des coalisés. Après la victoire de Fleurus le 26 juin 1794, les Habsbourg perdirent définitivement les

Pays-Bas tandis que la France conquérait les territoires de la rive gauche du Rhin et les transformait en département français.

L'empereur François II, soutenu par les subsides anglais, demeura bientôt seul face aux armées de la Révolution, puisque, en 1795, l'Espagne et la Prusse préférèrent traiter avec la France. Les succès du général Bonaparte en Italie en 1796-1797 menaçaient directement le territoire autrichien où la population faisait bloc autour de l'empereur. C'est dans ces circonstances tragiques et pour soutenir le patriotisme autrichien que Joseph Haydn composa la musique d'un hymne à la gloire de l'empereur qui commençait par ces mots « *Gott, erhalte Franz den Kaiser* » — Dieu protège l'empereur François — et qui fut joué pour la première fois le 12 février 1797 à l'occasion de l'anniversaire de l'empereur. Cet hymne devait être l'hymne impérial autrichien jusqu'en 1918 [1]. Ces manifestations patriotiques ne modifièrent en rien l'évolution du conflit. Les troupes de Bonaparte poussèrent jusqu'à Leoben, en Styrie : c'est là que le 18 avril 1797 fut conclu un armistice qui devait déboucher le 17 octobre suivant sur la paix de Campo-Formio. L'Autriche y renonçait aux Pays-Bas, aux pays d'Empire situés sur la rive gauche du Rhin et au Milanais ; en revanche, elle obtenait les territoires relevant de la république de Venise, c'est-à-dire la Vénétie, l'Istrie et une grande partie du littoral dalmate. En outre, il était prévu qu'un congrès de tous les princes allemands se réunirait à Rastatt pour fixer les conditions définitives de la paix entre le Saint Empire et la France.

Ce congrès qui se tint de 1797 à 1799 confirma les droits de la France sur la rive gauche du Rhin [2], mais, avant même que ses travaux eussent été achevés, l'Autriche avait repris les hostilités dans le cadre de la deuxième coalition où elle était associée à l'Angleterre et à la Russie. Malgré quelques succès en Italie en 1799, la guerre, une fois encore, déboucha sur une nouvelle défaite de l'Autriche avec les victoires de Bonaparte à Marengo le 14 juin 1800 et du général Moreau à Hohenlinden le 3 décembre. François II trouva plus sage de négocier. Par le traité de Lunéville du 9 février 1801, il renonçait à toutes ses possessions italiennes à

1. J.-P. Bled, *Histoire de Vienne*, *op. cit.*, p. 99-100. On notera que la mélodie de Haydn servira de support musical au *Deutschlandslied*, l'hymne national de l'Allemagne après 1866, sur des paroles de Fallersleben : « *Deutschland über alles...* »

2. E. Zöllner, *Histoire de l'Autriche des origines à nos jours*, *op. cit.*, p. 312.

l'exception de Venise, et à la totalité de la rive gauche du Rhin. Il appartiendrait en outre à la Diète d'Empire de dédommager les États qui avaient perdu des territoires sur la rive gauche du Rhin. La France, de la sorte, intervenait indirectement dans les affaires de l'Empire.

Agonie et mort du Saint Empire

La question du dédommagement fut confiée d'un commun accord entre la Diète et François II à une commission dont les travaux aboutirent au recès du 25 février 1803. La configuration géopolitique du Saint Empire fut bouleversée et simplifiée. Les grands perdants furent les principautés ecclésiastiques qui disparurent avec leurs électeurs, ainsi que la plupart des petites principautés laïques et des villes libres d'Empire, et la quasi-totalité des seigneuries médiatisées. Tous ces petits ou micro-États furent incorporés aux principautés ou royaumes à l'intérieur desquels ils constituaient des enclaves. Cette transformation profita principalement à la Prusse, à la Bavière et au Würtemberg, les Habsbourg n'obtenant que les évêchés de Brixen (Brissago) et de Trente sécularisés. Le recès de 1803 accepté à contrecœur par François II fut le prélude au démembrement puis à la disparition du Saint Empire. La proclamation de l'Empire en France et le sacre de Napoléon Bonaparte par le pape Pie VII le 2 décembre 1804 posèrent le problème de l'existence même du Saint Empire. Il n'y avait pas de place pour deux empereurs en Occident.

François II tenta d'inverser à son profit l'évolution en cours. Profitant de ce que Napoléon se préparait à attaquer l'Angleterre, il s'intégra aux côtés de celle-ci et de la Russie à la troisième coalition et tenta d'y rallier le duc de Bavière Maximilien-Joseph, un francophile convaincu. Devant le refus de ce dernier, les troupes autrichiennes pénétrèrent en Bavière, ce qui provoqua aussitôt la réaction de la France. Napoléon renonça dans l'immédiat à débarquer en Angleterre et dirigea à marches forcées ses troupes à la rencontre des Autrichiens. Après s'être emparé d'Ulm le 20 octobre 1805, il prit la route de Vienne où il fit son entrée le 13 novembre. Le lendemain, l'empereur des Français s'installait au château de Schönbrunn. C'était la première fois que Vienne était soumise à une occupation étrangère, qui devait durer deux mois ; ce ne devait pas être la dernière. De Vienne, Napoléon marcha en direction des troupes austro-russes. La bataille décisive se déroula le 2 décembre suivant à Austerlitz (Slavkov), au sud-est de Brünn (Brno). Battu, François II préféra négocier et signa le 26 décembre la paix de Presbourg. Les Habsbourg renonçaient à leurs possessions dispersées de la *Vorderösterreich* et cédaient à la Bavière le Voralberg et le Tyrol ainsi que la ville libre d'Augsbourg. La Bavière, alliée désormais de la France, devenait l'État le plus puissant de l'Allemagne du Sud.

Fort de ses victoires, Napoléon sut rallier à lui nombre de princes d'Allemagne du Sud et de Westphalie. Le 12 juillet 1806 naissait la Confédération du Rhin (*Rheinischer Bund*) qui regroupait seize princes allemands dont les souverains de Bavière et de Würtemberg qui s'étaient proclamés rois au lendemain d'Austerlitz. L'archevêque de Mayence-Ratisbonne Karl von Dalberg fut désigné comme archichancelier de la Confédération dont Napoléon était le « protecteur ». Pour l'opportuniste Dalberg, « l'estimable nation germanique gémit dans les malheurs de l'anarchie politique et religieuse ; soyez Sire, le régénérateur de la Constitution ». Trahissant l'empereur légitime, Dalberg et nombre de princes allemands se mirent au service de l'homme fort du moment.

L'empereur, abandonné par une partie des princes allemands, pressé par Napoléon et ses « clients » allemands, renonça solennellement à la couronne du « Saint Empire de nationalité germanique » le 6 août 1806[1]. Deux ans auparavant déjà, le 11 août 1804, François II avait en quelque sorte anticipé la disparition du Saint Empire en rassemblant toutes les possessions héréditaires des Habsbourg sous l'appellation d'« Empire d'Autriche » dont il était le premier empereur sous le nom de François Ier. Néanmoins, la couronne et les insignes impériaux demeurèrent à Vienne où l'on peut encore aujourd'hui les admirer dans le Trésor de la Hofburg[2].

Après les victoires de Napoléon sur la Prusse et la Russie, l'Autriche d'après 1806 se retrouve seule. La Prusse est totalement ruinée et la Russie, changeant radicalement d'orientation, est devenue l'alliée de la France. Profitant ensuite des difficultés françaises en Espagne, le chancelier Stadion qui dirige la politique extérieure de l'Autriche depuis 1805, appuyé par l'archiduc Jean, frère de l'empereur, et par l'ambassadeur à Paris Metternich, pousse à la reconstitution du potentiel militaire de l'Autriche en vue de reprendre le combat contre la France. Le 9 avril 1809, le jour où Andreas Hofer

1. H. Bogdan, *Histoire de l'Allemagne*, *op. cit.*, p. 260-263.
2. D. G. Mac Guigan, *Les Habsbourg*, *op. cit.*, p. 282-283.

déclenchait un soulèvement général au Tyrol contre les Franco-Bavarois, les troupes autrichiennes pénétraient en Bavière.

L'attaque contre un État allié de la France et membre de la Confédération du Rhin entraîna une riposte immédiate de Napoléon. À marches forcées, les troupes françaises prirent la route de l'Autriche où elles entrèrent à Vienne le 13 mai. Mais Napoléon n'était plus invincible. Le 26 mai, à Aspern, sous les murs de Vienne, l'archiduc Charles remportait une victoire nette, mais sans lendemain. Depuis Schönbrunn, Napoléon décida d'envoyer une partie de l'armée française vers l'est, en direction de la Hongrie jusque-là demeurée loyale envers les Habsbourg. Dès le 15 mai, il avait lancé aux Hongrois un appel à la révolte. Cet appel ne rencontra guère d'écho dans le pays, bien que les avant-gardes françaises eussent poussé leur marche jusqu'à Györ. La Hongrie continua à fournir aux Habsbourg les soldats dont ils avaient besoin et c'est en Hongrie que l'empereur François et sa famille trouvèrent refuge après l'occupation de Vienne [1].

Napoléon, vainqueur à Wagram non sans mal, fut une fois encore en mesure de dicter ses conditions. Au cours de négociations secrètes menées avec Metternich devenu entre-temps chef de la diplomatie autrichienne, Napoléon présenta un ultimatum le 15 septembre. Si l'Autriche voulait obtenir une paix sans pertes territoriales, il fallait que François Ier abdiquât en faveur de son frère Ferdinand ; sinon, les conditions de la paix seraient très dures. Pour l'empereur François, l'idée d'abdiquer était totalement à exclure et il n'y avait pas d'autre issue que de céder aux exigences du vainqueur [2]. Au traité de Vienne, connu également sous le nom de paix de Schönbrunn, le 14 octobre 1809, l'Autriche dut céder à la Bavière l'évêché de Salzbourg et l'Innviertel, mais surtout elle perdait tout accès à la mer Adriatique avec la cession de Trieste, de l'Istrie, de la Carniole et d'une partie de la Carinthie et de la Croatie qui furent regroupées sous le nom de Provinces Illyriennes au sein de l'Empire français. Jamais, dans toute leur longue histoire, les Habsbourg n'avaient été à tel point humiliés.

1. B. Hóman et Gy. Szekfü, *Magyar tortenet*, *op. cit.*, t. V, p. 206-207.
2. G. Bertier de Sauvigny, *Metternich*, Paris, 1986, p. 112.

Survie et renaissance de la monarchie des Habsbourg

Les années qui suivirent la paix de Schönbrunn se caractérisent par l'inébranlable volonté de survie de la monarchie autrichienne. L'acteur principal en fut Clément von Metternich. Ancien ambassadeur à Paris, Metternich connaissait bien Napoléon, mais aussi ses limites. Il était persuadé que l'expérience napoléonienne se terminerait tôt ou tard par un échec. Dans l'immédiat, il s'agissait de gagner du temps et de reconstituer les forces de l'Empire. Metternich bénéficiait de la confiance totale de François Ier, bien que celui-ci, en toutes circonstances, restât le seul maître de la décision finale.

Recourant à la traditionnelle politique de mariage qui avait été si profitable à la dynastie dans le passé, Metternich se montra disposé à envisager favorablement l'idée d'un éventuel mariage de l'aînée des filles de l'empereur François, Marie-Louise, avec l'empereur des Français. On savait à Vienne que Napoléon avait l'intention de divorcer en vue d'épouser une princesse issue d'une des Maisons régnantes d'Europe et pouvoir ainsi s'assurer une descendance qui consoliderait sa dynastie. L'Empereur avait déjà fait une vaine tentative en 1808 en direction de la cour de Russie. Il se tourna vers l'Autriche. En décembre 1809, il fit des ouvertures dans ce sens auprès de l'ambassadeur autrichien Schwarzenberg puis, le 7 février 1810, le prince Eugène de Beauharnais demanda officiellement la main de l'archiduchesse Marie-Louise au nom de son maître. La réponse de Vienne fut rapide... et favorable. C'est dans la capitale de l'Autriche que fut célébré le 11 mars suivant le mariage par procuration. Le 13 mars, Marie-Louise partit pour la France et retrouva son futur mari à Compiègne. Le mariage officiel, cette fois en présence des deux époux, eut lieu à Paris le 2 avril. Par cet étrange mariage, l'archiduchesse Marie-Louise, fille de l'empereur d'Autriche François Ier, mais aussi nièce de la reine Marie-Antoinette, faisait de Napoléon le neveu par alliance de celle-ci et également... celui de Louis XVI. Metternich assista aux festivités et profita de son séjour parisien pour tenter d'obtenir quelques aménagements au traité de Schönbrunn. Tout ce qu'il put arracher à Napoléon, ce fut la suppression de la clause qui limitait à cent cinquante mille hommes les effectifs de l'armée autrichienne[1].

Au moment du mariage autrichien, les relations entre Paris et

1. G. Bertier de Sauvigny, *Metternich*, *op. cit.*, p. 120-125.

Saint-Pétersbourg commençaient à se dégrader, tandis que l'armée française s'enlisait en Espagne. Metternich entendait préserver la neutralité de l'Autriche dans le cas d'un éventuel conflit franco-russe. Napoléon, au contraire, souhaitait une participation active de l'Autriche. Les pressions françaises furent telles que l'ambassadeur Schwarzenberg dut accepter de signer le traité de Paris du 14 mars 1812 par lequel l'Autriche s'engageait à fournir un « corps auxiliaire » de trente mille hommes sous commandement autrichien, mais qui ne pourrait être utilisé ni contre l'Angleterre ni en Espagne. Beaucoup à la cour de Vienne critiquaient la politique de Metternich jugée trop favorable à la France. Plusieurs des frères de François Ier, les archiducs Charles, Jean et Joseph, ainsi que l'impératrice Maria-Ludovica, la troisième épouse de l'empereur, ne cachaient pas leur hostilité à Metternich. François Ier, jaloux de son autorité, ne céda pas et conserva toute sa confiance à son ministre [1].

Avant d'attaquer la Russie, Napoléon organisa à Dresde, le 18 mai 1812, une rencontre avec les souverains alliés et vassaux. Marie-Louise l'avait accompagné et avait ainsi eu l'occasion de revoir son père, sa belle-mère et ses oncles. Metternich était également présent. La réunion ne donna guère de résultats.

Lorsque l'empereur des Français lança la Grande Armée à l'assaut de la Russie, l'Autriche, comme elle s'y était engagée, fournit un corps de trente mille hommes placé sous les ordres du général Schwarzenberg qui avait été ambassadeur en Russie de 1805 à 1809, et à Paris de 1809 à 1812. Les nouvelles de Russie ne parvenaient que tardivement à Vienne. Au début de décembre 1812, on y apprit que Napoléon avait abandonné Moscou et que son armée se repliait vers l'ouest dans des conditions très difficiles. Metternich, en accord avec François Ier, modifia sa politique et annonça que l'Autriche se cantonnerait désormais dans une stricte neutralité, tandis que sur le terrain, Schwarzenberg, le 30 janvier 1813, concluait un armistice avec les Russes et se retirait en Galicie.

Sourd aux demandes du tsar Alexandre Ier, Metternich entendait faire jouer à l'Autriche un rôle de médiateur. Ses ennemis à Vienne tentèrent de l'évincer en organisant un complot contre lui. Démasqués, ils vinrent solliciter le pardon de l'empereur qui le leur accorda à la demande même de Metternich. François Ier donna à

1. G. Bertier de Sauvigny, *Metternich*, *op. cit.*, p. 135-136.

son ministre un nouveau témoignage de sa confiance en le nommant chancelier de l'ordre de Marie-Thérèse, fonction occupée autrefois par son illustre prédécesseur Kaunitz. L'ambassadeur français à Vienne, le comte de Narbonne, proposa à l'Autriche de s'allier à la France, ce qui lui permettrait le moment venu de récupérer la Silésie. François Ier et Metternich refusèrent mais firent savoir aussitôt que le traité de 1812 était devenu caduc. L'empereur François souhaitait que l'Autriche puisse servir d'intermédiaire entre Napoléon d'une part, et la Russie d'autre part, alliée à la Prusse depuis février 1813. Ce qui n'empêchait pas l'Autriche, pendant ce temps, de reconstituer ses forces armées. Les tentatives de médiation de Metternich ne donnèrent guère de résultat, et la rencontre des représentants de tous les belligérants à Prague qui eut lieu du 10 juillet au 10 août se solda par un échec, ce qui rendit à l'Autriche sa liberté d'action. Désormais en guerre contre la France, elle n'en continuait pas moins à négocier avec le représentant de Napoléon, Caulaincourt. Metternich, en accord avec François Ier, avait cherché à repousser au maximum le moment où l'Autriche devrait s'engager aux côtés de ses anciens alliés. Pour éviter un nouveau retournement de la politique autrichienne, la Russie et la Prusse firent la part belle à l'Autriche dans leur coalition, et c'est le général Schwarzenberg qui fut nommé commandant en chef des forces alliées. Le 9 septembre 1813, l'Autriche, la Prusse et la Russie signèrent à Teplitz un traité d'alliance en bonne et due forme ; l'Angleterre, la Bavière puis la Suède y souscrivirent peu après.

La politique de Metternich et le soutien que lui avait toujours apporté l'empereur François commençaient à porter leurs fruits. L'Autriche retrouvait sa place de grande puissance en prenant la tête de la coalition contre Napoléon et ses efforts en vue d'imposer une médiation lui avaient donné une certaine autorité morale. Malgré la « bataille des Nations », en octobre 1813, Metternich continua les négociations secrètes avec l'empereur des Français qui était à ses yeux un ennemi « à part » puisqu'il était également le gendre de son maître. À la fin de décembre, François Ier qui avait accompagné la progression de ses troupes s'installa avec sa famille et Metternich à Bâle, après avoir salué au passage les anciens sujets habsbourgeois de la *Vorderösterreich*[1].

Metternich restait décidé à ménager Napoléon. Dans une lettre du 17 mars 1814 adressée à Caulaincourt, le ministre français des

1. G. Bertier de Sauvigny, *Metternich*, *op. cit.*, p. 180-181.

Affaires étrangères, il écrivait que « l'Autriche souhaite encore sauvegarder une dynastie avec laquelle elle est étroitement liée[1] ». Ce n'est qu'au début d'avril, au moment de la chute de Paris, que Metternich se rallia à l'idée d'une restauration des Bourbons en France. Le traité de Fontainebleau régla le statut personnel de Napoléon. Celui-ci, à la demande de l'Autriche, conserva son titre d'empereur dans l'île d'Elbe qui lui fut attribuée ; sa femme Marie-Louise, qui avait quitté Paris le 30 mars en compagnie de son jeune fils, le « roi de Rome » alors âgé de deux ans, reçut les duchés de Parme, Plaisance et Guastalla, mais fut fermement invitée à regagner Vienne dans l'immédiat.

L'empereur François sut apprécier la façon dont Metternich avait dirigé la politique extérieure de l'Autriche au cours des dernières années et le lui fit savoir : « Vous avez agi dans cette affaire comme il convenait et, comme père, je vous remercie de tout mon cœur. » On était loin ici de l'image-cliché évoquant l'ingratitude des Habsbourg envers ceux qui les avaient servis. En témoignant sa reconnaissance à Metternich, François Ier avait agi de la même façon que Marie-Thérèse et Joseph II l'avaient fait à l'égard du chancelier Kaunitz, lequel, il ne faut pas l'oublier, avait donné en 1795 la main de sa petite-fille Éléonore à ce jeune et brillant diplomate qu'était alors Clément von Metternich. L'empereur François ajouta un geste supplémentaire de bienveillance envers son ministre en l'autorisant, lui et ses descendants, à porter les armes de l'Autriche dans le premier champ de leurs armoiries ; et, en tant que roi de Hongrie, il attribua à Metternich la seigneurie de Daruvár, faisant de lui un magnat hongrois de plein droit[2].

1. G. Bertier de Sauvigny, *Metternich*, *op. cit.*, p. 190.
2. *Ibid.*, p. 197.

17

L'apogée du « système » de Metternich (1815-1835)

Une fois acquise la victoire sur Napoléon et son abdication le 6 avril 1814, une fois la paix signée avec le nouveau gouvernement français, il s'agissait maintenant de reconstruire la carte politique de l'Europe et c'est à Metternich que l'empereur François confia la tâche de défendre les intérêts de la monarchie autrichienne.

Le congrès de Vienne et la Sainte Alliance

Pour l'empereur d'Autriche comme pour Metternich, il y avait deux objectifs à atteindre : empêcher d'abord que la France puisse dans l'avenir constituer une menace pour la paix en Europe et, en second lieu, mettre en place un dispositif pour étouffer dans l'œuf tout mouvement révolutionnaire, qu'il soit d'inspiration libérale ou nationale. C'étaient là des idées déjà exprimées depuis longtemps par Friedrich von Gentz, l'un des inspirateurs de la politique de Metternich.

Dans l'immédiat, Vienne qui venait de vivre deux occupations par les troupes françaises fit un accueil triomphal au « bon empereur François », rentré le 16 juin dans sa capitale à la tête de ses troupes. Un mois plus tard, c'était au tour de Metternich de retrouver son bureau pour y préparer le congrès où se construirait l'Europe future. Tous les États européens furent représentés à ce congrès qui, pour plus de neuf mois, fit de Vienne la capitale diplomatique de l'Europe. Les humiliations de 1805 et de 1809 étaient déjà bien oubliées [1].

Le congrès s'ouvrit officiellement le 22 septembre 1814 pour

1. J.-P. Bled, *Histoire de Vienne*, *op. cit.*, p. 111.

s'achever le 26 juin 1815, quelques jours après l'échec de la malheureuse tentative de Napoléon pour reprendre le pouvoir. Le palais de la Hofburg abrita durant leur séjour la plupart des souverains qui firent le déplacement de Vienne, et parmi eux le tsar Alexandre Ier et le roi de Prusse Frédéric-Guillaume II [1]. Le prince de Ligne qui s'était réfugié à Vienne au moment où la France avait annexé les Pays-Bas autrichiens évoqua par cette phrase devenue célèbre l'atmosphère de fête qui régnait alors : « Le Congrès ne marche pas ; il danse [2]. » Les séances de travail des diplomates alternaient avec les réceptions officielles, les dîners de gala, les bals, les chasses à Laxenburg et dans le Wienerwald, le tout dans un climat d'intrigues et de commérages. En fait, c'est dans le palais du Ballhaus, la résidence de Metternich, que chaque matin se réunissaient les représentants des quatre grandes puissances de l'Europe d'alors, Metternich pour l'Autriche, Castlereagh pour l'Angleterre, Hardenberg pour la Prusse et Nesselrode pour la Russie. Parfois, le représentant français, Talleyrand, était invité à participer à leurs travaux. C'est dans ce cercle restreint que l'on discutait des grands problèmes. Metternich était en permanence informé de ce qui se disait en coulisses grâce à son réseau d'informateurs et les correspondances des diplomates elles-mêmes n'échappaient pas aux lectures indiscrètes qu'en faisaient les fonctionnaires de la *Geheime Zifferkanzlei* [3].

La monarchie autrichienne tira d'incontestables bénéfices de l'acte final du congrès de Vienne. Les possessions héréditaires des Habsbourg situées dans la moyenne vallée du Danube, c'est-à-dire les pays autrichiens, la Bohême et la Hongrie, furent confirmées dans leurs frontières de 1792. Les Habsbourg conservaient aussi la Galicie et un droit de suzeraineté sur la république de Cracovie. En revanche, ils durent renoncer à leurs territoires dispersés de la *Vorderösterreich* en Allemagne du Sud qui demeurèrent entre les mains de leurs possesseurs actuels, le grand-duc de Bade et le roi de Würtemberg. Les Habsbourg perdirent également les Pays-Bas autrichiens qui, associés aux anciennes Provinces-Unies, formèrent un royaume des Pays-Bas sous la dynastie des Orange-Nassau. Mais la perte de ces territoires isolés ou dispersés fut largement compensée par le renforcement de la position des Habsbourg en

1. D. G. Mac Guigan, *Les Habsbourg*, *op. cit.*, p. 291.
2. *Ibid.*, p. 294.
3. G. Bertier de Sauvigny, *Metternich*, *op. cit.*, p. 225.

Italie avec le royaume de Lombardie-Vénétie et les principautés vassales d'Italie centrale, le grand-duché de Toscane et les duchés de Parme, Plaisance et Guastalla.

Restait la question du Saint Empire. Pour Metternich, rétablir le Saint Empire était peu réaliste [1]. Il se contenta de la création d'une Confédération germanique (*Deutscher Bund*) présidée par l'empereur d'Autriche, dont les frontières correspondaient à celles de l'ancien *Reich*, avec trente-huit États souverains dont quatre villes, ainsi que les provinces allemandes d'Autriche et la Bohême. La Hongrie avec ses institutions particulières n'en faisait pas partie ; d'ailleurs, Metternich la considérait comme « un État asiatique [2] ». La nouvelle organisation du monde allemand confirmait la disparition des États ecclésiastiques sécularisés en 1803, celles des micro-États d'Allemagne rhénane et méridionale, et de la plupart des villes libres. L'Autriche et la Prusse, momentanément alliées, avaient mission d'assurer la sécurité du monde allemand face à d'éventuelles visées expansionnistes de la France ou de la Russie [3].

Dans le prolongement du congrès de Vienne, on assista à la création d'un système de sécurité collective destiné à maintenir l'ordre et la paix en Europe. À l'origine, il s'agissait d'une idée du tsar Alexandre qui souhaitait que les principes de justice et de charité chrétienne guident les pas des souverains. Cette « Sainte Alliance » où le mystique l'emportait sur le réalisme politique fut formée à Paris le 26 septembre 1815. Tous les souverains européens sauf le prince régent d'Angleterre, le pape et le sultan de Turquie y adhérèrent, d'autant plus facilement que les termes de ce traité étaient vagues.

Metternich vit là un moyen d'assurer l'ordre en Europe et proposa dans cette perspective la conclusion d'une Quadruple Alliance entre l'Autriche, la Prusse, la Russie et l'Angleterre. Cette alliance vit le jour le 20 novembre 1815, son objectif étant de s'opposer, y compris par la force armée, à toutes les initiatives révolutionnaires et de maintenir le *statu quo* territorial. Des réunions entre les États signataires devaient être organisées chaque fois qu'un mouvement révolutionnaire ou une menace pour la paix apparaissait. Aux yeux

1. J. Droz, *L'Europe centrale : évolution historique de l'idée de « Mitteleuropa »*, Paris, 1960, p. 44-45.
2. *Ibid.*, p. 47.
3. J. Bérenger, *Histoire de l'Empire des Habsbourg*, *op. cit.*, p. 550.

de tous, l'initiative de Metternich avait fait de lui le véritable créateur de la Sainte Alliance, et de l'Autriche le symbole de la Contre-Révolution en Europe — ce qui contribua dans une large mesure à détériorer son image aux yeux des libéraux. En réalité, le « système de Metternich » visait avant tout au maintien de la paix en Europe après deux décennies de guerres meurtrières et, sur ce plan, on peut considérer cette politique comme un succès puisqu'il faudra attendre un siècle pour qu'éclate, en 1914, une nouvelle guerre à l'échelle européenne [1].

La monarchie habsbourgeoise de 1815 à 1835

La deuxième partie du règne de François Ier correspond à une période de paix et de stabilité. L'empereur, entouré de sa nombreuse famille — veuf pour la troisième fois depuis le 7 avril 1816, il s'est remarié le 4 juillet de la même année avec Carola-Augusta, fille du futur roi de Bavière Maximilien-Joseph, de vingt-quatre ans sa cadette —, ses frères, ses nombreux enfants, il laisse gouverner Metternich à qui il vient de faire don des bâtiments et des terres de l'abbaye sécularisée de Johannisberg, en Rhénanie, sa région d'origine, en reconnaissance « pour les services considérables que vous avez rendus à l'État et à moi dans la période finale des agitations de l'Europe [2] ».

L'empereur consacre désormais la plupart de son temps à sa femme et à ses enfants encore en vie — six autres étaient morts en bas âge —, l'archiduc Ferdinand, l'héritier du trône, l'archiduchesse Léopoldine qui épousera en 1817 l'héritier du trône du Portugal don Pedro qui deviendra en 1822 empereur du Brésil, l'archiduchesse Marie-Clémentine, l'archiduchesse Caroline, future reine de Saxe, l'archiduc François-Charles qui épousera Sophie de Bavière et sera le père de François-Joseph, et l'archiduchesse Marie-Anne [3]. Il y avait là aussi, depuis mai 1814, le « roi de Rome », le fils de Napoléon et de l'archiduchesse Marie-Louise, né le 20 mars 1811 et baptisé sous le nom de François, Joseph, Charles, et auquel son grand-père donne en 1818 le titre de duc de Reichstadt. L'empereur François témoigna toujours une grande affection à ce petit-fils privé de la présence de ses parents, mais il dut accepter que Metternich contrôle son éducation afin de lui faire

1. J. Bérenger, *Histoire de l'Empire des Habsbourg*, *op. cit.*, p. 551.
2. G. Bertier de Sauvigny, *Metternich*, *op. cit.*, p. 286.
3. J. Sára, *A Habsburgok és Magyarország*, *op. cit.*, p. 455-457.

oublier ses origines. L'empereur François avait un sens inné de la famille, mais dans un état d'esprit patriarcal. C'est dans cet esprit qu'il rédigea un document, véritable statut familial qui fixait l'ordre hiérarchique au sein de la famille des Habsbourg. L'empereur en est le chef ; derrière lui viennent l'impératrice son épouse, puis les veuves survivantes de ses prédécesseurs, les archiducs et archiduchesses issus en ligne directe de mariages réguliers contractés avec le consentement du chef de famille du moment. Ce document publié en 1839 complétait la Pragmatique Sanction de 1713 et s'imposait comme elle à tous les membres de la famille[1].

L'empire sur lequel règne François Ier après le congrès de Vienne est plus compact que celui qu'il a hérité de son père en 1792. Le caractère multinational et la diversité des statuts de ses composantes en sont les signes dominants. La Hongrie a conservé son statut privilégié, avec sa Diète siégeant à Presbourg et les deux chancelleries de Hongrie et de Transylvanie. Le royaume lombard-vénitien dispose lui aussi d'une administration particulière. L'empereur est représenté à Milan par un vice-roi, l'archiduc Rainier, l'un des frères de François Ier, et les relations avec le pouvoir central relèvent de la chancellerie italienne créée par une patente du 24 décembre 1817 et dont le titulaire doit toujours être un Italien.

Le lien qui unit ces territoires et ces peuples divers, allemands, slaves, hongrois, italiens et polonais, c'est l'empereur qui s'appuie sur la bureaucratie et sur l'Église catholique, mais Metternich, au nom de la lutte contre les idées libérales et les mouvements révolutionnaires, y a ajouté une puissante organisation policière qui surveille étroitement la presse, l'enseignement et les universités. De la sorte, ce « système de Metternich » peut assurer la *pax austriaca* aux diverses nations qui composent l'Empire.

Les institutions traditionnelles demeurent, et même si dans les pays austro-bohêmes on réunit les Diètes locales, les fonctionnaires nommés par Vienne occupent une place de plus en plus importante dans la gestion de l'administration locale. Le pouvoir central reste partagé entre les diverses chancelleries, les ministères et les bureaux. Deux hommes émergent, Metternich qui se consacre presque exclusivement à la politique extérieure, et le comte Kolowrat qui a la haute main sur les finances et l'administration intérieure.

1. H. Wickham-Steed, *La Monarchie des Habsbourg*, Paris, 1914, p. 85 et suiv.

C'est Kolowrat qui en 1816 restaure la monnaie et les finances de l'Empire mises à rude épreuve par les guerres et par la banqueroute de 1811 : il crée une Banque nationale autrichienne jouissant du monopole de l'émission des billets de banque, convertibles à vue en or, ce qui ramène la confiance et permet une amélioration de la conjoncture économique.

La *pax austriaca*, Metternich voulut l'étendre à toute l'Europe et, à plusieurs reprises, il organisa des réunions des représentants des États membres de la Sainte Alliance, chaque fois qu'un mouvement révolutionnaire risquait de mettre en péril l'ordre établi. Si le congrès d'Aix-la-Chapelle, en 1818, réintroduisit la France de Louis XVIII dans le cercle des États « fréquentables », ceux de Troppau en novembre 1820 et de Laybach (Ljubljana) en janvier 1821 décidèrent l'envoi de troupes autrichiennes à Naples pour y rétablir l'ordre. En novembre 1822, le congrès de Vérone donna mission à la France d'intervenir contre les révolutionnaires espagnols, mais se divisa sur l'attitude à prendre face à la révolte des Grecs contre le pouvoir ottoman. En 1827, une intervention militaire franco-anglo-russe permit à la Grèce d'obtenir son autonomie puis son indépendance. Le système de Metternich avait cependant ses limites et les membres de la Sainte Alliance se divisèrent en 1830 face à la révolution qui, à Paris, remplaça Charles X par Louis-Philippe, et l'année suivante face à la révolution belge[1]. Désormais, Metternich dut agir seul, ou de concert avec la Russie, pour lutter contre les mouvements révolutionnaires.

Dans les dernières années de son règne, le grand souci de l'empereur François fut de régler sa succession. L'héritier du trône était son fils aîné, l'archiduc Ferdinand né en 1793 de son deuxième mariage avec Marie-Thérèse de Bourbon-Sicile, sa cousine. Dès son plus jeune âge, le prince souffrit de fréquentes crises d'épilepsie et ses facultés intellectuelles semblaient limitées. L'empereur François avait songé un moment à l'écarter de la succession au profit de son frère cadet l'archiduc François-Charles, mais Metternich le lui déconseilla au nom du principe de légitimité qui avait été au cours des siècles la règle de la dynastie. L'empereur se rallia aux vues de son ministre, et demanda même à la Diète hongroise de le reconnaître comme son successeur de son vivant, si bien que le

1. E. Zöllner, *Histoire de l'Autriche des origines à nos jours*, *op. cit.*, p. 332-333.

27 septembre 1830, Ferdinand fut couronné « roi apostolique de Hongrie » sous le nom de Ferdinand V en la cathédrale de Presbourg [1].

Au début de février 1835, l'empereur François alors âgé de soixante-sept ans tomba malade et se mit en devoir de rédiger son testament. Dans ce document daté du 28 février, il confiait la responsabilité d'encadrer son héritier à trois personnes, deux membres de la famille impériale, son propre frère l'archiduc Louis et son fils cadet l'archiduc François-Charles, la troisième étant Metternich. Une fois encore, l'empereur François rendait un hommage appuyé à son ministre dans les recommandations qu'il adressait à son fils : « Reporte sur le prince de Metternich, mon plus fidèle serviteur et ami, la confiance que je lui ai vouée pendant une si longue suite d'années. Ne prends aucune résolution en matière d'affaires publiques comme en fait de personnes sans l'avoir consulté d'abord... Par contre, je lui fais un devoir d'agir à ton égard avec la même franchise et avec le même fidèle attachement qu'il m'a toujours montré [2]... » Peu après, le 2 mars 1835, l'empereur François rendait l'âme après un règne de quarante-trois ans marqué par de terribles épreuves, tant sur le plan public que dans sa vie privée, la dernière en date étant la mort de ce petit-fils qu'il chérissait tant bien qu'il fût aussi le fils de son plus farouche ennemi l'empereur des Français, le duc de Reichstadt qui s'était éteint en 1832, à l'âge de vingt-quatre ans.

---

1. B. Hóman et Gy. Szekfü, *Magyar történet*, *op. cit.*, t. V, p. 284 et A.-J.-P. Taylor, *The Habsburg Monarchy*, *op. cit.*, p. 47.
2. G. Bertier de Sauvigny, *Metternich*, *op. cit.*, p. 440-441.

18

Ferdinand le Débonnaire et la crise de l'Empire (1835-1848)

L'accession au trône de l'empereur Ferdinand ne suscita guère de réaction. Le nouveau souverain était alors âgé de quarante-deux ans. Les Viennois avaient pour lui de l'affection en raison de ses qualités humaines. En dépit de son état mental et malgré une tentative de suicide, son père avait toujours traité l'archiduc Ferdinand en héritier du trône et il s'était efforcé de lui donner une instruction convenable. Le nouvel empereur, considéré par beaucoup comme débile — « une nullité totale, presque un idiot [1] » selon le mot de lord Palmerston —, se trouvait être pourtant un homme aimable, d'une infinie bonté —, ce qui lui valut le surnom de *Gütig*, « le Débonnaire » —, et qui ne manquait pas de culture. Dès son adolescence, Ferdinand avait témoigné un vif intérêt pour les choses de la nature, la botanique et l'horticulture, et s'était passionné pour les progrès de la technique à un moment où la révolution industrielle était en train de transformer le monde et la société. Le futur empereur parlait cinq langues dont l'italien qui lui était très cher. Comme beaucoup de Habsbourg, il était un passionné de musique mais ne jouait personnellement d'aucun instrument. Comme les futurs héritiers du trône, on l'avait fait voyager dans les différents territoires qui relevaient de l'Empire, en Italie, en Hongrie, en Bohême notamment.

Au printemps de 1831, peu après que l'archiduchesse Sophie, épouse de l'archiduc François-Charles, héritier en second du trône, eut donné naissance à François-Joseph, Metternich conseilla à l'empereur François de marier l'archiduc Ferdinand. On lui choisit pour épouse Maria-Anna, la fille du roi de Piémont-Sardaigne Victor-Emmanuel Ier. Le mariage fut célébré peu après à Vienne ; il fut

1. Cité par D. G. Mac Guigan, *Les Habsbourg*, *op. cit.*, p. 321.

stérile comme l'espérait Metternich. Mais par ce mariage, l'empereur Ferdinand donna l'impression d'être un souverain normal[1], tout en étant déchargé de toute responsabilité politique.

La deuxième vie du « système Metternich »

Comme l'avait souhaité l'empereur François dans son testament, le pouvoir réel fut confié à une sorte de Conseil de régence qui prit en décembre 1836 le nom de Conférence d'État avec quelques modifications par rapport à ce qui avait été prévu par le défunt. Cette Conférence d'État présidée par l'archiduc Louis comprenait trois membres permanents : l'archiduc François-Charles, le prince de Metternich et le comte Kolowrat ; des ministres pouvaient être occasionnellement invités à y siéger. L'empereur Ferdinand, en général, se ralliait aux décisions prises par la Conférence. À côté de la Conférence d'État, une institution occulte, la *camarilla*, exerçait une influence considérable sur l'orientation politique ; on y trouvait la plupart des archiducs, à l'exception de l'archiduc Jean connu pour ses idées libérales, un certain nombre d'aristocrates influents comme le prince Felix de Schwarzenberg, et aussi l'archiduchesse Sophie, la mère de François-Joseph, devenu après l'avènement de Ferdinand l'héritier en second.

En dépit des tentatives de Metternich pour intervenir dans les affaires intérieures, Kolowrat conserva la haute main dans ce domaine. Ce qui fait que la politique de réaction menée en Autriche sous le nom de « système de Metternich » fut en réalité l'œuvre de son rival. Les universités furent soumises à l'autorité de doyens et de recteurs nommés par le pouvoir ; la censure exerçait un contrôle étroit sur toutes les publications. L'Église, durement frappée par le joséphisme, retrouva peu à peu une partie de son influence dans la mesure où elle participait à l'encadrement de la société.

Pour les libéraux de l'époque, « l'Autriche est une puissance anachronique », « gardienne du principe monarchique contre la souveraineté du peuple, de l'absolutisme contre les idées constitutionnelles »[2]. La règle politique est de ne rien changer, comme l'avait recommandé l'empereur François à son fils : « Ne change rien aux fondements de l'édifice de l'État : gouverne et ne change rien[3] ! »

1. J. Sára, *A Habsburgok és Magyarország*, *op. cit.*, p. 458, et D. G. Mac Guigan, *Les Habsbourg*, *op. cit.*, p. 319-320.

2. F. Ponteil, *L'Éveil des nationalités et le mouvement libéral*, Paris, 1968, p. 513.

3. G. Bertier de Sauvigny, *Metternich*, *op. cit.*, p. 442.

Or, depuis la fin des années 1830, l'Autriche était en train de se transformer avec les premiers effets de la révolution industrielle. Vienne s'entourait peu à peu d'une ceinture de faubourgs ouvriers où s'entassait un prolétariat de travailleurs à domicile du textile ; la capitale était aussi un important foyer d'industries de luxe et de biens de consommation. À côté d'un monde ouvrier venu souvent des pays slaves de l'Empire, on assiste à la montée en puissance d'une nouvelle bourgeoisie issue du monde de l'industrie et des affaires qui s'ajoute à la bourgeoisie ancienne faite de fonctionnaires, d'universitaires et de médecins. Jusqu'au début des années 1840, cette nouvelle bourgeoisie accepte les institutions. C'est l'époque de la « culture Biedermayer », conformiste politiquement et avide de confort. La bourgeoisie viennoise ne manifeste que peu d'intérêt pour la vie politique et lui préfère de beaucoup les activités artistiques que l'on pratique en famille, la musique, le théâtre, la danse avec l'envolée de la valse que les orchestres de Joseph Lanner et de Johann Strauss père popularisent [1]. À la différence de la bourgeoisie allemande de l'époque, la bourgeoisie autrichienne du *Vormärz* ne cause guère de souci au pouvoir. Le cosmopolitisme de la capitale s'accentue encore, avec la construction des premières lignes de chemin de fer. Dès 1839, Vienne est reliée à Brünn, la capitale de la Moravie, et en 1847 le réseau du *Kaiser-Ferdinand Nordbahn* unit la capitale aux pays de la couronne de saint Venceslas et à la Silésie, tandis que le *Südbahn* s'apprête à relier Vienne à Trieste [2]. À la veille de la révolution, le réseau ferré autrichien représente une longueur de 1 622 kilomètres auxquels il faut ajouter les 222 kilomètres du réseau hongrois. Les progrès étaient moins visibles dans les campagnes, mais la demande en main-d'œuvre de l'industrie et des chantiers de construction ferroviaire favorisa l'exode rural et la croissance urbaine. Dans l'ensemble, la conjoncture économique favorable évita à la monarchie autrichienne les tensions qui jalonnèrent le règne de Louis-Philippe en France. La crise économique de 1846-1847 devait tout remettre en question.

1. W. M. Johnston, *L'Esprit viennois*, Paris, 1985, p. 21. Le nom de « Biedermayer » provient du nom du personnage principal de l'humoriste souabe Ludwig Eichrodt, modèle du bourgeois dépolitisé et amoureux d'une vie confortable.

2. E. Zöllner, *Histoire de l'Autriche des origines à nos jours*, *op. cit.*, p. 356-357.

Le réveil des nationalités

Si le mouvement libéral demeura marginal dans les pays autrichiens jusqu'au milieu des années 1840, la question des nationalités était beaucoup plus sérieuse. À partir de 1815, le réveil des nationalités, ébauché timidement à la fin du XVIIIe siècle avec la redécouverte des langues et des cultures nationales, s'amplifia et la renaissance culturelle déboucha rapidement sur le débat politique. L'émergence des nationalités fut favorisé par l'essor démographique des différents peuples de l'Empire ; la révolution industrielle, avec le développement des classes nouvelles, prolétariat et bourgeoisie, davantage ouvertes sur les idées nouvelles, joua un rôle non négligeable même si ce furent en général les intellectuels, les étudiants et les éléments libéraux des classes dirigeantes qui conduisirent les divers mouvements nationaux.

Tous les peuples de l'Empire furent affectés. Les intellectuels germanophones de la monarchie autrichienne s'intéressaient à ce qui se passait en Allemagne et songeaient à la création d'une Grande Allemagne unitaire. C'est chez les peuples non germanophones que le réveil national fut le plus marqué. Parmi les Slaves du Nord, les intellectuels de Bohême jouèrent le rôle le plus important. Ce réveil fut facilité par la codification et l'épuration de la langue, avec la publication par Joseph Jungmann, recteur de l'université de Prague depuis 1839, d'un *Dictionnaire tchèque-allemand* et d'une *Histoire de la littérature tchèque*. On s'intéressa aussi au passé de la Bohême avec la publication par Frantisek Palacky d'une *Histoire de la nation tchèque*. Les Slovaques de Hongrie prirent conscience, eux aussi, de leur identité avec la codification de leur langue par l'écrivain Louis Stur. Dans les pays slaves du sud, le renouveau national chercha surtout à atténuer les divisions qui séparaient les Serbes orthodoxes des Croates et des Slovènes, tous deux catholiques. Des écrivains cherchèrent à unifier leurs langues, assez proches l'une de l'autre, ce qui déboucha sur la création d'une langue littéraire, le serbo-croate, à côté de laquelle les parlers populaires se maintinrent vigoureusement. L'écrivain croate Louis Gaj se fit le défenseur de l'*illyrisme*, c'est-à-dire de l'union de tous les Slaves du Sud en un seul État dont le souverain ne pouvait être à ses yeux que l'empereur d'Autriche. Il est vrai que Gaj était croate et que la Croatie bénéficiait à l'intérieur de la Hongrie d'un statut privilégié avec sa propre Diète.

En 1815, le renouveau national était déjà bien engagé en Hongrie. Il prit un nouvel envol entre 1815 et 1848 avec les écrivains romantiques qui, dans leurs œuvres, chantaient l'amour de la patrie, comme François Kölcsey, auteur de l'hymne national, Michel Vörösmarty et surtout le poète Alexandre Petöfi. Ce renouveau littéraire eut des prolongements politiques à la Diète. On y réclamait régulièrement le renforcement des garanties constitutionnelles. Une presse politique vit le jour où s'affrontaient les modérés qui, comme le comte Széchényi ou l'avocat François Déak, souhaitaient la transformation de la Hongrie en une monarchie parlementaire de type britannique sans rompre les liens unissant le pays au reste de l'Empire, et les radicaux de la *Gazette de Pest*, dirigée par l'avocat Louis Kossuth devenu chef de l'opposition à la Diète, qui réclamaient l'indépendance de la Hongrie avec éventuellement une union personnelle avec les pays autrichiens. Tous étaient d'accord pour faire du hongrois la langue officielle du pays en lieu et place du latin, ce qui fut obtenu en 1844, mais cette place privilégiée donnée au hongrois suscita de vives inquiétudes des ethnies non magyares qui représentaient près de la moitié de la population du royaume [1].

Ce réveil des nationalités pouvait déboucher sur des troubles dont l'issue risquait d'être la désagrégation d'un système patiemment élaboré au cours des siècles. L'Empire d'Autriche, dans les années 1840, se trouvait à la croisée des chemins malgré le calme qui régnait en apparence. Devait-on laisser se poursuivre sans réagir l'évolution en cours et risquer un affrontement entre les différentes nationalités, ou bien au contraire devait-on, comme l'avait toujours pensé Metternich, maintenir la monarchie telle qu'elle était, si besoin est par la force, afin d'assurer la paix dans l'espace danubien ?

En Italie, le royaume lombard-vénitien et les principautés liées aux Habsbourg étaient depuis longtemps des foyers permanents d'agitation. Le sentiment des populations d'appartenir à une même nation avait fait des progrès considérables chez les élites et dans les classes moyennes, largement favorables par ailleurs aux idées libérales. Aux yeux de beaucoup d'Italiens, les Habsbourg constituaient le principal obstacle à la réalisation de leurs aspirations libérales et nationales, et leurs interventions militaires pour rétablir l'ordre avaient suscité à leur encontre un profond sentiment de

1. H. Bogdan, *Histoire des pays de l'Est*, Paris, 1990, p. 138 et suiv.

haine. Le mouvement du *Risorgimento* qui regroupait tous les patriotes italiens avait pour objectif la création d'un État italien d'où seraient expulsés les *Kaiserlichi*, les Impériaux, c'est-à-dire les Autrichiens. Certains comme Mazzini songeaient à créer une République italienne ; d'autres, plus modérés, aspiraient à unir les Italiens au sein d'un royaume doté d'une constitution libérale et tournaient leur regard vers le royaume de Piémont-Sardaigne. Si jusque-là, Metternich avait réussi à maintenir par la force l'ordre ancien en Italie, les événements de mars 1848 allaient tout remettre en question.

La chute de Metternich et l'abdication de l'empereur Ferdinand (mars-décembre 1848)

La révolution parisienne de février 1848 eut un retentissement considérable en Europe et se traduisit partout, sauf en Angleterre et en Russie, par des troubles révolutionnaires plus ou moins durables et plus ou moins importants selon les pays. Ce « printemps des peuples » fut le résultat de la conjonction de plusieurs facteurs. Depuis 1845-1846, une série de mauvaises récoltes avait durement affecté le monde rural. La diminution des revenus tirés de la terre entraîna une diminution de la consommation des produits artisanaux et industriels non indispensables et un arrêt des investissements, provoquant une crise dans l'industrie naissante. Dans les campagnes, ce fut la misère ; en ville, ce furent la hausse du prix des denrées alimentaires et le chômage. La crise économique et les troubles sociaux qui l'accompagnèrent se produisirent justement à un moment où le climat politique s'assombrissait, avec une remise en question du pouvoir en place. Dans la monarchie habsbourgeoise, la crise économique servit de détonateur à une révolution où s'exprimèrent pêle-mêle les revendications libérales, nationales et sociales. La première victime en fut Metternich qui personnifiait à lui seul l'ordre conservateur et la contre-révolution.

Dès les premiers jours de mars 1848, l'agitation révolutionnaire qui avait débuté en Allemagne du Sud gagna la monarchie autrichienne. C'est à Prague que commencèrent les premiers troubles. Le 11 mars, les libéraux de Bohême, Allemands et Tchèques confondus, se réunirent et rédigèrent une pétition réclamant les principales libertés, l'égalité de toutes les nationalités et de toutes les langues, ainsi que la réunion régulière de la Diète de Bohême. Mais les Allemands de Bohême se situaient dans la perspective d'une Grande Allemagne, alors que les Tchèques, comme Palacky, n'envisageaient rien d'autre que le cadre autrichien. Les envoyés de Prague arrivèrent à Vienne pour présenter leur pétition le 13 mars, le jour même où la capitale était en pleine révolution. Le matin, les étudiants et la bourgeoisie libérale avaient manifesté contre Metternich, l'après-midi, ils avaient été rejoints par le peuple des faubourgs et les manifestations avaient dégénéré. Des policiers furent lynchés, ce qui entraîna l'intervention de la troupe. L'archiduc Louis, président de la Conférence d'État, demanda à Metternich de se retirer. Celui-ci hésita puis, devant l'ensemble de la famille impériale, il demanda à être officiellement délié du serment fait autrefois à l'empereur François de ne pas abandonner son fils, l'empereur Ferdinand. La Cour et l'empereur acquiescèrent. L'empereur fit savoir qu'il était prêt à satisfaire les revendications du peuple, puis, comme s'il ne s'était rien passé au cours de cette journée décisive, il déclara : « Moi, je vais me coucher ! » Le lendemain, Metternich prenait la route de l'exil qui le conduisit d'abord à Dresde, puis en Angleterre [1].

Le gouvernement que forma le baron Pillersdorf accepta la plupart des revendications, abolit la censure et annonça l'élection d'une Assemblée constituante ; puis, pour calmer l'opinion publique, il déclara que les biens de Metternich seraient mis sous séquestre sous prétexte qu'il aurait dilapidé l'argent public. Vienne se calma aussitôt. La révolution viennoise n'avait jamais pris une allure antidynastique. Peu après le départ de Metternich en effet, l'empereur Ferdinand accompagné de son frère l'archiduc François-Charles et de son neveu François-Joseph parcourut sans escorte les rues de la capitale sous les vivats de la foule [2].

Mais le mouvement s'étendit bientôt à l'ensemble des possessions habsbourgeoises. Les foules italiennes exigeaient de leurs princes des constitutions ; le 17 mars, Milan se soulevait à son tour et le maréchal Radetzky fit replier ses troupes en direction de Mantoue ; à Venise, l'avocat Manin proclamait la République. À Modène, à Parme, à Florence, les princes préférèrent céder et accordèrent des constitutions. La révolution italienne prit bientôt une dimension internationale : le roi de Piémont-Sardaigne, Charles-Albert, qui venait d'accorder à ses sujets une constitution

1. G. Bertier de Sauvigny, *Metternich*, *op. cit.*, p. 471 et suiv.
2. D. G. Mac Guigan, *Les Habsbourg*, *op. cit.*, p. 324.

d'inspiration libérale, profita des difficultés de l'Autriche pour envahir la Lombardie[1].

La Hongrie fut également secouée par une vague révolutionnaire. Dès le 5 mars, la foule de Presbourg avait envahi la salle où siégeait la Diète et avait contraint les députés à voter une Adresse à l'empereur où étaient reprises toutes les revendications formulées précédemment par Kossuth : un gouvernement hongrois responsable, un élargissement du droit de vote, l'abolition des privilèges propres à la Croatie et à la Transylvanie et le transfert de la Diète de Presbourg à Pest. Le 14 mars, une délégation de la Diète vint à Vienne et l'empereur Ferdinand — le roi Ferdinand V de Hongrie — promit de donner satisfaction aux demandes hongroises. En attendant, la Diète vota les « lois organiques » de 1848 qui abolissaient les privilèges et le régime seigneurial, proclamaient l'égalité entre tous les citoyens et garantissaient la liberté de la presse. On aurait pu croire que tout était terminé. Mais à Pest, les esprits étaient très échauffés. Le 15 mars, les étudiants, plus radicaux que les notables de la Diète, manifestèrent à leur tour. À l'appel du poète Petöfi et du romancier Jókai, ils se rassemblèrent devant le Musée national, publièrent une déclaration en douze points avec leurs revendications — auxquelles déjà l'empereur avait souscrit ! — puis s'en allèrent libérer les détenus politiques. Pourtant, Ferdinand continuait à donner des gages de bonne volonté ; il nomma l'archiduc Étienne palatin de Hongrie, fonction qu'avait déjà exercée son père. Le nouveau palatin reçut la prestation de serment du comte Louis Batthyány qui venait d'être nommé chef d'un gouvernement hongrois responsable dans lequel étaient représentées toutes les forces politiques du pays, des modérés comme Deák et Széchényi, des radicaux comme Kossuth et Szemere. Le 11 avril, le « roi » Ferdinand vint en personne à Presbourg prêter serment à la Constitution, puis il prononça la clôture des travaux de la session parlementaire. Ce fut la dernière fois que la Diète siégea à Presbourg ; désormais, Pest devenait le centre politique de la Hongrie. Au même moment, la *camarilla*, hostile à ces réformes, incitait les Croates à rejeter l'autorité du gouvernement hongrois. Déjà, la Diète de Zagreb avait désigné comme *ban* (gouverneur) de Croatie l'un des chefs du mouvement illyrien, le général Jellasic ; puis, le 5 juin, les députés croates proclamèrent l'indépendance de la Croatie. Le gouverne-

1. E. Zöllner, *Histoire de l'Autriche des origines à nos jours*, *op. cit.*, p. 338-339.

ment hongrois refusant de reconnaître cette indépendance, Jellasic déclara la guerre à la Hongrie le 16 août. Les Croates n'étaient pas les seuls à s'opposer au gouvernement hongrois ; les Slovaques réclamaient un statut d'autonomie pour les régions où ils étaient majoritaires, les Serbes de Hongrie firent de même, tout comme les Roumains de Transylvanie, et leurs représentants demandèrent l'appui de Vienne [1].

Le gouvernement impérial hésita un moment avant de prendre position. Il était confronté à de graves difficultés en Allemagne où le Parlement de Francfort entendait remettre en question le statut de la Confédération germanique. Dans l'immédiat, il fallait d'abord rétablir l'ordre en Italie du Nord, considérée comme vitale pour l'Empire. Radetzky reçut l'ordre de passer à l'offensive : le 25 juillet, il battait les Piémontais à Custozza et replaçait la Lombardie-Vénétie sous l'autorité des Habsbourg. Après l'Italie, ce fut au tour de la Bohême d'être reprise en main. À Prague, l'entente entre les Allemands et les Tchèques avait été de courte durée. Les libéraux allemands tournaient leur regard vers le Parlement de Francfort et souhaitaient l'intégration de la Bohême à une Grande Allemagne unifiée. Les Tchèques, eux, redoutaient cette éventualité et convoquèrent le 2 juin un congrès de tous les Slaves de l'Empire. L'historien Palacky s'y prononça en faveur du « maintien de l'intégrité de l'Autriche », seule capable à ses yeux d'empêcher l'absorption de la Bohême par la Grande Allemagne. Le gouvernement impérial utilisa à son profit le conflit entre les Allemands et les Tchèques. Le général Windischgraetz reçut l'ordre de s'emparer de Prague. Après un intense bombardement, la ville fut prise et le congrès des Slaves dissous. En dehors de Prague, les autres villes de Bohême et les campagnes n'avaient pas bougé. À la fin de juin, la Bohême avait retrouvé la paix civile.

Les victoires de Radetzky et de Windischgraetz redonnèrent confiance aux partisans de la force pour vaincre la révolution. La *camarilla* appuyait ouvertement les Croates contre les Hongrois. Kossuth proclama « la patrie en danger » et le nouveau Parlement hongrois décida la levée d'une garde nationale de deux cent mille hommes, la *Honvéd*. De nombreux officiers d'origine hongroise qui servaient dans l'armée impériale rejoignirent ses rangs. Le palatin Étienne, jugé trop favorable aux Hongrois, fut désavoué par l'empereur et démissionna. On envoya à Pest comme « commissaire impé-

1. H. Bogdan, *Histoire des pays de l'Est*, *op. cit.*, p. 150 et suiv.

rial » le général-comte Lamberg avec pour mission le rétablissement de l'ordre. Cette nomination au moment où les troupes croates approchaient de Pest fut considérée comme une provocation. Des émeutes éclatèrent dans la capitale et, le 29 septembre, Lamberg fut massacré par les émeutiers. Le même jour, la *Honvéd* arrêtait à Pakozd les troupes croates. Le pays était sauvé, mais les modérés, inquiets de ce climat de violence, commencèrent à prendre leurs distances par rapport à Kossuth. À ce moment-là, une mesure maladroite décidée à Vienne renforça la position de Kossuth. En effet, le 3 octobre, l'empereur Ferdinand décidait de placer sous les ordres du général Jellasic les troupes impériales stationnées en Hongrie. Cette décision allait creuser un profond fossé entre la Hongrie et la dynastie [1].

À Vienne, après l'euphorie qui avait suivi les journées de mars-avril 1848, les difficultés économiques provoquèrent de nouveaux troubles qui amenèrent la Cour à quitter la ville pour s'installer à Innsbrück. L'archiduc Jean, connu pour ses idées libérales, assura l'intérim et autorisa la réunion d'une Constituante à Kremsier. Le calme revint et la Cour regagna la capitale en août. Décision prématurée, car de nouvelles tensions se manifestèrent ; les ouvriers des faubourgs touchés par la crise économique réclamaient maintenant le suffrage universel. Lorsqu'on apprit que l'on voulait envoyer des recrues autrichiennes contre les Hongrois, les étudiants et les ouvriers construisirent des barricades dans le centre de Vienne et, le 6 octobre, la foule en furie s'empara du ministère de la Guerre ; le ministre, le comte Latour, fut lynché par la foule dans des conditions particulièrement horribles. Une fois encore, la Cour quitta la capitale et se réfugia à Olmütz, en Moravie, laissant à Windischgraetz le soin de rétablir l'ordre. Les Viennois comptaient sur l'aide des Hongrois. Le 30 octobre, les *Honvéds* furent arrêtés à Schwechat par les troupes impériales. Le lendemain, après avoir fait bombarder la ville par son artillerie, Windischgraetz entrait à Vienne. On arrêta les principaux meneurs. Une vingtaine d'entre eux, condamnés à mort par les cours martiales, furent exécutés, et parmi eux un député au Parlement de Francfort, Robert Blum [2].

---

1. *Magyarország története* (Histoire de la Hongrie), Budapest, 1979, t. VI, 1re partie 1848-1890, p. 241 et suiv.
2. J.-P. Bled, *François-Joseph*, Paris 1987, p. 104 et suiv., et E. Zöllner, *Histoire de l'Autriche des origines à nos jours*, *op. cit.*, p. 340-342.

Après la reconquête de Vienne, la révolution était partout vaincue dans les pays austro-bohêmes et en Italie. En Allemagne, le mouvement unitaire commençait à s'essouffler. Seule la Hongrie continuait à résister et Kossuth était le véritable maître du pays.

Au cours de ces événements, l'empereur Ferdinand, vieilli prématurément, avait montré ses limites. C'est son entourage qui avait exercé le pouvoir en son nom. Sur le conseil du nouveau chef du gouvernement autrichien, le prince Felix von Schwarzenberg, l'empereur se résolut à abdiquer en faveur de son neveu l'archiduc François-Joseph, âgé de dix-huit ans, fils de son frère cadet François-Charles et de l'archiduchesse Sophie. Le 2 décembre 1848, les officiels furent invités à se rendre au palais archiépiscopal d'Olmütz pour y être reçus par l'empereur. Étaient présents les membres de la famille impériale, l'impératrice Maria-Anna, le grand maréchal de la Cour Fürstenberg, les généraux Windischgraetz et Jellasic, le chef du gouvernement. L'empereur Ferdinand donna aussitôt lecture de son acte d'abdication : « Des raisons impérieuses nous ont amené à la résolution irrévocable de renoncer à la Couronne impériale et cela en faveur de notre neveu bien-aimé, Son Altesse l'archiduc François-Joseph, lequel nous avons déclaré majeur après que notre frère bien-aimé Son Altesse l'archiduc François-Charles, le père de Son Altesse l'archiduc François-Joseph a déclaré renoncer définitivement au droit de succession qui lui revient selon les lois en cours de la dynastie et de l'État. » Aussitôt après, le jeune François-Joseph, pâle et ému, s'agenouilla devant son oncle qui lui caressa les cheveux puis le releva en disant : « Que Dieu te bénisse ! Sois un homme, reste bon ! Conduis-toi bien, Dieu te protégera ! J'ai agi de bon cœur[1]. »

1. K. Tschuppik, *François-Joseph, l'effondrement d'un Empire*, Paris, 1933, p. 9-10, et D. G. Mac Guigan, *Les Habsbourg*, *op. cit.*, p. 326.

Sixième Partie

LES DERNIERS HABSBOURG

19

François-Joseph, « Le dernier monarque de la vieille école[1] »

Le jeune homme de dix-huit ans, timide et effacé, sur les épaules duquel tombait la lourde responsabilité de diriger une monarchie des Habsbourg en crise, a souvent été identifié à l'Autriche elle-même, tant fut longue la durée de son règne. Né en 1830, au début de la révolution industrielle, dans un pays où l'aristocratie détient l'essentiel du pouvoir politique et économique, il s'éteint en 1916 au cours de la Grande Guerre, au milieu d'un affrontement sans merci entre les grandes puissances industrielles, dans un Empire où les forces montantes, classe ouvrière et bourgeoisie, n'hésitent pas à remettre en question l'ordre établi, à un moment aussi où à Londres, à Paris et à Rome, on redessine les contours géopolitiques de la future Europe centrale dans laquelle il n'y a plus de place pour la monarchie des Habsbourg.

UN DÉBUT DE RÈGNE DIFFICILE (1848-1867)

L'accession au trône de François-Joseph coïncide avec la fin de la première vague révolutionnaire en Europe centrale. En Allemagne, on discutait encore à ce moment-là au Parlement de Francfort de la constitution d'un nouveau *Reich* destiné à remplacer la Confédération germanique, et aussi pour savoir qui de l'empereur d'Autriche ou du roi de Prusse en serait le chef, mais dans la plupart des États allemands, les souverains avaient repris leurs prérogatives et rétabli l'ordre ancien. Dans les États habsbourgeois, grâce à

1. C'est ainsi que l'empereur, sur la fin de sa vie, s'était défini au cours d'une conversation avec le président des États-Unis Theodore Roosevelt. Cf P. Morand, « Qui était François-Joseph ? », *Historia* 213/VIII,1962, p. 207.

l'armée, la révolution avait été écrasée en Italie du Nord et dans les provinces austro-bohêmes. Vienne, la capitale, avait été soumise la veille même de l'avènement de François-Joseph. Seule la Hongrie, où Kossuth avait refusé de reconnaître le nouveau souverain, demeurait insoumise.

Le rétablissement de l'ordre et la répression (1849-1851)

Si la révolution avait pu être assez facilement écrasée en Autriche et en Bohême, la plus grande incertitude régnait sur le plan institutionnel. Depuis l'été 1848, les pays autrichiens disposaient d'une Assemblée constituante, le « parlement de Kremsier », et d'un gouvernement que dirigeait depuis le 24 novembre le prince Felix von Schwarzenberg. Pour François-Joseph et surtout pour sa mère, l'archiduchesse Sophie, l'objectif prioritaire était de restaurer l'autorité impériale. La première mesure prise dans ce sens fut la dissolution de l'Assemblée, le 7 mars 1849, et l'annonce officielle le même jour de l'octroi d'une nouvelle constitution qui avait été promulguée secrètement le 4 mars. Ce texte garantit certes la plupart des libertés essentielles et le respect des identités nationales, mais il met en place un régime fort. L'empereur dispose en effet de la totalité du pouvoir exécutif, nomme et révoque les ministres qui ne sont responsables que devant lui. Il dispose d'un droit de *veto* absolu sur les lois votées par un Parlement composé de deux Chambres élues selon un système censitaire. En outre, l'empereur se réserve la possibilité de gouverner par ordonnances. Enfin, et ceci ne pouvait qu'aggraver la situation en Hongrie, celle-ci était intégrée au champ d'application de la nouvelle constitution et perdait ainsi ses institutions particulières [1].

Dans l'immédiat, le gouvernement Schwarzenberg ne disposait que d'un pouvoir restreint. En effet, en ces temps troublés, l'armée demeurait le principal moyen d'action de l'État. En Italie, le maréchal Radetzky tenait d'une main ferme la Lombardie-Vénétie et venait de remporter une nouvelle victoire sur les Piémontais à Novare, le 25 mars 1849. Son armée demeurait la garante de la pérennité du pouvoir des Habsbourg en Italie du Nord. En Autriche et en Bohême, les troupes du général Windischgraetz, beau-frère de Schwarzenberg, contrôlaient la situation, ce qui permit à François-Joseph et à la Cour de regagner Vienne au début de mai 1849.

1. J.-P. Bled, *François-Joseph*, *op. cit.*, p. 125 et suiv.

En Hongrie, en revanche, l'ordre était loin d'être rétabli. L'armée des *Honvéds* disposait de forces importantes. Après avoir tenté vainement de secourir les Viennois insurgés, l'armée hongroise s'était retirée à l'intérieur des frontières du royaume et avait dû céder du terrain devant l'offensive lancée par Windischgraetz. Buda avait même été perdue le 5 janvier 1849, ce qui avait amené le gouvernement révolutionnaire à se replier à Debrecen, dans l'est du pays. Devant la menace autrichienne, de nombreux officiers d'origine hongroise qui servaient dans l'armée impériale vinrent se mettre à la disposition du général Görgey, le commandant des *Honvéds*. Certains, hostiles à l'absolutisme mais fidèles cependant à la monarchie, se réfugièrent dans l'attentisme. En mars-avril 1849, une campagne victorieuse de Görgey permit de reconquérir la Transdanubie, peu après que le général Bem, un Polonais qui avait rejoint Kossuth, eut rétabli l'ordre en Transylvanie où les Roumains et les Saxons avaient rejeté l'autorité hongroise. Fort de ces succès, Kossuth, le 14 avril 1849, fit proclamer par la Diète réunie à Debrecen l'indépendance de la Hongrie et la déchéance des Habsbourg ; il entendait ainsi répondre à la Constitution impériale du 4 mars qui avait mis fin au statut spécial de la Hongrie. Désormais, la rupture entre les révolutionnaires hongrois et l'empereur était consommée. Jusque-là, on vivait dans une fiction juridique selon laquelle Ferdinand V, du fait de son couronnement, était le seul roi légitime ; dorénavant, les radicaux, après le vote du 14 avril, s'orientaient vers la république [1].

Beaucoup de modérés comme Deák étaient conscients des risques que la politique de Kossuth faisait courir au pays. Mais sur le terrain, la situation militaire semblait favorable ; l'armée impériale était sur la défensive et les *Honvéds* avaient même repris Buda après un siège de trois semaines, ce qui avait permis à Kossuth et à son gouvernement d'y faire leur entrée le 22 mai, mais pour un court séjour [2].

La réaction de Vienne ne se fit pas attendre. Il fallait en finir coûte que coûte. Depuis quelque temps déjà, le tsar Nicolas Ier avait proposé à François-Joseph son aide militaire. Longtemps hésitant, l'empereur demanda l'aide russe le 1er mai, et rencontra peu après le tsar à Varsovie. À la mi-juin, les troupes russes massées en Bessarabie attaquèrent par l'est. François-Joseph qui avait relevé

1. B. Hóman et Gy. Szekfü, *Magyar történet*, *op. cit.*, t. V, p. 424 et suiv.
2. *Ibid.*, p. 432.

Windischgraetz de son commandement prit lui-même la tête de l'armée et chargea le général Haynau, un ancien lieutenant de Radetzky, d'attaquer la Hongrie par l'ouest ; le 28 juin, en présence de l'empereur, Haynau reprenait la ville de Györ. Au sud, le général Jellasic avec ses Croates lança une attaque en direction de Pécs. Le 31 juillet, les *Honvéds* subirent leur première grande défaite à Segesvár (Sigishoara) ; le poète Petöfi, engagé dans la *Honvéd*, y trouva la mort. Si l'armée hongroise put encore contenir l'avance de Haynau, en revanche elle ne put résister aux assauts des troupes russes de Paskievitch, bien supérieures en nombre. Kossuth, en conflit avec le général Görgey qui souhaitait négocier, se trouva vite isolé. Le 11 août, il démissionna, remit le pouvoir à Görgey et se réfugia en Turquie avec quelques-uns de ses ministres. L'un d'eux, Bertalan Szemere, fut chargé de faire disparaître la Sainte Couronne, geste symbolique destiné à enlever à François-Joseph toute légitimité puisque, selon la Constitution, c'est la couronne qui symbolisait l'État. La couronne fut enterrée près d'Orsova, non loin de la frontière avec les possessions ottomanes. On ne la retrouva qu'en 1854, grâce aux informations fournies par les « mouchards » infiltrés dans l'entourage de Kossuth[1]. Le 13 août cependant, à Világos, le général Görgey signa la capitulation et se plaça sous la protection du tsar. Aussitôt, le général Paskievitch s'empressa d'annoncer à Nicolas Ier la nouvelle en ces termes : « Sire, la Hongrie est aux pieds de Votre Majesté. » Avec la capitulation le 25 septembre de la forteresse de Komárom encore tenue par les *Honvéds*, la révolution hongroise était définitivement vaincue.

L'heure était maintenant à la répression[2]. Celle-ci s'était déjà exercée dans les autres territoires de la monarchie affectés par les mouvements révolutionnaires. En Bohême, après la capitulation de Prague en juin 1848, la répression avait été limitée. En Autriche, après la reconquête de Vienne au lendemain de la révolution démocratique d'octobre, l'armée avait procédé à quelque deux mille cinq cents arrestations et les tribunaux d'exception avaient prononcé une cinquantaine de condamnations à mort, dont vingt-cinq furent exécutées.

En Italie du Nord, la répression fut beaucoup plus sévère et le royaume de Lombardie-Vénétie fut soumis à un régime d'exception

1. B. Hóman et Gy. Szekfü, *Magyar történet*, *op. cit.*, t. V, p. 443.
2. *Ibid.*, p. 436-438.

jusqu'en 1854. Les tribunaux militaires prononcèrent des dizaines de condamnations à mort ; de nombreux révolutionnaires se retrouvèrent dans les cachots de la forteresse de Brünn où ils purgèrent de longues peines de détention. Les nobles, les membres du clergé et même les femmes n'échappèrent pas à la rigueur des tribunaux lorsqu'ils s'étaient trop compromis avec la révolution. Le général Haynau s'illustra dans cette répression : la rigueur avec laquelle il traita la population au lendemain de la reprise de la ville en avril 1848[1] lui valut le surnom de « hyène de Brescia » que lui donnèrent les patriotes italiens.

C'est à ce même Haynau que l'on confia le soin de punir les Hongrois pour leur trahison. Il y fit preuve d'un zèle tout particulier, malgré les appels à la modération de Nicolas Ier. Si le général Görgey eut la vie sauve à la demande expresse du tsar, il n'en fut pas moins interné durant de longues années dans la citadelle de Klagenfurt. Son sort fut plus enviable que celui de douze généraux et d'un colonel hongrois condamnés à mort et exécutés à Arad le 6 octobre 1849. Haynau avait choisi cette date parce que c'était le jour précis où, un an auparavant, la foule viennoise avait mis à mort le ministre de la Guerre Latour[2]. Le même jour, à Pest, le comte Batthyány, le premier chef du gouvernement hongrois responsable, qui, pourtant, s'était désolidarisé de Kossuth, obtint la grâce d'être fusillé — au lieu d'être pendu ; Schwarzenberg et la « *camarilla* » le considéraient comme le véritable « déclencheur » de la révolution. Au total, il y eut 114 condamnations à mort et 1 765 peines de cachot prononcées par les cours martiales. Tous les magnats, tous les députés, les prêtres et les notables qui avaient servi le régime révolutionnaire furent traduits en justice, sévèrement condamnés et leurs biens confisqués. D'autres plus chanceux vécurent dans la clandestinité en attendant des jours meilleurs ; ce fut le cas de deux écrivains célèbres, Jókai et Vörösmarty. Quelques-uns s'exilèrent, comme le comte Andrássy, condamné à mort par contumace et pendu en effigie comme le furent d'ailleurs Kossuth et les ministres qui l'avaient suivi en exil[3]. Quant aux quelque cinquante mille *Honvéds* devenus prisonniers de guerre, ils furent libérés dans les mois qui suivirent, non sans être soumis à l'étroite surveillance

1. K. Tschuppik, *François-Joseph*, *op. cit.*, p. 38 et suiv.
2. B. Hóman et Gy. Szekfü, *Magyar történet*, *op. cit.*, t. V, p. 44.
3. J.-P. Bled, *François-Joseph*, *op. cit.*, p. 137, et B. Hóman et Gy. Szekfü, *Magyar történet*, *op. cit.*, t. V, p. 440-441.

des autorités policières, mais une centaine de leurs officiers passèrent plusieurs années dans les geôles de Moravie, jusqu'à l'amnistie accordée en 1856 à l'occasion du voyage de François-Joseph en Hongrie.

Il est évident que la répression exercée sur les vaincus des révolutions de 1848-1849 a profondément détérioré l'image de François-Joseph ; on lui reproche surtout d'avoir fait appel à Nicolas Ier, un étranger, pour écraser la révolte de ses sujets. Si la responsabilité personnelle de l'empereur n'est guère discutable, il faut cependant remarquer que la pression de l'archiduchesse Sophie et de la *camarilla* sur un prince jeune et encore peu expérimenté a été décisive. De plus, sans pour autant minimiser le bilan de la répression qui suivit ces révolutions — des révolutions qui, il ne faut pas l'oublier, ont failli provoquer la désagrégation de la *Gesamtösterreich* —, il convient de rappeler qu'au même moment à Paris, au nom de la république naissante, le général Cavaignac, un républicain convaincu, écrasait dans un bain de sang des milliers d'ouvriers et d'artisans qui, en juin 1848, ne réclamaient que du pain et du travail, et que la répression « légale » qui suivit fut beaucoup plus rigoureuse, quantitativement parlant, que celle exercée par les tribunaux de François-Joseph. Et l'on pourrait aussi évoquer la lourde répression qui frappa en 1871 les vaincus de la Commune parisienne.

Néo-absolutisme et consolidation (1852-1859)

La mort du prince von Schwarzenberg, le 5 août 1852, peut être considérée comme la fin de la période de répression. L'autorité impériale a été rétablie partout et c'est désormais François-Joseph qui prend personnellement la direction des affaires publiques. C'est lui qui préside le Conseil des ministres au sein duquel se distinguent un certain nombre de personnalités : le ministre de l'Intérieur Alexandre Bach, un ancien libéral de mars 1848 rallié à l'absolutisme et dont le nom s'identifia au régime néo-absolutiste, le ministre des Affaires étrangères Buol-Schauenstein qui, en tant qu'ambassadeur en Russie, avait négocié l'intervention russe en Hongrie, le ministre de l'Instruction publique et des Cultes le comte Thun, ou le baron von Brück, d'abord ministre du Commerce, puis ministre des Finances, qui chercha à ouvrir la monarchie autrichienne sur le monde extérieur et notamment sur la Méditerranée orientale.

Le régime s'appuie sur les deux forces traditionnelles de l'Empire qu'étaient la bureaucratie, dont l'influence n'avait cessé de croître depuis le règne de Marie-Thérèse, et l'armée qui a sauvé l'Empire en 1848-1849. À l'armée se rattache le corps de gendarmerie créé en 1849 en vue de maintenir l'ordre dans les campagnes[1] et dirigé par le baron von Kempen. Ces deux institutions ont joué un rôle capital dans la politique d'intégration et d'unification menée à partir de 1852. L'une et l'autre ont fait de l'allemand la langue officielle de l'administration et de commandement dans l'armée. Ce qui n'empêchait pas que de nombreux officiers et fonctionnaires fussent issus des différentes nationalités de l'Empire. C'est ainsi que les fonctionnaires envoyés en Hongrie après 1849, ceux que l'on appelait les « hussards de Bach », étaient pour la plupart des Tchèques mais utilisaient l'allemand dans leurs rapports avec leurs administrés[2].

À ces deux forces traditionnelles qui servaient loyalement la monarchie depuis le XVIIIe siècle, s'ajoute maintenant l'Église. Le joséphisme avait été mis à mal par un courant nouveau de restauration catholique. Déjà à l'époque de Metternich, certaines mesures prises par Joseph II avaient été abandonnées et les jésuites avaient pu revenir. François-Joseph de son côté était profondément chrétien et souhaitait rétablir de bonnes relations avec la papauté. Les ministres Bach et Thun, sans pour autant renier leurs sentiments favorables au joséphisme, estimaient que, dans les circonstances actuelles, la collaboration entre l'État et l'Église pouvait s'avérer profitable dans la lutte contre les libéraux et les révolutionnaires. Aussi l'archevêque de Vienne, Mgr Rauscher, fut-il chargé de négocier un accord avec Rome. Le Concordat du 18 août 1855 rendit à l'Église sa liberté, tant dans le domaine de son organisation et de l'administration de ses biens, que dans celui de ses relations avec le Saint-Siège. L'Église retrouvait également son ancienne influence dans l'enseignement puisqu'on lui abandonnait le contrôle sur l'enseignement primaire[3], à la grande colère des libéraux qui, comme le comte Auersperg, considérèrent le Concordat comme un nouveau Canossa[4].

Fort du soutien de ces trois forces entièrement dévouées à

1. E. Zöllner, *Histoire de l'Autriche des origines à nos jours*, *op. cit.*, p. 385.
2. J.-P. Bled, *François-Joseph*, *op. cit.*, p. 173-174.
3. E. Zöllner, *Histoire de l'Autriche des origines à nos jours*, *op. cit.*, p. 386.
4. J.-P. Bled, *François-Joseph*, *op. cit.*, p. 183.

l'empereur, le gouvernement chercha à centraliser et à moderniser la monarchie habsbourgeoise. La centralisation était une vieille idée qu'avait tenté de réaliser l'empereur Joseph II. Après l'échec des révolutions de 1848-1849, les conditions étaient favorables, car les éventuelles oppositions avaient été réduites au silence par la répression. Dans les pays austro-bohêmes, les Diètes provinciales perdirent leurs dernières compétences. En Hongrie, le gouvernement démantela les institutions traditionnelles et détacha administrativement du royaume la Transylvanie, la Croatie, le Banat et la Voïvodine. Loin de régler les problèmes, cette politique se heurta à la résistance passive de l'ensemble de la population. Mais le mécontentement s'exprima parfois aussi de façon violente. À plusieurs reprises, on découvrit des complots menés par d'anciens *Honvéds*, dont les auteurs, démasqués, furent condamnés à mort et exécutés : ce fut le cas de la conjuration montée par Joseph Makk au cours de l'été 1851 [1]. L'action la plus symbolique fut l'attentat commis le 18 février 1853 à Vienne par János Libényi qui tenta de poignarder l'empereur au cours de sa promenade quotidienne [2].

Cependant, en dépit du régime policier et de l'absence de libertés, la conjoncture économique favorable rendit supportables les années sombres du néo-absolutisme. Les réformes sociales de 1848-1849, notamment l'abolition du régime seigneurial, améliorèrent le sort du monde paysan. Les paysans devinrent propriétaires de leurs terres, tandis que l'État indemnisait les grands propriétaires, ce qui leur permit de moderniser la partie du domaine qu'ils conservaient ou d'investir dans l'industrie agro-alimentaire. À côté des grands propriétaires, il y eut désormais une classe de petits et de micro-propriétaires.

La centralisation toucha aussi le domaine économique, avec l'abolition des barrières douanières entre la Hongrie et le reste de l'Empire. La politique de libre-échange mise en œuvre par le baron von Brück favorisa le développement du commerce extérieur et les investissements étrangers. De nouvelles banques furent fondées, comme l'*Oesterreichische Credit Anstalt für Handel und Gewerbe* : au conseil d'administration se côtoyaient membres de l'aristocratie,

1. E. Somogyi, *Abszolutizmus és Kiegyezés* (1849-1867) (Absolutisme et compromis), Budapest, 1980, p. 80 et suiv.
2. D. G. Mac Guigan, *Les Habsbourg*, *op. cit.*, p. 329-330.

hommes d'affaires et grands bourgeois [1]. La société moderne qui se mettait en place avait besoin d'administrateurs et de cadres compétents, ce qui nécessitait de sérieuses réformes de l'enseignement. Le comte Thun réorganisa l'enseignement dans les universités sur le modèle allemand ; l'État favorisa la création de nombreux lycées qui s'ajoutèrent aux établissements déjà existants dans lesquels les ordres religieux occupaient une position dominante.

Ainsi, loin d'avoir été une période d'immobilisme, les années du néo-absolutisme favorisèrent l'entrée de la monarchie habsbourgeoise dans l'ère industrielle et donnèrent au pays une stabilité politique après les épreuves de 1848-1849.

Les difficultés extérieures

On put croire, au lendemain de l'écrasement des mouvements révolutionnaires dans la Confédération germanique et en Italie, que l'ordre ancien allait être rétabli. Sans doute les tentatives du roi de Prusse Frédéric-Guillaume IV pour regrouper les États d'Allemagne du Nord en une « Union restreinte » avaient-elles échoué. À Olmütz, le 27 novembre 1850, le chef du gouvernement prussien Manteuffel accepta le maintien du *statu quo* en Allemagne dans l'attente d'une réunion des princes allemands prévue à Dresde pour réorganiser la Confédération germanique [2]. Mais aux yeux des patriotes allemands, et aussi pour le gouvernement prussien, les Habsbourg apparaissaient désormais comme le principal obstacle à l'unité allemande. La Prusse disposait déjà d'atouts sérieux : une tradition militaire ancienne, une industrie florissante et une influence économique prépondérante en Allemagne grâce au *Zollverein*. À long terme, il y avait là une menace sérieuse pour les Habsbourg.

Le réveil de la question d'Orient, en 1853, avec la guerre de Crimée, constitua une seconde menace aux confins orientaux de la monarchie autrichienne. Officiellement neutre dans ce conflit qui opposa la Russie d'une part, et la France, le Royaume-Uni et le Piémont d'autre part, l'Autriche supporta mal l'installation de troupes russes dans les provinces danubiennes de Moldavie et de Valachie et demanda le 3 juillet 1854 leur départ. La Russie céda à contrecœur et les relations austro-russes se dégradèrent lorsque

1. J.-P. Bled, *François-Joseph*, *op. cit.*, p. 206 et suiv.
2. J. Bérenger, *Histoire de l'Empire des Habsbourg*, *op. cit.*, p. 619-621.

les troupes autrichiennes occupèrent ces provinces. Le congrès de Paris, en 1856, régla le sort des provinces danubiennes. La Moldavie et la Valachie devenaient autonomes, avant de s'unir en 1861 dans le cadre d'un royaume de Roumanie. La Russie, mécontente de se trouver évincée de cette région orthodoxe qu'elle considérait comme le prolongement naturel de la Bessarabie, en rendit l'Autriche responsable. De son côté, la monarchie autrichienne avait tout à craindre de la création d'un État roumain à ses frontières orientales et de la solidarité qui pourrait s'établir entre la Roumanie et les populations roumaines qui vivaient en Transylvanie [1].

L'Italie restait par ailleurs une source de problèmes pour les Habsbourg. Certes, l'ordre ancien y avait été rétabli dès 1849, mais l'alliance franco-piémontaise au cours de la guerre de Crimée pouvait se révéler dangereuse, d'autant plus que Napoléon III, partisan du principe des nationalités, se montrait favorable à la création à plus ou moins long terme d'un État italien. La rencontre de Plombières, les 21 et 22 juillet 1858, entre Napoléon III et le Premier ministre piémontais Cavour précipita les événements. L'empereur des Français s'y engagea à soutenir militairement le Piémont au cas où celui-ci serait attaqué par l'Autriche. Cavour vit là un encouragement et, au début du printemps 1859, on commença à masser des troupes le long de la frontière de la Lombardie, dans l'espoir de provoquer une réaction armée de l'Autriche. La tension monta brutalement entre l'Autriche et le Piémont. Metternich, rentré à Vienne depuis septembre 1851, était souvent consulté par François-Joseph sur les questions de politique étrangère. Le 20 avril 1859, en pleine crise diplomatique avec le Piémont, l'empereur rencontra Metternich qui lui conseilla vivement de ne pas céder à la provocation et surtout de ne pas envoyer d'ultimatum au Piémont. Peine perdue, l'ultimatum avait été envoyé la veille par le ministre des Affaires étrangères Buol-Schauenstein, lequel pensait naïvement que Cavour allait céder [2]. L'Autriche se trouva donc en guerre contre le Piémont et son allié français. Cette guerre fut marquée par une série de défaites, d'abord à Magenta le 4 juin — ce qui permit à Napoléon III et au roi Victor-Emmanuel II de Piémont de faire leur entrée dans Milan où ils furent accueillis en libérateurs —, puis ce fut Solferino le 26 juin. L'Autriche était totalement isolée sur le plan diplomatique. Aussi, lorsque Napoléon III proposa à François-

1. J.-P. Bled, *François-Joseph*, *op. cit.*, p. 215-217.
2. G. Bertier de Sauvigny, *Metternich*, *op. cit.*, p. 491.

Joseph une rencontre, celui-ci s'empressa d'accepter. Cette rencontre s'acheva par la conclusion le 11 juillet de l'armistice de Villafranca : l'Autriche cédait la Lombardie mais conservait la Vénétie ainsi que les villes stratégiques de Mantoue et de Peschiera[1]. Il était clair cependant que Victor-Emmanuel II et Cavour n'allaient pas se contenter de ce succès partiel.

À la recherche de nouvelles solutions

Les échecs subis en Italie eurent pour première conséquence un changement d'hommes dans le gouvernement. La première victime en fut le comte Buol-Schauenstein que François-Joseph remplaça par un ancien conseiller de Metternich, le comte Rechberg. Il fut suivi dans sa chute par deux hommes qui symbolisaient le néo-absolutisme, le ministre de l'Intérieur Bach et le chef de la police Kempen. François-Joseph limogea également le général Grünne, un protégé de l'archiduchesse Sophie qui l'avait fait nommer chef de la chancellerie militaire de l'empereur. Ces changements de personnes furent le prélude à un changement de politique.

Plusieurs facteurs sont à l'origine de la nouvelle ligne politique que va tenter de mettre en place François-Joseph. Tout d'abord, le pouvoir impérial a été suffisamment consolidé pour qu'il puisse se permettre un assouplissement de la politique autoritaire suivie jusque-là. Ensuite, les événements d'Italie ont quelque peu ébranlé les certitudes de l'empereur. Mais il y a d'autres éléments à prendre en compte pour expliquer les changements en préparation. Et tout d'abord, le rôle de l'impératrice Élisabeth — Sissi — que François-Joseph a épousée par amour en 1854 et qui tente d'apporter un esprit nouveau à la cour de Vienne pour contrer l'influence jugée néfaste de l'archiduchesse Sophie. L'intérêt passionné que la jeune impératrice porta rapidement à la Hongrie permit l'ouverture timide d'un dialogue avec les éléments modérés de l'opposition hongroise représentés par François Deák et le baron Joseph Eötvös. Enfin, il faut tenir compte aussi de la récession économique qui a touché l'Empire à partir de 1857 et qui pouvait réveiller les tensions sociales.

Tout cela incita François-Joseph à prendre personnellement la direction des affaires publiques en vue de réorganiser la monarchie

1. J.-P. Bled, *François-Joseph*, *op. cit.*, p. 242-243.

sur des principes nouveaux. Déjà, le 15 juillet 1859, au lendemain de Solferino, il avait annoncé dans le Manifeste de Laxenburg son intention de procéder à « une amélioration de la législation et de l'administration », puis, en mars 1860, il convoqua un Grand Conseil d'Empire, c'est-à-dire le Parlement prévu par la Constitution du 4 mars 1849 élargi par l'adjonction de notables désignés par l'empereur[1]. Deux courants d'importance égale étaient représentés au Grand Conseil, un courant unitaire favorable à la transformation de l'Empire en une monarchie constitutionnelle avec un gouvernement central responsable devant le Parlement, et un courant fédéraliste qui réclamait la restauration des États historiques avec pour chacun d'eux une Diète et un gouvernement national aux compétences étendues ; c'était là le point de vue des députés croates, hongrois et tchèques.

François-Joseph, qui entendait concilier l'unité de la *Gesamtösterreich* avec la diversité de ses populations, publia le 20 octobre 1860 un Diplôme d'inspiration fédéraliste. Dans chacun des pays de l'Empire, une Diète élue disposerait de l'essentiel du pouvoir législatif et désignerait ses représentants à un Conseil d'Empire ou *Reichsrat* chargé de s'occuper des affaires communes à l'ensemble de la monarchie. Toutes les nationalités étaient placées sur un pied d'égalité. Le Diplôme fut vivement critiqué par les libéraux allemands parce qu'il faisait la part trop belle aux nationalités, sans pour autant satisfaire pleinement celles-ci. L'opposition hongroise en particulier se retranchait derrière la Constitution historique du pays et les lois organiques de 1848. Le ministre de l'Intérieur, le comte Goluchowski, un Polonais de Galicie qui avait participé à l'élaboration du Diplôme, démissionna. Il fut remplacé par un libéral allemand, Anton von Schmerling. Sous son influence fut publiée le 26 février 1861 une patente de François-Joseph d'inspiration centralisatrice. Les Diètes locales perdaient certaines de leurs attributions au profit du *Reichsrat*, un véritable Parlement devant lequel les ministres étaient responsables. Ce Parlement se composait de deux Chambres, une Chambre des seigneurs nommée par l'empereur, et une Chambre des députés de 340 membres désignés par les Diètes locales. La patente de février se heurta à une vive opposition de la Diète hongroise où François Deák, qui y disposait d'une large majorité, se présenta en porte-parole de l'opinion publique hongroise. Tout en reconnaissant que la Hongrie

1. J.-P. Bled, *François-Joseph*, *op. cit.*, p. 259 et suiv.

avait une communauté d'intérêts avec les autres pays de la monarchie, Deák exigeait comme préalable le rétablissement de la Constitution historique.

François-Joseph répondit aux demandes de Deák par la dissolution de la Diète le 22 août, tandis que les députés hongrois refusèrent de siéger au *Reichsrat*. Les représentants tchèques, bien qu'hostiles à la patente, acceptèrent de siéger au *Reichsrat* puis s'en retirèrent en 1863, bientôt suivis par leurs collègues croates, slovènes et polonais [1].

La situation se trouvait à nouveau bloquée. Schmerling continua à diriger le pays jusqu'à l'été 1865 en suivant une politique qui rappelait celle de l'époque du néo-absolutisme.

La situation était bloquée aussi du côté de la Hongrie. La dégradation des relations entre l'Autriche et la Prusse, et les contacts qu'entretenait Bismarck devenu en 1862 Premier ministre prussien avec les exilés hongrois eurent tôt fait de convaincre l'empereur François-Joseph de la nécessité de trouver un compromis avec l'opposition hongroise. L'impératrice l'y incita vivement. Dès décembre 1864, les contacts reprirent entre Deák et un envoyé de l'empereur, le baron Auguss. Dans le *Pesti Napló* (« Journal de Pest ») du 16 avril 1865, Deák, dans un article connu sous le nom d'« article de Pâques », exposa son point de vue en tant que chef de l'opposition : il se déclarait prêt à proposer un aménagement des lois organiques de 1848 pour les adapter à la Pragmatique Sanction et en tenant compte des intérêts vitaux de l'Empire. L'empereur répondit en renvoyant le centraliste Schmerling et en le remplaçant par le comte Belcredi, un aristocrate de Bohême, d'inspiration fédéraliste, qui annonça aussitôt la suspension de la patente de février. La Diète hongroise fut convoquée pour le 10 décembre et François-Joseph vint en personne y prononcer le discours du trône dans lequel il acceptait les grandes lignes du programme de Deák [2].

À ce moment-là en Allemagne, l'influence des Habsbourg était mise à rude épreuve par les initiatives de Bismarck. Pour le Premier ministre prussien, l'unité de l'Allemagne n'était possible que par la dissolution de la Confédération germanique et par l'expulsion des

1. E. Zöllner, *Histoire de l'Autriche des origines à nos jours*, *op. cit.*, p. 390 et 391, et J. Bérenger, *L'Autriche-Hongrie (1815-1918)*, Paris, 1994, p. 79-80.

2. Ch. d'Eszlary, *Histoire des institutions publiques hongroises*, *op. cit.*, p. 80 et suiv.

Habsbourg du monde allemand. L'origine de la guerre austro-prussienne de 1866 est liée à l'affaire dite « des duchés »[1]. Dans la perspective d'une guerre avec l'Autriche, Bismarck avait obtenu de Napoléon III l'assurance de la neutralité française ; l'empereur des Français lui avait même conseillé de s'allier avec l'Italie, ce qui, en cas de victoire prussienne, permettrait à celle-ci de récupérer la Vénétie. Pour provoquer l'Autriche, Bismarck proposa en avril 1866 l'élection d'une Assemblée nationale en vue de réorganiser la Confédération germanique. L'Autriche qui entendait maintenir le *statu quo* en Allemagne mit aussitôt son armée sur le pied de guerre ; elle obtint rapidement le soutien de la Saxe et de la plupart des États d'Allemagne du Sud qui redoutaient que, dans cette Assemblée, la Prusse et ses alliés du Nord, majoritaires, prennent en main la direction de la Confédération. Lorsque, le 7 juin, les troupes prussiennes envahirent le Holstein, l'Autriche porta l'affaire devant la Diète qui, le 14 juin, décida contre la Prusse une « exécution fédérale ». Isolée en Allemagne, la Prusse disposait d'un atout majeur, son armée. L'Autriche, dans la crainte d'une intervention de Napoléon III, acheta sa neutralité en promettant qu'en cas de victoire sur la Prusse, elle renoncerait à la Vénétie. La guerre se déroula sur deux fronts. En Italie, l'armée de l'archiduc Frédéric battit les Italiens à Custozza le 24 juin, tandis que la flotte de l'amiral Tegetthof dispersait la modeste flotte italienne. Mais en Allemagne, la situation tourna rapidement à l'avantage de la Prusse. Après avoir battu les Saxons et les Bavarois, les armées prussiennes pénétrèrent en Bohême et écrasèrent le 3 juillet à Königgraetz (Sadowa) les Autrichiens du général Benedek. L'armée autrichienne se replia sur Vienne. L'annonce de la victoire prussienne provoqua une vive émotion dans la capitale où la population avait encore en mémoire le souvenir de l'occupation étrangère en 1805 et en 1809. La famille impériale, à l'exception de François-Joseph et de l'archiduchesse Sophie, alla se réfugier en Hongrie. Le 9 juil-

1. Il s'agit des duchés de Schleswig, Holstein et Lauenburg que le roi de Danemark possédait à titre personnel mais qui faisaient néanmoins partie de la Confédération germanique. Le Parlement danois ayant décidé en 1863 de rattacher les duchés au royaume, Bismarck entraîna l'Autriche dans une guerre contre le Danemark l'année suivante. À l'issue de la guerre, la Prusse annexa le Schleswig et le Lauenburg, tandis que le Holstein était attribué à l'Autriche. Comme l'avait prévu Bismarck, l'entente entre les copartageants fut de courte durée. L'Autriche décida de confier à la Diète de Francfort le soin de régler le sort de ces duchés.

let, dès son arrivée à Pest, l'impératrice Élisabeth fut accueillie par Deák et par le comte Andrássy, l'ancien proscrit de 1849 devenu après l'amnistie vice-président de la Diète hongroise [1]. Peu après, Deák se rendit à Vienne où il fut reçu dès le 19 juillet par François-Joseph. L'empereur lui demanda quelles étaient les revendications des Hongrois. Deák ne profita pas de la situation et déclara : « Majesté, les droits de la nation hongroise ne peuvent être changés ni par une bataille victorieuse ni par une bataille perdue » et il reprit les arguments développés dans l'« article de Pâques » [2]. Cette attitude modérée fut appréciée par l'empereur qui en conçut une grande estime pour celui que les Hongrois qualifièrent par la suite de « sage de la nation ».

Si l'horizon s'éclaircissait du côté de la Hongrie, François-Joseph avait tout à craindre du côté de la Prusse. Bismarck, en fait, ne chercha pas à profiter de la situation, car il entendait renouer dès que possible avec l'Autriche, aussitôt que ses objectifs auraient été atteints en Allemagne. Il proposa dès le 23 juillet l'ouverture de négociations, ce que François-Joseph s'empressa d'accepter. Par les préliminaires de Nikolsburg (Mikulov) du 26 juillet, confirmés par la paix de Prague du 23 août, l'Autriche acceptait la dissolution de la Confédération germanique et donnait par avance « son assentiment à une nouvelle organisation de l'Allemagne » qui se ferait sans elle, ce qui permettait à la Prusse d'exercer une totale hégémonie sur le monde allemand. Les Habsbourg étaient désormais exclus des affaires allemandes, mais ils étaient également chassés d'Italie avec la perte de la Vénétie. Deux des fleurons du Saint Empire germanique sur lequel ils avaient régné pendant plusieurs siècles leur échappaient définitivement.

La *Gesamtösterreich* se trouvait maintenant réduite aux seuls pays danubiens. Plus que jamais, il fallait trouver au plus vite un accord avec la Hongrie. Le 29 juillet, le comte Andrássy, reçu par l'empereur, lui demanda qu'un gouvernement constitutionnel soit nommé en Hongrie, déclarant même à François-Joseph : « Je jure sur ma tête qu'à partir du jour où on donnera à la Hongrie un gouvernement libéral, il n'y aura plus de révolution [3]. » Malgré les réserves de Belcredi, des négociations officielles s'engagèrent avec

1. K. Tschuppik, *François-Joseph*, *op. cit.*, p. 146-147.
2. Ch. d'Eszlary, *Histoire des institutions publiques hongroises*, *op. cit.*, t. IV, p. 82.
3. K. Tschuppik, *François-Joseph*, *op. cit.*, p. 151.

le nouveau ministre des Affaires étrangères, le baron Beust, un ancien chef du gouvernement saxon passé au service des Habsbourg. Le 1er février 1867, François-Joseph trancha en faveur de l'accord conclu sur la base des propositions de Deák en 1865 puis, le 7 février, il destitua Belcredi, le dernier obstacle à un compromis, et le remplaça par Beust, devenu *de facto* le chef du gouvernement autrichien. Le 17 février, le comte Andrássy était nommé chef du gouvernement hongrois. Sa première tâche fut de faire approuver par la Diète hongroise l'accord définitif qui venait d'être signé avec Beust. Le 30 mars, la Chambre basse ratifiait par 257 voix contre 117 les textes proposés, et quelques jours plus tard ce fut au tour de la Chambre haute de s'y rallier.

La situation était débloquée. Il ne restait plus qu'à matérialiser la réconciliation entre François-Joseph et la nation hongroise. Ce fut fait le 8 juin 1867 par la cérémonie du couronnement qui transformait le *rex hereditarius* en un *rex coronatus*, ce qui, selon le droit hongrois, donnait au souverain sa pleine et entière légitimité et lui permettait d'exercer la plénitude du pouvoir, et notamment la possibilité de promulguer les lois — la première loi qu'il promulgua dès le 28 juillet fut le texte du Compromis.

Pour la première fois, les cérémonies du couronnement se déroulèrent en deux lieux symboliques, à Buda d'abord — la ville au passé chargé d'histoire avec le palais royal dont les travaux de reconstruction avaient commencé sous Marie-Thérèse sur les lieux mêmes où se dressait l'ancien château datant de la Renaissance détruit par les Turcs —, à Pest ensuite, la ville moderne en plein essor, symbole du réveil national en 1848. Très tôt dans la matinée, François-Joseph et Élisabeth quittèrent le palais pour l'église Notre-Dame [1] afin d'y être couronnés. Après avoir prêté serment de faire régner la paix et la justice et de défendre l'Église, François-Joseph fut revêtu par les évêques du manteau de saint Étienne, sur lequel, selon la tradition, la future reine, la veille, avait ajouté quelques points de reprise, puis on lui remit l'épée royale. Enfin, le prince-primat le cardinal Simor et le comte Andrássy placèrent sur la tête de François-Joseph la sainte couronne, puis, comme pour souligner le rôle décisif de la reine Élisabeth dans le règlement de la crise, ils placèrent sur sa tête pendant quelques instants la couronne royale. Cette cérémonie fut rehaussée par les chants de la « messe

1. Également appelée « église du couronnement » ou « église Mathias » en souvenir du roi Mathias Corvin.

du Couronnement » composée pour l'occasion par Liszt qui dirigea en personne les chœurs. Après la cérémonie, tandis que la reine regagnait le palais royal, François-Joseph en uniforme de général hongrois se rendit à l'église de la garnison située non loin de là pour procéder à l'intronisation des nouveaux chevaliers de l'ordre de l'Éperon d'or. Après quoi le roi, à cheval, escorté de la Garde noble, traversa le Danube sur le Pont aux chaînes pour se rendre à Pest et y prêter, devant l'église de la cité, le serment du couronnement par lequel il s'engageait à respecter les droits de la Hongrie et des pays associés, la Constitution et l'indépendance du pays. Puis François-Joseph se dirigea à nouveau vers l'entrée du Pont aux chaînes devant laquelle se dressait la « colline du couronnement » faite de la terre provenant des soixante-douze comitats du royaume ; il gravit à cheval la colline et, brandissant son épée en direction de chacun des quatre points cardinaux, il jura de défendre le pays contre tous ses ennemis extérieurs. Puis le roi et son escorte regagnèrent Buda[1]. On avait redouté des incidents, il n'en fut rien, au contraire : les vivats fusaient de partout. Le baron Joseph Eötvös traduisait bien l'atmosphère générale lorsqu'il écrivit peu après : « Pendant des siècles, nous avions cru, ou tout au moins nous avions espéré qu'un jour viendrait où nous pourrions aimer un souverain couronné. Et aujourd'hui, comme j'ai pu le constater, je n'ai plus aucun doute quant à l'heureux tournant de notre destin[2]. » Dernier geste, ô combien symbolique, de François-Joseph : une amnistie générale était accordée, accompagnée de la restitution des biens confisqués. En outre, le cadeau du couronnement — cent mille florins — accordé au monarque par la nation à l'occasion de son accession au trône fut à la demande du roi et de la reine reversé aux veuves et aux orphelins des *Honvéds* tombés au cours de la « guerre d'indépendance » de 1848-1849, ce qui n'alla pas sans susciter l'indignation du clan antihongrois de la cour de Vienne[3].

La monarchie des Habsbourg s'était ainsi reconstruite sur de nouvelles bases. Le Compromis (*Ausgleich* en allemand, *Kiegyezés* en hongrois) de 1867 allait être le fondement de l'organisation des États habsbourgeois jusqu'en 1918.

1. J. Sára, *A Habsburgok és Magyarország*, *op. cit.*, p. 534-535.
2. Cité par O. Csermöy-Schneidt, *Nagy magyar államférfiak* (Les Grands Hommes d'État hongrois), Budapest, 1996, p. 171.
3. J. Sára, *A Habsburgok és Magyarország*, *op. cit.*, p. 535.

La monarchie des Habsbourg à l'épreuve du dualisme

Avec le Compromis de 1867, le mot *Autriche* disparaît du vocabulaire politique officiel. Il y a désormais la monarchie austro-hongroise, ou plus simplement l'*Autriche-Hongrie*, ou bien encore la *Double Monarchie*, un État formé de deux entités politiques bien distinctes, délimitées par une petite rivière affluent du Danube, la Leitha (Lajta), d'où le nom de *Transleithanie* donné au royaume de Hongrie, et celui de *Cisleithanie* donné à tout le reste. Ce qui ne relève pas en effet de la Transleithanie ne porte pas officiellement de nom spécifique, sinon cette appellation périphrasique de « royaumes et territoires représentés au *Reichsrat*[1] » ; en revanche, il y a un empereur d'Autriche qui est en même temps « roi apostolique de Hongrie », François-Joseph. Les institutions et services publics communs aux deux composantes de l'Empire portent désormais leur nom précédé des sigles KuK en Cisleithanie, et Cs. és Kir. en Hongrie, c'est-à-dire « impérial(e) » et « royal(e) ».

Le cadre institutionnel

La Double Monarchie a pour base constitutionnelle ce que l'on appelle le « Compromis austro-hongrois de 1867 ». En réalité, ce Compromis se compose de deux textes. Le premier, la loi hongroise XII-1867, est le traité conclu entre l'empereur François-Joseph et la Nation hongroise pour régler les relations entre la Hongrie et le reste des possessions des Habsbourg. Ce traité reprend pour l'essentiel les propositions faites en 1865 par Deák et adapte les institutions hongroises à la communauté d'intérêts qui lie la Hongrie aux autres pays de l'Empire. L'autre texte est le Statut constitutionnel qui assure aux territoires qui composent la Cisleithanie — ou pour parler plus simplement l'Autriche — une Constitution[2]. Aux yeux des juristes hongrois, le rétablissement de la Constitution hongroise impliquait que l'Autriche ait également une Constitution[3].

Le Statut constitutionnel des « royaumes et territoires représentés au *Reichsrat* » se substitue aux institutions mises en place par la

1. H. Wickham-Steed, *La Monarchie des Habsbourg*, *op. cit.*, p. 101.
2. *Ibid.*, p. 52.
3. Ch. d'Eszlary, *Histoires des institutions publiques hongroises*, *op. cit.*, t. IV, p. 177-178.

patente de février 1861 et devenues caduques ; il est promulgué par François-Joseph le 21 décembre 1867. Le Statut garantit les droits et libertés fondamentaux, y compris le droit d'association et de réunion, et tient compte en son article 19 de la diversité des peuples qui vivent en Cisleithanie. Le Statut proclame en effet l'égalité des droits des différents groupes ethniques et le respect de leur identité nationale ; il reconnaît l'égalité de toutes les langues « dans les écoles, l'administration et la vie publique », et précise que « dans les pays habités par plusieurs groupes ethniques, les écoles publiques seront organisées de manière à ce que les groupes ethniques reçoivent les fonds nécessaires pour enseigner leur propre langue sans être obligés d'apprendre une autre langue du pays »[1].

Le pouvoir exécutif demeurait pour l'essentiel entre les mains de l'empereur qui nommait et révoquait les ministres, mais ceux-ci devaient cependant avoir la confiance du Parlement. Même si François-Joseph a choisi le chef du gouvernement et les ministres dans le monde de l'aristocratie ou de la haute fonction publique, il tint toujours compte dans ses nominations des rapports de force au Parlement et ne chercha jamais à s'opposer à la majorité parlementaire. Toutefois, en cas de crise grave ou de blocage des institutions, le Statut avait prévu que l'empereur pouvait gouverner par ordonnances. Le pouvoir législatif appartenait au Conseil d'Empire ou *Reichsrat*, formé comme en 1861 de deux Chambres, la Chambre des seigneurs où se côtoyaient les princes du sang, les archevêques et évêques, des membres de l'aristocratie ou des personnalités nommées à vie par le monarque, et la Chambre des députés élue pour six ans ; au début, ce furent les Diètes provinciales qui désignèrent les députés, puis, à partir de 1873, les députés furent élus directement par les électeurs répartis en quatre curies correspondant aux corps sociaux (grande propriété, villes, corporations, communes rurales) et selon un système censitaire. Le *Reichsrat* votait le budget et les lois, mais l'empereur disposait d'un droit de *veto* qu'à vrai dire il n'utilisa qu'exceptionnellement[2].

En Hongrie, la Constitution de 1848, réaménagée, créa un véritable régime parlementaire. Le roi était le chef du pouvoir exécutif ; il nommait le président du Conseil et les ministres, mais le gouvernement était responsable devant le Parlement. L'unité du royaume avait été reconstituée avec la disparition des institutions propres à

1. J. Bérenger, *L'Autriche-Hongrie (1815-1918)*, *op. cit.*, p. 87.
2. *Ibid.*, p. 87-88, et J.-P. Bled, *François-Joseph*, *op. cit.*, p. 341-343.

la Transylvanie dès 1866 ; seule la Croatie-Slavonie retrouva en 1868 des institutions autonomes. Le pouvoir législatif était partagé entre deux Assemblées, la Chambre haute dont la composition rappelait celle de la Chambre des seigneurs en Autriche, et la Chambre basse élue au suffrage direct mais censitaire.

Pour « les intérêts communs de la Hongrie avec les autres pays de Sa Majesté », trois ministères communs furent créés, ceux des Affaires étrangères, des Finances et de la Guerre, dont les titulaires ne relevaient que de l'empereur, mais sous le contrôle de Délégations formées chacune de soixante députés nommés par le *Reichsrat* et soixante autres désignés par le Parlement de Budapest. L'armée « impériale et royale » dépendait directement de l'empereur, avec l'allemand comme langue de commandement, mais chacune des deux parties de la Double Monarchie disposait d'une armée territoriale, la *Landsturm* en Cisleithanie et la *Honvéd* en Hongrie, de recrutement local et avec la langue nationale pour le commandement. Un compromis financier annexe régla la répartition des dépenses liées aux affaires communes sur la base de 30 % pour la Hongrie et le reste pour l'Autriche.

La réorganisation de la monarchie habsbourgeoise aboutissait à confier la gestion de l'Empire aux représentants des deux groupes nationaux les plus nombreux, les Allemands en Cisleithanie, les Magyars en Hongrie. Les autres nationalités allaient-elles se satisfaire de ce compromis qui, tout en leur assurant l'égalité des droits et le libre accès à toutes les fonctions, le libre usage de leur langue et la liberté religieuse, les écartait des responsabilités du pouvoir si elles refusaient le cadre juridique tracé en 1867 ? La question se trouvait désormais posée[1].

La réalité ethnique de l'Autriche-Hongrie

C'est la Cisleithanie qui offrait la plus grande variété sur le plan des populations, et aussi le plus grand enchevêtrement de nationalités. Certaines provinces étaient peuplées exclusivement d'Allemands : le Voralberg, la province de Salzbourg, les duchés de Haute et de Basse-Autriche. D'autres étaient à très large majorité allemande comme le Tyrol où les germanophones s'étendaient largement au-delà de l'actuelle frontière austro-italienne, jusqu'au sud de la ville de Bozen (Bolzano). La Carinthie et la Styrie, bien qu'à

1. H. Bogdan, *Histoire des pays de l'Est*, *op. cit.*, p. 169-170.

population allemande majoritaire, comptaient une importante minorité slovène (20 pour cent de la population en Carinthie, 29 pour cent en Styrie). La capitale Vienne était certes une ville à large majorité allemande, mais en raison de sa fonction de capitale et de l'attraction qu'elle pouvait exercer, toutes les nationalités y étaient représentées. Sur les quelque deux millions d'habitants que comptait Vienne au recensement de 1910, on dénombrait près de 15 pour cent de Slaves, dont près de 200 000 Tchèques et plus de 100 000 Polonais, sans compter les quelque 200 000 Juifs venus de l'Empire russe et de Roumanie, tous pays dans lesquels régnait un antisémitisme virulent. Au sud des populations germanophones commençait le domaine des Italiens et des Slaves du Sud : Italiens seuls dans le Trentin, Slovènes et Italiens dans la province de Gorizia, Croates, Italiens et Slovènes en Istrie. Quant à la Dalmatie, rattachée à l'Autriche en 1815, elle était peuplée de 501 000 Serbo-Croates face à 16 000 Italiens, présents surtout dans les villes. D'une façon générale, dans les provinces méridionales de la Cisleithanie, les Italiens dominaient les villes, les Slaves les campagnes, mais l'exode rural favorisait la slavisation progressive des centres urbains.

Dans les pays de la couronne de saint Venceslas, les populations allemandes étaient groupées en blocs compacts dans toutes les zones montagneuses de la périphérie où elles étaient majoritaires tant dans les campagnes que dans les villes. En revanche, leur nombre avait très sensiblement reculé dans les villes de l'intérieur où, au milieu du XIXe siècle, ils étaient majoritaires. À Prague, en 1855, les Allemands constituaient 40 pour cent de la population, en 1910, ils n'étaient plus que 7 pour cent. À Brünn (Brno), l'évolution avait été analogue. Dans tout l'intérieur de la cuvette de Bohême-Moravie, dans les villes comme dans les campagnes, les Tchèques étaient largement majoritaires. Enfin, dans la Silésie de Teschen, les populations étaient mélangées : Polonais, Tchèques et Allemands se partageaient le territoire.

La Galicie avait un peuplement polonais légèrement majoritaire, surtout dans la partie occidentale, à côté d'une importante minorité ruthène surtout à l'est ; les Juifs y étaient partout présents surtout en milieu urbain, notamment à Lemberg (Lviv). Quant à la Bucovine, les populations, là encore, étaient très mélangées : 300 000 Ruthènes, 273 000 Roumains, 168 000 Allemands, de nombreux juifs, sans compter des groupes très minoritaires de Polonais, d'Allemands et de Hongrois.

Sur le plan religieux, la Cisleithanie présentait une homogénéité beaucoup plus grande. Plus des quatre cinquièmes des habitants étaient catholiques romains, ce qui n'était pas le moindre facteur de cohésion. Derrière les catholiques romains venaient les catholiques uniates, les orthodoxes et les protestants. Quant aux juifs, ils représentaient près de 5 pour cent de la population totale ; ils étaient particulièrement nombreux à Vienne et dans toutes les grandes villes, ainsi qu'en Galicie et en Bucovine.

En Transleithanie, la répartition des nationalités était beaucoup plus harmonieuse. Les Magyars, 54 pour cent de la population si l'on exclut la Croatie-Slavonie qui bénéficiait d'un statut particulier [1], étaient présents partout en masses plus ou moins compactes, seuls ou mélangés à d'autres nationalités. Ils l'emportaient largement dans les plaines de part et d'autre du Danube et de la Tisza, largement au-delà des frontières actuelles de la Hongrie. Budapest, avec ses 880 000 habitants en 1910, était une ville magyare à 80 pour cent, avec une importante population allemande (97 000) et slovaque. Toutes les grandes villes de Hongrie étaient à large majorité magyare, sauf Presbourg où les Allemands (38 pour cent de la population) l'emportaient de peu sur les Magyars (35 pour cent) et les Slovaques (27 pour cent).

Les Allemands, au nombre d'environ deux millions, étaient présents dans toutes les villes en proportion plus ou moins élevée, mais, en milieu urbain, ils avaient tendance à se magyariser par assimilation, si bien que le pourcentage des germanophones dans la population totale eut tendance à reculer : 13,6 pour cent en 1880, 10,4 pour cent en 1910. De plus, des îlots compacts d'Allemands étaient installés en diverses régions du pays : à l'extrême ouest, dans l'actuel Burgenland autrichien, en Transdanubie, dans le Banat, dans les régions minières des Carpates septentrionales, et dans le sud-est de la Transylvanie.

Les Roumains, au nombre de près de trois millions, représentaient un peu plus de la moitié de la population de la Transylvanie et du Banat ; ils vivaient principalement dans les campagnes et dans les bourgs, mais peu à peu, par le fait de l'exode rural, ils allèrent s'installer dans les villes de Transylvanie où ils formaient des minorités plus ou moins importantes, de même que leur zone d'habitat avait tendance à s'étendre vers l'ouest en direction de la Grande Plaine hongroise.

Les Slovaques, deux millions en 1910, vivaient principalement

1. 48 pour cent en y incluant la Croatie-Slavonie.

dans les montagnes du nord-ouest de la Hongrie, mais depuis le XIXe siècle, en raison de la pression démographique, ils s'établirent peu à peu dans les vallées en direction du Danube.

Les Ruthènes, de leur côté, occupaient les zones rurales des Carpates septentrionales ; comme les Slovaques, ils eurent tendance, au cours de la deuxième moitié du XIXe siècle, à descendre vers les plaines de la Tisza. En outre, dans les districts à majorité ruthène, de nombreux Juifs en provenance de Russie s'installèrent dans les villes aux côtés des Magyars avec lesquels ils eurent tendance à s'assimiler.

Enfin, au sud de la Hongrie, les Serbes installés dans la plaine de Voïvodine depuis la fin du XVIIe siècle formaient des îlots compacts au milieu des populations magyares et allemandes.

En Croatie-Slavonie, le peuplement était plus homogène qu'en Hongrie. Les Croates y étaient partout majoritaires, sauf dans la partie orientale de la plaine de confluence de la Drave et de la Save où les Serbes, réfugiés là au XVIIIe siècle, l'emportaient. Quant au port de Fiume, que les Croates appelaient Rijeka et dont ils revendiquaient la possession, son territoire constituait un *corpus separatum* de la Hongrie : la population, croate à l'origine, avait, depuis le milieu du XIXe siècle, reçu de nombreux apports italiens en provenance d'Istrie et de Trieste, si bien qu'au recensement de 1910, Fiume abritait 24 000 Italiens en face de 13 000 Croates et quelque 600 Magyars.

Sur le plan religieux, l'ensemble des pays de la couronne de saint Étienne, Croatie-Slavonie incluse, présentait une assez grande diversité. Avec 52,1 pour cent de la population, les catholiques romains étaient majoritaires, suivis par les protestants, luthériens et calvinistes, par les orthodoxes et les uniates. Les juifs, en raison d'une immigration accélérée en provenance de Russie tout au long du XIXe siècle, représentaient 5 pour cent de la population en 1910 ; ils étaient nombreux à Budapest — que certains pamphlétaires antisémites appelaient parfois *Judapest* —, dans toutes les villes et dans les campagnes de Ruthénie et du nord-ouest de la Transylvanie.

L'annexion de la Bosnie-Herzégovine en 1908 renforça l'élément slave : 96 pour cent des 1,8 million d'habitants de cette province étaient des Serbo-Croates, les 4 pour cent restants se partageant entre Allemands et Hongrois, en majorité des fonctionnaires et leur famille. Au point de vue religieux, la Bosnie-Herzégovine comportait une faible majorité d'orthodoxes (51 pour cent) avec une importante minorité musulmane (30 pour cent) et catholique (15 pour cent).

Le fonctionnement du dualisme

En dépit des diversités linguistiques et religieuses, la Double Monarchie formait un ensemble cohérent qui, malgré ses imperfections, fonctionna assez bien pendant un demi-siècle. La cohésion du système reposait en premier lieu sur la personne du souverain. Nul ne peut nier en effet que François-Joseph, empereur à Vienne et roi à Budapest, avait su, malgré les événements de 1848-1849 et la répression qui les suivit, susciter un sentiment de loyalisme dynastique qui demeura intact jusqu'à sa mort. Son long règne, ses malheurs personnels — la mort tragique de son fils l'archiduc Rodolphe en 1889 et celle de sa femme l'impératrice Élisabeth en 1898 — lui valurent le respect et même l'affection de ses peuples. Le loyalisme à l'égard de la dynastie était loin d'être une simple formule de rhétorique.

Un autre trait d'union entre les peuples était la religion catholique qui permettait de rassembler autour de l'empereur, dont les ancêtres avaient constamment été depuis Charles Quint les défenseurs de la foi romaine, des peuples aussi divers que les Allemands, les Polonais, les Slovaques, les Slovènes et les Croates, ainsi que la majorité des Hongrois et des Tchèques. Avec près de quarante mille prêtres séculiers, et une vingtaine de milliers de religieux et de religieuses, l'Église catholique constituait un facteur important d'encadrement spirituel des populations dont l'influence pouvait être mise au service du souverain et de l'État. Mais, en dehors de l'Église catholique, les autres religions chrétiennes, dont les hauts dignitaires siégeaient en tant que tels dans les Assemblées parlementaires, pouvaient, elles aussi, jouer un rôle analogue.

L'armée impériale et royale constituait un élément de rapprochement entre les différents peuples de l'Empire. L'allemand, utilisé comme langue de commandement et qui, à ce titre, devait être compris et parlé par les cadres autant que par la troupe, renforçait la cohésion. L'entrée dans le corps des officiers, outre qu'elle était un moyen de promotion sociale (ici, à la différence de ce qui se passait dans l'armée allemande, l'accès aux grades supérieurs n'était pas le monopole de l'aristocratie), accélérait les processus d'assimilation et aboutissait à créer un modèle humain, une sorte d'archétype d'*Austro-Hongrois* qui, sans renier ses origines ethniques propres, se sentait beaucoup plus solidaire de l'ensemble de la monarchie que d'une région particulière. Ce sentiment naissait avec d'autant plus de facilité que les postes de commandement élevés n'étaient pas réservés aux officiers appartenant aux nationalités dites « dominantes ». Seules la compétence et l'aptitude aux hautes responsabilités assuraient les promotions. Le gouverneur de Bosnie-Herzégovine en 1914, le général Potiorek, était tchèque d'origine ; le dernier commandant en chef de la marine austro-hongroise, l'amiral Horthy, était hongrois ; des Polonais comme les généraux Sikorski et Rozwadowski, ou des Croates comme le feld-maréchal Boroevic, et même un Roumain comme le général Boeriu exercèrent des commandements importants au cours de la Première Guerre mondiale.

L'administration, efficace et intègre, et la bureaucratie nombreuse renforçaient encore la cohésion de l'ensemble. Là aussi, quiconque était compétent et acceptait de s'intégrer au système pouvait faire une brillante carrière. Les ressortissants des différentes nationalités étaient placés sur un pied d'égalité. L'État ne demandait pas de renoncer à sa langue et à sa culture nationale ; il exigeait seulement du postulant à une charge administrative qu'il connût, outre sa propre langue, la langue de l'État, l'allemand en Cisleithanie, le hongrois en Transleithanie. Les Tchèques utilisèrent pleinement ces possibilités et ils occupaient à eux seuls le tiers des emplois dans les ministères communs en 1914, ce qui était bien au-delà de leur importance numérique.

La cohésion de l'Empire était également assurée par la communauté des intérêts qui unissait dans la vie quotidienne comme dans la vie économique les diverses populations. D'abord, il existait une assez grande mobilité géographique des populations, de région à région, de la campagne vers les villes, ce qui provoquait un inévitable brassage des peuples. Le paysan slovaque qui s'installait à Budapest se magyarisait, tout autant que l'Allemand des Sudètes qui se fixait à Prague se tchéquisait, et cela sans qu'il y ait pression de la part des autorités. Le changement de nationalité en une ou deux générations était un phénomène courant. Ce changement pouvait encore être accéléré par les mariages mixtes, très fréquents. La mobilité des populations n'explique pas tout. Les diverses parties de l'Empire et leurs habitants avaient des intérêts économiques communs. La monarchie austro-hongroise constituait un ensemble économique cohérent, formé de régions aux ressources complémentaires tant dans le domaine agricole (céréales des plaines hongroises, élevage des Alpes et des Carpates, betterave à sucre et houblon de Bohême) que dans le domaine industriel (charbon de Bohême et de Transylvanie, fer d'Autriche et des zones montagneuses du quadrilatère de Bohême, or et argent des Carpates, cuivre et bauxite de Croatie et de Hongrie, etc.). Un réseau de voies de communications terrestres et fluviales assez dense assurait des relations aisées entre les diverses parties de l'Empire tandis que les ports de Trieste et de Fiume permettaient le contact avec les pays méditerranéens et l'outre-mer. L'époque de François-Joseph constitua sur le plan économique une période de prospérité pour les différentes régions de l'Empire, que traduisent assez bien l'essor des grandes villes et leur embellissement. Vienne, Budapest, Prague et Zagreb en sont les symboles vivants.

Dans un siècle où les antagonismes nationaux étaient puissants, la monarchie austro-hongroise était parvenue à faire coexister des nationalités différentes, parce que son organisation était assez souple pour permettre à toutes d'avoir leur place au soleil. L'Autriche-Hongrie n'a jamais été un État raciste. À côté des Allemands et des Hongrois qui constituaient les deux piliers de l'Empire, les autres nationalités jouissaient de libertés beaucoup plus grandes que leurs frères de race qui vivaient hors des frontières de l'Empire ; il y avait moins d'analphabètes chez les Roumains et les Serbes de Hongrie que chez leurs compatriotes de Roumanie et de Serbie. Toutes les nationalités bénéficiaient de la protection de la loi et avaient pleine et entière liberté de conscience et de culte. En Cisleithanie, l'essentiel des problèmes d'administration et de justice se réglait au niveau des Diètes provinciales où l'on délibérait dans les langues locales. Chaque nationalité y disposait d'un système d'enseignement complet : les Tchèques avaient leur université à Prague, les Polonais avaient les leurs à Cracovie et à Lemberg, où venaient étudier les étudiants polonais de Russie. En Tranleithanie, l'État entretenait des écoles primaires et secondaires où l'on enseignait dans les langues locales ; les différentes Églises avaient toute latitude pour ouvrir des écoles et elles ne s'en privaient pas, d'autant plus qu'elles recevaient pour cela des subventions de l'État. La seule condition, c'était que, dans toutes les écoles de Hongrie, les non-Hongrois reçoivent trois heures de cours de hongrois par semaine. En revanche, à la différence de ce qui se passait en Cisleithanie, l'enseignement supérieur se faisait partout en hongrois, ou en allemand. Seuls les Croates disposaient à Zagreb d'une université nationale. Dans l'ensemble, la Transleithanie était en matière d'enseignement moins libérale que la Cisleithanie, surtout lorsque le Parti de l'indépendance, nationaliste et héritier de la pensée de Kossuth, dirigea le pays de 1906 à 1910.

Les affrontements politiques

Les deux parties de l'Empire connurent de 1867 à 1914 une vie politique agitée. Toutes deux disposaient d'un système représentatif avec deux Assemblées. En Cisleithanie, en dehors des questions de politique générale, le problème qui domina la vie politique fut celui des relations entre les différentes nationalités. Au début du dualisme, les dirigeants songèrent à une évolution de l'Empire vers le trialisme. Le président du Conseil autrichien, Hohenwart, prépara avec l'accord de François-Joseph un projet de réforme qui aurait donné à la Bohême un statut analogue à celui de la Hongrie. On envisagea même le couronnement à Prague de François-Joseph comme roi de Bohême. Mais lorsque, en octobre 1871, le projet fut rendu public, il se heurta à l'opposition conjuguée des Allemands de Bohême, qui craignaient de se trouver minoritaires dans le royaume, des Slovènes et des Ruthènes, qui réclamèrent aussitôt un statut analogue, et des dirigeants hongrois, inquiets des répercussions d'un tel projet sur les nationalités de Hongrie. François-Joseph renonça au projet et Hohenwart se retira. Les milieux politiques tchèques se montrèrent très déçus et cela provoqua une scission au sein du Parti national. Les *Vieux Tchèques* groupés autour de Rieger, gendre de Palacky, demeurèrent favorables à la recherche d'une entente avec Vienne et collaborèrent avec le gouvernement Taaffe (1879-1893), ce qui permit à la Bohême d'obtenir des avantages substantiels : la loi sur les langues de 1880 fit du tchèque la langue officielle, mais, dans les régions à majorité allemande, l'administration fut tenue d'être bilingue, et, en 1882, Prague fut dotée d'une université de langue tchèque à côté de la vieille université de langue allemande. Les *Jeunes Tchèques*, à l'inverse, se retranchaient dans une opposition surtout verbale, et ils triomphèrent aux élections de 1891. Les partis traditionnels qui formaient le *pays légal* étaient quelque peu à l'écart du *pays réel*. Ce dernier put enfin s'exprimer avec l'introduction progressive du suffrage universel en Autriche par les lois de 1896 et de 1906. De nouveaux partis apparurent alors. Si les catholiques-nationaux et les chrétiens-sociaux furent loyalistes et les agrariens attentistes, les socialistes-nationaux et les *réalistes* — favorables à un rapprochement avec les Slovaques et les autres peuples slaves, dominés par la personnalité d'un professeur de l'université de Prague, Thomas Masaryk — firent de l'opposition systématique sans pour autant rejeter les avantages du système. Quant aux partis historiques, les *Vieux Tchèques* en déclin et les *Jeunes Tchèques* sous la conduite de Karel Kramarj, ils bénéficiaient encore d'une large audience dans la bourgeoisie d'affaires, car ils étaient à la fois favorables à l'autonomie de la Bohême et à l'ordre conservateur. Le Parti social-démocrate de Bohême, porte-parole d'une classe ouvrière de plus en plus nombreuse, fut longtemps une branche de la social-démocratie autrichienne. En 1897, les diverses branches constituèrent, chacune dans leur pays, un parti autonome. Aux élections de 1911, les sociaux-démocrates tchèques obtinrent 37 pour cent des voix en Bohême-Moravie, suivant de très près les *Jeunes Tchèques* de Kramarj. En dépit du loyalisme de la population, surtout dans les campagnes, les revendications en faveur de l'autonomie de la Bohême se firent de plus en plus pressantes et s'exprimaient parfois violemment lors des réunions de l'association sportive des *Sokols*.

Face au nationalisme tchèque, les Allemands de Bohême qui redoutaient la domination de la majorité tchèque cherchèrent par tous les moyens à s'opposer aux réformes. Néanmoins, avec ou sans l'accord des partis tchèques, avec ou sans le Parlement, le gouvernement chercha à assurer aux deux populations de la Bohême l'égalité des droits. Lorsque, en 1897, le gouvernement parvint à faire voter une loi obligeant les fonctionnaires servant en Bohême à être bilingues, les Allemands firent de l'obstruction systématique. Cette mesure favorisait les Tchèques, car beaucoup d'entre eux connaissaient l'allemand, alors que peu d'Allemands savaient le tchèque. Finalement, on se borna à exiger des fonctionnaires qu'ils connussent les langues parlées là où ils exerçaient.

Les Polonais de Galicie posèrent beaucoup moins de problèmes. Ils appréciaient un régime qui leur assurait l'égalité des droits et qu'enviaient leurs compatriotes de Prusse et de Russie. Les députés polonais du *Reichsrat* faisaient toujours partie de la majorité qui soutenait le gouvernement. Il est vrai que des Polonais furent souvent amenés à occuper des fonctions importantes. Deux d'entre eux, le comte Potocki en 1870-1871, et le comte Badeni de 1895 à 1897, furent présidents du Conseil d'Autriche. Dans le cabinet Badeni, il y eut encore deux autres ministres polonais. Au même moment, c'est encore un Polonais, le comte Goluchowski junior, qui exerça de 1895 à 1906 les fonctions de ministre commun des Affaires étrangères. Au début de 1900 cependant, à côté des formations politiques polonaises traditionnelles, conservatrices ou populistes, apparurent de nouvelles forces sous l'influence d'idées venues de la Pologne russe. C'est à ce moment-là que se constituèrent le Parti socialiste polonais de Joseph Pilsudski et le Parti national-démocrate qui avaient l'un et l'autre des homologues en Pologne russe et en Pologne prussienne.

Le sort privilégié des Polonais suscita l'envie des populations ruthènes de Galicie et de Bucovine, et les intellectuels se mirent à réclamer des avantages identiques, notamment dans le domaine culturel. En 1902, de violentes manifestations eurent lieu à Lemberg en faveur de la création d'une université ruthène. L'opposition ruthène déboucha parfois sur des actions encore plus violentes. C'est ainsi qu'en 1908, le gouverneur polonais de Galicie fut assassiné par un étudiant ruthène. Dans l'ensemble, les masses paysannes ne furent guère sensibles à ces actions extrémistes.

Chez les Slaves du Sud, la plupart des chefs politiques slovènes et dalmates recherchèrent une évolution dans le cadre de l'Empire. Pour des raisons culturelles et religieuses, ils se sentaient peu attirés par les Serbes orthodoxes. Leur crainte principale était la pénétration italienne dans les villes slovènes et dans la région côtière.

Dans leur ensemble, la plupart des nationalités de la partie autrichienne de la Double Monarchie ne voyaient leur avenir que dans le cadre habsbourgeois. Les plus hostiles étaient paradoxalement certains éléments allemands qui tournaient leurs regards vers une Grande Allemagne dirigée de Berlin.

La Hongrie avait une tradition de régime parlementaire, mais, comme le régime électoral demeurait censitaire, le Parlement ne reflétait qu'une partie des aspirations et des sentiments du pays réel. Malgré l'abaissement du cens électoral en 1913, un tiers seulement de la population masculine majeure jouissait du droit de vote. La classe politique était partagée entre deux tendances principales : le Parti libéral dominé par les personnalités du comte Coloman Tisza, chef du gouvernement de 1875 à 1890, et de son fils Étienne, chef du gouvernement de 1902 à 1905 et de 1910 à 1917, tous les deux disciples de François Deák et fermement attachés au dualisme ; et le Parti de l'indépendance animé par François Kossuth, le fils du révolutionnaire de 1848-1849, auquel se joignirent les dissidents du Parti libéral comme les comtes Apponyi et Károlyi, favorables à l'indépendance totale de la Hongrie mais sans changement dynastique. Le Parti de l'indépendance dirigea le pays de 1906 à 1910 et sa politique nationaliste provoqua une vive opposition des nationalités allogènes et un conflit avec la Couronne à propos de l'armée. À côté de ces deux partis historiques, de nouvelles formations politiques ont fait leur apparition à la fin du XIXe siècle, le Parti chrétien populaire du comte Zichy, hostile aux lois laïques votées en 1892-1893, le Parti des propriétaires terriens défenseur des intérêts du monde agricole, et le Parti social-démocrate défenseur du monde ouvrier. Mais ces nouveaux partis ne furent que très faiblement représentés au Parlement en raison du refus des formations historiques d'introduire le suffrage universel.

La politique de l'État hongrois à l'égard des nationalités allogènes fut étroitement liée à la politique intérieure. D'une façon générale, le Parti libéral se montra plus ouvert que le Parti de l'indépendance sur la question des nationalités. Aussitôt après la mise en place du dualisme, Deák négocia avec les délégués de la Diète croate le compromis hungaro-croate de 1868 : celui-ci assurait aux Croates une large autonomie avec leur propre Diète à Zagreb. La même année, Deák fit voter par le Parlement hongrois la loi des Nationalités qui, tout en maintenant le hongrois comme langue officielle de l'État, proclamait l'égalité de tous les habitants du royaume et donnait à tous la possibilité d'accéder à tous les emplois : la loi prévoyait aussi que « les communes, les Églises et les associations fixent elles-mêmes la langue de leur administration » et que « dans les assemblées de communes, villes et départements, chacun peut employer sa langue maternelle ».

Utilisant les dispositions libérales de cette loi, des Roumains de Transylvanie, à l'initiative du clergé uniate et de quelques instituteurs, fondèrent en 1881 un Parti national roumain qui réclama l'autonomie de la Transylvanie et une administration roumaine dans les territoires peuplés de Roumains. Les chefs de ce parti présentèrent en 1892 un *Mémorandum* à François-Joseph, non pas en tant que roi de Hongrie, mais en tant qu'empereur d'Autriche. Le gouvernement hongrois intenta un procès aux auteurs du *Mémorandum*, non pas pour les revendications qu'ils y avaient exposées, mais parce qu'en adressant ce document à l'Empire d'Autriche, ils semblaient nier l'appartenance à la Hongrie des départements transylvains. Le procès du *Mémorandum* suscita une vive émotion à l'étranger. L'année suivante, les condamnés bénéficièrent d'une amnistie totale, mais le Parti national roumain demeura interdit jusqu'en 1905. Aux élections de 1905, quatorze députés roumains furent élus, avec à leur tête l'avocat Jules Maniu qui, par la suite, devait jouer un rôle important dans la vie politique de la Roumanie de l'entre-deux-guerres.

Chez les Slovaques, une certaine agitation politique apparut dans les toutes premières années du XXe siècle. Un parti populiste fut alors créé par l'abbé Hlinka qui inscrivit à son programme l'autonomie culturelle et administrative des régions de peuplement slovaque. Hlinka et ses amis organisèrent des manifestations contre les lois scolaires du ministre Apponyi qui augmentaient la place de l'enseignement du hongrois dans les écoles allogènes. Ces manifestations dégénérèrent en émeutes en octobre 1907, et la troupe dut intervenir dans la petite ville de Csernova. Une autre tendance se fit jour autour de Milan Hodza et son journal *Hlas* (La voix), qui prônait un rapprochement avec Prague. Les intellectuels slovaques d'origine protestante y étaient favorables, car ils redoutaient le cléricalisme trop voyant des partisans de Hlinka. Cependant, les contestataires slovaques étaient relativement minoritaires et l'abbé Hlinka fut même désavoué par ses supérieurs. L'idéal pour beaucoup de Slovaques, c'était de s'intégrer à la *société* hongroise et de s'assimiler : ce fut le cas de l'abbé Csernoch, qui, à la veille de la Première Guerre, exerçait les fonctions d'archevêque d'Esztergom et de prince-primat de Hongrie. Le cardinal Csernoch n'omettait jamais de rappeler à ses interlocuteurs qu'il était slovaque et que cela ne l'avait pas empêché de devenir le chef de l'Église catholique hongroise.

Chez les Croates, en dépit de l'autonomie que leur assurait le Compromis de 1868, la conscience nationale était très développée dans les milieux politiques et intellectuels. Dès 1873, l'agitation en faveur de l'union de tous les Slaves du Sud à l'intérieur de l'Empire reprit et s'amplifia, surtout à l'époque du Ban Khun-Hédervary (1883-1893) qui multiplia les maladresses à l'égard des nationalistes croates. Les personnalités les plus marquantes de ce nouvel *illyrisme* furent l'évêque Joseph Strossmayer et l'historien Frano Ratzki ; à côté d'eux, d'autres mouvements nationalistes apparurent, tel le Parti du droit d'Eugène Kvaternik. Tous étaient d'accord pour faire de la Croatie un État souverain, mais intégré à la monarchie habsbourgeoise. Mais cet État croate devait-il s'unir aux Slovènes — ce qui ne posait aucun problème en raison de l'identité religieuse — et aux Serbes — ce qui ne faisait pas l'unanimité ? Toutefois, en 1905, au congrès de Fiume, les partisans du *yougoslavisme* l'emportèrent ; ils comptaient sur le prince héritier, l'archiduc François-Ferdinand, pour réaliser un jour leurs aspirations. C'était vers Vienne qu'ils tournaient leurs regards et non vers Belgrade.

François-Joseph et les siens

Le régime constitutionnel établi en 1867 avait réservé à l'empereur une place très importante dans l'État. Quand on sait en plus que François-Joseph a régné pendant près de soixante-huit ans, on ne peut manquer de s'intéresser à la personne même d'un tel souverain et à son environnement familial.

La personnalité de l'empereur

François-Joseph est né le 18 août 1830. Son père, l'archiduc François-Charles, était le frère cadet de l'empereur François, et sa mère l'archiduchesse Sophie était la fille du roi de Bavière Maximilien-Joseph. À sa naissance, il ne venait qu'en troisième position dans l'ordre de succession derrière l'archiduc Ferdinand, fils de François Ier et son père l'archiduc François-Charles. Les événements de 1848, l'abdication de l'empereur Ferdinand et la renonciation au trône de son père firent de lui le chef de la Maison d'Autriche.

Dès l'âge de six ans, l'éducation du jeune François-Joseph fut confiée à un protégé de Metternich, le comte Bombelles, fils d'un émigré français, assisté du comte Coronini, un ancien militaire. Destiné à régner un jour, François-Joseph reçut une solide formation dans le domaine des langues ; outre l'allemand et le français qu'il maîtrisait parfaitement, on lui fit étudier la plupart des langues parlées par ses sujets non germanophones, le hongrois, le tchèque, le polonais et l'italien. Quand il eut atteint l'âge de douze ans, il fut initié au métier des armes par le commandant von Hauslab, et fut nommé peu après colonel d'un régiment de dragons stationné en Moravie. Un peu plus tard, on élargit le domaine de la formation du jeune archiduc. Un théologien hostile au joséphisme, l'abbé Rauscher, fut chargé de son éducation morale et de son initiation à la philosophie ; François-Joseph fera de lui en 1853 un archevêque de Vienne. Quant aux affaires de l'État, ce fut Metternich qui eut la responsabilité de l'y former et il s'attacha à lui inculquer la méfiance du libéralisme.

Comme futur héritier du trône, François-Joseph fut amené à voyager. Il eut l'occasion de se rendre plusieurs fois en Hongrie, un pays qui devait lui causer bien des difficultés au moment de son accession au trône. Il s'y rendit une première fois en 1843, alors qu'il n'avait que treize ans, et on lui présenta le romancier Sándor Kisfaludy avec lequel il échangea quelques mots en hongrois[1]. Puis, en 1846, François-Joseph participa à une chasse aux environs du lac de Fertö. Enfin, en 1847, il y accomplit sa première mission officielle pour représenter son oncle l'empereur Ferdinand aux obsèques du palatin, l'archiduc Joseph, et pour y introniser son fils Étienne comme préfet du comitat de Pest : ce fut pour François-Joseph l'occasion de prononcer son premier discours public en hongrois[2].

Ayant reçu la formation classique et traditionnelle d'un prince héritier, le destin voulut qu'on lui confie à l'âge de dix-huit ans la lourde tâche d'assumer les responsabilités du pouvoir à un moment particulièrement difficile. On comprend pourquoi, en raison de sa jeunesse, son entourage put exercer sur lui une forte influence au cours des premières années de son règne, une influence néfaste sur le plan politique en ce qui concerne sa mère l'archiduchesse Sophie, une influence plus bénéfique quand ce fut celle de sa jeune épouse Élisabeth qu'il épousa en 1854. L'affrontement entre ces deux femmes qu'il chérissait fut très douloureux pour l'empereur et provoqua en de nombreuses occasions des tensions familiales auxquelles la mort de Sophie mit fin en 1873.

Qui était François-Joseph ? Les circonstances particulières dans lesquelles il accéda au trône et les mesures qu'il fut conduit à prendre pour rétablir l'ordre au début de son règne lui ont valu des jugements sévères, notamment en Hongrie. Avec le Compromis de 1867, les passions se sont apaisées. Plus qu'aimé, François-Joseph a été respecté. Il était l'homme qui incarnait l'Empire, mais qui était au service de l'Empire et de ses peuples. L'amiral Horthy, qui fut plus tard régent de Hongrie, évoque dans ses *Mémoires* le François-Joseph qu'il a connu entre 1909 et 1914, à l'époque où il était l'un de ses aides de camp. La vie quotidienne de l'empereur était

1. Kisfaludy avait été garde du corps à Vienne dans sa jeunesse puis avait servi dans l'armée impériale lors des guerres napoléoniennes, ce qui lui valut, prisonnier, d'être envoyé en France, en Provence, où il découvrit les sonnets de Pétrarque et *La Nouvelle Héloïse*. Ce fut le début de sa carrière littéraire.

2. J. Sára, *A Habsburgok és Magyarország*, *op. cit.*, p. 487.

méticuleusement réglée et sa journée de travail commençait très tôt, avec un lever vers quatre heures du matin : « Il arrivait également que Sa Majesté se levât vers trois heures et demie du matin ; pendant mes deux dernières années de service, ce fut même la règle [1]. » Dès son lever, après ses prières, il se mettait au travail, lisant les dépêches diplomatiques et prenant connaissance des rapports émanant de ses ministres. Résidant le plus souvent au château de Schönbrunn, il se rendait deux fois par semaine à la Hofburg pour les audiences. Celles-ci commençaient à dix heures du matin et s'achevaient dans l'après-midi [2]. En général, on comptait une cinquantaine d'audiences et l'empereur s'y prêtait de bonne grâce. « La dignité libre de toute pose qui émanait de lui imposait à chaque visiteur une certaine distance, mais la bonté dissipait toute timidité [3]. »

Un homme de devoir (*PflichtsKaiser*) sacrifiant son propre confort pour le service de l'État, un bureaucrate-né — Paul Morand ira même jusqu'à le qualifier de « rond de cuir couronné » —, sérieux et tenace, François-Joseph n'était pas l'homme des idées grandioses et des grands desseins. Il cherchait surtout à gérer au mieux les affaires de l'État en conciliant les intérêts de la dynastie et le bonheur de ses peuples. On a souvent comparé François-Joseph à Charles Quint. Comme son lointain ancêtre, il émanait de sa personne une majesté qui imposait le respect ; comme lui, il rejetait la pompe et le luxe inutiles dans sa vie de tous les jours — sa chambre était celle d'un officier d'une quelconque garnison, avec un mobilier très simple. Cette sobriété se retrouvait dans ses habitudes alimentaires. Mis à part les dîners officiels, la simplicité des mets était de rigueur. À midi, François-Joseph déjeunait seul dans son bureau d'une soupe et d'un plat de viande accompagné de légumes, sauf en période de carême où le poisson était obligatoire. Son plat favori était le pot-au-feu à la viennoise, accompagné de bière. Le soir, le dîner, qui rassemblait les membres de la famille présents au palais, se composait de plats simples pris rapidement et dans un silence à peu près total, car l'empereur était peu loquace et il eût été déplacé pour les autres convives de lui adresser la parole ou de parler entre eux [4].

Comme Charles Quint, François-Joseph n'avait guère de temps

1. *Mémoires* de l'amiral Horthy, Paris, 1954, p. 33.
2. *Ibid.*, p. 52-56.
3. *Ibid.*, p. 31-32.
4. J.-P. Bled, *François-Joseph*, *op. cit.*, p. 439-440.

pour les loisirs. Il sortait rarement le soir et lorsqu'il allait au théâtre ou à l'opéra, il reconnaissait volontiers qu'il lui était arrivé de s'endormir au cours de la représentation[1]. Ses véritables moments de détente, il les passait à Ischl, dans cette station thermale au cœur des Alpes autrichiennes où sa mère lui avait acheté la *Kaiservilla* ; il y séjournait d'une façon régulière au mois de juillet et d'août jusqu'en 1914. Là, sans négliger pour autant les devoirs de sa charge, il prenait quelques moments de détente avec des promenades à cheval ou en chassant le chamois seul ou avec quelques intimes[2]. Moins passionné de musique que beaucoup de ses prédécesseurs, François-Joseph s'intéressait en revanche à la peinture et à l'architecture, ce qui le poussa à faire construire non loin de la Hofburg le *Kunsthistorisches Museum* destiné à abriter les nombreux chefs-d'œuvre de peinture accumulés au cours des siècles par la dynastie. Comme beaucoup de Habsbourg, François-Joseph se comporta en mécène. Bien que peu attiré par le théâtre, il finança sur sa cassette personnelle les théâtres de la Cour, sans pour autant intervenir dans le choix des programmes. Tout comme il subventionna les artistes du mouvement *Wiener Sezession* menés par Gustave Klimt en leur passant des commandes, bien que personnellement François-Joseph eût des goûts artistiques très classiques et conventionnels. En 1898, l'empereur vint en personne inaugurer le « Temple » qui servit de siège au mouvement *Sezession*[3]. Cela ne l'empêchait pas de critiquer les œuvres présentées, comme en témoigne l'anecdote suivante que rapporte Horthy. À l'occasion d'une exposition d'œuvres de peintres « sécessionnistes », François-Joseph remarqua un paysage qui représentait un pavillon de chasse en forêt et s'arrêta devant la toile. « Qu'y a-t-il devant le pavillon ? » dit-il en désignant la grande tache bleue qui ressemblait à un lac. « Peut-être est-ce un lac ? » demanda-t-il au guide. On fit venir le peintre et l'empereur répéta sa question. L'auteur de la toile lui répondit : « Ce n'est pas un lac mais une prairie. » « Mais c'est bleu », répliqua François-Joseph. Et l'artiste de rétorquer : « Mais je la vois comme cela, Sire. » François-Joseph en souriant lui dit : « Alors, dans ce cas, il est dommage que vous ayez choisi d'être peintre[4] ! »

1. *Ibid.*, p. 451 et suiv.
2. *Mémoires* de l'amiral Horthy, *op. cit.*, p. 41-42.
3. M. Pollak, *Vienne 1900. Une identité blessée*, Paris, 1992, p. 130 et suiv.
4. M. Horthy, *Emlékirataim* (Mes souvenirs), Budapest, 1990, p. 62.

Comme Charles Quint, François-Joseph était un fervent chrétien qui se sentait responsable de ses actes devant Dieu. Pratiquant par conviction, il observait scrupuleusement les interdits alimentaires du carême, se confessait et communiait régulièrement. Le jeudi saint, il procédait au lavement des pieds de douze vieillards déshérités auxquels on remettait quelques pièces à l'issue de la cérémonie, et le jour de la Fête-Dieu, il participait à la procession dans les rues de Vienne, un cierge à la main derrière le saint sacrement, et cela jusqu'en 1912. À ce moment-là, on lui évita cette obligation en raison de son grand âge.

Mais François-Joseph savait faire passer l'intérêt de l'État avant ses convictions religieuses. C'est ainsi qu'il soutint contre Rome le gouvernement Auersperg lorsque, avec les « lois abominables » de mai 1868, il abolit certaines dispositions du Concordat de 1855 trop favorables à l'Église, rétablit le divorce, retira à l'Église l'état civil et le contrôle des écoles, et établit l'égalité complète entre toutes les religions, ce qui était en contradiction avec l'enseignement du pape Pie IX. De même, en 1870, l'empereur déjà très réservé sur le dogme de l'infaillibilité pontificale laissa le gouvernement Potocki dénoncer le Concordat de 1855. Le nouvel accord conclu avec le Saint-Siège en 1874 donna à l'Église catholique une position privilégiée mais non pas dominante. François-Joseph n'entendait pas que l'Église empiète sur ses prérogatives temporelles [1].

Malgré son attachement sincère à la foi de ses ancêtres, l'empereur sut se montrer tolérant avec les autres religions. Son attitude à l'égard de la communauté juive le montre d'une façon évidente, à un moment où, depuis le milieu du XIXe siècle, le nombre des juifs était en pleine augmentation dans l'Empire. À Vienne comme à Budapest, les catégories sociales supérieures de la communauté juive s'intégraient à la « société » et beaucoup de juifs avaient été anoblis [2]. Cette situation avait provoqué des réactions antisémites, de la part notamment des nationalistes allemands. Le cas de Georg von Schönerer est édifiant : avec l'appui d'organisations étudiantes et des artisans des faubourgs, il se lança au début des années 1880 dans une violente campagne antisémite qui déboucha sur des manifestations de rue à Vienne. On y faisait campagne en faveur de la nationalisation du *Nordbahn* dont l'essentiel du capital était détenu

---

1. W. M. Johnston, *L'Esprit viennois*, *op. cit.*, p. 61-62.
2. W.-O. Mac Cagg Jr, *Les Juifs des Habsbourg*, *op. cit.*, p. 258-259 et p. 339.

par Rothschild. Plus tard, les thèmes antisémites furent repris par le Parti social-chrétien hostile au capitalisme et aux juifs. Lorsque, aux élections municipales de 1895, le chef du Parti social-chrétien Karl Lueger fut élu bourgmestre de Vienne, François-Joseph, hostile aux positions antisémites de celui-ci, refusa de ratifier cette élection, mais il dut céder en 1897 devant une nouvelle victoire électorale de celui-ci. On raconte que Sigmund Freud fuma un cigare en l'honneur de l'empereur qui avait marqué par son refus sa sympathie à l'égard des juifs [1].

Tel était François-Joseph, un parfait « gentleman », courtois et distingué, un homme qui personnifiait l'*Anständigkeit*, c'est-à-dire qui savait respecter la loi, les accords conclus et la parole donnée, qui était un mélange de bonté, de droiture, de justice et d'appréciation du service rendu [2]. L'empereur savait reconnaître les compétences de ses subordonnés. Le prince Louis Windischgraetz qui, bien que son grand-père Alfred fût celui qui en 1849 écrasa les révolutionnaires hongrois, était devenu un des porte-parole des nationalistes hongrois et à ce titre détesté par l'archiduc François-Ferdinand, évoque un trait de caractère de l'empereur dans ses rapports avec ceux qui étaient à son service. Le prince Windischgraetz, qui servait alors dans l'armée, avait été envoyé en mission en Bulgarie au moment des guerres balkaniques de 1912-1913. À son retour, il avait remis à l'état-major un rapport détaillé sur la situation dans les Balkans qui fut jugé très positif. Le document fut transmis à François-Joseph qui l'étudia avec beaucoup d'attention et qui proposa de récompenser Windischgraetz par la croix du mérite militaire. L'empereur transmit à l'archiduc François-Ferdinand, alors inspecteur général de l'armée, la proposition et ce dernier inscrivit en marge du document : « Politicien sur lequel on ne peut pas compter. N'est pas digne d'une pareille récompense. » François-Joseph décida de juger par lui-même. Il fit venir Windischgraetz au rapport ; celui-ci se tint au garde-à-vous devant l'empereur pendant une heure et demie. François-Joseph, qui connaissait tous les détails des guerres balkaniques, lui posa quelques questions. Et le prince Windischgraetz de préciser : « Tout se passa de la façon la plus bienveillante, mais cela ne me tint pas quitte du garde-à-vous. Il [l'empereur] ne dérogeait jamais à aucun

1. W.-O. Mac Cagg Jr, *op. cit.*, p. 292-293, et M. Pollak, *Vienne 1900*, *op. cit.*, p. 85 et suiv.

2. A. Reszler, *Le Génie de l'Autriche-Hongrie*, Genève, 2001, p. 88-89.

cérémonial militaire et pour finir, il m'épingla lui-même la *Signum Laudis* avec l'insigne de guerre[1]. »

Comme la plupart des Habsbourg, François-Joseph fut un homme de son temps. Même si personnellement il répugnait à certaines innovations techniques — l'ascenseur et le téléphone en particulier —, il encouragea le développement économique de la Double Monarchie. Il ne chercha pas à entraver les initiatives de ses ministres lorsque celles-ci lui semblaient utiles pour les intérêts de l'État et de la dynastie ; il ne s'opposa pas à l'introduction du suffrage universel en Cisleithanie en 1906 et l'aurait sans doute accepté en Transleithanie, mais il savait que cette mesure se heurterait à la majorité parlementaire de Budapest et préféra y renoncer par respect pour la Constitution. De même, François-Joseph approuva sans réserve les réformes sociales mises en œuvre tant en Autriche qu'en Hongrie au milieu des années 1880 avec les lois réduisant la journée de travail, aménageant le travail des femmes et des enfants, et mettant en place un système d'assurance accidents et d'assurance maladie.

Conservateur par tradition et attaché aux valeurs que lui avaient léguées ses prédécesseurs, François-Joseph avait cependant conscience que le monde se transformait et même s'il lui arrivait de déplorer les évolutions en cours, il ne fit rien pour s'y opposer.

Les proches de François-Joseph

La personne qui après l'empereur s'identifia le plus à la monarchie des Habsbourg à cette époque fut une petite princesse romantique venue de Bavière, Élisabeth — Sissi — que l'amour de François-Joseph promut à la dignité d'impératrice. La rencontre entre le jeune empereur d'Autriche et Sissi eut lieu à Ischl, au mois d'août 1853, à l'occasion de l'anniversaire de François-Joseph. Cette rencontre modifia radicalement le projet de mariage échafaudé par l'archiduchesse Sophie et sa sœur Ludovika de Bavière : on devait présenter à François-Joseph sa cousine Hélène, fille de Ludovika et du duc Max de Bavière. En fait, c'est de la sœur cadette d'Hélène, Sissi, âgée de quinze ans, que François-Joseph tomba follement amoureux au point de vouloir l'épouser. Élisabeth était tombé sous le charme de ce beau et jeune empereur, timide et

1. *Mémoires* du prince Louis Windischgraetz, Paris, 1923, p. 32.

galant à la fois, et accepta sa demande en mariage, même si déjà elle mesurait le changement qu'allait apporter dans son genre de vie son installation à la cour de Vienne où une stricte étiquette réglait les gestes de tous les instants. L'archiduchesse Sophie accepta mal le choix de son fils mais céda. Elle redoutait non sans raison que cette jeune princesse, sa propre nièce, élevée à la campagne dans une atmosphère bon enfant, ne s'adapte mal aux exigences de ses fonctions d'impératrice d'Autriche. Le mariage fut célébré le 24 avril 1854 à Vienne, dans une ville en fête, enthousiasmée par la beauté et la grâce de l'impératrice.

L'impératrice Élisabeth se trouva bien vite seule, au milieu de cette Cour étrangère, sans cesse épiée par sa belle-mère et les dames d'honneur qu'elle lui avait choisies pour mieux la surveiller. Pour l'archiduchesse Sophie, Élisabeth était une écervelée qui s'intéressait davantage à ses chevaux, à ses chiens et à ses perroquets qu'à son rôle de première dame de l'Empire ; pour Sissi, sa belle-mère était la *böse Frau*, la méchante femme qui entendait tout régenter et qui paralysait les velléités réformatrices de l'empereur[1]. Chacune cependant avait à cœur de servir l'empereur et l'Empire. Pour l'archiduchesse Sophie, il fallait éviter tout changement susceptible de remettre en question l'autorité de l'État mise à rude épreuve en 1848 ; Élisabeth au contraire cherchait à réconcilier l'empereur avec ceux qui l'avaient combattu. C'est mue par de tels sentiments qu'elle en vint à s'intéresser à la Hongrie, à étudier la langue et l'histoire de son peuple. Sens politique inné ou bien volonté de prendre le contre-pied de la position de sa belle-mère qui détestait les Hongrois ? Sans doute y a-t-il un peu des deux. Toujours est-il que son attirance pour la Hongrie, que l'empereur ne désavoua jamais, rendit possible l'accord de 1867. Ce n'est pas par hasard que l'auteur d'un ouvrage consacré aux « Grands *hommes* d'État hongrois » y a fait une place à « Élisabeth, reine de Hongrie »[2].

C'est au printemps de 1857 qu'Élisabeth fit son premier voyage en Hongrie avec son mari et ses deux petites filles Sophie et Gisèle. Elle sut vite gagner le cœur des Hongrois. On raconte que dans un village de Transdanubie, un vieux paysan s'approcha d'Élisabeth et lui déclara : « Votre Majesté est plus belle que la statue de la Sainte Vierge qui se trouve sur l'autel de notre église[3]. » Ce séjour se

1. D. G. Mac Guigan, *Les Habsbourg*, *op. cit.*, p. 331 et suiv.
2. O. Csermöy-Schneidt, *Nagy magyar államférfiak*, *op. cit.*, p. 161 et suiv.
3. O. Csermöy-Schneidt, *op. cit.*, p. 165.

termina dans la douleur lorsque sa fille aînée Sophie, âgée de deux ans, mourut. Élisabeth souffrit d'autant plus qu'on la rendit responsable de la mort de son enfant, car, en dépit de l'opposition de sa belle-mère, elle avait emmené ses jeunes enfants en Hongrie. Cela acheva de dégrader les relations déjà tendues entre les deux femmes[1]. Si la malheureuse Sophie avait reçu pour prénom celui de sa grand-mère, la cadette née en 1856 avait été baptisée Gisèle, à la demande d'Élisabeth, en souvenir de l'épouse bavaroise du premier roi de Hongrie, saint Étienne. L'archiduchesse Gisèle devait épouser en 1872 le prince Léopold de Bavière et reçut de l'empereur après la mort d'Élisabeth la villa que celle-ci s'était fait construire à Corfou. Elle mourut en 1932.

La mort de la petite Sophie, les conflits avec sa belle-mère, le peu de temps que François-Joseph avait à lui consacrer, la solitude extrême dont elle souffrait à la cour de Vienne eurent tôt fait de rendre l'impératrice dépressive. La naissance d'un fils, Rodolphe, en 1858, assura certes la survie de la dynastie ; Élisabeth avait ainsi rempli la tâche qui incombait à l'épouse de l'empereur. Mais l'éducation de l'héritier du trône provoqua de nouveaux conflits avec l'archiduchesse Sophie et avec François-Joseph lui-même, notamment en 1865 lorsque l'impératrice exigea le renvoi du précepteur choisi par son mari, le comte de Gondrecourt, qui terrorisait le jeune enfant[2]. Élisabeth obtint gain de cause, mais les tensions demeurèrent. La paix avec la Hongrie et le couronnement à Budapest ramenèrent la paix au sein du couple impérial avec une nouvelle naissance en 1868, une petite fille, Marie-Valérie, née à Buda et non à Gödöllö comme l'avait souhaité Élisabeth[3]. Marie-Valérie épousa en 1890 l'archiduc François-Salvator, son cousin au troisième degré.

Après la mort de sa belle-mère, en 1873, on aurait pu croire qu'Élisabeth se rapprocherait de son mari. En fait, les charges liées à ses fonctions accaparaient l'empereur qui, malgré le profond amour qu'il éprouvait pour sa « céleste Sissi », son « très cher ange » comme il l'appelait dans ses lettres[4], ne passait que de courts instants avec elle. L'impératrice, malgré la vie qu'elle s'était

1. J. Sára, *A Habsburgok és Magyarország*, *op. cit.*, p. 576.
2. J.-P. Bled, *Rodolphe et Mayerling*, Paris, 1989, p. 17.
3. À Gödöllö se trouvait un château de style baroque que la nation hongroise avait offert au couple impérial à l'occasion du couronnement. Sissi aimait à y séjourner.
4. D. G. Mac Guigan, *Les Habsbourg*, *op. cit.*, p. 353.

organisée à Vienne autour de ses leçons d'équitation, de gymnastique qu'elle pratiquait dans la salle de sport qu'elle avait fait aménager à la Hofburg et ses promenades en ville ou au Prater, souffrait de cette solitude et encore plus des cérémonies officielles auxquelles elle était tenue d'assister. La mort de son beau-frère Maximilien en 1867 et celle de son cousin Louis II de Bavière en 1886, et enfin le suicide de son fils unique Rodolphe en 1889 achevèrent de la déstabiliser et compromirent son équilibre mental.

Depuis le début des années 1870, Élisabeth avait pris l'habitude d'entreprendre de longs voyages, au début pour des raisons de santé, par la suite afin de fuir la cour de Vienne et ses contraintes. Consciente de l'abandon dans lequel elle laissait son mari, Élisabeth prit l'initiative en 1886 de provoquer une rencontre entre François-Joseph et une actrice du *Burgtheater*, Katharina Schratt, alors âgée de trente-trois ans. C'est ainsi qu'une idylle s'ébaucha entre la jeune femme et l'empereur, avec l'assentiment non dissimulé d'Élisabeth. Katharina Schratt devint l'« amie de l'empereur ». C'est d'ailleurs celle-ci qui accompagna Élisabeth pour annoncer à l'empereur la mort de Rodolphe à Mayerling [1].

L'archiduc Rodolphe en se suicidant dans la nuit du 29 au 30 janvier 1889 après avoir tué sa jeune maîtresse Marie Vetsera avait mis fin à une existence où, selon ses propres termes, il était condamné « à être un fainéant » [2]. Dans sa jeunesse, Rodolphe avait reçu une éducation soignée sous la houlette de son gouverneur Latour après le renvoi de Gondrecourt. François-Joseph estimait qu'il fallait que son fils « soit familiarisé avec les réalités et les exigences de son époque [3] ». On l'avait confié à d'excellents professeurs, puis l'empereur l'envoya servir dans l'armée, à Prague d'abord dès 1878 où il fut bien accueilli par les Tchèques, puis à Vienne où il exerça plusieurs commandements avant de devenir en 1888 inspecteur général de l'armée. L'archiduc Rodolphe aurait souhaité que son père l'associe à la conduite des affaires du pays ; François-Joseph lui confia tout au plus des missions de représentation, ce qui l'amena à rencontrer Bismarck et à se rendre dans les Balkans et à Constantinople en 1884. Rodolphe s'intéressait à la politique ; il pensait que le dualisme était dépassé et qu'il fallait

1. J.-P. Bled, *François-Joseph*, *op. cit.*, p. 531 et suiv., et D. G. Mac Guigan, *Les Habsbourg*, *op. cit.*, p. 376 et suiv.
2. Cité par D. G. Mac Guigan, *Ibid.*, p. 359.
3. J.-P. Bled, *Rodolphe et Mayerling*, *op. cit.*, p. 21.

renforcer le pouvoir central tout en assurant l'égalité des droits aux différentes nationalités. Hostile à l'alliance avec l'Allemagne, surtout après l'avènement de Guillaume II, il prêchait en faveur d'un rapprochement avec la France [1]. Par l'intermédiaire d'un journaliste d'origine juive, Maurice Szeps, dont il était l'ami, Rodolphe avait eu l'occasion en décembre 1886 de rencontrer Clemenceau qui, malgré des divergences de vues à propos des Balkans, lui déclara qu'une Autriche forte et indépendante pouvait faire contrepoids à l'Allemagne [2].

Contestataire sur le plan politique, hostile au dualisme, nouant des contacts avec certains membres de l'opposition hongroise, l'archiduc Rodolphe entretint avec son père des rapports de plus en plus difficiles, amenant celui-ci à le faire surveiller par la police d'une façon permanente. À cela s'ajoutait une vie privée ponctuée de nombreuses aventures sentimentales auxquelles son mariage en 1881 avec la fille du roi des Belges, Stéphanie, ne mit pas fin. Le mariage se solda par un échec total, car Stéphanie acceptait mal les idées libérales et l'anticléricalisme de son mari, tout autant que ses liaisons extra-conjugales. De ce mariage naquit en 1882 une fille, Élisabeth, mais une maladie vénérienne transmise à sa femme rendit impossible d'autres naissances, privant ainsi Rodolphe d'une descendance masculine [3]. La santé de l'archiduc se dégrada rapidement à partir de 1887, ce qui ne l'empêcha pas de défendre ses idées par l'intermédiaire de l'hebdomadaire *Schwarzgelb* (Noir et or, les couleurs impériales) qu'il commanditait ; il s'y faisait le défenseur d'un empire un et indivisible, d'où serait exclue toute oppression nationale et qui donnerait « protection aux faibles et émancipation aux opprimés [4] ». De plus en plus affaibli moralement et physiquement, faisant preuve d'une morbidité omniprésente, découragé par le refus de son père de prêter attention à ses idées, Rodolphe songea au suicide et évoqua à plusieurs reprises devant des intimes son intention de mettre fin à ses jours [5]. L'archiduchesse Stéphanie avait tenté d'avertir l'empereur de l'état de son fils, mais celui-ci la rassura [6]. À l'automne 1888, un fait imprévu allait bouleverser la vie de l'archiduc : ce fut la rencontre avec Marie Vetsera,

1. J.-P. Bled, *Rodolphe et Mayerling*, *op. cit.*, p. 104-105.
2. *Ibid.*, p. 115-116.
3. *Ibid.*, p. 141.
4. *Schwarzgelb* nº 1, 31 octobre 1888 cité par J.-P. Bled.
5. J.-P. Bled, *Rodolphe et Mayerling*, *op. cit.*, p. 169-170.
6. D. G. Mac Guigan, *Les Habsbourg*, *op. cit.*, p. 360.

une jeune fille de dix-sept ans, issue d'une famille de diplomates et de banquiers. Leur liaison commença en novembre suivant, facilitée par la complicité active d'une cousine de Rodolphe, nièce de l'impératrice, la comtesse Marie Larisch. Pour Noël 1888, Rodolphe offrit à Marie Vetsera un médaillon qui renfermait un morceau de toile sur laquelle il avait mis quelques gouttes de son sang, ainsi qu'une bague où était gravée en abrégé la phrase *In Liebe Verein Bis In Dem Tod* (Unis dans l'amour jusque dans la mort), à laquelle le drame de Mayerling donne tout son sens [1]. Leur idylle fut de courte durée, moins de trois mois, mais trois mois d'une folle passion. Rodolphe aurait songé à demander au pape l'annulation de son mariage et se serait directement adressé à Léon XIII sans en référer à son père, ce qui aurait provoqué, entre eux, au dire d'un domestique, une violente dispute au cours de laquelle François-Joseph aurait déclaré à son fils : « Tu n'es pas digne de me succéder [2]. » La Cour était au courant des amours du prince héritier avec la petite Vetsera. Le scandale éclata le 27 janvier 1889, lors d'une soirée à l'ambassade d'Allemagne à laquelle assistaient l'archiduc Rodolphe et sa femme : Marie Vetsera, également invitée, refusa de saluer Stéphanie [3]. Le lendemain, la comtesse Larisch vint chercher Marie Vetsera pour la conduire dans une auberge près de Mayerling. Là se trouvait un pavillon de chasse au cœur des hauteurs du Wienerwald où l'archiduc Rodolphe devait venir chasser avec des amis. Le 29 janvier, Rodolphe, arrivant de Vienne, retrouva Marie Vetsera et tous deux passèrent la nuit dans le pavillon de chasse. Le lendemain matin, on retrouva les corps sans vie des deux amants. Aussitôt avertis, les plus hautes autorités de l'État se concertèrent avec François-Joseph pour donner des faits une version plausible. La réalité, c'est que Rodolphe avait tué sa maîtresse avant de se suicider. Le 1er février, le *Wiener Zeitung* publia les résultats de l'autopsie pratiquée sur le corps du prince héritier et qui concluait à « l'état d'aliénation mentale » du prince au moment où il s'était tué, une version qui permit à Rodolphe d'avoir des obsèques religieuses. Celles-ci furent célébrées le 5 février. Le corps du prince fut déposé dans la crypte des Capucins aux côtés des autres Habsbourg. Quant à Marie Vetsera, il n'en était aucunement fait mention ; son corps avait été enterré dans la

1. *Ibid.*, p. 362-363.
2. J.-P. Bled, *Rodolphe et Mayerling*, *op. cit.*, p. 208.
3. *Ibid.*, p. 213.

plus grande discrétion au cimetière du monastère d'Heiligenkreutz [1].

Pour François-Joseph et Élisabeth, le coup fut terrible. Leur fils s'était suicidé, mais il était aussi un meurtrier. Peu nombreux furent ceux qui donnèrent foi à la version officielle. Une véritable conspiration du silence se mit en place, mais dès le 8 février la presse étrangère donnait la version réelle des faits [2]. Par la suite, on évoqua d'autres possibilités, un assassinat politique commis par des agents de Bismarck ou... de Clemenceau. D'autres ont affirmé que le couple ne s'était pas suicidé et qu'il était parti vivre son amour sous le soleil de Corfou — ce qui aurait expliqué à leurs yeux les fréquents séjours d'Élisabeth dans cette île [3]. En fait, s'appuyant sur les lettres adressées par l'archiduc Rodolphe à sa femme, et celles de Marie Vetsera à sa mère et à son petit frère, l'historien Jean-Paul Bled a pu démontrer que Rodolphe s'était effectivement suicidé après avoir tué sa maîtresse et en accord avec elle.

La Maison d'Autriche fut évidemment éclaboussée par un tel scandale. Il faudra attendre 1908 et les fêtes organisées à l'occasion du soixantième anniversaire de l'avènement de François-Joseph pour que ces événements tragiques sombrent, au moins en apparence, dans l'oubli. L'impératrice Élisabeth supporta très mal ce nouveau coup du destin ; elle se jugeait responsable du dérèglement mental de son fils qu'elle imputait aux tares de la famille des Wittelsbach. Quant à François-Joseph, confié par sa femme aux bons soins de Katharina Schratt, sa principale préoccupation était l'avenir de l'Empire. L'héritier du trône était désormais son frère Charles-Louis et, après la mort de celui-ci en 1896, le fils de ce dernier, l'archiduc François-Ferdinand pour lequel il n'éprouvait guère de sympathie. Hormis la compagnie de Katharina Schratt, François-Joseph était condamné désormais à la solitude. Sa femme, pour laquelle ses sentiments d'amour et de vénération demeuraient intacts, s'absentait pour des périodes toujours plus longues. Elle menait une vie errante qui l'éloignait toujours plus de son mari, une vie qui allait s'achever à Genève le 9 septembre 1898 sous les coups d'un anarchiste italien du nom de Lucheni, au moment où elle était sur le point de regagner l'Autriche. À la nouvelle de la

1. D. G. Mac Guigan, *Les Habsbourg*, *op. cit.*, p. 371.
2. J.-P. Bled, *Rodolphe et Mayerling*, *op. cit.*, p. 258.
3. Cf. Historia 184/mars 1962, « L'énigme de Mayerling est-elle enfin résolue ? », p. 342 et suiv.

mort d'Élisabeth, François-Joseph se serait écrié : « Rien ne m'a été épargné dans la vie[1] ! » Il est vrai que la mort de sa femme venait après celle de son frère Maximilien et le suicide de son fils.

Les autres membres de la famille

Au-delà du cercle restreint de la proche parenté de l'empereur, les Habsbourg étaient très nombreux à l'époque de François-Joseph. On était loin du temps où l'on craignait l'extinction de la famille faute de descendance. Les nombreux enfants de Marie-Thérèse, de Léopold II et de François Ier avaient eu à leur tour une nombreuse postérité, si bien qu'à la fin du XIXe siècle, on comptait près d'une centaine d'archiducs et d'archiduchesses membres de la Maison de Habsbourg, appartenant pour quelques-uns d'entre eux à la branche aînée, et pour la plupart à des branches collatérales telles que celle des Modène-Este, issue de l'un des fils de Marie-Thérèse François-Charles-Antoine, la branche toscane qui descendait de l'archiduc Ferdinand, fils de l'empereur Léopold II, sans compter la branche hongroise issue de l'archiduc Joseph, sixième fils de Léopold II, ou les descendants de l'archiduc Charles. À l'époque de François-Joseph, la plupart de ces archiducs occupaient des postes importants au sein de l'armée KuK[2].

Peu d'entre eux cependant ont joué un rôle important au cours du règne de François-Joseph. Il faut d'abord faire une place particulière aux proches parents de l'empereur. François-Joseph avait trois frères. L'aîné de ses cadets était l'archiduc Maximilien, avec lequel l'empereur eut des rapports souvent tendus. Passionné par les choses de la mer, Maximilien avait épousé en 1857 Charlotte, la fille du roi des Belges Léopold Ier. Peu après le mariage, François-Joseph nomma Maximilien gouverneur de Lombardie-Vénétie ; à Milan où il résidait, le prince sut se faire apprécier de ses administrés italiens. Après la perte du Milanais en 1859, l'archiduc Maximilien et sa femme s'installèrent près de Trieste, au château de Miramar. Lorsque, en 1863, Napoléon III désireux de se rapprocher de l'Autriche eut l'idée de faire offrir par une assemblée de notables mexicains la couronne d'un hypothétique « empire du Mexique » à l'archiduc Maximilien, il s'adressa d'abord à François-Joseph en tant que chef de famille. Sans doute François-Joseph

1. *Mémoires* de l'amiral Horthy, *op. cit.*, p. 45.
2. J. Sára, *A Habsburgok és Magyarország*, *op. cit.*, p. 597 et suiv.

aurait-il été heureux d'éloigner ainsi son frère, mais il se montra cependant peu décidé à accepter l'offre de Napoléon III. L'intervention de sa mère, l'archiduchesse Sophie, l'amena à changer d'avis ; elle reprocha vivement à François-Joseph de ne pas aimer son frère et de vouloir le maintenir dans une position d'infériorité. Finalement, François-Joseph céda ; il accepta au nom de son frère la couronne du Mexique [1], mais, auparavant, il se rendit à Miramar pour obtenir de Maximilien une renonciation à tous ses droits sur l'héritage autrichien, même dans le cas où il perdrait la couronne du Mexique [2]. On connaît la fin tragique de cette aventure mexicaine. Les révolutionnaires de Juarez s'opposèrent par les armes à l'intrus européen, avec le soutien moral des États-Unis. Lorsque, en février 1867, Napoléon III rappela le corps expéditionnaire français qui appuyait l'entreprise de Maximilien, le beau rêve s'écroula. En quelques mois, Juarez vint à bout des partisans de l'empereur Maximilien. Celui-ci, fait prisonnier, fut jugé par un tribunal révolutionnaire, condamné à mort et exécuté le 19 juin 1867 en dépit des appels à la clémence lancés par de nombreux chefs d'État [3]. L'« impératrice » Charlotte, rentrée en Europe en 1866 pour demander de l'aide, sombra dans la folie, se réfugia en Belgique où elle mourut en 1927.

Le deuxième frère de François-Joseph, l'archiduc Charles-Louis, devenu héritier du trône après la mort de Rodolphe, eut également une fin brutale. Au cours d'un pèlerinage en Terre Sainte en 1896, il mourut d'une dysenterie après avoir bu de l'eau du Jourdain [4], ce qui faisait de son fils, l'archiduc François-Ferdinand, né en 1863, l'héritier du trône. François-Joseph, qui ne l'appréciait guère, lui confia cependant d'importantes fonctions au sein de l'armée. C'était lui qui, au nom de l'empereur, exerçait de fait le haut-commandement avec comme conseiller le chef d'état-major Fritz Conrad von Hötzendorf [5]. L'empereur et son neveu s'entendaient mal ; le caractère coléreux et violent, l'arrogance, la brutalité dans ses rapports avec ses subordonnés, le caractère renfermé de François-Ferdinand s'accordaient mal avec la courtoisie et la disponibilité de François-Joseph. La volonté de l'archiduc héritier d'épouser

1. Michel de Grèce, *L'Impératrice des adieux*, Paris, 1998, p. 116-117.
2. *Ibid.*, p. 153.
3. D. G. Mac Guigan, *Les Habsbourg*, *op. cit.*, p. 346-348.
4. *Ibid.*, p. 382.
5. *Mémoires* de l'amiral Horthy, *op. cit.*, p. 58.

la comtesse Sophie Chotek, issue d'une vieille famille noble de Bohême qui avait toujours servi loyalement les Habsbourg, provoqua une nouvelle crise à la Cour. N'étant pas d'un rang suffisamment élevé, Sophie ne pouvait épouser le futur empereur d'Autriche. L'archiduc François-Ferdinand resta ferme dans son désir d'épouser la femme qu'il aimait. N'étant pas parvenu à faire revenir son neveu sur sa décision, l'empereur consentit finalement au mariage, non sans avoir exigé de François-Ferdinand une renonciation solennelle à transmettre l'héritage à ses futurs descendants. La renonciation fut faite à la Hofburg le 28 juin 1900 en présence de tous les membres de la famille et des plus hauts dignitaires de l'État. Le mariage morganatique entre François-Ferdinand et Sophie fut célébré dans la plus grande discrétion trois jours plus tard. François-Joseph accorda en 1909 à l'épouse de son neveu, pour laquelle il éprouva d'ailleurs une sincère affection, le titre de duchesse de Hohenberg, mais en dépit de cette distinction, celle-ci venait après l'ensemble des princes du sang [1] dans la hiérarchie officielle. Désormais, l'ordre de succession était le suivant : à la mort de François-Ferdinand, la couronne irait au frère de ce dernier, l'archiduc Otto — mais il mourut en 1905 —, et à ses héritiers, c'est-à-dire son fils aîné, le petit-neveu de François-Joseph, l'archiduc Charles.

Quant au troisième frère de François-Joseph, l'archiduc Louis-Victor, ses tendances homosexuelles le firent chasser de la Cour et il fut contraint de se retirer au château de Klessheim, non loin de Salzbourg, où il mourut en 1906.

D'autres membres de la famille causèrent quelques tracas à l'empereur François-Joseph. Ce fut le cas notamment de l'archiduc Jean-Salvador, fils du dernier grand-duc de Toscane. Voué à une carrière militaire, il se fit remarquer à plusieurs reprises par des pamphlets dans lesquels il critiquait vigoureusement l'artillerie autrichienne. En outre, sa liaison avec une certaine Milly Stüberi qu'il voulut régulariser par un mariage ajouta à son discrédit. Très lié avec l'archiduc Rodolphe, l'archiduc Jean-Salvador après Mayerling renonça à tous ses titres, prit le nom de Jean Orth, épousa Milly puis entreprit de voyager à travers le monde. On le retrouve en juillet 1890 en Argentine, au moment où il allait s'embarquer à bord de son voilier. Quelques jours plus tard, le voilier

1. G. Brook-Shepherd, *L'impératrice Zita parle : le dernier Habsbourg*, Paris, 1971, p. 15.

et ses occupants disparurent au large du cap Horn[1]. L'exemple de Jean Orth n'est pas unique. Certains archiducs supportaient mal les contraintes de la Cour et rêvaient d'indépendance. Ainsi, l'archiduc Léopold-Ferdinand, de la branche toscane, renonça à tous ses titres et prit le nom de Léopold Wöflin pour pouvoir épouser sa prostituée de maîtresse, et se fixa en Suisse. De même, l'archiduc Ferdinand-Charles, l'un des fils de l'archiduc Charles-Louis, frère de François-Joseph, donc le neveu de l'empereur, eut l'audace d'épouser en secret une roturière. Ayant ainsi violé le Pacte de Famille, il fut déchu de ses titres et choisit de s'appeler désormais Ferdinand Burg[2].

Ces deuils, ces morts brutales, ces scandales, l'empereur François-Joseph les supporta avec dignité. En ces moments difficiles, il put toujours compter sur l'amitié sincère de Katharina Schratt, qui fut à ses côtés jusqu'aux derniers instants de sa vie. Dans une intervention récente sur la chaîne de télévision hongroise indépendante DUNA TV, l'archiduc Otto de Habsbourg rappelait que ses parents, l'empereur Charles et l'impératrice Zita, avaient beaucoup d'estime pour l'amie de François-Joseph. Lorsque François-Joseph mourut, ils firent venir Katharina Schratt et c'est l'empereur Charles lui-même qui la conduisit auprès du corps du défunt pour qu'elle puisse se recueillir[3].

Les dernières années de François-Joseph et la guerre

À la veille de la Première Guerre mondiale, avec un territoire de 677 000 km^2 et une population de près de 52 millions d'habitants, la monarchie austro-hongroise était une des grandes puissances de l'Europe. Les Habsbourg, alliés à de nombreuses familles régnantes, jouissaient d'un grand prestige rehaussé par la personnalité de François-Joseph. En dépit des mouvements d'humeur des nationalités venus davantage de leurs élites que du peuple, personne

1. D. G. Mac Guigan, *Les Habsbourg*, *op. cit.*, p. 382-383, et A. Decaux, « La troisième victime de Mayerling », *Historia* 287/octobre 1970, p. 127-133.
2. J.-P. Bled, *François-Joseph*, *op. cit.*, p. 474-475.
3. DUNA TV-*Emlékképek* (Images Souvenir), janvier 2002, K. Schratt est morte en 1940. Peu avant sa mort, elle a brûlé tous les documents et les lettres qu'elle avait conservés, emportant avec elle dans la tombe le secret de la nature de ses relations avec François-Joseph.

alors ne songeait sérieusement à remettre en question l'existence même de l'Empire.

Les projets de réforme à la fin du règne de François-Joseph

Si l'empereur, par respect des engagements pris en 1867 et par méfiance instinctive à l'égard du changement, entendait maintenir le *statu quo*, l'archiduc héritier François-Ferdinand n'avait jamais caché son intention de transformer l'Empire lorsqu'il succéderait à son oncle. Depuis la fin du XIXe siècle, des hommes politiques issus des différentes nationalités et appartenant parfois à des courants de pensée opposés s'étaient penchés sur le sort futur de l'Empire. Tous semblaient favorables à une solution fédéraliste et estimaient que le dualisme au mieux était dépassé, au pire dangereux et nuisible. Déjà les sociaux-démocrates, lors de leur congrès de Brünn en 1899, proposaient de transformer l'Empire en une fédération de nationalités égales entre elles, avec une large décentralisation et la suppression des privilèges dont jouissaient certaines nationalités, mais il n'était pas question pour eux de détruire l'Empire. Pour ces austro-marxistes, la lutte des classes pourrait être un ciment qui souderait entre elles les différentes nationalités[1]. De leur côté, les chrétiens-sociaux insistaient sur l'idée d'autonomie culturelle, mais leur influence ne s'exerçait que sur les Allemands de Hongrie et les Slovènes. Déjà en son temps, Karl Lueger déclarait : « Je ne connais en Autriche que des nations à parts égales ; je vois dans chaque Tchèque, dans chaque Slovène, un concitoyen autrichien. » Ces idées furent reprises en 1906 dans l'ouvrage d'Anton Bach *L'Avenir de l'Autriche et les chrétiens-sociaux*. L'auteur, très hostile aux Hongrois, estimait que le dualisme devait être remplacé par une fédération de peuples égaux entre eux[2].

Des personnalités venues de nationalités non dominantes prenaient également part au débat. Un Roumain de Transylvanie, Aurel Povovici, publia en 1906 *Les États-Unis de Grande Autriche* où il développait des thèses favorables au fédéralisme. Comme il l'écrivait, la Double Monarchie est « une vieille maison » qu'il faut « diviser en appartements » afin que tous ses occupants puissent y trouver leur juste place. Povovici préconisait la division de l'Empire en quinze provinces autonomes correspondant aux quinze

1. J. Droz, *L'Europe centrale*, *op. cit.*, p. 128.
2. *Ibid.*, p. 187-188.

groupes ethniques les plus nombreux [1]. Il comptait beaucoup sur le soutien de l'archiduc François-Ferdinand pour atteindre ces objectifs. Povovici appartenait à ce *groupe du Belvédère* — du nom de la résidence viennoise du prince héritier — qui se réunissait autour de l'archiduc pour discuter de la transformation de l'Empire. Outre Povovici, on y rencontrait d'autres Roumains comme les députés Maniu et Vajda-Voevod ou l'évêque Miron Cristea, le député slovaque Milan Hodza, le croate Ivan Frank, le chef des *Jeunes Tchèques* Kramarj, l'ancien ministre de l'Intérieur hongrois Kristóffy et le chef du Parti chrétien populaire hongrois Zichy, des juristes comme le professeur Lammasch, des membres de l'aristocratie comme les comtes Clam-Martinic et Czernin. François-Ferdinand les recevait, les écoutait et partageait avec eux l'idée qu'il fallait faire sauter le verrou du dualisme et en finir avec le statut privilégié des Magyars [2]. Pour le prince héritier, la réalisation de ce programme de rénovation supposait le maintien de la paix. Lors d'une conversation avec le chef de l'état-major Conrad von Hötzendorf en février 1913, il se montra hostile à toute idée de guerre contre la Russie : « Il faut se garder d'une guerre contre la Russie car nous ferions le jeu de la France, des francs-maçons et des antimonarchistes français dont le plus grand désir est d'amener le bouleversement et de chasser tous les souverains. Donc, pas de guerre [3] ! »

Sarajevo

Au printemps de 1914, on annonça que des manœuvres militaires auraient lieu en Bosnie-Herzégovine et que l'archiduc François-Ferdinand y assisterait. Chacun savait que les Serbes le considéraient comme très dangereux, car si François-Ferdinand parvenait un jour à rassembler comme il le souhaitait tous les Slaves du sud de l'Empire en un « État illyrien », c'en était fini des ambitions de la Serbie et de son espoir de rassembler sous l'autorité des Karageorge de Belgrade les Slaves d'Autriche-Hongrie. Beaucoup redoutaient un attentat : Sarajevo était alors un véritable nid de terroristes [4]. L'archiduc, fatigué, hésitait à partir ; sa femme était

1. J. Droz, *L'Europe centrale*, *op. cit.*, p. 175-176.
2. F. Fejtö, *Requiem pour un Empire défunt : histoire de la destruction de l'Autriche-Hongrie*, *op. cit.*, p. 177.
3. K. Tschuppik, *François-Joseph*, *op. cit.*, p. 392-394.
4. Frédéric Mitterrand, *Les Aigles foudroyés*, Paris, 1997, p. 19 et suiv.

très inquiète mais elle tenait à être à ses côtés. Peut-être François-Ferdinand pressentait-il ce qui allait lui arriver. En mai 1914, recevant au Belvédère l'archiduc Charles, il lui avait déclaré que son caveau dans la crypte de l'église d'Artstetten était achevé, et il ajouta : « Hélas ! On ne sait pas si on n'aura pas bientôt besoin de ce caveau. » Plus tard dans la soirée, il prit à l'écart son neveu et lui dit : « Crois-moi, je le sais d'une manière absolument sûre, je ne vivrai pas longtemps... Je ne mourrai pas d'une mort naturelle. » Peu auparavant, François-Ferdinand avait dit au comte Czernin qu'il était l'objet d'une haine implacable de la part des francs-maçons qui l'avaient condamné à mort, à en croire la *Revue internationale des Sociétés secrètes* du 15 septembre 1912[1]. Quelques jours avant le départ pour les manœuvres, François-Ferdinand vint trouver l'empereur et lui fit part de ses hésitations. François-Joseph lui répondit : « Fais comme tu le jugeras bon. » L'archiduc décida finalement de partir avec sa femme ; il installa celle-ci à la station thermale d'Ilidza, non loin de Sarajevo, et assista aux manœuvres les 26 et 27 juin. À son retour de manœuvres, dans l'après-midi du 27, l'archiduc emmena sa femme faire des emplettes dans le Bazar de Sarajevo. Le soir, un dîner rassembla autour du couple archiducal les principaux responsables des manœuvres. Le chef d'état-major Conrad, très inquiet, conseilla à François-Ferdinand et à sa femme de renoncer à la visite officielle à Sarajevo prévue pour le lendemain[2], mais ceux-ci décidèrent de respecter leurs engagements. Le dimanche 28 juin, sous un ciel lumineux, Sarajevo s'apprêtait à recevoir le couple princier. L'enthousiasme était grand dans la population catholique et musulmane de la ville, mais pour les orthodoxes, le 28 juin était une journée de deuil où l'on célébrait l'anniversaire de la bataille du « champ aux merles », en 1389, qui marquait la fin de l'indépendance de la Serbie. Vers dix heures, alors que le cortège officiel se dirigeait vers l'hôtel de ville, un terroriste serbe du nom de Tchagrinovitch lança une bombe en direction de la voiture du couple princier. L'archiduc et sa femme ne furent pas touchés ; mais deux officiers de leur suite furent atteints, l'un très gravement blessé, l'autre superficiellement. Le cortège continua sa route en direction de l'hôtel de ville. L'archiduc

1. Cité par M. Dugast-Rouillé, *Charles de Habsbourg*, Paris, 1991, p. 29 et 286 note 33, et G. Brook-Shepherd, *Le Dernier Habsbourg*, *op. cit.*, p. 35.

2. F. I. Gellé, *Sarajevo, œuvre de la « Main Noire »*, Paris, 1968, p. 209 et suiv.

François-Ferdinand, encore sous le choc de l'émotion, interpella brutalement le maire : « Monsieur le Maire, on vient vous rendre visite et l'on vous accueille avec des bombes ! Cela dépasse les bornes » ; et de demander au gouverneur de la province, le général Potiorek : « Y en aura-t-il d'autres[1] ? » Il était prévu qu'en fin de matinée le couple princier se rende au Musée national avant d'aller au repas donné en leur honneur au palais du gouverneur. François-Ferdinand demanda à sa femme de rentrer directement à Vienne, mais elle s'y refusa : « Non, Franz, je t'accompagne ! » À la demande de l'archiduc, il fut prévu de faire un détour par l'hôpital pour aller saluer les victimes de l'attentat. On fixa un nouvel itinéraire plus sûr, mais le chauffeur de la voiture n'en fut pas averti. Dans la Franz-Joseph Strasse, au moment où passait la voiture de l'archiduc, un autre terroriste, Gavrilo Prinzip, sortit son revolver et tira à bout portant. Touchés, l'archiduc et sa femme moururent dans les minutes qui suivirent.

L'empereur François-Joseph apprit ce nouveau coup du destin dans l'après-midi, alors qu'il se trouvait à Ischl : « C'est affreux, c'est affreux », s'écria-t-il en pensant aux orphelins que laissaient derrière eux l'archiduc et sa femme. Le lendemain, il était à Vienne. Il fallait maintenant organiser les obsèques et envisager les conséquences politiques de l'attentat.

La charge de régler le cérémonial des obsèques appartenait au grand maître de la Cour, l'austère prince Montenuevo, descendant de l'enfant naturel que Marie-Louise avait eu de son amant, le comte de Neippberg, alors que Napoléon Ier était exilé à Sainte-Hélène. Montenuevo était très strict sur le protocole et avait toujours détesté l'épouse de François-Ferdinand, même après qu'elle avait été élevée au rang de duchesse de Hohenberg par décision de l'empereur. Sachant que sa femme ne pourrait jamais être enterrée dans la crypte des Capucins, François-Ferdinand avait manifesté le désir d'être enterré à Arstetten. Les cercueils du couple princier furent transportés par mer jusqu'à Trieste et de là par train à la gare du Sud à Vienne, où ils furent reçus le 2 juillet au soir par l'archiduc Charles. De là, le cortège funèbre traversa la ville pour rejoindre la chapelle de la Hofburg. Le 3 juillet eut lieu la cérémonie religieuse en présence de l'empereur, du prince héritier l'archiduc Charles et de sa femme Zita, tous très émus, des membres des

---

1. D. G. Mac Guigan, *Les Habsbourg*, *op. cit.*, p. 398, et J. Almira et G. Stoyan, *Le Déclic de Sarajevo*, Paris, 1927, p. 131 et suiv.

gouvernements autrichien et hongrois, des représentants des Parlements de Vienne, de Budapest et de Zagreb, du corps diplomatique. Pour marquer la différence de rang entre l'archiduc et sa femme, le protocole avait imposé que le cercueil de François-Ferdinand soit placé à un niveau plus élevé que celui de son épouse. Dernière mesquinerie du prince Montenuevo. Après la cérémonie, le cortège funèbre devait gagner la gare de l'Ouest, et de là les cercueils devaient être conduits à Arstetten. En dépit des consignes, une soixantaine de membres de l'aristocratie dont le prince Louis Windischgraetz suivirent à pied le cortège, tandis que de nombreux officiers en grande tenue avaient voulu être présents au passage du cortège[1]. L'archiduc Charles accompagna les deux cercueils jusqu'à Arstetten et tint à assister à l'inhumation du couple princier avec lequel il avait toujours entretenu des relations très amicales[2].

La crise diplomatique et le déclenchement de la guerre

Sarajevo, ce n'était pas seulement l'assassinat de l'archiduc héritier d'Autriche-Hongrie et de sa femme, c'était aussi un acte de terrorisme d'État auquel la Serbie n'était pas étrangère. Chacun pouvait se rendre compte que depuis 1903 — date à laquelle le roi Alexandre Obrenovitch et toute sa famille avaient été assassinés lors du complot monté par Dragutin Dimitrievitch au profit de Pierre Karageorgevitch devenu Pierre Ier de Serbie —, Belgrade menait une politique résolument hostile à l'Autriche-Hongrie avec le soutien de la Russie. C'est à Belgrade, au sein de la société secrète la *Main noire* que dirigeait Dimitrievitch en même temps qu'il exerçait les fonctions officielles de chef des services de renseignement, que fut préparé l'attentat. Les terroristes étaient des Bosniaques serbes qui avaient été entraînés en Serbie et qui étaient revenus en Bosnie avec la complicité de gardes-frontières serbes. Très probablement, le gouvernement serbe était au courant de ce qui se tramait et le ministre de Serbie à Vienne, Jovanovic, avait suggéré de retarder les manœuvres[3].

Le parti de la guerre représenté par le général Conrad, par le ministre de la Guerre Krobatin et le ministre des Affaires étrangères Berchtold voulait utiliser l'attentat de Sarajevo pour justifier une intervention armée contre la Serbie. L'empereur François-Joseph,

1. *Mémoires* du prince Louis Windischgraetz, *op. cit.*, p. 47.
2. M. Dugast-Rouillé, *Charles de Habsbourg*, *op. cit.*, p. 33.
3. D. G. Mac Guigan, *Les Habsbourg*, *op. cit.*, p. 396.

avant de s'engager, voulait connaître l'attitude qu'adopterait l'allié allemand. Le 5 juillet, le gouvernement allemand fit savoir qu'il se rangeait aux côtés de l'Autriche-Hongrie. Tout se joua lors du Conseil de la Couronne du 7 juillet. En l'absence d'un accord unanime pour une intervention immédiate, le principe de l'envoi d'un ultimatum à Belgrade fut adopté ; le texte de l'ultimatum devait être suffisamment dur pour qu'il provoque un refus de la Serbie, ce qui entraînerait une action armée contre elle [1]. Seul le comte Tisza, chef du gouvernement hongrois, émit de sérieuses réserves, estimant que les conditions de l'ultimatum devaient être sévères mais pas inacceptables ; il redoutait une intervention de la Russie si la Serbie était attaquée. Au lendemain de ce Conseil de la Couronne, Tisza envoya un mémoire à l'empereur : « Une attaque contre la Serbie amènerait très vraisemblablement l'intervention de la Russie et une guerre mondiale s'ensuivrait », et mit en garde François-Joseph contre la politique de Berchtold [2]. En dépit de ces remarques, l'empereur se rallia au point de vue de la majorité de ses ministres, tandis que dans toutes les capitales européennes régnait une fébrile activité diplomatique. On connaît l'enchaînement des événements. Le 23 juillet, l'ultimatum, avec des conditions extrêmement rigoureuses qui devait être accepté en totalité sous peine de rupture des relations diplomatiques, fut remis à Belgrade. Le 25 juillet, se sachant soutenu par la Russie, le gouvernement serbe n'accepta que partiellement les exigences autrichiennes ; il rejeta celle concernant la participation de policiers autrichiens à l'enquête en Serbie. Les relations diplomatiques entre Vienne et Belgrade furent aussitôt rompues et la notification de l'état de guerre fut envoyé à Belgrade le 28 juillet par l'intermédiaire de la Roumanie. Le lendemain, le *Wiener Zeitung* publiait la proclamation que François-Joseph adressait à ses peuples : « J'ai tout examiné et tout pesé ; c'est la conscience tranquille que je m'engage sur le chemin que m'indique mon devoir. » À ce moment-là, la Russie avait déjà commencé la mobilisation [3], mais aucune action militaire ne fut engagée dans l'immédiat contre la Serbie. Le 30 juillet, c'était la mobilisation générale en Russie ; le 31, c'était au tour de l'Autriche-Hongrie, puis le 1er août de l'Allemagne et de la France. Le jeu des alliances, l'alliance austro-allemande et l'alliance franco-russe, eut tôt fait de

1. K. Tschuppik, *François-Joseph, op. cit.*, p. 417-418.
2. E. Tisza, *Lettres de guerre 1914-1916*, Paris, 1931, p. 1-3 et suiv.
3. K. Tschuppik, *François-Joseph, op. cit.*, p. 430.

transformer un conflit localisé en une guerre européenne dans laquelle l'Autriche-Hongrie n'était qu'un belligérant parmi les autres[1].

Les opérations militaires

L'Autriche-Hongrie disposait d'une armée nombreuse ; elle pouvait aligner soixante divisions d'infanterie et onze divisions de cavalerie auxquelles il fallait ajouter les réserves et les forces territoriales. L'équipement en matériel moderne était cependant insuffisant, à l'exception de l'artillerie lourde. La marine, à laquelle François-Ferdinand avait de son vivant porté un grand intérêt, disposait d'une flotte de 264 000 tonnes ; quant à l'aviation militaire, elle était au moins équivalente à celle de l'Allemagne[2]. On aurait pu croire que le caractère multinational de l'armée serait un facteur de faiblesse. Il n'en fut rien et, à la surprise générale, les soldats d'origine slave ou roumaine se comportèrent aussi bien que leurs compagnons d'armes allemands ou magyars ; les soldats bosniaques furent bientôt considérés comme les meilleurs soldats de l'armée austro-hongroise[3].

La guerre commença mal pour l'Empire. La Serbie résista beaucoup mieux que prévu et ce n'est qu'à l'automne 1915, après l'entrée en guerre de la Turquie et de la Bulgarie, qu'elle fut mise hors de combat. Sur le front russe, la Galicie fut occupée par l'ennemi dès le début de la guerre ; le 23 mars 1915, la capitulation de Przemysl livra aux Russes plus de cent vingt mille prisonniers et leur ouvrit la route des Carpates. Ce n'est qu'en mai qu'une contre-offensive austro-allemande permit de récupérer le terrain perdu. À ce moment, l'entrée en guerre de l'Italie aux côtés de l'Entente, le 23 mai 1915, ouvrit un nouveau front. Au cours du printemps et de l'été 1916, les Russes tentèrent de reprendre l'offensive et remportèrent un net succès à Olyka-Luck, provoquant la désertion d'unités ruthènes et tchèques. À l'automne, la situation fut rétablie. L'entrée en guerre de la Roumanie le 27 août 1916 menaça directement le territoire hongrois dégarni de troupes, mais les Austro-Allemands vinrent rapidement à bout des forces roumaines. Après la prise de Bucarest le 6 décembre, la guerre s'arrêta sur le front roumain.

1. E. Zöllner, *Histoire de l'Autriche des origines à nos jours*, *op. cit.*, p. 468-469.
2. J. Bérenger, *Histoire de l'Empire des Habsbourg*, *op. cit.*, p. 704-706.
3. E. Zöllner, *ibid.*, *op. cit.*, p. 470.

François-Joseph, affaibli par l'âge — il avait quatre-vingt-quatre ans au moment de la déclaration de guerre —, continuait cependant à remplir jusqu'à la limite de ses forces les obligations de sa charge. Il vivait douloureusement les échecs de ses armées et s'était vite rendu compte que les inquiétudes du comte Tisza étaient justifiées. L'empereur constatait avec tristesse que lorsque ses armées étaient victorieuses, elles le devaient souvent à l'aide allemande. Il revivait la situation qu'il avait connue autrefois, en 1859 et en 1866, mais avec des conditions tout à fait différentes. La guerre se révélait longue, les dépenses qu'elle entraînait étaient considérables et les victimes nombreuses. La guerre était une guerre totale et les civils en subissaient les effets dans leur vie de tous les jours. Après l'enthousiasme du début, la lassitude puis le mécontentement apparurent, en dépit de la censure et du régime d'exception mis en place.

Si en Hongrie, le Parlement continuait à siéger, en Cisleithanie au contraire le *Reichsrat* n'avait plus été réuni depuis juin 1914. En Bohême, les milieux nationalistes radicaux avaient envoyé Masaryk plaider leur cause auprès de l'Entente. Sur place, le relais était assuré par les *Jeunes Tchèques*. C'est dans ce contexte que la justice militaire condamna à mort pour haute trahison plusieurs parlementaires tchèques dont Kramarj. Mais François-Joseph eut des doutes et donna l'ordre de suspendre les exécutions[1]. En Autriche proprement dite, l'assassinat du président du Conseil, le comte Stürgkh, le 21 octobre 1916, par Friedrich Adler, le fils du chef du Parti social-démocrate, fut un acte isolé sans doute, mais son retentissement fut considérable. François-Joseph, refusant de céder au parti de la guerre, nomma chef du gouvernement autrichien Ernst von Koerber qui jouissait d'une certaine popularité dans les milieux populaires. Ce fut là le dernier acte politique du vieil empereur. Lorsqu'il reçut Koerber à Schönbrunn le 26 octobre, François-Joseph était malade et l'entretien qu'il lui accorda fut des plus court[2].

La mort de François-Joseph

Depuis la fin octobre, François-Joseph souffrait d'une bronchite qui se transforma rapidement en congestion pulmonaire, comme

1. J.-P. Bled, *François-Joseph*, *op. cit.*, p. 695.
2. K. Tschuppik, *François-Joseph*, *op. cit.*, p. 446-447.

l'indique le communiqué officiel publié le 11 novembre. En dépit de sa grande fatigue et de ses difficultés de mobilité, l'empereur continuait à étudier avec le même soin les dossiers qu'on lui apportait. Il avait reçu une première fois le 13 novembre l'archiduc Charles puis, les jours suivants, ses ministres, le chef d'état-major Conrad von Hötzendorf, le commandant en chef de l'armée l'archiduc Frédéric. Le 21 novembre, François-Joseph selon son habitude se leva à quatre heures et demie, discuta longuement avec le chef de la chancellerie militaire des communiqués provenant de l'état-major, et avec le ministre des Affaires étrangères. À dix heures, il reçut sa fille Marie-Valérie venue lui annoncer que le pape lui avait adressé sa bénédiction. L'empereur fit aussitôt venir l'aumônier de la Cour Mgr Seydl, se confessa et communia. Puis ce fut au tour de l'archiduc Charles et de l'archiduchesse Zita d'être reçus. Plus tard, l'impératrice Zita évoqua ainsi les dernières heures de l'empereur : « Le matin du 21 novembre 1916, l'empereur François-Joseph nous reçut encore une fois, l'archiduc Charles et moi-même. Il était assis à son bureau en uniforme et travaillait encore sur une loi de recrutement. Il était brûlant de fièvre, et malgré tout il ne renonçait pas à travailler. Il nous dit qu'il était content qu'en Roumanie de grands progrès avaient été faits et que l'offensive progressait. Par la suite, il se réjouit beaucoup de la bénédiction envoyée par le Saint Père et il nous raconta que le matin même il avait reçu la sainte communion. Alors il prit congé de nous avec beaucoup d'affection... et ce fut la dernière fois que nous le vîmes vivant et qu'il nous avait vus avec sa connaissance[1]. » À midi, l'empereur refusa de se nourrir, sa fièvre augmentait. Sur le conseil de ses médecins, il se coucha. Au lit, il ordonna à son valet de chambre de le réveiller le lendemain à trois heures, car, dit-il, « je n'ai pu achever mon travail ». Au cours de son sommeil ponctué de quintes de toux, François-Joseph put recevoir l'extrême-onction à un moment où il s'était réveillé. À 21 h 05, l'empereur s'éteignit doucement[2].

Quelques jours plus tard, le 30 novembre, se déroulèrent les funérailles de celui qui depuis 1848 avait régné sur l'Empire des Habsbourg. Après le service en la cathédrale Saint-Étienne, le corps de François-Joseph fut conduit à la crypte des Capucins où il fut reçu

1. E. Feigl, *Kaiserin Zita. Legende und Wahreit*, Wien-München, 1977, p. 230-231.

2. K. Tschuppik, *François-Joseph*, *op. cit.*, p. 449-450.

par le père abbé qui fit ouvrir les portes seulement après que le grand maître de la Cour, répondant à la question « Qui es-tu ? », eut répondu au nom du défunt : « Je suis François-Joseph, un pauvre pécheur, et j'implore la miséricorde de Dieu[1]. »

On a souvent reproché à François-Joseph d'avoir entraîné ses peuples dans la guerre, mais il s'efforça toujours de dissocier les buts de guerre de l'Autriche-Hongrie qui étaient essentiellement défensifs — il s'agissait de défendre l'Empire face à la politique expansionniste de la Serbie — de ceux de l'Allemagne dont les visées impérialistes étaient à peine dissimulées. Dès 1915, l'empereur manifesta à son entourage, notamment à l'archiduc Charles, son désir de rechercher une solution pacifique au conflit. En 1916, sa résolution de terminer rapidement la guerre était encore plus forte, mais il était conscient que le gouvernement et les chefs militaires étaient loin de partager ses idées[2]. Un hommage inattendu fut rendu plus tard à François-Joseph par le président Poincaré : « C'était un souverain riche en bonnes intentions... il n'a pas voulu le mal, il n'a pas voulu la guerre, mais il s'est entouré de gens qui ont fait les deux[3]. »

L'amiral Horthy qui avait tenu à assister aux obsèques de celui dont il avait été l'aide de camp écrira plus tard : « Nous savions tous que nous portions au tombeau une des dernières grandes figures d'une époque à jamais révolue[4]. »

1. J.-P. Bled, *François-Joseph*, *op. cit.*, p. 700.
2. E. Feigl, *Kaiserin Zita*, *op. cit.*, p. 230.
3. R. Poincaré, *Au service de la France*, Paris, 1932, t. IX, p. 24.
4. *Mémoires* de l'amiral Horthy, *op. cit.*, p. 67.

20

La tragédie du dernier empereur

Lorsque, le 21 novembre 1916, l'archiduc Charles de Habsbourg-Lorraine succède à son grand-oncle François-Joseph sous le nom de Charles Ier d'Autriche et Charles IV de Hongrie, la Double Monarchie est engagée depuis plus de deux ans dans une guerre dont l'issue semble à la fois incertaine et lointaine. Pour la plupart des habitants de l'Empire, l'avènement de ce jeune souverain — il n'a que vingt-neuf ans — suscita beaucoup d'espoir. « Tout le monde était ravi de Charles. Sa jeunesse, son sourire, ses manières ouvertes, gaies et naturelles lui créaient partout des amis. » Ainsi s'exprimait le colonel Kádár, le futur chef des services secrets du régent Horthy [1]. Et pourtant, deux ans plus tard, c'était la révolution et la fin de la monarchie habsbourgeoise. En parodiant la formule devenue célèbre de l'historien de Rome André Piganiol, on est en droit de se poser la question : l'Empire des Habsbourg est-il mort de sa belle mort, ou bien a-t-il été assassiné ?

UN PRINCE ÉPRIS DE PAIX

L'empereur Charles

Fils de l'archiduc Otto — le frère de François-Ferdinand —, un bon vivant amateur de vin et de femmes, et de l'archiduchesse Marie-Josèphe, princesse de Saxe, pieuse et effacée, Charles de Habsbourg est né en 1887 à Persenbeug en Basse-Autriche, non loin de Sankt-Pölten. Le jeune prince avait reçu une éducation

1. Gy. Kádár, *A Ludovikától Sopron-Köhidaig* (De la Ludovika jusqu'à Sopron-köhida), Budapest, 1978, p. 56.

soignée et fit preuve dès sa jeunesse d'une grande générosité et d'une ouverture d'esprit remarquable. Au gré des affectations de son père qui servait dans l'armée, Charles vécut successivement à Brünn, à Enns, puis de 1893 à 1898 à Sopron où il acquit ses premiers rudiments de langue hongroise ; ensuite, ce fut Vienne où il fit ses études secondaires au lycée des bénédictins écossais. À partir de 1902, Charles fut amené à visiter les diverses provinces de l'Empire ; il alla plusieurs fois à l'étranger, en France, en Angleterre, en Suisse et en Allemagne. En 1905, commença pour lui la carrière militaire qui était la règle pour les archiducs. Il fut d'abord affecté à Bilin, au 7e régiment des « dragons du duc de Lorraine et de Bar [1] », ce qui explique peut-être son attachement — et celui de son fils Otto de Habsbourg — à la Lorraine, la terre de son lointain ancêtre François, l'époux de Marie-Thérèse. De 1906 à 1908, le futur empereur séjourna à Prague pour y étudier le droit à l'université et il en profita pour étudier le tchèque, par goût d'abord et bientôt par nécessité puisque la mort de son père en 1906 faisait de lui l'héritier en second du trône, juste derrière son oncle François-Ferdinand.

Les relations entre le jeune archiduc et son oncle furent toujours très cordiales et François-Ferdinand contribua largement à son éducation politique. Tout comme son oncle, l'archiduc Charles se montrait favorable à une évolution de l'Empire vers le fédéralisme. Le 21 octobre 1911, l'archiduc avait épousé, à la grande joie de l'empereur, la princesse Zita de Bourbon-Parme, fille du dernier duc régnant de Parme et de Marie-Antoinette de Bragance, une jeune fille très pieuse dont il était follement amoureux. La naissance d'un fils, Otto, l'année suivante, combla d'aise François-Joseph. L'avenir de la dynastie était assuré. Avec l'assassinat de François-Ferdinand, Charles devenait l'héritier du trône. François-Joseph qui avait beaucoup d'affection pour son petit-neveu et pour Zita lui confia des missions d'inspecteur sur le front et lisait toujours ses rapports avec beaucoup d'attention ; il le chargea aussi de plusieurs missions auprès de Guillaume II.

Ce n'était donc pas le débutant un peu benêt et dévot décrit par ses adversaires qui succédait à François-Joseph, mais un homme conscient de ses responsabilités, bien au courant des affaires, soucieux de ses devoirs envers ses peuples et décidé à dépoussiérer les institutions et à mettre fin à la guerre.

1. M. Dugast-Rouillé, *Charles de Habsbourg*, *op. cit.*, p. 16-19.

La recherche de la paix civile

À peine monté sur le trône, dès le 22 novembre, l'empereur Charles manifesta sa volonté de rénover la Double Monarchie dans une *Déclaration* adressée à ses peuples : « Je désire être un souverain juste et bienveillant envers mes peuples. Je maintiendrai très haut la liberté constitutionnelle et les autres droits, et préserverai soigneusement l'égalité de tous devant la loi. Je m'efforcerai sans cesse de promouvoir le bien-être de mes peuples sur le plan moral et spirituel, de protéger la liberté et l'ordre sur toutes les terres et d'amener à toutes les branches productrices de la société les fruits d'un honnête labeur... » Ce programme était complété par une nette prise de position en faveur de la paix : « Je ferai tout ce qui sera en mon pouvoir pour bannir dans le plus bref délai les horreurs et les sacrifices de la guerre, et rendre à mon peuple les bénédictions regrettées de la paix dans la mesure où se concilieront l'honneur de nos armes, les exigences vitales de nos États, le respect de nos loyaux alliés et les provocations de nos ennemis[1]. » Même si ce dernier paragraphe cherchait à ménager l'allié allemand sans pour autant diminuer la volonté de paix de l'empereur, les Allemands ne furent pas dupes, et Ludendorff qualifia de « sot bégaiement en faveur de la paix » les propos de Charles[2].

Le premier signe du changement fut le rajeunissement du personnel politique et militaire. Le comte Polzer-Hoditz, un ami personnel de l'empereur, fut nommé chef de cabinet, le prince Montenuovo fut remplacé par le prince de Hohenlohe, le général Arz, plus jeune, d'origine modeste et surtout plus compétent, prit la place du général Conrad von Hötzendorf. L'empereur, dès le 22 novembre, avait confirmé Koerber dans ses fonctions de chef du gouvernement autrichien et avait reçu sur sa demande le comte Tisza. Celui-ci avait insisté sur la nécessité de procéder au plus vite au couronnement à Budapest afin de maintenir la continuité de l'État et assurer la promulgation des lois. Le lendemain, l'empereur Charles acquiesça à la demande du président du Conseil hongrois et la date du couronnement fut fixée au 30 décembre.

Le couronnement de Charles en tant que roi de Hongrie donna lieu à de grandioses cérémonies. Dès le 27 décembre, le couple

1. G. Brook-Shepherd, *Le Dernier Habsbourg*, *op. cit.*, p. 59-60.
2. Gy. Kádár, *A Ludovikától Sopron-Kőhidáig*, *op. cit.*, p. 56.

impérial s'installa au palais royal de Budapest. Les Hongrois adoptèrent rapidement leur nouveau roi. On se réjouissait du désir de paix du souverain « qui ne plaît pas aux politiciens favorables à la guerre et encore moins au haut commandement[1] ». La cérémonie se déroula selon le cérémonial habituel dans l'église Notre-Dame. « Les murs de l'église gothique avaient été tendus de velours pourpre. Les faibles rayons d'un soleil hivernal pénétraient avec peine les vitraux. Mais dans la pénombre, les habits chamarrés des hauts dignitaires ou les diadèmes scintillants des dames de la Cour lançaient parfois un éclair. Casques à panache, dolmans bordés de zibeline, sabres sertis de pierres précieuses — tout était d'un faste oriental... Même l'autre partie de la nation, celle des tranchées — bien qu'exclue des festivités — croyait en ce jeune roi, en cette jolie reine, à leur amour de la paix qui leur donnerait le courage de résister au Kaiser et d'arrêter l'inutile effusion de sang[2]. » Au début de la cérémonie, le cardinal Csernoch et le comte Tisza posèrent sur la tête de Charles la Sainte Couronne. « *Accipe coronam...* » Puis, le roi jura solennellement de respecter les institutions et les droits de la nation. Après la cérémonie, Charles s'élança à cheval sur la « colline du Couronnement » et prêta serment de défendre le territoire millénaire de la Hongrie[3]. Avec le serment de respecter les institutions du pays, le roi excluait *ipso facto* la Hongrie du champ d'application des réformes fédéralistes qu'il envisageait. C'est ce qu'avait souhaité le comte Tisza en précipitant le couronnement.

De retour à Vienne, l'empereur-roi poursuivit le rajeunissement du personnel de l'État en se débarrassant « des anciens suppôts de l'Empire[4] ». Avant de partir pour Budapest, il avait déjà remplacé le comte Berchtold par le comte Czernin pour diriger la politique étrangère. Après la démission de Koerber, le comte Clam-Martinic, qui comme Czernin avait fait partie du « groupe du Belvédère », fut chargé de diriger le gouvernement autrichien. Et surtout, le *Reichsrat* fut convoqué. L'empereur aurait voulu profiter du discours du trône pour annoncer la mise en place d'un système

1. *Mémoires* du prince Louis Windischgraetz, *op. cit.*, p. 123.
2. C. Károlyi, *On m'appelait la comtesse rouge*, Budapest, 1978, p. 161-163. La comtesse Károlyi qui n'avait que haine à l'égard de l'ancienne Hongrie accepta pourtant la fonction de dame d'honneur de la reine Zita ! (Cf. T. Hajdú, *Károlyi Mihaly* (Michel), Budapest, 1978, p. 207.
3. A. Polzer-Hoditz, *L'Empereur Charles*, Paris, 1934, p. 108.
4. *Mémoires* du prince Louis Windischgraetz, *op. cit.*, p. 133.

fédéraliste. Les ministres y étaient hostiles et, par respect de la Constitution, l'empereur différa une mesure qui prise à ce moment-là aurait pu sauver l'Empire. Dans le discours du trône qu'il prononça le 31 mai 1917, il se borna à déclarer que le *Reichsrat*, en accord avec la Couronne, devait créer les conditions politiques susceptibles de « favoriser le développement libre, national et culturel des peuples dotés de droits égaux dans le cadre de l'unité de l'État et moyennant certaines garanties pour l'exercice de ses fonctions ». Le chef du gouvernement Clam-Martinic dont la majorité était très fragile démissionna peu après et Charles le remplaça par Ernst von Seidler à titre provisoire, nomination qui devint définitive le 31 juillet [1]. En Hongrie, il y eut aussi des changements politiques. Le comte Tisza, en conflit avec le souverain sur la question d'un élargissement du droit de vote, démissionna et fut remplacé par le comte Maurice Esterházy, bientôt remplacé à son tour par un vieux routier de la politique, Alexandre Wekerlé [2].

Dès son avènement, l'empereur Charles avait souhaité ramener la paix dans les esprits par une mesure de clémence. En juin 1917, il chargea Polzer-Hoditz d'étudier tous les dossiers des personnes condamnées par les tribunaux militaires. Comme il l'avait déclaré lors de son avènement, Charles voulait être « juste et bienveillant ». Le 29 juin, il annonça au Conseil de la Couronne son intention de proclamer une amnistie générale pour les délits politiques et, le 2 juillet, le Rescrit impérial fut publié. L'amnistie s'appliquait également aux parlementaires tchèques condamnés à mort et dont l'exécution avait été suspendue par François-Joseph. Au dire de l'impératrice Zita, l'empereur considérait que les jugements prononcés par les cours martiales étaient des dénis de justice, notamment celui des condamnés tchèques. Kramarj et ses compagnons, dont la peine capitale avait été commuée par l'empereur en peine de prison, retrouvèrent la liberté. Au total, ce furent 2 593 prisonniers qui furent libérés au cours du mois de juillet. Seuls avaient été exclus de l'amnistie ceux qui « s'étaient enfuis à l'étranger pour échapper à la justice, ceux qui étaient passés à l'ennemi et ceux qui n'avaient pas rejoint la monarchie au début des hostilités [3] ». Cette amnistie devait marquer le début d'une nouvelle politique, mais elle fut vivement critiquée et le comte Czernin s'en désolidarisa. Les

1. A. Polzer-Hoditz, *L'Empereur Charles*, *op. cit.*, p. 201-203 et p. 246.
2. M. Dugast-Rouillé, *Charles de Habsbsourg*, *op. cit.*, p. 102.
3. G. Brook-Shepherd, *Le Dernier Habsbourg*, *op. cit.*, p. 139-140.

militaires, eux aussi, ne l'acceptèrent qu'à contrecœur. Inattendu en revanche fut le soutien de l'empereur Guillaume II qui, venu le 6 juillet à Laxenburg, déclara à l'empereur Charles que le Rescrit d'amnistie était un acte nécessaire et pleinement justifié par les circonstances[1].

Les tentatives de paix séparée

L'empereur Charles, au nom des principes chrétiens auxquels il était très attaché, ainsi que sa femme, avait manifesté dès son avènement son intention de rechercher une solution pacifique à cette guerre qui imposait tant de sacrifices à ses peuples. Sa sollicitude s'étendait même aux adversaires, au point qu'au début de 1917, l'empereur interdit à son aviation de bombarder les villes ouvertes. Les généraux obtinrent que les arsenaux et les objectifs militaires soient exclus de cette interdiction. Des instructions furent données pour que l'on épargne les églises et les monuments historiques[2]. Cela valut à l'empereur et surtout à sa femme, l'« Italienne » comme l'appelait la presse allemande, de vives critiques. L'empereur, enfin, était conscient que la prolongation de la guerre risquait à plus long terme de placer l'Autriche-Hongrie sous la tutelle de l'Allemagne. C'est ce qui l'amena à rechercher un contact direct avec la France qui, à ses yeux, était la clé de voûte de l'Entente. C'est dans cette perspective qu'il faut replacer l'affaire Sixte[3] qui débuta dans les derniers jours de 1916 et dont les princes Sixte et Xavier de Bourbon-Parme, frères de l'impératrice Zita, furent les personnages centraux.

Princes français, Sixte et Xavier n'avaient pu s'engager dans l'armée française en raison des lois d'exil de 1889, mais ils servaient dans l'armée belge. Ils étaient en relation avec des personnalités françaises influentes comme Jules Cambon, secrétaire général du Quai d'Orsay, ou William Martin, le chef du protocole à l'Élysée, sans parler des liens d'amitié qui les unissaient au général Lyautey, ministre de la Guerre dans le cabinet Briand. Le 5 décembre 1916, leur mère, la duchesse de Parme, les invita à venir la voir en Suisse. Le roi des Belges Albert Ier, leur accorda une permission et leur conseilla à leur passage à Paris d'y rencontrer le président Poincaré.

1. A. Polzer-Hoditz, *L'Empereur Charles*, *op. cit.*, p. 223-228.
2. G. Brook-Shepherd, *Le Dernier Habsbourg*, *op. cit.*, p. 139.
3. Pour toute l'affaire Sixte, cf. S. de Bourbon-Parme, *L'Offre de paix séparée de l'Autriche*, Paris, 1920.

Le 24 janvier 1917, les deux princes étaient à Paris mais ne purent rencontrer Poincaré. En revanche, ils furent reçus par Jules Cambon auquel ils firent part de leur voyage en Suisse. À leur arrivée à Neuchâtel, la duchesse de Parme leur remit une lettre de leur sœur l'impératrice Zita, dans laquelle celle-ci leur faisait part du profond désir de paix de son mari et de la nécessité d'établir rapidement un contact avec Poincaré. Tout en acceptant cette mission, Sixte rédigea à l'intention de l'empereur Charles un aide-mémoire où il exposait ce qu'il pensait être les conditions de paix de l'Entente, c'est-à-dire le retour à la France de l'Alsace-Lorraine, le rétablissement de l'indépendance de la Belgique avec son empire colonial, la reconstitution d'une Serbie indépendante éventuellement agrandie d'une partie de l'Albanie et la cession de Constantinople aux Russes [1].

Ces conditions de paix vues par le prince Sixte différaient quelque peu de celles exposées officiellement par la France dans la note du 10 janvier 1917 en réponse à une note du président Wilson ; il y était question en effet de « la libération des Italiens, des Slaves, des Roumains et des Tchécoslovaques de la domination étrangère », c'est-à-dire austro-hongroise. Ce passage avait été ajouté par un haut fonctionnaire du Quai d'Orsay, Philippe Berthelot, à la demande d'Edvard Benés, le chef de l'émigration tchèque en France, inquiet des bonnes dispositions que les Alliés semblaient manifester à l'égard de l'empereur Charles. Dès le 7 janvier, Benés avait reçu du Quai d'Orsay l'assurance que la libération des *Tchécoslovaques* serait mentionnée dans la note pour Wilson en cours de rédaction [2]. Le *lobby* tchèque avait toute raison de s'inquiéter, car la mission des princes Sixte et Xavier semblait s'engager dans de bonnes conditions. De retour à Paris, les princes avaient rencontré Jules Cambon et William Martin dès le 11 février, au moment où, à Vienne, l'empereur prenait connaissance de l'aide-mémoire rédigé par son beau-frère. Cambon rappela aux princes qu'il n'était pas question pour la France et pour l'Entente de signer une paix séparée, mais que, de toute façon, il n'y avait pas de paix possible pour la France sans le retour de l'Alsace-Lorraine. William Martin invita cependant les princes à maintenir le contact avec la famille impériale [3].

---

1. G. Suarez, *Briand*, Paris, 1940, t. IV, p. 136-137.
2. E. Benés, *My War memoirs*, London, 1928, p. 144.
3. G. Suarez, *Briand*, *op. cit.*, t. IV, p. 138, et A. Polzer-Hoditz, *L'Empereur Charles*, *op. cit.*, p. 146-147.

Les princes, de retour à Neuchâtel, rencontrèrent un envoyé de l'empereur, le comte Erdödy, qui leur transmit les réponses du souverain. L'empereur acceptait le point de vue de l'Entente sur l'Alsace-Lorraine et la Belgique, et annonçait qu'il se désintéressait de Constantinople. Erdödy présenta en revanche des objections à propos de la Serbie : Vienne était prête à envisager la création d'un État yougoslave autonome, mais avec à sa tête un archiduc autrichien, État qui comprendrait la Serbie, la Bosnie-Herzégovine, l'Albanie et le Monténégro. Les princes émirent des réserves sur ce point et insistèrent auprès d'Erdödy sur la nécessité d'agir vite, car ils étaient conscients de l'influence grandissante de Benés et de ses amis. Erdödy repartit pour Vienne où il fut reçu le 16 février par l'empereur. Le lendemain, Charles avertissait son ministre des Affaires étrangères des contacts établis avec Paris. Czernin se montra favorable à ces pourparlers et encouragea l'impératrice à prendre contact personnellement avec son frère : « J'en suis venu à attacher la plus grande importance à ce que le prince Sixte se rende directement auprès de Votre Majesté. Notre affaire marquerait un progrès sensible si Votre Majesté pouvait s'entretenir personnellement avec lui... [1] » Le 18 février, Czernin remit à Erdödy un Mémorandum en huit points nettement en retrait par rapport aux vues de l'empereur. Pour atténuer le mauvais effet que pourrait produire à Paris ce Mémorandum, l'empereur y joignit quelques additifs de sa propre main, et au crayon. Alors que le point n° 3 précisait que si l'Allemagne renonçait à l'Alsace-Lorraine, l'Autriche-Hongrie n'y ferait aucun obstacle, l'additif de l'empereur : « Nous aiderons la France et, par tous les moyens, nous exercerons une pression sur l'Allemagne », était d'un tout autre ton. De même, alors que Czernin dans le point n° 4 indiquait que la Belgique devait être libre et dédommagée par les belligérants, l'empereur avait ajouté que ce pays « a été victime d'une injustice ». Les additifs apportés par l'empereur aux autres points allaient dans le sens d'une plus grande ouverture en direction de l'Entente.

Czernin, malgré l'intérêt qu'il sembla accorder au début aux projets de l'empereur, cherchait à en limiter la portée. Le ministre des Affaires étrangères, par goût, était beaucoup plus proche des vues allemandes que de celles de son souverain. L'opposition entre l'empereur et son ministre était apparue nettement le 20 janvier

1. Lettre de Czernin à l'impératrice Zita citée par Polzer-Hoditz, *L'Empereur Charles*, *op. cit.*, p. 148-149.

précédent, lors d'un Conseil de la Couronne auquel s'étaient jointes deux personnalités allemandes, le secrétaire d'État Zimmermann et l'amiral von Holtzendorf, venues là pour obtenir la caution de l'Autriche à la reprise de la guerre sous-marine à outrance décidée par Berlin pour le 1er février suivant. L'empereur Charles refusa catégoriquement d'appuyer cette initiative allemande, malgré l'avis de Czernin. Quelques jours plus tard, il déclarait à Polzer-Hoditz : « J'ai toujours été hostile à la guerre sous-marine et je m'y suis opposé par tous les moyens. Mais il n'y a rien eu à faire... La guerre prendra encore plus d'extension, nous nous éloignons chaque jour un peu plus de la paix. C'est affreux [1] !... » Les risques de l'entrée en guerre des États-Unis confortaient l'empereur dans sa volonté de poursuivre les contacts avec Paris. Erdödy, rencontrant à nouveau les princes à Neuchâtel le 21 février, ne manqua pas de leur faire remarquer qu'en dépit des pressions allemandes, l'Autriche-Hongrie avait refusé de rompre avec les États-Unis ; il leur remit le Mémorandum rédigé (mais non signé) par Czernin, ainsi que les remarques écrites de la main de l'empereur.

Les princes regagnèrent Paris et, le 5 mars 1917, Sixte fut enfin reçu en audience par Poincaré à qui il donna un compte rendu détaillé des entretiens qu'il avait eus avec le représentant de l'empereur Charles, faisant même état des documents qui lui avaient été remis. Poincaré en demanda la communication, et le lendemain ceux-ci lui furent présentés. Le 8 mars, Poincaré montra les documents au président du Conseil Briand, qui passait à juste titre pour favorable à l'Autriche [2]. Briand n'en fut pas autrement surpris, car il venait de recevoir, le 28 janvier, une lettre de la duchesse d'Uzès mentionnant entre autres ce fait qu'elle tenait d'un Autrichien très proche de l'empereur : « L'Autriche désire la paix, et l'empereur Charles dans son Manifeste l'a promise à ses peuples, et le plus tôt possible. Je puis vous assurer que ce n'est pas un vain mot [3]. »

Pour Poincaré comme pour Briand, le Mémorandum de Czernin n'apportait rien, en revanche les additifs de l'empereur étaient beaucoup plus positifs et ouvraient des perspectives intéressantes. D'un commun accord, Poincaré et Briand préparèrent la réponse à donner au prince Sixte. On décida aussi d'avertir les alliés de la France au cas où les propositions de l'empereur d'Autriche

1. A. Polzer-Hoditz, *L'Empereur Charles*, *op. cit.*, p. 127-128.
2. R. Escholier, *Souvenirs parlés de Briand*, Paris, 1932, p. 129.
3. G. Suarez, *Briand*, *op. cit.*, t. IV, p. 136.

prendraient une forme officielle[1]. Le 8 mars, Sixte fut de nouveau reçu par Poincaré en présence de Briand et reçut l'autorisation de se rendre en Autriche. Aussitôt après cette entrevue, le prince Sixte adressa à l'empereur une lettre en date du 16 mars dans laquelle il lui demandait de reconnaître par écrit « d'une façon précise et sans ambiguïté » les quatre points jugés indispensables pour l'ouverture des pourparlers : restitution à la France de l'Alsace-Lorraine, rétablissement de l'indépendance de la Belgique avec ses possessions africaines, rétablissement de la souveraineté de la Serbie avec « un accès équitable et naturel à la mer Adriatique » pris sur le territoire albanais, désintéressement enfin de l'Autriche concernant Constantinople. Le 19 mars, Sixte et son frère rencontrèrent à Genève Erdödy et, en sa compagnie, gagnèrent secrètement l'Autriche. Le 23 mars au soir, Sixte eut un premier entretien avec l'empereur Charles au château de Laxenburg[2].

Peu avant, le comte Czernin avait rencontré le chancelier Bethmann-Hollweg et lui avait fait part d'une éventuelle possibilité d'ouverture du côté de la France. Le chancelier se serait montré disposé à abandonner à la France quelques districts vosgiens, et il accepta que Czernin envoyât en Suisse le comte Mensdorff-Pouilly pour prendre contact avec des représentants de l'Entente[3]. Il semble que Czernin ait voulu ainsi mener sa propre négociation de paix en marge de celle de l'empereur, mais nous savons par les *Mémoires* de Poincaré que le gouvernement français était davantage intéressé par les contacts directs avec l'empereur par l'intermédiaire des princes de Bourbon-Parme. De toute façon, le gouvernement allemand était au courant par son ambassadeur à Vienne des tractations de l'empereur « qui se préoccupe beaucoup plus des projets de paix que des projets de victoire », et du rôle joué dans cette affaire par l'impératrice Zita[4].

Au cours des entretiens avec Sixte et Xavier et en présence de Czernin, l'empereur réaffirma sans détour sa volonté de paix ; il rappela cependant ses obligations en tant qu'allié loyal de l'Allemagne et sa volonté de tout faire pour amener son allié à conclure une paix juste et équitable pour tous, tout en reconnaissant que

1. R. Poincaré, *Au service de la France*, *op. cit.*, t. IX, p. 70.
2. S. de Bourbon-Parme, *L'offre de paix séparée de l'Autriche*, *op. cit.*, p. 84 et suiv.
3. G. Pedroncini, *Les Négociations secrètes pendant la Grande Guerre*, Paris, 1969, p. 62.
4. E. Feigl, *Kaiserin Zita*, *op. cit.*, p. 357.

c'était bien hypothétique. Pour Charles, il fallait d'abord arriver à un accord avec la France, puis, par elle, avec l'Angleterre et la Russie ; si les Allemands refusaient de s'y associer, l'Autriche-Hongrie serait alors en droit de se libérer de l'Allemagne et de conclure une paix séparée[1]. À l'issue de l'entretien du 24 mars, l'empereur remit à Sixte une lettre dont le contenu était conforme aux souhaits exprimés par son beau-frère dans sa lettre du 16 mars. On y relevait entre autres la phrase suivante : « Je te prie de transmettre secrètement et inofficiellement à M. Poincaré, président de la République française, que j'appuierai, par tous les moyens et en usant de toute mon influence personnelle auprès de mes alliés, les justes revendications françaises relatives à l'Alsace-Lorraine. » Pour la Belgique, l'empereur était d'accord avec l'Entente ; sur la question serbe, il se montrait disposé à rétablir la Serbie dans sa souveraineté, avec un accès à la mer et certains avantages économiques, à condition que ce pays ne fût plus un foyer d'agitation et de propagande contre la Double Monarchie. De retour à Paris, Sixte fut reçu le 31 mars par Poincaré. Le nouveau chef du gouvernement, Alexandre Ribot, qui avait succédé à Briand le 19 mars, s'était fait représenter par Jules Cambon. L'entretien avec Poincaré fut cordial et la lettre de l'empereur Charles bien accueillie, mais Poincaré fit savoir que l'Italie était également l'alliée de la France et qu'il fallait tenir compte de son point de vue[2].

Peu après la remise de la lettre à Poincaré, le couple impérial se rendit le 3 avril à Bad-Hombourg pour y rencontrer les souverains allemands. L'empereur d'Autriche évoqua la question de la paix et s'efforça de faire admettre par Guillaume II que sans un règlement de la question de l'Alsace-Lorraine, il n'y aurait pas de paix possible avec la France ; si l'Allemagne renonçait à l'Alsace-Lorraine, l'Autriche-Hongrie serait disposée à abandonner au futur État polonais, que l'on se proposait de créer, la province autrichienne de Galicie. De la sorte, pensait Charles, l'Allemagne ne serait pas seule à faire des concessions. La rencontre se solda par un échec. Charles en tira la conclusion qu'il serait seul dans la recherche de la paix[3].

Tandis que l'empereur d'Autriche tentait en vain d'obtenir l'appui de son allié allemand, le président Poincaré chargea Ribot d'une

1. A. Polzer-Hoditz, *L'Empereur Charles*, *op. cit.*, p. 152-153.
2. R. Poincaré, *Au service de la France*, *op. cit.*, t. IX, p. 85-90.
3. G. Brook-Shepherd, *Le Dernier Habsbourg*, *op. cit.*, p. 91-92.

démarche analogue en direction de l'allié anglais. Le 11 avril, Ribot rencontrait le Premier ministre britannique Lloyd George qui « s'est tout de suite emballé sur l'affaire ». Il fut décidé qu'avant de répondre aux offres de l'empereur, il faudrait consulter l'Italie. Poincaré était du même avis, car il était persuadé que si la France et l'Angleterre acceptaient l'idée d'une paix séparée avec l'Autriche, l'Italie en profiterait pour abandonner la lutte contre l'Allemagne. Le 12 avril, Sixte rencontra à nouveau Poincaré et Ribot qui lui fit une relation de ses entretiens avec Lloyd George. Le prince manifesta les plus vives inquiétudes en cas d'indiscrétion, car il craignait pour la vie de l'empereur Charles si jamais les Allemands apprenaient que leur allié était en contact aussi poussé avec l'Entente. Ribot le rassura ; il s'engagea, pour les futures discussions avec les dirigeants italiens, à ne pas mentionner le nom de l'empereur et à demander seulement aux Italiens ce qu'ils voulaient obtenir de l'Autriche au cas où celle-ci ferait des offres de paix. Une rencontre entre Ribot, Lloyd George et le chef du gouvernement italien Sonnino fut décidée pour le 19 avril à Saint-Jean-de-Maurienne. La veille, Sixte rencontra à Paris le Premier ministre britannique auquel il renouvela ses craintes quant à d'éventuelles « fuites » ; Lloyd George lui fit remarquer qu'en raison de la rencontre récente entre Charles et Guillaume II, il pouvait y avoir un double jeu de la part de l'empereur d'Autriche [1].

La conférence de Saint-Jean-de-Maurienne fut marquée par la position maximaliste des Italiens soutenus par Ribot dont le rôle dans toute cette affaire fut des plus équivoque. Le communiqué publié à la fin des entretiens indiqua que les Alliés considéraient comme inopportun et dangereux de participer, dans les circonstances actuelles, à des conversations avec l'Autriche au cas où celle-ci ferait des demandes en vue d'obtenir une paix séparée. Le prince Sixte, le 20 avril, rencontra Lloyd George qui lui donna des précisions sur ce qui s'était dit à Saint-Jean-de-Maurienne. D'après le Premier ministre, l'Italie ne consentirait à l'ouverture de négociations que si l'Autriche cédait le Trentin, la Dalmatie, les îles côtières et éventuellement Trieste et l'Istrie. « Si l'Autriche désire réellement la paix, il lui faut faire des concessions... je vous le répète, elle doit sacrifier quelque chose à l'Italie... Le jour où

1. G. Pedroncini, *Les Négociations secrètes pendant la Grande Guerre*, *op. cit.*, p. 64-65.

l'Autriche se montrera prête à céder le Trentin et les îles dalmates, nous pourrons commencer à étudier ses propositions[1]. »

Le 22 avril, Sixte reçut de Jules Cambon la notification officielle des résultats de la conférence de Saint-Jean-de-Maurienne ; il se rendit aussitôt en Suisse, où il remit à Erdödy la note de Cambon en lui demandant d'inviter l'empereur à faire quelques concessions à l'Italie. Or, au moment où à Saint-Jean-de-Maurienne Sonnino se montrait aussi exigeant, un colonel italien, représentant du général Cadorna, commandant en chef de l'armée italienne, sans doute avec l'accord du roi Victor-Emmanuel III et de l'ancien chef du gouvernement Giolitti, avait fait savoir, par l'intermédiaire de l'ambassade à Berne, que l'Italie était prête à signer une paix séparée avec l'Autriche moyennant la cession par celle-ci du Trentin et de la ville d'Aquilée. L'empereur, qui ne voulait pas nuire à la négociation entamée avec Paris qu'il considérait comme capitale et dans laquelle il se sentait moralement engagé, ne donna pas suite à l'offre italienne[2].

Lorsque l'empereur Charles reçut d'Erdödy la réponse française, il le chargea d'inviter le prince Sixte à se rendre à Vienne de toute urgence. Les 8 et 9 mai, Sixte rencontrait l'empereur et Czernin. L'empereur remit à son beau-frère une lettre dans laquelle il faisait allusion à l'offre qu'il avait reçue de l'Italie : « L'Italie vient de me demander de conclure la paix avec la Monarchie en abandonnant toutes les prétentions inadmissibles de conquêtes qu'elle avait manifestées jusqu'ici sur les pays slaves de l'Adriatique. Elle réduit ses demandes à la partie du Tyrol de langue italienne (c'est-à-dire le Trentin). » L'empereur concluait sa lettre en affirmant qu'il était persuadé de la possibilité « de surmonter les dernières difficultés qui se présentent pour aboutir à une paix honorable ». À cette lettre était joint un aide-mémoire de Czernin, nettement en retrait par rapport aux vues personnelles du souverain, dans lequel il n'envisageait de cession de territoires à l'Italie que contre compensations, et avec la garantie du maintien de l'intégrité de l'Empire, abstraction faite des cessions consenties[3]. De retour en France, le prince fut reçu le 20 mai par Poincaré et Ribot ; il leur annonça que l'Autriche était prête à renoncer au Trentin italophone moyennant une petite compensation coloniale. Ribot adopta une attitude négative ;

1. G. Brook-Shepherd, *Le Dernier Habsbourg*, *op. cit.*, p. 99-102.
2. A. Polzer-Hoditz, *L'Empereur Charles*, *op. cit.*, p. 167-169.
3. *Ibid.*, p. 356-358.

il était hostile à la poursuite des entretiens sans concertation préalable avec l'Italie et cela malgré une lettre de Lloyd George lui recommandant vivement de ne pas rompre le contact avec l'Autriche[1]. L'entretien se termina sur un constat d'échec : Ribot déclara qu'on ne pouvait pas ne pas tenir compte des revendications présentées par l'Italie à Saint-Jean-de-Maurienne. Le prince Sixte partit aussitôt pour Londres où il rencontra Lloyd George et le roi George V. En dépit de leurs sentiments favorables à l'Autriche, les dirigeants britanniques ne purent rien faire contre l'intransigeance de l'Italie appuyée par Ribot. L'affaire Sixte se terminait sur un échec.

L'empereur Charles ne perdit cependant pas tout espoir de parvenir à un accord. Au mois d'août 1917, de nouveaux contacts furent établis en Suisse entre le diplomate autrichien Revertera et un officier français, le commandant Armand, mais ils tournèrent vite court. Ils se situent au moment où le pape Benoît XV adressa à tous les belligérants sa *Note de paix*. De tous les chefs d'État, l'empereur Charles fut pratiquement le seul qui ait accueilli favorablement la démarche pontificale. Les dirigeants de l'Entente s'y montrèrent hostiles à des degrés divers, Ribot et Sonnino davantage que Lloyd George.

La montée des périls

La situation militaire

Les négociations secrètes pour conclure une paix séparée sont révélatrices à la fois du désir sincère de l'empereur de mettre fin à cette guerre dont il n'était pas responsable, et aussi de sa clairvoyance. Désir sincère de paix, car, en fait, sur le plan militaire l'année 1917 se présentait pour les Empires centraux sous des auspices plutôt favorables qui ne rendaient pas indispensable la recherche rapide de la paix. À l'Ouest, les tentatives de l'Entente pour reprendre l'offensive avaient échoué. À l'Est, les révolutions de février et d'octobre avaient désorganisé l'armée russe, si bien que le gouvernement bolchevique avait signé le 15 décembre avec les Empires centraux l'armistice de Brest-Litovsk, prélude à la paix

1. R. Poincaré, *Au service de la France*, *op. cit.*, t. IX, p. 141-142.

définitive conclue le 3 mars 1918. La Roumanie, la Serbie, le Monténégro et l'Albanie étaient occupés par les armées austro-allemandes et, du côté italien, les Austro-Allemands avaient percé le front italien à Caporetto le 24 octobre, obligeant l'adversaire à se replier sur la Piave. Mais clairvoyance aussi de l'empereur qui se rendait compte que l'entrée en guerre des États-Unis depuis avril 1917 risquait tôt ou tard de modifier sensiblement le rapport des forces ; il savait aussi que la poursuite de la guerre et les souffrances qu'elle entraînait pouvaient engendrer dans l'Empire des troubles, voire une révolution à l'exemple de ce qui venait de se produire en Russie. C'est ce qu'il tentait de faire comprendre à Guillaume II dans une lettre du 12 avril 1917 : « Nous avons à combattre un nouvel adversaire beaucoup plus dangereux que l'Entente, la révolution internationale... Je te conjure... de penser qu'une fin prompte de la guerre — obtenue même au prix de lourds sacrifices — nous donnera la possibilité de nous opposer efficacement aux mouvements dévastateurs qui se préparent[1]. »

La mort programmée de la monarchie des Habsbourg

Jusqu'à l'été de 1918, aussi longtemps que la situation militaire parut favorable, les nationalités demeurèrent loyales et leurs représentants aux Parlements de Vienne et de Budapest n'envisageaient pas sérieusement de se séparer de la monarchie habsbourgeoise ; en revanche, beaucoup souhaitaient des réformes et comptaient sur le jeune empereur pour les réaliser.

Tout se jouait cependant à l'extérieur de l'Empire où l'émigration tchèque, « yougoslave » et roumaine était particulièrement active et cherchait à gagner à sa cause les pays de l'Entente. Déjà, le 7 juillet 1917, à Corfou où il s'était réfugié, le chef du gouvernement serbe Pachitch, les représentants autoproclamés des peuples slaves du sud dc l'Autriche-Hongrie et des délégués monténégrins avaient exprimé leur intention de créer un État yougoslave où les nationalités seraient égales en droits, et cela sous l'autorité de la dynastie des Karageorge. Au début de 1918, le démembrement de la monarchie austro-hongroise avait été inscrit au nombre des buts de guerre des Alliés à la demande de Benés et de Masaryk. La même année, en avril, le journaliste Wickham-Steed et un

1. F. Fischer, *Les Buts de guerre de l'Allemagne impériale*, Paris, 1970, p. 361-362.

universitaire, le professeur Seton-Watson, tous deux britanniques et farouches adversaires des Habsbourg, réunirent à Rome un « congrès des Nationalités opprimées » où se côtoyaient des représentants de l'émigration tchèque — dont Benés — croate, serbe et roumaine, encadrés par des nationalistes italiens comme le député Agnelli et un certain journaliste « socialiste » en rupture de parti, Benito Mussolini. Tous votèrent une motion réclamant le démantèlement de l'Autriche-Hongrie [1]. Après le congrès de Rome, Wilson se rallia aux positions franco-britanniques sur le démembrement de l'Autriche-Hongrie et à l'idée d'encourager « les aspirations nationales des Tchèques et des Yougoslaves à la liberté ». De leur côté, les Polonais menaient double jeu, espérant que, quelle que soit l'issue de la guerre, un État polonais indépendant serait reconstitué [2].

Mais les déclarations et les marchandages des émigrés n'eurent pendant longtemps qu'un impact limité sur les divers peuples de l'Empire. Au sein même de l'armée austro-hongroise, l'immense majorité des troupes demeura loyale. Certes, il y avait eu en avril 1915 et surtout en mai-juin 1916 la désertion de plusieurs régiments tchèques, ce qui permit la création en Russie d'une *Légion tchécoslovaque* qui prit part indirectement à la guerre civile. De même, en février 1918, on assista à quelques actions de mutins dans la flotte stationnée à Kotor. Mais, comme le remarquait le professeur Tapié, « malgré ces faits, on ne peut pas oublier que dans l'ensemble, l'armée austro-hongroise se battit avec une énergie constante et, quelle que fut son origine ethnique, le soldat, lié par un serment personnel de fidélité qu'il ne prenait pas à la légère, donna des preuves d'endurance et de courage [3] ».

Plus grave était la montée du mécontentement populaire. Le rationnement alimentaire et le manque de combustibles étaient particulièrement sensibles à Vienne et dans les villes d'Autriche, beaucoup moins en Hongrie. La hausse du coût de la vie affectait principalement les petites gens. Jusqu'en 1917, le Parti social-démocrate avait joué le jeu de l'union nationale et avait adopté une attitude patriotique. Après la révolution russe, les socialistes d'Autriche-Hongrie prirent ouvertement position en faveur de la paix et se radicalisèrent. Une nouvelle diminution des rations de pain en janvier 1918 provoqua un vif mécontentement. Parti de

1. F. Fejtö, *Requiem pour un empire défunt*, *op. cit.*, p. 279-280.
2. H. Bogdan, *Histoire des pays de l'Est*, *op. cit.*, p. 227-228.
3. V. L. Tapié, *Monarchie et peuples du Danube*, *op. cit.*, p. 405-406.

Wiener Neustadt, un mouvement de grève gagna la Basse et la Haute-Autriche, les centres industriels de Styrie et de Moravie, et même Budapest. Souvent, dans les usines en grève, on voyait se constituer des conseils ouvriers sur le modèle bolchevique[1]. Le mouvement s'essouffla au bout d'une semaine et le travail reprit progressivement. Ce qui était inquiétant, c'était l'influence des soldats, anciens prisonniers de guerre en Russie et rapatriés après l'armistice de Brest-Litovsk ; nombre d'entre eux furent des propagandistes au service de la cause révolutionnaire. L'empereur chercha autant qu'il le put à éviter une répression trop sévère tout en essayant, à son niveau, de partager les difficultés de la population. Les dépenses somptuaires furent considérablement réduites, le luxe banni de la Cour, et même les célèbres chevaux *Lippizan* de l'École de cavalerie espagnole furent mis à contribution pour le transport des marchandises. L'agitation sociale fut permanente dans les derniers mois de la guerre. En juin 1918, la Hongrie, fut touchée à son tour par une vague de grèves ; on n'y réclamait plus seulement de meilleurs salaires, mais aussi la paix et des réformes politiques.

Les dernières tentatives de l'empereur en faveur de la paix

Lors d'une entrevue avec le prince Louis Windischgraetz en janvier 1918, l'empereur lui avait déclaré : « Je ne veux pas laisser affamer mon peuple, je ne peux pas laisser mes peuples mourir de faim[2]. » Après l'échec de l'affaire Sixte et des autres contacts avec la France, l'empereur se tourna vers Londres. À la fin de 1917, le comte Mensdorff-Pouilly se rendit en Suisse pour y rencontrer le général Smuts, un Sud-Africain membre du cabinet britannique, mais les négociations échouèrent. En mars 1918, un diplomate autrichien d'origine polonaise, Skrzynski, renoua avec Londres, sans résultat. Il y eut aussi des tentatives d'ouverture du côté de Wilson, dès février 1918, par l'intermédiaire du roi d'Espagne. Le message des *Quatorze Points* de Wilson en date du 8 janvier était relativement acceptable par Vienne dans la mesure où le point n° 10 relatif au « développement autonome des peuples d'Autriche-Hongrie » était proche des idées de l'empereur. Les contacts avec Wilson furent interrompus en avril, après la démission de Czernin liée à la divulgation par Clemenceau de la lettre de l'empereur à

1. G. Brook-Shepherd, *Le Dernier Habsbourg*, *op. cit.*, p. 147-148.
2. *Mémoires* du prince Louis Windischgraetz, *op. cit.*, p. 147.

son beau-frère en date du 24 mars 1917[1]. L'embarras dans lequel fut mis l'empereur Charles et l'obligation dans laquelle il se trouva d'assurer l'Allemagne de son entière collaboration mirent fin à tout espoir de conclure une paix séparée. Désormais, la monarchie austro-hongroise tomba entièrement sous la coupe de l'Allemagne. Le traité de Spa du 12 mai 1918 fit de l'Autriche-Hongrie un véritable satellite de l'Allemagne. L'avenir de la Double Monarchie dépendait maintenant du succès ou de l'échec de l'offensive déclenchée en mars par Ludendorff sur le front occidental.

L'effondrement du régime

Jusqu'à l'été 1918, en dépit des difficultés évoquées plus haut, on pouvait penser que l'Empire avait des chances raisonnables de survivre. Malgré la multiplication des grèves et des manifestations en faveur de la paix, la majorité de la population était demeurée fidèle à la Couronne. Preuve en est la réception que la ville de Presbourg fit le 16 juillet 1918 au couple impérial. L'impératrice Zita relate cette visite dans l'ancienne capitale de la Hongrie : « Le voyage de Presbourg... constitua une expérience merveilleuse. Nous descendîmes le Danube à bord d'un vapeur avec Otto [l'héritier du trône]... et notre fille aînée Adélaïde. Partout l'enthousiasme fut énorme et manifestement spontané. La guerre, la faim, la haine semblaient oubliées. La réception fut telle que nous nous demandions : "Tout cela n'est-il qu'un rêve ?" En un sens évidemment, c'en était un. La tristesse ne nous en étreignait pas moins au cœur de cette joie car nous savions que ces ovations étaient spontanées certes, mais trompeuses. Rien ne les alimentait en profondeur et l'empereur me conseilla de ne pas céder à l'illusion. Quelle que fût la chaleur avec laquelle le peuple nous accueillait, Charles savait que l'Empire ne pouvait plus survivre longtemps sans le bienfait de la paix à l'extérieur et de la raison à l'intérieur[2]. »

---

1. G. Pedroncini, *Les Négociations secrètes pendant la Grande Guerre*, *op. cit.*, p. 84-91, et les *Carnets secrets d'Abel Ferry 1914-1918*, Paris, 1957, p. 228-229.
2. G. Brook-Shepherd, *Le Dernier Habsbourg*, *op. cit.*, p. 200.

Les défaites militaires et la crise de l'État

L'échec des offensives allemandes à l'ouest marqua la fin du dernier espoir des Puissances centrales de l'emporter. Ce fut au tour des armées de l'Entente de passer à l'offensive à partir du 8 août non seulement sur le front occidental où les Allemands commencèrent à reculer, mais sur tous les autres fronts. Dans les Balkans, l'armée d'Orient commandée par le général Franchet d'Esperey, formée de contingents français et serbes, lança le 15 septembre une offensive contre le front tenu par les Bulgares. En quelques jours, l'armée bulgare fut anéantie et le 26 septembre, les Bulgares demandèrent l'armistice qui fut signé le 29. Les Turcs, peu après, déposèrent à leur tour les armes. Le territoire serbe fut libéré et la Roumanie reprit la guerre aux côtés de l'Entente. Du côté italien, le 24 octobre, le général Diaz lança une attaque générale contre les forces austro-hongroises et le front de la Piave fut rompu quatre jours plus tard.

L'empereur Charles avait parfaitement compris qu'une défaite des Puissances centrales entraînerait la fin de la monarchie habsbourgeoise. Dès le 6 septembre, il avait fait savoir aux Allemands que l'Autriche-Hongrie était décidée à demander la paix même sans leur accord. Le 14, le nouveau ministre des Affaires étrangères, le baron Burian, avait proposé l'ouverture de négociations en pays neutre avec suspension des hostilités, sur la base des *Quatorze Points* de Wilson[1]. Après le rejet de la demande de Burian, un message fut adressé le 4 octobre au président des États-Unis pour demander un armistice suivi de négociations sur la base des *Quatorze Points* ; on y évoquait toutes les tentatives d'ouverture de paix faites précédemment et les transformations en cours dans l'Empire. La réponse ne parvint à Vienne que le 20 octobre. Wilson y déclarait qu'il n'était « plus en mesure d'accepter la simple *autonomie* des peuples comme préalable à la paix » et rappelait que les États-Unis avaient reconnu le Conseil national tchécoslovaque en exil comme gouvernement belligérant *de facto* et seul apte à diriger les affaires de la Tchécoslovaquie, et qu'il se ralliait aux aspirations à la liberté des Yougoslaves[2].

À l'intérieur de l'Empire, les peuples avaient pris conscience que

1. P. Renouvin, *L'Armistice de Rethondes*, Paris, 1968, p. 47.
2. G. Brook-Shepherd, *Le Dernier Habsbourg*, *op. cit.*, p. 212.

la guerre était bel et bien perdue et qu'il leur faudrait assumer le prix de cette défaite. Leurs responsables politiques comprirent que le moment était venu de se désolidariser au plus vite de l'Empire... et de l'empereur, selon le vieil adage : « Le bateau coule, les rats quittent le navire ! » Un peu partout se constituèrent des Conseils nationaux. Pourtant, dès le 1er octobre, le nouveau chef du gouvernement autrichien, le baron Hussarek, avait annoncé l'instauration d'un régime fédéraliste en Cisleithanie. Pour les sociaux-démocrates, c'était insuffisant et, le 4 octobre, leur chef Victor Adler fit adopter par le *Reichsrat* une motion reconnaissant à tous les peuples de la Cisleithanie le droit à l'autodétermination[1]. Le 16 octobre, l'empereur fit publier un Manifeste assurant que « l'Autriche deviendra un État fédéral où chaque groupe ethnique sur son territoire formera sa propre communauté politique ». Il appelait tous les peuples à apporter « leur aide à la réalisation de cette grande œuvre par l'intermédiaire des Conseils nationaux qui, constitués des députés mandatés par chaque nation, représenteront les intérêts de leur peuple dans les limites de leur territoire et par devers mon gouvernement ». Mais ce Manifeste était limité à la Cisleithanie puisqu'il ne devait affecter « en aucune façon l'intégrité de la Couronne sacrée de Hongrie »[2].

Loin de satisfaire les nationalités de Cisleithanie, le Manifeste fut considéré par elles comme un signe de faiblesse et il accéléra le processus de décomposition de l'Empire. Dès le 19 octobre, les députés tchèques réunis en Conseil national se prononcèrent pour l'indépendance de la Bohême ; la veille, à Washington, Masaryk avait proclamé l'indépendance de la Tchécoslovaquie à la suite d'un accord passé à Pittsburgh avec les chefs des Slovaques d'Amérique. Le 28 octobre, la République était proclamée à Prague et le 30, le Conseil national des Slovaques de Hongrie se ralliait à une Tchécoslovaquie qui devrait être fédérale. Le même jour, le Conseil national de Bucovine proclamait le rattachement de ce territoire à la Roumanie. Le 29 octobre, la Diète de Croatie mettait fin aux liens qui l'unissaient à la Hongrie et à l'Empire et se ralliait à l'idée d'une participation à l'« État commun, souverain et national des Croates, Serbes et Slovènes » sur la base de l'égalité des droits entre ces trois nations ; le 30, la Diète slovène adoptait la même attitude. Quant au Conseil national polonais, il prenait en mains

1. J. Bérenger, *Histoire de l'Autriche*, *op. cit.*, p. 87.
2. G. Brook-Shepherd, *Le Dernier Habsbourg*, *op. cit.*, p. 200.

l'administration de la Galicie[1]. Les députés allemands d'Autriche ne furent pas les derniers à se lancer dans l'aventure. Le 21 octobre, ils avaient proclamé leur droit à l'autodétermination et s'étaient constitués en une Assemblée nationale de l'État indépendant d'*Autriche allemande*. Deux des trois partis dominants, les sociaux-chrétiens et les nationaux-allemands, s'étaient prononcés en faveur d'une monarchie constitutionnelle. Les sociaux-démocrates, eux, avaient opté pour un « État démocratique populaire » de forme républicaine[2].

La Hongrie semblait une exception, une oasis de paix dans un Empire en pleine ébullition. Au Parlement, les partisans de l'indépendance étaient minoritaires, mais leur porte-parole, le comte Michel Károlyi, un aristocrate en rupture de classe, hostile à l'alliance allemande et à la guerre, ne cessait de dénoncer la politique du gouvernement Wekerlé. Le 22 octobre, Károlyi déposa un projet de loi en faveur de l'indépendance, mais la majorité refusa de l'inscrire à l'ordre du jour. Trois jours plus tard, Károlyi et les députés de l'opposition bourgeoise et du Parti de l'indépendance, rejoints bientôt par des représentants socialistes, formèrent un Conseil national en vue de préparer l'indépendance du pays[3]. L'influence du Conseil national se limitait aux milieux intellectuels et ouvriers de la capitale et de quelques villes de province ; la majorité du pays semblait étrangère aux bouleversements en cours. C'est ce qui amena l'empereur Charles et son épouse à se rendre en Hongrie. Les souverains y séjournèrent du 22 au 27 octobre. Leur première visite fut pour Debrecen, la ville où, en 1849, Kossuth avait proclamé la déchéance des Habsbourg. Le 23 octobre, à leur arrivée à Debrecen, le couple royal fut accueilli au son de l'hymne impérial, le *Gott erhalte* ; le roi, mécontent de cette bévue, reprocha aussitôt au chef de la fanfare de ne pas avoir joué l'hymne hongrois. L'incident aurait pu en rester là si des journalistes, au service de Károlyi, n'en avaient pas fait la relation à leurs journaux à Budapest. L'opposition cria au scandale et Károlyi exploita à son profit cette maladresse. En réalité, la visite des souverains à Debrecen fut un succès ; la population leur fit un accueil triomphal. Sur la grand-

1. H. Bogdan, *Histoire des pays de l'Est*, *op. cit.*, p. 236-237.
2. G. Brook-Shepherd, *Le Dernier Habsbourg*, *op. cit.*, p. 241.
3. C. Károlyi, *On m'appelait la comtesse rouge*, *op. cit.*, p. 181-182, et T. Hajdú, *Károlyi Mihály*, *op. cit.*, p. 276.

place, devant la grande église protestante, l'évêque calviniste Balthasar salua Charles et Zita en les qualifiant de « fondateurs de la Hongrie nouvelle ». Puis le roi entonna l'hymne hongrois, repris en chœur par la foule. Après quoi, les souverains allèrent inaugurer la nouvelle université [1].

Après leur passage à Debrecen qui leur rendit espoir, le roi et la reine passèrent quelques jours au château de Gödöllö. C'est là qu'ils apprirent les mauvaises nouvelles en provenance du front italien. À la suite de l'offensive de Diaz, les Italiens avaient percé les lignes de défense austro-hongroises et des unités hongroises avaient fait défection ; elles avaient décidé de rentrer en Hongrie pour y défendre leur pays menacé à l'est par l'offensive de Franchet d'Esperey. Ces événements avaient eu de graves conséquences en Hongrie même. Outre l'agitation entretenue à Budapest par le Conseil national, les chefs politiques des nationalités organisaient des Conseils nationaux dont les revendications remettaient en cause l'existence même de la Grande Hongrie.

Károlyi sut exploiter la crainte des Hongrois de voir démembrer le pays et se présenta comme étant le seul à pouvoir le sauver. Le 28 octobre, des grèves éclatèrent à Budapest et des conseils ouvriers se constituèrent dans les entreprises. La démission du cabinet Wekerlé créa un vide du pouvoir que Károlyi espérait bien utiliser à son avantage. Le roi Charles l'avait reçu à Gödöllö le jour même, mais, de retour à Vienne le 29, il se ravisa et chargea le comte Hadik de former un gouvernement de transition. À cette nouvelle, des manifestations eurent lieu le 30 à Budapest ; la foule grossie de soldats mutinés s'empara des bâtiments publics. Le général Lukasics, qui commandait la garnison, se résigna faute d'instructions à remettre le pouvoir au Conseil national. Le 31 octobre, l'empereur remplaça le comte Hadik démissionnaire par Károlyi qui reçut sa nomination par téléphone depuis Vienne. C'est devant l'archiduc Joseph, de la branche hongroise des Habsbourg et qui exerçait les fonctions d'*Homo Regius*, qu'il prêta serment. Quelques heures auparavant, un groupe de soldats mutinés avait assassiné le comte Tisza qu'ils accusaient d'avoir provoqué la guerre, alors qu'il avait tout fait pour l'empêcher !

1. *Mémoires* du prince Louis Windischgraetz, *op. cit.*, p. 278-279.

Les derniers jours de la monarchie

Le dualisme était mort le 16 octobre avec le Manifeste de l'empereur à ses peuples. Les Tchèques, les Slaves du Sud, les Polonais avaient choisi la voie de l'indépendance. L'Autriche allemande et la Hongrie étaient devenues indépendantes *de facto* et le seul lien qui les unissait encore était l'empereur. La seule institution commune qui avait survécu à la tourmente était l'armée. Attaquées à l'ouest par les Italiens et à l'est et au sud par l'armée d'Orient, les forces austro-hongroises s'efforçaient de ralentir la progression de l'ennemi. Dès le 29, l'empereur avait demandé aux Italiens la conclusion d'un armistice. Les conditions en furent acceptées par Vienne le 3 novembre. À ce moment, les troupes austro-hongroises déposèrent les armes. Mais les Italiens attendirent jusqu'au 4 avant d'apposer leur signature et profitèrent de la confusion qui régnait dans l'armée impériale et royale pour lancer une dernière offensive, ce qui leur permit de faire trois cent cinquante mille prisonniers et de s'emparer d'une grande quantité de matériel. Cette félonie permit aux Italiens de revendiquer la pseudo-victoire de Vittorio-Veneto. Lorsque l'empereur apprit l'étendue du désastre, il murmura : « Au moins, il n'y aura plus d'autres soldats qui tomberont sur le front[1]. »

L'armistice de Villa Giusti qui concernait l'ensemble des armées austro-hongroises prévoyait la démobilisation immédiate des troupes, la livraison de matériel de guerre et de la totalité de la flotte, et donnait le droit aux armées de l'Entente de traverser le territoire de l'Empire pour continuer la guerre en direction de l'Allemagne du Sud. Les soldats, désemparés, s'empressèrent de regagner leurs pays respectifs dans le désordre le plus total, certains se livrant au pillage dans les campagnes qu'ils traversaient. L'armée avait à son tour cessé d'exister.

L'empereur Charles était désormais seul dans son palais de Schönbrunn. À Budapest, Károlyi et ses partisans se prononçaient en faveur de la république ; le ministre de la Guerre, le colonel Linder, lançait son slogan lourd de conséquences : « Je ne veux plus voir de soldats. » Aussitôt, les contingents hongrois de l'armée KuK regagnèrent leurs foyers, y compris le bataillon de la Garde

1. G. Brook-Shepherd, *Le Dernier Habsbourg*, *op. cit.*, p. 236-237.

affecté à Schönbrunn. Les forces roumaines et serbes profitèrent d'ailleurs de la démobilisation hâtive des troupes hongroises pour envahir le pays malgré les stipulations de l'armistice. À Vienne, les politiciens parlaient de plus en plus de république. Les manifestations populaires précipitèrent les événements et servirent d'argument à une partie de la classe politique qui voulait se débarrasser de l'empereur. En réalité, ces manifestations ne rassemblaient qu'un nombre réduit de participants, encadrés par des militants socialistes. Il n'y a jamais eu à Vienne de manifestations de masse comme il y en eut à Petrograd ou à Berlin. Schönbrunn où l'empereur et sa famille, abandonnés de tous, continuaient à résider ne fut jamais attaquée. Charles et Zita descendaient chaque après-midi dans le parc du château et s'y mêlaient à la foule des promeneurs — qui y avait toujours eu libre accès — sans rencontrer de marques d'hostilité, bien au contraire. Beaucoup de volontaires étaient tout disposés à venir assurer la protection de l'empereur, tels le colonel des uhlans Meraviglia-Crivelli et ses anciens compagnons d'armes, ainsi que les cadets de l'École militaire de Wiener Neustadt, mais on s'arrangea pour que ces offres de service ne fussent jamais communiquées à l'empereur [1].

L'abdication de Guillaume II et la proclamation de la république à Berlin le 9 novembre incitèrent ceux qui à Vienne voulaient la république à passer à l'action. Le soir même, la direction du Parti social-démocrate se prononça en faveur d'une « République démocratique et socialiste d'Autriche allemande ». Tout dépendait du Parti social-chrétien, le principal groupe de l'Assemblée provisoire, que dirigeaient Mgr Hauser et l'abbé Seipel. Au cardinal Piffl venu défendre les intérêts de la monarchie, Mgr Hauser répondit : « ... je puis vous assurer que le Parti social-chrétien restera fidèle au drapeau impérial. Et même si tous l'abandonnent, on me trouvera toujours à ses côtés. » La loyauté de Hauser n'était qu'apparente, car il ajouta que son parti le suivrait plus facilement si l'empereur laissait le peuple choisir la forme de régime qu'il souhaitait lors de la réunion de l'Assemblée prévue le 12 novembre [2]. Le cardinal Piffl partageait ce point de vue [3].

Le 11 novembre, le Conseil des ministres rédigea un projet de Manifeste à soumettre à l'empereur et par lequel il renonçait

1. A. Polzer-Hoditz, *L'Empereur Charles*, *op. cit.*, p. 295-296.
2. M. Dugast-Rouillé, *Charles de Habsbourg*, *op. cit.*, p. 194-196.
3. G. Brook-Shepherd, *Le Dernier Habsbourg*, *op. cit.*, p. 249.

provisoirement à l'exercice du pouvoir. Le chef du gouvernement, le professeur Lammasch qui avait succédé à Hussarek le 12 octobre, accompagné du ministre de l'Intérieur, se rendit auprès de l'empereur. On brandit devant lui la menace que s'il ne signait pas, il pourrait y avoir des manifestations ouvrières devant Schönbrunn. Le texte proposé était pour une grande part l'œuvre de Hauser et de Seipel. La trahison des chrétiens-sociaux était évidente ; par lâcheté ou par opportunisme, ils avaient abandonné le souverain. Sur le conseil de son secrétaire Werkmann et malgré l'opposition de Zita à toute idée d'abdication, l'empereur se résigna à signer le document présenté. Après avoir rappelé qu'il ne voulait pas être « un obstacle au libre développement » de ses peuples et qu'il acceptait par avance « les décisions que prendra l'Autriche allemande au sujet de sa forme constitutionnelle future », il annonçait son intention de renoncer « à la part qui me revient dans la conduite des affaires de l'État » et releva aussitôt de ses fonctions le gouvernement Lammasch[1].

Le lendemain, l'Assemblée nationale provisoire, sur proposition des sociaux-démocrates, proclamait la république grâce aux députés chrétiens-sociaux de Mgr Hauser — seuls trois d'entre eux votèrent contre la république et parmi eux Wilhelm Miklas, le futur président de la République de 1928 à 1938 — qui joignirent leurs voix à celles des socialistes[2]. Ainsi se manifestait la « trahison des clercs » à l'égard d'une dynastie qui avait tant fait pour l'Église. Beaucoup plus grave que la proclamation de la « République démocratique d'Autriche allemande » était l'article II de la nouvelle constitution, car il y était dit que l'Autriche était « partie intégrante de la République allemande ». Non seulement les parlementaires avaient trahi l'empereur, mais ils avaient aussi trahi la patrie autrichienne.

Ce qui s'était passé à Vienne incita Károlyi à faire de même en Hongrie. Pour légitimer le changement de régime, il avait besoin de l'abdication du roi Charles. À cet effet, il envoya à Eckartsau, où la famille impériale et royale s'était retirée au soir du 11 novembre, une délégation en vue d'arracher au roi une abdication en bonne et due forme. Le cardinal-primat Csernoch qui devait

1. M. Dugast-Rouillé, *Charles de Habsbourg*, *op. cit.*, p. 197-198.
2. J. Sévillia, *Zita, l'impératrice courage*, Paris, 1997, p. 149, et G. Brook-Shepherd, *Le Dernier Habsbourg*, *op. cit.*, p. 254-255.

conduire la délégation refusa au dernier moment cette mission. Les envoyés de Károlyi, le prince Nicolas Esterházy, grand échanson de la Cour, le baron Wlassics, président de la Chambre haute et deux autres membres de la Chambre haute, les comtes Dessewffy et Széchényi [1] furent reçus par le roi le 13 novembre et lui demandèrent d'abdiquer. En dépit de l'insistance de ses interlocuteurs, Charles refusa. Un compromis fut cependant trouvé et le roi signa un document connu sous le nom de *Lettre d'Eckartsau* dans lequel il déclarait : « Je ne veux pas que ma personne soit un obstacle au libre développement de la nation hongroise pour laquelle je ressens toujours le même constant amour. En conséquence, je me démets de toute participation aux affaires de l'État et *a priori* je reconnais la décision par laquelle la Hongrie déterminera la forme future de l'État. » Aussitôt après, le Conseil national fit de la Hongrie une république qui fut proclamée solennellement le 16 novembre et dont le président autoproclamé et non élu était Michel Károlyi [2].

Comme en Autriche, il y eut en Hongrie les mêmes reniements, les mêmes trahisons. Aristocrates, magnats, dignitaires de l'ancien régime, hommes politiques, officiers supérieurs vinrent, à quelques exceptions près, faire allégeance au nouveau régime. Seule l'Église demeura fidèle à la dynastie. En Autriche comme en Hongrie, ce ne fut pas le peuple, ce ne fut pas le pays réel qui chassa les Habsbourg, mais la classe politique et les privilégiés, toux ceux qui craignaient pour leurs privilèges matériels et qui surent habilement exploiter l'amertume de la guerre perdue et la misère du monde ouvrier. Le peuple des campagnes, qui constituait la majorité de la population, avait été tenu à l'écart des changements qui se produisaient.

L'exil

Pendant l'hiver 1918-1919, l'empereur et sa famille vécurent au château d'Eckartsau, un relais de chasse de Basse-Autriche. La population locale avait fait un accueil chaleureux à la famille impériale. Mais la présence de l'empereur en terre autrichienne dérangeait, voire inquiétait les nouveaux maîtres du pays. Au début de

1. J. Károlyi, *Madeirai emlékek* (Souvenirs de Madère), Székesfehérvár, 1996, p. 112. L'auteur, Joseph Károlyi, est le demi-frère de Michel Károlyi avec lequel il était ouvertement en conflit sur le plan politique.

2. H. Bogdan, *La Question royale en Hongrie au lendemain de la Première Guerre mondiale*, Louvain, 1979, p. 8.

janvier 1919, le chancelier Renner se rendit à Eckartsau pour demander à l'empereur d'abdiquer et de quitter le pays, comme l'avait souhaité l'Assemblée nationale réunie à huis clos le 23 décembre [1]. La demande de Renner fut remise à l'aide de camp de l'empereur, celui-ci ayant refusé de recevoir le chancelier. Renner était inquiet, car le nouveau régime était fragile. À l'extrême gauche, les communistes et l'aile gauche du Parti social-démocrate aspiraient à créer en Autriche un régime de type bolchevique ; à droite, le monde rural conservait toute sa sympathie à l'égard de la dynastie. Le gouvernement autrichien craignait que l'empereur ne devienne le point de ralliement des monarchistes, encore très nombreux dans le pays.

Le roi d'Angleterre, George V, sollicité par les princes Sixte et Xavier de Bourbon-Parme inquiets pour la sécurité de leur beau-frère et redoutant qu'il ne subisse un sort analogue à celui de Nicolas II, dépêcha à Eckartsau un médecin militaire, le colonel Summerhayes, bientôt remplacé par le lieutenant-colonel Strutt. Le 17 mars, Londres prévint Strutt qu'« il était hautement recommandable que l'empereur quitte l'Autriche pour se rendre en Suisse immédiatement ». Renner et Strutt organisèrent le départ de la famille impériale ; au dernier moment, le chancelier exigea l'abdication de l'empereur, mais Strutt menaça de faire rétablir le blocus économique de l'Autriche [2]. Le 23 mars, la famille impériale et sa suite quittèrent Eckartsau pour la gare de Kopfstetten. Là, une foule nombreuse de villageois, les maires et les conseillers municipaux, les anciens combattants accourus de toute la région, vinrent saluer l'empereur une dernière fois. À 19 h 05, le train spécial prit la direction de l'ouest et le lendemain, en début d'après-midi, quitta le territoire autrichien. À Feldkirch, la dernière gare autrichienne, l'empereur délivra un document écrit dans lequel il protestait solennellement contre toutes les mesures prises par le gouvernement : « Ce que le gouvernement austro-allemand, les Assemblées nationales, provisoire et Constituante, ont décidé... depuis le 11 novembre et les résolutions qu'elles pourront prendre par la suite sont... considérées comme nulles et non avenues. »

Arrivés à la gare suisse de Buchs, l'empereur et les siens s'installèrent aussitôt au château de Wartegg, résidence de la mère de l'impératrice, avant de se fixer à la fin d'avril au château de Prangins,

1. J. Sévillia, *Zita l'impératrice courage*, *op. cit.*, p. 152.
2. *Ibid.*, p. 153 et suiv.

non loin de Genève. Les Habsbourg revenaient ainsi en Suisse, là où leurs lointains ancêtres avaient jeté les bases de leur puissance. Peu après l'installation de l'empereur en Suisse, l'Assemblée nationale autrichienne vota le bannissement de tous les membres de la famille impériale et confisqua aussi bien les biens de la Couronne que la fortune privée des Habsbourg. À l'exil s'ajoutait maintenant la pauvreté [1].

LES TENTATIVES DE RESTAURATION EN HONGRIE ET LEUR ÉCHEC

De son exil suisse, l'empereur Charles n'avait jamais cessé de s'intéresser à ce qui se passait en Autriche et en Hongrie. Il entretenait une correspondance suivie avec des personnalités monarchistes et évoquait avec elles les chances d'une éventuelle restauration.

Les possibilités de restauration en 1919-1920

En Autriche, l'éventualité d'une restauration de la monarchie n'était guère envisageable. Le gouvernement socialiste appuyé par les milices ouvrières de la Garde rouge intégrées à la nouvelle armée, la *Volksheer*, d'où l'on avait exclu les anciens officiers de l'armée KuK, et par les syndicats tenait bien en main le pays. Pourtant, il y avait des monarchistes en Autriche. Pour preuve, le fait qu'à l'automne 1919 des *légitimistes* [2] hongrois avaient pris contact avec des représentants de la droite en Styrie mais l'arrestation de ceux-ci mit fin à un projet de restauration [3]. Par crainte d'un éventuel retour de l'empereur, des agents autrichiens surveillaient étroitement les allées et venues du souverain. C'était le cas entre autres de l'attaché militaire autrichien à Berne jusqu'en novembre 1918, le baron Berlersch, « noir et jaune jusqu'à la moelle », qui se mit au service des nouveaux maîtres pour espionner l'empereur [4].

En Hongrie, les chances de restauration étaient plus grandes. Après l'échec de la république bourgeoise de Károlyi, et l'effondre-

---

1. M. Dugast-Rouillé, *Charles de Habsbourg*, *op. cit.*, p. 202.
2. On appelait « légitimistes » ceux qui en Hongrie étaient demeurés fidèles aux Habsbourg.
3. T. Zsiga, *Horthy ellen, a Királyért* (Contre Horthy, pour le Roi), Budapest, 1989, p. 74.
4. *Mémoires* du prince Louis Windischgraetz, *op. cit.*, p. 361.

ment de la république des Conseils en août 1919, des élections au suffrage universel et secret avaient eu lieu en janvier 1920. Le nouveau Parlement était dominé par le Parti national-chrétien unifié, légèrement majoritaire et de tendance légitimiste, et par le Parti des petits propriétaires, favorable en majorité à l'élection d'un roi national. Tout le monde se mit d'accord pour rétablir la forme monarchique de l'État. Pour éviter d'indisposer l'Entente au moment où le projet de traité de paix allait être présenté à la Hongrie, le Parlement décida que les fonctions de chef de l'État seraient confiées à un régent, et ce fut l'amiral Horthy, l'ancien chef de la marine impériale et royale, qui fut élu à ce poste le 1er mars 1920 à une très large majorité. Le régent était considéré en Hongrie et à l'étranger comme un fidèle du roi Charles à qui il avait fait savoir, avant son élection, qu'il lui remettrait le pouvoir dès que la paix serait signée [1].

La restauration n'était pas seulement un problème hongrois. Elle était devenue un problème international depuis que le 2 février 1920, la Conférence des ambassadeurs avait rappelé que « les principales Puissances alliées... ne sauraient admettre que la restauration de la dynastie des Habsbourg puisse être considérée comme une question intéressant uniquement la nation hongroise. Elles déclarent donc par la présente qu'une restauration de cette nature serait en désaccord avec les bases mêmes du règlement de la paix et ne serait par elles ni reconnue ni tolérée. » Ce texte avait été proposé par le représentant britannique. Au début de 1920, le Royaume-Uni, l'Italie et la Tchécoslovaquie semblaient les plus déterminés à s'opposer au retour des Habsbourg. Si cette déclaration fut bien accueillie par le gouvernement autrichien qui voyait ainsi un appui allié au régime républicain, elle créait en Hongrie une situation dont devaient tenir compte les légitimistes et à plus forte raison l'amiral Horthy et son gouvernement. Après la signature du traité de Trianon le 4 juin 1920, qui amputait la Hongrie des deux tiers de son territoire et qui plaçait plus de trois millions de Magyars sous la domination des « États successeurs » voisins, la préoccupation essentielle du gouvernement fut de reconstruire le pays. La Hongrie avait théoriquement recouvré sa souveraineté, mais il s'agissait d'une « souveraineté limitée » qui lui interdisait de rendre son trône au roi Charles. Dans un discours prononcé à

1. Z. Vas, *Horthy vagy a Király* (Horthy ou le roi), Budapest, 1971, p. 64-65.

Sopron en septembre 1920, le régent Horthy évoqua la question royale en ces termes : « Celui qui, aujourd'hui, soulève de façon inopportune la question royale trouble la paix du pays, empêche sa reconstruction et nous prive de la possibilité d'établir de bonnes relations avec l'étranger[1]. »

Le roi et son régent

Le 26 mars 1921, la veille de Pâques, dans la soirée, le roi Charles, accompagné du comte Erdödy, se présenta au palais épiscopal de Szombathely où se trouvait l'évêque Mikes en compagnie des ministres de l'Instruction publique et des Cultes, le chanoine Vass et de plusieurs invités. C'était l'aboutissement d'un voyage qui l'avait conduit de Prangins jusqu'à Vienne *via* Strasbourg où il s'était embarqué à bord de l'Orient-Express. Un voyage qui n'est pas sans poser des questions, car « les formalités des passeports et des douanes, si embarrassantes pour les voyageurs qui circulent en Europe centrale, ne paraissent pas avoir gêné le petit-neveu de François-Joseph[2] », ce qui laisse à penser que les autorités françaises, notamment, étaient au courant de ce voyage, voire l'avaient encouragé, à moins qu'elles n'eussent voulu piéger le souverain et le discréditer à jamais en cas d'échec.

Pourquoi le roi couronné de Hongrie avait-il décidé de franchir le pas ? On peut évoquer plusieurs raisons. D'abord, les légitimistes voyaient avec inquiétude l'évolution de l'attitude du régent qui semblait prendre goût au pouvoir, comme le soulignait le chef d'une délégation économique française, le comte de Saint-Sauveur, dans un rapport au Quai d'Orsay[3]. Certaines personnalités de l'entourage de Horthy, comme le capitaine Gömbös[4] ou ses aides de camp Hardy et Magashazy, étaient connues pour leur vive hostilité à l'égard du roi.

En revanche, le roi pouvait compter sur l'appui de l'Église catholique, d'une grande partie du corps des officiers dont le colonel Anton Lehár[5] qui commandait les troupes en Hongrie occidentale, et de nombreux hommes politiques comme les comtes Andrássy,

1. M. Horthy, *Emlékirataim* (Mes souvenirs), Budapest, 1990, p. 147.
2. *Le Temps* du 30 mars 1921.
3. Archives du Quai d'Orsay, Série Z Hongrie/58, 4 août 1920.
4. Gömbös sera chef du gouvernement hongrois de 1932 à 1936.
5. Anton Lehár était le frère du célèbre auteur d'opérettes viennoises Franz Lehár.

Apponyi, Sigray, Zichy, comme le ministre des Affaires étrangères Gustave Gratz ; le chef du gouvernement, le comte Teleki, lui aussi, était favorable au roi mais avec des réserves, à la différence du président du Parlement Rakovszky, ouvertement légitimiste. Ce qui avait poussé le roi Charles à agir, c'est qu'il pensait pouvoir compter sur un appui discret de la France où, depuis janvier 1921, Briand était redevenu chef du gouvernement. Or Briand était partisan de la restauration des Habsbourg et ne s'en cachait pas[1]. L'impératrice Zita a confirmé par la suite le soutien du gouvernement français au cas où le roi Charles aurait réussi à revenir sur le trône de Hongrie ; mais « si la tentative échoue, il est évident que nous ne pourrons rien faire » aurait déclaré Briand au prince Sixte de Bourbon-Parme qui avait servi d'intermédiaire[2]. J'ai eu confirmation de ces contacts avec Briand, et également avec le maréchal Lyautey, de la bouche même de l'impératrice lorsqu'elle m'a fait l'honneur de me recevoir en 1978.

Ainsi, le roi Charles avait pu arriver sans encombre à Szombathely ; ce n'était pas une foucade de sa part. Il bénéficiait d'un appui tacite des autorités françaises, du moins avait-on voulu le lui faire croire. Toujours est-il qu'à Szombathely, la surprise fut totale. Aussitôt prévenu, le colonel Lehár se présente au roi et lui conseille de se rendre dans les plus brefs délais à Budapest pour y rencontrer le régent et ainsi lui laisser le mérite de céder lui-même le pouvoir à son souverain[3]. Le 27 mars, tôt dans la matinée, le chef du gouvernement Teleki se présenta à son tour en compagnie du chef légitimiste Sigray. Teleki paraissait hésitant. Le roi le rassura en évoquant ses contacts avec Paris. Le chef du gouvernement proposa le plan suivant : le roi partirait pour Budapest afin d'y rencontrer Horthy et lui réclamer le pouvoir, tandis que lui-même accompagné du ministre Vass le précéderait afin de préparer le terrain auprès de Horthy[4].

Comme convenu, le comte Teleki et son ministre partirent pour la capitale deux heures avant le roi, mais ils arrivèrent tous deux bien après lui, quand tout était déjà fini. Un retard aux conséquences fâcheuses. L'explication fournie par Teleki est peu

1. G. Suarez, *Briand*, *op. cit.*, t. V, p. 237-238.
2. G. Brook-Shepherd, *Le Dernier Habsbourg*, *op. cit.*, p. 307-308.
3. A. Lehár, *Errinerungen. Gegenrevolution und Restaurationsversuche in Ungarn 1918-1921*, München, 1973, p. 177-179.
4. *Ibid.*, p. 190-191.

convaincante. Il y aurait eu une erreur d'itinéraire, étrange erreur de la part de quelqu'un qui était un géographe de réputation internationale et, qui plus est, l'un des piliers du scoutisme hongrois... Le roi accompagné du comte Sigray et de deux officiers mis à sa disposition par Lehár arriva à Budapest vers 13 h 30. Après un court arrêt au palais Sándor, siège de la présidence du Conseil où il ne trouva personne, le roi, revêtu d'un uniforme d'officier hongrois et précédé par Sigray, se rendit au palais royal où il fut reçu par l'amiral Horthy. Ce qui s'est dit entre le souverain et le régent donne lieu à deux versions différentes. Dans ses *Mémoires*, Horthy déclare qu'en dépit de son loyalisme, il rappela au roi les menaces qui pèseraient sur la Hongrie en cas de restauration et manifesta un certain scepticisme à l'égard des promesses de Briand. Il proposa de faire confirmer les promesses de Briand par le représentant de la France à Budapest. « Si Briand nous donne la garantie, je remettrai avec joie à Votre Majesté ses droits ancestraux... » sinon « je dois demander à Votre Majesté de quitter aussitôt le pays avant que sa présence soit connue ». Mieux valait pour le roi qu'il attende à Szombathely la réponse française[1]. Le récit donné par le roi est quelque peu différent. Nous le connaissons à travers les notes personnelles du souverain publiées par son secrétaire Werkmann et par le livre d'un légitimiste, Aladar Boroviczény[2], dont le contenu fut confirmé par l'impératrice Zita et repris par Brook-Shepherd. D'après cette version, Horthy aurait exigé de larges compensations honorifiques et matérielles en échange de sa renonciation au pouvoir. Lorsque le roi fit état du soutien de Briand, Horthy, comme dans la première version, conseilla au roi de rentrer à Szombathely et d'attendre la confirmation de l'appui français.

Le soir même, le roi et sa suite reprirent la route et arrivèrent à Szombathely le 28 vers cinq heures du matin. Or, à ce moment-là, Lehár venait de recevoir un ordre du régent lui enjoignant de reconduire le roi à la frontière, ordre qu'il se refusa d'exécuter[3]. Lehár était persuadé qu'il n'y avait rien à attendre de Horthy ; d'ailleurs, dans la journée, un communiqué du ministre de la Guerre annonça que « dans l'intérêt vital de l'État et du roi, S.A.S. le régent ne peut pas transmettre ses pouvoirs de chef d'État ». Szombathely fut

1. *Mémoires* de l'amiral Horthy, *op. cit.*, p. 118-119.

2. K. Werkmann, *Aus Kaiser Nachlass*, Berlin, 1925, et A. Boroviczény, *Der König und seen Reichsverweser*, München, 1924.

3. A. Lehár, *Errinerungen*, *op. cit.*, p. 184.

isolée du reste du pays sur ordre du gouvernement qui interdit également à la presse d'évoquer le retour du roi. Le représentant anglais à Budapest, Hohler, avait entre-temps rappelé à Horthy les positions de l'Entente sur la restauration. Briand, de son côté, fit savoir qu'il se désolidarisait de la tentative du roi et signa une note rédigée par le secrétaire général du Quai d'Orsay, Philippe Berthelot, rappelant que la France était opposée à toute restauration des Habsbourg. Le 31 mars enfin, la Conférence des ambassadeurs réitéra ses positions antérieures sur la question.

À Szombathely, le roi Charles, fatigué et malade, attendait en vain un revirement de Horthy. Peine perdue. Même les légitimistes s'inquiétaient d'une éventuelle attaque des « États successeurs ». Le 5 avril, le roi quitta la Hongrie tandis que la foule rassemblée devant la gare lui criait : « *Viszontlátásra* ! » — au revoir[1] !

Le départ du roi consolida la position de l'amiral Horthy. Le nouveau chef du gouvernement, le comte Bethlen, était un adversaire de la restauration. À l'extérieur, les Grandes Puissances cessèrent de se manifester ; en revanche, les « États successeurs », la Tchécoslovaquie, la Roumanie et la Yougoslavie, conclurent entre eux des traités d'alliance militaire dirigés contre la Hongrie. À côté de la Grande Entente, il y avait maintenant la Petite Entente.

Dès son retour en Suisse, les autorités helvétiques firent savoir à l'empereur-roi qu'il devrait quitter Prangins pour une résidence plus éloignée de la frontière. Le choix se porta sur le château de Hertenstein, non loin de Zurich. De son équipée en Hongrie, Charles en avait tiré la conclusion que « le peuple hongrois... était resté fidèle à la dynastie et désirait ardemment le retour du roi[2] ». À la fin de l'été 1921, l'empereur reçut la visite d'un envoyé du pape Benoît XV, venu l'encourager à tenter un nouveau « putsch » en Hongrie. Horthy lui-même avait déclaré le 4 septembre qu'il n'avait pas eu l'intention de s'accrocher au pouvoir, mais que les circonstances actuelles rendaient impossible la restauration[3]. Son entourage en revanche se livrait à des voies de fait sur les légitimistes ; des députés furent arrêtés en dépit de leur immunité parlementaire. Lorsqu'il apprit que des unités de l'armée qui lui étaient dévouées allaient être dissoutes, Charles se décida à tenter une nou-

1. G. Brook-Shepherd, *Le Dernier Habsbourg*, *op. cit.*, p. 326-327, et *Le Matin* du 7 avril 1921.
2. A. Polzer-Hoditz, *L'Empereur Charles*, *op. cit.*, p. 316.
3. *Ibid.*, p. 316.

velle entreprise. Comme la fois précédente, Briand se montrait favorable à une nouvelle tentative de restauration pourvu que l'affaire soit tenue secrète et qu'elle réussisse rapidement, mais comme en mars, il n'y eut aucun engagement écrit.

Une fois encore, ce fut le colonel Lehár qui se chargea de la préparation technique du retour du souverain. Le 20 octobre 1921, Charles et sa femme, enceinte de plusieurs mois mais qui avait tenu à l'accompagner, arrivèrent dans un petit avion qui atterrit à Dénesfa où se trouvait Lehár. Le couple royal fut conduit à Sopron dans le plus grand secret. Lehár souhaitait que la nouvelle du retour du roi soit connue le plus tard possible et, effectivement, ce n'est que le 22 octobre que Budapest apprit la nouvelle [1].

À Sopron où il avait passé la nuit du 20 au 21 octobre, le souverain reçut le 21 au matin les chefs légitimistes et constitua un gouvernement dirigé par Rakovszky, l'ancien président du Parlement, dans lequel Lehár promu général fut nommé ministre de la Guerre et chef d'état-major. Dans l'après-midi, les soldats et les officiers de la garnison de Sopron prêtèrent serment au roi en présence des autorités locales et d'une foule nombreuse. Le général anglais Gorton, qui se trouvait à Sopron pour le référendum prévu sous le contrôle de l'Entente afin de décider du sort de la ville, fit prévenir les missions diplomatiques alliées en poste à Budapest.

Le soir, le couple royal s'embarqua dans un train spécial précédé par un convoi militaire. À chaque gare, la foule venue saluer Charles et Zita ralentit si bien la marche du train qu'il ne parvint à Györ, distant de quatre-vingts kilomètres, que le lendemain matin. Le général Lehár nota pour la journée du 22 octobre : « Marche triomphale à travers la Hongrie occidentale en dépit de quelques sabotages sur la voie. Les garnisons de Sopron, Györ et Szombathely se sont ralliées [2]. » Après Györ, le train royal poursuivit sa route en direction de la capitale, s'arrêtant successivement à Komárom, Tata et Bicske. À chaque arrêt, c'était le même spectacle : les autorités locales venaient saluer les souverains avec un grand concours de foule, les paysans en costume national.

À Budapest, l'amiral Horthy avait été prévenu du retour du roi le 22 octobre vers quatre heures du matin. Le comte Bethlen chargea le ministre des Affaires étrangères Bánffy de convoquer les

1. *Documents diplomatiques relatifs au détrônement des Habsbourg*, Budapest, 1921, p. 1-2.

2. A. Lehár, *Errinerungen*, *op. cit.*, p. 223.

représentants de l'Entente pour leur faire savoir que le gouvernement hongrois était décidé à s'opposer au « putsch » carliste. De leur côté, les représentants de l'Entente et surtout ceux de la Petite Entente menacèrent la Hongrie de rétorsions, car, comme le soulignait le gouvernement de Prague, « la présence de l'empereur sur le sol hongrois est un *casus belli*[1] ». Le régent fit porter au roi une lettre rappelant que « toutes les conditions qui m'ont décidé à vous convaincre de quitter la Hongrie continuent d'exister encore aujourd'hui... et même d'une façon plus grave... car la Petite Entente menace d'envahir le pays », mais la lettre ne fut jamais remise à son destinataire[2]. Pendant ce temps, le train royal se rapprochait de Budapest et, à l'aube du 23 octobre, il dut s'arrêter à Biatorbágy, à une trentaine de kilomètres de Budapest, en raison d'un sabotage.

Face à l'avancée des troupes royales, la résistance fut organisée par Gömbös ; des groupes paramilitaires furent mobilisés, tout comme les étudiants de Polytechnique à qui l'on fit croire que le roi avait envahi la Hongrie à la tête d'une armée tchèque ! Quelle ne fut pas leur surprise quand certains d'entre eux, blessés au cours d'une attaque contre les troupes royales et soignés dans un hôpital de campagne de celles-ci, se rendirent compte qu'ils se trouvaient aux mains de soldats hongrois et non de soldats tchèques ! Le chef du gouvernement Bethlen, lui, cherchait à obtenir la neutralité bienveillante des socialistes et des syndicats, et il l'obtint en échange de quelques concessions au moment même où le convoi royal avait atteint Budaörs, aux portes de la capitale. Le 23 octobre au matin, alors que le couple royal assistait à une messe en plein air célébrée le long de la voie au milieu d'une foule nombreuse venue des communes voisines, l'armée royale fut attaquée par les troupes de Gömbös. La « bataille » de Budaörs fit onze tués du côté des assaillants et cinq dans l'armée royale, ainsi qu'une soixantaine de blessés. Le roi qui ne voulait à aucun prix voir couler du sang hongrois accepta de négocier un cessez-le-feu avec les représentants du gouvernement : les troupes royales devaient déposer les armes et l'amnistie serait accordée à tous sauf aux chefs et aux instigateurs de la « rébellion » ; quant au roi, il devrait renoncer par

1. *Livre blanc tchécoslovaque : documents diplomatiques concernant les tentatives de restauration des Habsbourg en Hongrie*, Prague, 1922, p. 79 note 32.
2. Z. Vas, *Horthy vagy a Király*, *op. cit.*, p. 321.

écrit au trône et le gouvernement hongrois en accord avec l'Entente fixerait son lieu de séjour définitif[1].

Sans pour autant souscrire à ces exigences, le roi donna l'ordre d'arrêter les combats et le train royal repartit vers l'ouest pour s'arrêter à Tatavaros. Les souverains y reçurent un accueil chaleureux de la part des habitants, et furent hébergés au château de Tata par le comte François Esterházy. Dans la nuit du 24 au 25 octobre, des inconnus pénétrèrent dans le château, vraisemblablement pour y assassiner le roi. Le comte Esterházy donna l'alarme, les bandits furent arrêtés et remis aux autorités, mais ils furent aussitôt libérés sur ordre du représentant du gouvernement, le lieutenant-colonel Simenfalvy[2].

Il s'agissait maintenant de dénouer la crise internationale qu'avait provoquée le retour du roi. Le ministre des Affaires étrangères Bánffy proposa aux représentants de l'Entente que le roi soit provisoirement interné à l'abbaye de Tihany. Le 25 octobre au matin, escorté des hommes de Simenfalvy et d'officiers de l'Entente, le couple royal fut transféré à Tihany où ils furent les hôtes du père abbé. Du 25 octobre au 1er novembre, les pays de la Grande et de la Petite Entente se concertèrent pour fixer le sort de l'empereur-roi tandis que la Tchécoslovaquie mobilisait. Le 31 octobre, les représentants des Grandes Puissances remirent une note au gouvernement hongrois exigeant « immédiatement la déchéance de l'ex-roi Charles et de tous les membres de la famille des Habsbourg » et la ratification par l'Assemblée nationale de cette mesure « dans un délai d'une semaine... après le moment où il [le roi] aura été embarqué à bord du navire anglais qui l'attend sur le Danube ». Le gouvernement hongrois, « vu la gravité de la situation créée par les mesures militaires des pays limitrophes », informa ses représentants à l'étranger qu'il acceptait « sans aucune restriction la décision de la Conférence des ambassadeurs »[3].

Le gouvernement hongrois, pour éviter cette « déchéance », avait tenté en vain d'obtenir l'abdication du roi. Le 30 octobre, Bethlen

1. *Documents diplomatiques relatifs au détrônement des Habsbourg*, *op. cit.*, p. 7-8.

2. A. Polzer-Hoditz, *L'Empereur Charles*, *op. cit.*, p. 320 ; le fait m'a été confirmé par l'impératrice Zita.

3. *Documents diplomatiques relatifs au détrônement des Habsbourg*, *op. cit.*, p. 22-27. La loi de détrônisation fut votée le 6 novembre par l'Assemblée nationale hongroise, mais aux yeux de la plupart des juristes, elle était sans valeur puisque votée sous la contrainte de puissances étrangères.

fit savoir à Charles que l'Entente exigeait qu'il soit remis aux Britanniques et que, en dépit de ses propres sentiments, il était obligé de céder à ses exigences. Contraint de partir mais sans pour autant renoncer à ses droits, le roi, accompagné de la reine et de leur suite, s'embarqua le 1er novembre sur un bateau de guerre anglais, le *Gloworn*, qui leva l'ancre en direction d'Orsova, puis le voyage se poursuivit en train jusqu'au port roumain de Galatz. Là, le couple royal et sa suite furent embarqués sur le *Cardiff* qui, après avoir fait halte à Gibraltar le 16 novembre, atteignit le 19 novembre le port de Funchal, dans l'île de Madère, la terre d'exil imposée par l'Entente [1].

La mort du dernier souverain Habsbourg

C'est dans le plus profond dénuement que le couple impérial s'installa à Madère. Après avoir logé dans un hôtel devenu trop coûteux pour eux, les souverains bénéficièrent de l'hospitalité d'un riche propriétaire terrien portugais qui mit à leur disposition la villa Quinta de Monte. L'empereur avait été très fatigué par le voyage, et le climat local, avec ses brouillards et l'humidité ambiante, n'arrangea pas sa santé. Auprès du couple impérial se trouvaient le comte Hunyadi et sa femme, rejoints plus tard par le précepteur tyrolien des enfants, Dittrich, et par un prêtre hongrois, Paul Zsamboki. Les enfants du couple impérial étaient restés en Suisse. L'un d'eux, Robert, victime d'une crise d'appendicite, devait être opéré. Pour se rendre auprès de son enfant malade, l'impératrice Zita fut obligée de demander une autorisation de la Conférence des ambassadeurs. À l'aller comme au retour, elle effectua en bateau puis en train de Lisbonne jusqu'à Zurich, en troisième classe et sous bonne escorte, ce long voyage. Une fois l'enfant convalescent, Zita accompagnée de tous ses autres enfants regagna Madère le 2 février 1922 ; seul le petit Robert resta en Suisse auprès de sa grand-mère [2].

À peine avait-elle rejoint son mari, avec l'espoir qu'une vie de famille à peu près normale allait pouvoir recommencer, qu'un nouveau drame frappa l'impératrice. Le 9 mars, l'empereur Charles prit froid mais n'y prêta guère attention. Le 14, le médecin diagnostiqua une congestion pulmonaire. Rapidement, la fièvre monta, les forces

1. M. Dugast-Rouillé, *Charles de Habsbourg*, *op. cit.*, p. 229 et suiv.
2. *Ibid.*, p. 232 et suiv.

de l'empereur diminuèrent. On se rendit vite compte que les chances de sauver le malade étaient infimes. Le 30 mars, très affaibli, l'empereur reçut du père Zsamboki les derniers sacrements. Le 1er avril, entouré de son fils aîné Otto et de l'impératrice Zita, Charles s'éteignit à 12 h 23 après avoir prononcé les mots « Jésus, Marie, Joseph » d'une voix à peine audible.

Les funérailles présidées par l'évêque de Funchal furent célébrées le 4 avril en présence des autorités locales, des représentants personnels du président portugais et du roi d'Espagne Alphonse XIII et des consuls d'Allemagne, de France et de Grande-Bretagne. Trois couronnes avaient été placées autour du cercueil, l'une pour l'Autriche, l'autre pour la Hongrie, et la troisième avait été commandée par l'ancien chef d'état-major, le général Arz, « au nom des officiers, sous-officiers et soldats de l'armée impériale et royale [1] ».

À Vienne, la presse annonça la mort de l'empereur et les articles publiés à cette occasion furent le plus souvent laudatifs. « On n'oubliera jamais que l'empereur Charles a toujours été animé de l'amour le plus profond pour ses peuples et s'est efforcé d'obtenir pour eux la paix à laquelle ils aspiraient depuis si longtemps [2]. » Un service funèbre fut célébré en la cathédrale Saint-Étienne par le cardinal Piffl en présence du chancelier Schober et de plusieurs ministres venus à titre privé. À Budapest, le gouvernement décréta un deuil national, les drapeaux furent mis en berne. L'amiral Horthy et le comte Bethlen envoyèrent un télégramme de condoléances à l'impératrice Zita. Un service funèbre fut célébré en l'église du Couronnement en présence des autorités officielles du pays, et le cardinal Csernoch salua en Charles IV « un martyr du pays et de la Sainte Couronne ».

Avec la disparition de l'empereur Charles, c'était toute une partie de l'histoire européenne qui s'achevait.

---

1. M. Dugast-Rouillé, *Charles de Habsbourg*, *op. cit.*, p. 243 et suiv., et J. Károlyi, *Maderai emlékek*, *op. cit.*, p. 125-126.
2. *Neue Freie Press* du 4 avril 1922.

EN GUISE DE CONCLUSION

Pendant près de sept siècles, les Habsbourg ont occupé une place de tout premier plan en Europe, d'abord comme empereurs du Saint Empire romain germanique – ce qui leur donnait une sorte de « primauté d'honneur » par rapport aux autres souverains – puis comme empereurs d'une Autriche devenue en 1867 l'Autriche-Hongrie. Emportés par la tourmente de la Première Guerre mondiale comme les Romanov, les Hohenzollern, les Wittelsbach et tant d'autres familles princières d'Europe centrale, les Habsbourg n'ont pas disparu de la conscience collective de leurs anciens sujets. On peut se demander pourquoi.

Après la mort de l'empereur Charles en 1922, l'impératrice Zita et ses huit enfants s'installèrent d'abord en Espagne où ils furent les hôtes du roi Alphonse XIII au château du Pardo pendant quelques mois avant de se fixer au Pays basque, à Lekeitio, jusqu'à la fin de 1929. Au début de l'année suivante, toute la famille s'installa en Belgique, au château de Steenokkerzeel, non loin de Bruxelles, où elle demeura jusqu'en 1940.

Dès son arrivée en Espagne, l'impératrice se préoccupa de l'éducation de ses enfants. L'archiduc Otto, l'aîné, celui sur lequel reposait l'avenir de la dynastie, reçut l'instruction traditionnelle de tous les princes héritiers, droit, langues, histoire et géographie. L'enseignement dispensé était supervisé par Mgr Seydl, l'ancien aumônier de la Cour, assisté du baron Hussarek, ancien chef du gouvernement autrichien, et du comte Zichy, ancien ministre de l'Instruction publique de Hongrie[1]. Peu après son installation en Belgique,

1. A. Rédier, *La Tragédie du Danube : Schönbrunn ou Potsdam*, Paris, 1934, p. 219, et J. Sévillia, *Zita l'impératrice courage*, *op. cit.*, p. 210.

l'archiduc Otto passa son baccalauréat avec la mention « Très bien » puis s'inscrivit à l'université de Louvain où il passa en 1935 sa thèse de doctorat sur « Coutumes et droits successoraux de la classe paysanne en Autriche », avec la mention *summa cum laude*. En novembre 1930, l'archiduc Otto qui venait d'atteindre ses dix-huit ans fut proclamé majeur. Dès lors, l'impératrice s'effaça quelque peu mais continua à conseiller le jeune prince, tout en veillant à l'éducation de ses autres enfants.

Tandis qu'il poursuivait ses études universitaires, l'archiduc Otto eut l'occasion de faire de nombreux voyages à l'étranger, notamment en France, en compagnie de son mentor, son oncle Sixte de Bourbon-Parme auquel il était très attaché, ou seul. Otto rencontra des hommes politiques influents de l'époque et eut de nombreux contacts avec les maréchaux Franchet d'Esperey et Lyautey. Ses relations avec Lyautey furent particulièrement étroites. Tous deux étaient très attachés à la Lorraine, et lorsqu'il voyageait à l'étranger, l'archiduc Otto utilisait le nom de « duc de Bar ». C'est en compagnie du maréchal Lyautey que l'archiduc visita la colline de Sion, la « colline inspirée » chère à Maurice Barrès. Souvent, le vieux maréchal appelait Otto « mon duc », témoignant ainsi de leur attachement commun à la Lorraine. D'ailleurs, l'archiduc Otto, en compagnie de sa mère, se rendit à Nancy, la capitale de ses ancêtres lorrains, et y retourna plusieurs fois avec Lyautey [1].

L'archiduc Otto eut à plusieurs reprises l'occasion au début des années 1930 de séjourner en Allemagne où il rencontra de nombreuses personnalités politiques comme le chancelier Brüning et divers députés socialistes. Il fut reçu par le maréchal-président Hindenburg qui avait revêtu à cette occasion un uniforme de feld-maréchal autrichien. L'Allemagne vivait ses dernières heures de liberté ; les élections de 1930 avaient marqué le début de la poussée nationale-socialiste et, lors de son entretien avec Hindenburg, l'archiduc avait pris conscience que le maréchal en raison de son grand âge serait incapable de résister à Hitler. Otto et sa mère avaient lu *Mein Kampf* et en avaient conçu une profonde aversion à l'égard de son auteur et de ses idées. Pourtant, Hitler chercha à contacter l'archiduc à plusieurs reprises, mais chaque fois, Otto éluda l'invitation. Le 28 janvier 1933, l'archiduc qui avait achevé ses recherches pour sa thèse quitta Berlin, deux jours avant l'arrivée au pouvoir de Hitler. Il y retourna trois mois plus tard, mais on lui

1. A. Rédier, *La tragédie du Danube*, *op. cit.*, p. 230.

conseilla de quitter le pays au plus vite. Furieux de l'attitude d'hostilité que lui avait manifestée l'archiduc en refusant ses avances, Hitler considéra désormais Otto comme un de ses plus farouches adversaires [1] et lança contre lui une campagne de diffamation haineuse.

Il est vrai que l'archiduc Otto de Habsbourg, de par le prestige qui s'attachait à son nom, pouvait constituer un obstacle sérieux aux visées expansionnistes du Führer en direction de l'Autriche et des pays danubiens. Depuis qu'il avait atteint sa majorité, Otto de Habsbourg était devenu le point de ralliement de tous ceux qui, dans l'espace danubien durement touché par la crise économique, avaient la nostalgie de la Double Monarchie. En Autriche, le mouvement monarchiste était animé par les deux fils de l'archiduc François-Ferdinand, les ducs Max et Ernst de Hohenberg, et par un ancien diplomate, von Wiesner. Après l'assassinat de Dollfuss par les nazis autrichiens en juillet 1934, son successeur le chancelier Schuschnigg, bien que monarchiste de cœur, hésitait à s'engager ouvertement en faveur de la restauration pour ne pas heurter le puissant voisin allemand et ne pas s'attirer les foudres d'un parti national-socialiste autrichien dont l'influence grandissait dans le monde ouvrier. Il devait tenir compte du point de vue de la Petite Entente. Pour Benès, le nouveau président tchécoslovaque, mieux valait l'Anschluss que les Habsbourg [2]. Pourtant, dans le pays, dans les campagnes en particulier, Otto de Habsbourg bénéficiait d'un soutien populaire certain qui se traduisait par de nombreuses cérémonies en son honneur au cours desquelles il fut fait « citoyen d'honneur » de centaines de villes et de villages [3]. Il en était de même en Hongrie où le mouvement légitimiste avait refait surface au début des années 1930. Ici aussi, les adversaires de l'inféodation du pays à l'Allemagne voyaient en Otto le meilleur rempart pour l'indépendance du pays [4].

Après l'Anschluss réalisé sans provoquer aucune réaction de la part des Puissances occidentales, les monarchistes autrichiens furent, avec les juifs et les chefs socialistes, les premières victimes du nouveau régime. Le duc Max de Hohenberg fut arrêté et libéré assez rapidement, mais son frère Ernst sera interné dans un camp

1. Frédéric Mitterrand, *Mémoires d'exil*, Paris, 1999, p. 301 et suiv.
2. *Ibid.*, p. 311 et suiv.
3. A. Rédier, *La Tragédie du Danube*, *op. cit.*, p. 70 et suiv.
4. *Ibid.*, p. 102 et suiv.

jusqu'en 1943 et devait mourir peu après la fin de la guerre des suites des mauvais traitements endurés[1]. Dans ces moments tragiques, Otto de Habsbourg ne resta pas inactif et s'efforça d'obtenir pour les milliers de réfugiés autrichiens en France, et parmi eux de nombreux juifs, le statut de réfugié politique. Au début de la guerre, il réussit non sans mal à faire libérer les Autrichiens internés par les autorités militaires françaises en tant que ressortissants allemands.

Considéré comme un traître à la patrie allemande, Otto de Habsbourg fut l'objet de la vindicte de Hitler. Lorsque, le 10 mai 1940, les Allemands déclenchèrent leur offensive en Belgique et dans les Ardennes, la famille impériale quitta aussitôt Steenokkerzeel. Otto de Habsbourg, dont la tête était mise à prix, continua depuis la France à s'occuper de ses compatriotes. Mais devant l'avance allemande, en compagnie de l'impératrice Zita et de ses frères et sœurs, il passa en Espagne le 18 juillet avec l'accord des autorités franquistes, puis gagna le Portugal. Sur le conseil du président Salazar, Otto partit avec sa famille pour les États-Unis où il s'installa pendant la durée de la guerre, tandis que le reste de la famille se fixait au Canada[2].

Aux États-Unis, Otto de Habsbourg continua à servir les intérêts de ses anciens peuples ; il plaida auprès du président Roosevelt la cause de l'Autriche et favorisa l'émergence d'un Conseil national autrichien. Grâce à l'action persuasive de l'archiduc, l'Autriche fut considérée officiellement par les Alliés comme un pays agressé par Hitler lors de la conférence interalliée de Moscou en novembre 1943. À Londres, l'un des frères d'Otto, l'archiduc Robert, prit contact avec Churchill, malgré l'hostilité du Foreign Office dirigé par Eden, et aussi avec de Gaulle[3]. La Hongrie, qui depuis 1941 participait aux côtés de l'Allemagne à la guerre contre l'URSS, prit également contact avec l'archiduc Otto lorsque, à partir de 1943, le gouvernement Kallay tenta, avec l'accord de l'amiral Horthy, de se dégager de l'emprise allemande. On envisagea même la démission de Horthy, la création d'un nouveau gouvernement avec des représentants de tous les partis, au cas où la Hongrie sortirait de la guerre. Mais, malgré les efforts de l'archiduc Otto, ces projets n'eurent pas de suite, car le gouvernement hongrois voulait avoir la garantie que le pays ne serait pas occupé par les

1. Frédéric Mitterrand, *Mémoires d'exil*, *op. cit.*, p. 317-318.
2. J. Sévillia, *Zita l'impératrice courage*, *op. cit.*, p. 261 et suiv.
3. *Ibid.*, p. 268 et suiv.

Soviétiques, alors que Staline entendait depuis longtemps placer l'Europe centro-orientale dans sa zone d'influence[1].

Durant toute la période de la guerre, l'archiduc Otto de Habsbourg s'efforça de défendre la cause des peuples de l'Europe centrale. Il se rangea ouvertement aux côtés des Alliés, et fut un adversaire résolu du nazisme. Deux de ses frères s'engagèrent dans l'armée américaine et furent parachutés au Tyrol à la fin de 1944 où ils rejoignirent la résistance[2]. En juin 1945, Otto lui-même revint clandestinement en Autriche, mais, à la fin de 1945, lui et ses frères furent expulsés par le gouvernement autrichien. Les lois de bannissement de 1919 que Schuschnigg avait fait abolir en 1935 et que les nazis avaient rétablies furent confirmées par le gouvernement autrichien sous la pression du Parti socialiste et des Soviétiques. Une nouvelle fois, les Habsbourg étaient chassés d'Autriche et condamnés à l'exil. En janvier 1946, Otto, Charles-Louis, Robert et Rodolphe furent invités officiellement à quitter le pays. Otto continua à servir ses peuples au cours de ses nombreux déplacements. L'impératrice, elle, demeura au Canada jusqu'en 1950 ; elle eut l'occasion d'y rencontrer en 1947 le primat de Hongrie, le cardinal Mindszenty, venu à Ottawa à l'occasion d'un congrès marial ; le cardinal, alors simple prêtre, avait été entre les deux guerres un défenseur du légitimisme en Hongrie. Au lendemain du congrès, rencontrant l'archiduc Otto à Chicago, il plaida la cause du peuple hongrois et lui demanda d'user de son influence pour collecter des dons auprès des catholiques américains. Par la suite, lors de son procès en 1949, cela valut au cardinal Mindszenty d'être accusé de trafic de devises et de complot contre la République[3]. L'impératrice Zita rentra définitivement en Europe en 1953, non sans y avoir fait entre-temps plusieurs voyages, notamment pour assister au mariage de l'archiduc Otto avec la princesse Régina de Saxe-Meiningen, célébré à Nancy le 10 mai 1951.

Installé en Bavière et ayant obtenu en 1959 la nationalité allemande qui s'ajoutait à la nationalité hongroise qu'on ne lui avait jamais retirée et à une nationalité autrichienne « limitée »[4], Otto de Habsbourg se fit l'ardent défenseur de la cause de l'Europe unie et

1. G. Juhász, *Magyarország Külpolitikája 1919-1945* (La politique extérieure de la Hongrie), Budapest, 1975, p. 342 et suiv.
2. D. Auclères, *Soleil d'exil*, Paris, 1974, p. 149-150.
3. Cardinal Mindszenty, *Mémoires*, Paris, 1974, p. 217-218.
4. Son passeport autrichien était valable pour tous les pays du monde... sauf l'Autriche.

à ce titre devint le président du Mouvement paneuropéen. À partir de 1966, l'archiduc, après avoir renoncé à tous ses droits, put retourner en Autriche, mais sa mère ne put le faire qu'en 1972 !

Les Habsbourg, en la personne de l'archiduc Otto, sont toujours présents dans la vie de l'Europe d'aujourd'hui. Les peuples qui ont vécu sous leur autorité éprouvent encore un attachement sentimental à leur égard comme ils l'ont manifesté en 1989 lors des obsèques de l'impératrice Zita célébrées à Vienne au milieu d'une foule recueillie ; les représentants diplomatiques de la Hongrie et de la Tchécoslovaquie assistaient à la cérémonie religieuse, alors que ces deux pays étaient encore des « démocraties populaires », et le 3 avril, deux jours après les obsèques, le dernier chef du gouvernement communiste hongrois, Miklós Németh, assistait aux côtés de l'archiduc Otto et de sa famille à une messe de *requiem* en l'église du Couronnement à Budapest. Depuis la fin des régimes communistes en Europe centrale et orientale, les Habsbourg, en la personne d'Otto et de ses enfants, se sont mis au service de leurs anciens peuples libérés du communisme et s'efforcent de faciliter leur intégration à l'Union européenne. Otto de Habsbourg, qui fut député au Parlement de Strasbourg de 1979 à 1999, a fait de cette intégration le but de son action. Son fils aîné Karl, qui vit à Salzbourg, milite dans le cadre de l'organisation Peuples et Nations sans représentation pour la défense des minorités nationales ; son second fils, Georg — qui préfère être appelé sous la forme hongroise de György — réside à Budapest et occupe la fonction d'ambassadeur itinérant de Hongrie pour l'intégration européenne ; leur sœur, l'archiduchesse Walburga, milite activement au sein du mouvement paneuropéen.

Les vieilles haines des politiciens de l'entre-deux-guerres contre les Habsbourg ont disparu et les Habsbourg de leur côté ont oublié toutes les blessures et toutes les souffrances morales endurées après la Première Guerre mondiale. Il y a là de part et d'autre un bel exemple de courage moral à méditer.

La plupart des autres familles régnantes en exil, désenchantées voire aigries, sans pour autant se désintéresser de leurs peuples, sont en général demeurées à l'écart de la vie publique et se sont contentées de rappeler leur existence à l'occasion de tel ou tel événement familial les concernant. L'oubli du passé mêlé d'une certaine nostalgie et l'acceptation résignée de leur sort en ont fait des spectateurs, et non plus des acteurs, des grands événements mondiaux. Les Habsbourg au contraire, malgré les malheurs qui les ont durement frappés après leur éviction du pouvoir, ont voulu poursuivre leur mission historique ; ils ont voulu servir et continuent à servir, en premier lieu les peuples sur lesquels leur famille avait régné dans le passé, mais aussi l'ensemble des peuples de l'Europe. Les Habsbourg en effet se sont mis au service de la cause de l'Europe unie, d'une Europe chrétienne comme l'avaient conçue leurs grands ancêtres du XVIe siècle, et aussi d'une Europe humaniste, pacifiée, réconciliée et tolérante. En ce sens, les Habsbourg d'aujourd'hui perpétuent une tradition conforme aux valeurs que leur Maison a toujours défendues mais qu'ils ont su adapter au monde d'aujourd'hui.

ANNEXES

I

Chronologie sommaire

Vers 1020 : Construction du château de Habichtsburg-Habsburg.

1273 : Le comte Rodolphe IV de Habsbourg est élu empereur sous le nom de Rodolphe Ier.

1278 : L'Autriche et ses dépendances sont incorporées au patrimoine des Habsbourg après la bataille de Dürnkrut.

1358-1365 : Règne du duc d'Autriche Rodolphe IV le Fondateur.

1438 : Le duc Albert V est élu empereur sous le nom d'Albert II ; désormais, les empereurs seront toujours choisis dans la Maison de Habsbourg (sauf de 1742 à 1745).

1477 : L'archiduc héritier Maximilien épouse la fille de Charles le Téméraire, Marie de Bourgogne.

1500 : Naissance à Gand de Charles de Bourgogne, fils de l'archiduc Philippe le Beau et de l'Infante Jeanne « La Folle ».

1516 : Charles, duc de Bourgogne, devient roi de Castille et d'Aragon.

1519 : Charles est élu empereur sous le nom de Charles-Quint.

1526 : Victoire des Turcs à Mohács : les Habsbourg s'emparent de l'héritage des Jagellon (Bohème et Hongrie).

1555-1556 : Abdication de Charles-Quint et partage de son empire. Son fils Philippe II règne sur l'Espagne et ses dépendances tandis que son frère Ferdinand devient empereur.

1555 : Paix d'Augsbourg.

1555-1598 : Philippe II.

1618-1648 : Guerre de Trente Ans.

1648 : La paix de Westphalie consacre le déclin du pouvoir impérial.

1670-1705 : Léopold Ier renforce la puissance de l'Autriche.

1683 : Vienne est sauvée par la « Croisade » conduite par le duc de Lorraine et le roi de Pologne Jean III Sobieski.

1686 : Reprise de Buda tenue par les Turcs depuis 1527.

1700 : Mort de Charles II d'Espagne.

1713-1714 : Traités d'Utrecht et de Rastatt : l'héritage des Habsbourg d'Espagne va à Philippe V, petit-fils de Louis XIV. Les Habsbourg de Vienne obtiennent les Pays-Bas.

1713 : Pragmatique sanction.
1740 : Avènement de Marie Thérèse et début de la guerre de Succession d'Autriche (1740-1748).
1745 : Election de François-Etienne de Lorraine, époux de Marie-Thérèse comme empereur sous le nom de François Ier. On parle désormais de la dynastie des Habsbourg-Lorraine.
1780-1790 : Triomphe du despotisme éclairé avec Joseph II.
1792-1815 : Les Habsbourg en guerre contre la France révolutionnaire puis contre Napoléon Ier.
1806 : Fin du Saint Empire : l'empereur François II devient « François Ier, empereur d'Autriche ».
1810 : Napoléon Ier épouse l'archiduchesse Marie-Louise, fille de François Ier.
1811 : Naissance du « roi de Rome » (duc de Reichstadt).
1815 : Congrès de Vienne.
1835-1848 : Ferdinand le Débonnaire règne sur un Empire que domine la personnalité de Metternich.
mars 1848 : Révolution à Prague, Vienne et Pest : Metternich s'exile.
2 décembre 1848 : Abdication de Ferdinand en faveur de son neveu François-Joseph.
mai 1849 : François-Joseph demande l'aide du tsar Nicolas Ier pour écraser la révolution hongroise.
1854 : Mariage de François-Joseph avec Elisabeth de Bavière (« Sissi »).
1859 : Défaite de Solferino et perte du Milanais.
1866 : Défaite de Sadowa et perte de la Vénétie. Les Habsbourg sont chassés d'Allemagne.
1867 : Compromis austro-hongrois.
1889 : Suicide de l'archiduc Rodolphe à Mayerling.
1898 : Assassinat à Genève de l'impératrice Elisabeth.
28 juin 1914 : Assassinat à Sarajevo de l'archiduc héritier François-Ferdinand et de sa femme.
31 juillet 1914 : Mobilisation générale en Autriche-Hongrie.
21 novembre 1916 : Mort de François-Joseph et avènement de son petit-neveu, Charles Ier.
printemps 1917 : Vaines tentatives de l'empereur Charles pour faire une paix séparée.
octobre-novembre 1918 : Révolution dans tout l'Empire et abdication de Charles Ier.
mars 1919-octobre 1921 : Exil de la famille impériale en Suisse.
novembre 1921 : Après l'échec des deux tentatives de restauration en Hongrie, l'empereur Charles et sa famille sont exilés à Madère.
1er avril 1922 : Mort de Charles Ier.

II

Tableaux

A. LES NATIONALITÉS EN AUTRICHE-HONGRIE
(recensement en 1910)

1. — EMPIRE D'AUTRICHE (Cisleithanie) : 28 572 000 hab.

Allemands	9 950 000	35,6 %
Tchèques	6 436 000	23,0 %
Polonais	4 968 000	17,8 %
Ukrainiens	3 519 000	12,6 %
Slovènes	1 259 000	4,5 %
Serbo-Croates	783 000	2,8 %
Italicns	768 000	2,7 %
Roumains	272 000	1,0 %
Magyars	11 000	

dont Pays de la Couronne de Saint Venceslas
(Bohême — Moravie — Silésie)

Tchèques	6 291 000	62,9 %
Allcmands	3 511 000	35,1 %
Polonais	200 000	2,0 %

2. — ROYAUME DE HONGRIE (Transleithanie) : 20 886 000 hab.

Magyars	9 945 000	48,1 %
Roumains	2 949 000	14,1 %
Allemands	2 037 000	9,8 %
Slovaques	1 968 000	9,4 %
Croates	1 833 000	8,8 %
Serbes	1 106 000	5,3 %
Ruthènes	473 000	2,3 %

Polonais	27 000	
Italiens	24 000	

dont Royaume de Croatie-Slavonie

Croates	1 600 000	71,0 %
Serbes	650 000	29,0 %

3. — Principauté de Bosnie-Herzégovine annexée en 1908 : 1 923 000 hab. à 96 % Serbo-Croates.

B. LES PRINCIPAUX GROUPES NATIONAUX EN AUTRICHE-HONGRIE

Slaves	44,7 %	dont	Slaves du nord	34,3 %
			Slaves du sud	10,4 %
Allemands	24,1 %			
Magyars	19,7 %			
Roumains	6,3 %			
autres	5,2 %			

III

Généalogies

A. LES PREMIERS HABSBOURG (XIIIe-XVIe siècles)

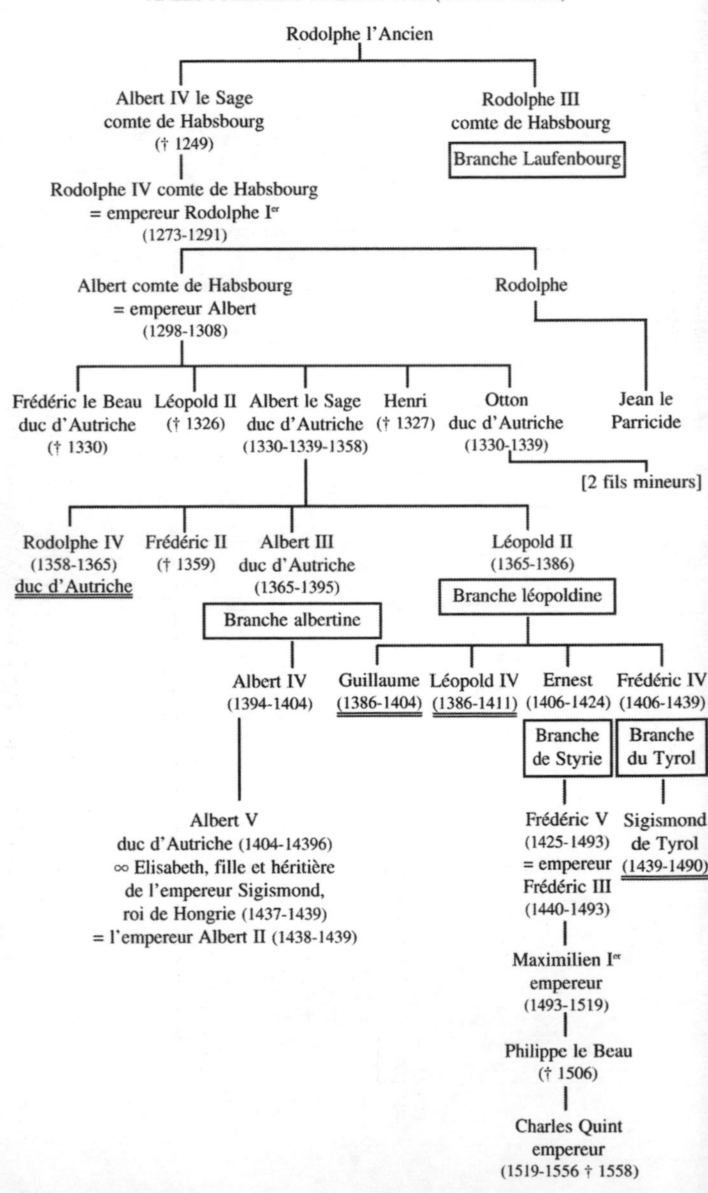

B. ANCÊTRES ET DESCENDANTS DE CHARLES QUINT*

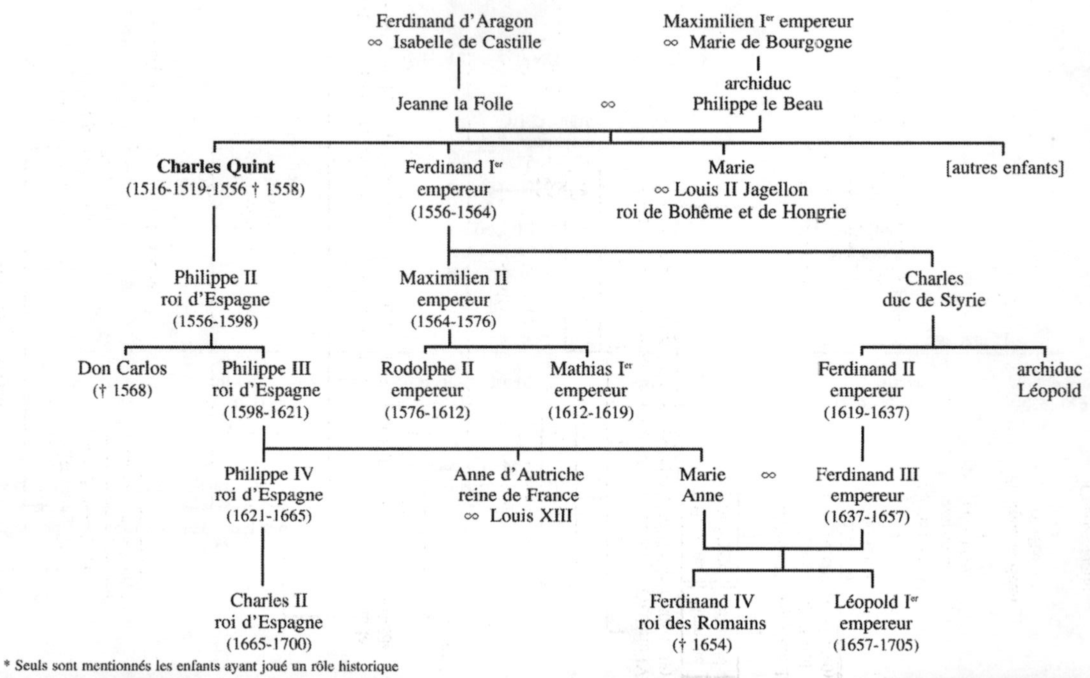

* Seuls sont mentionnés les enfants ayant joué un rôle historique

C. LA SUCCESSION D'AUTRICHE

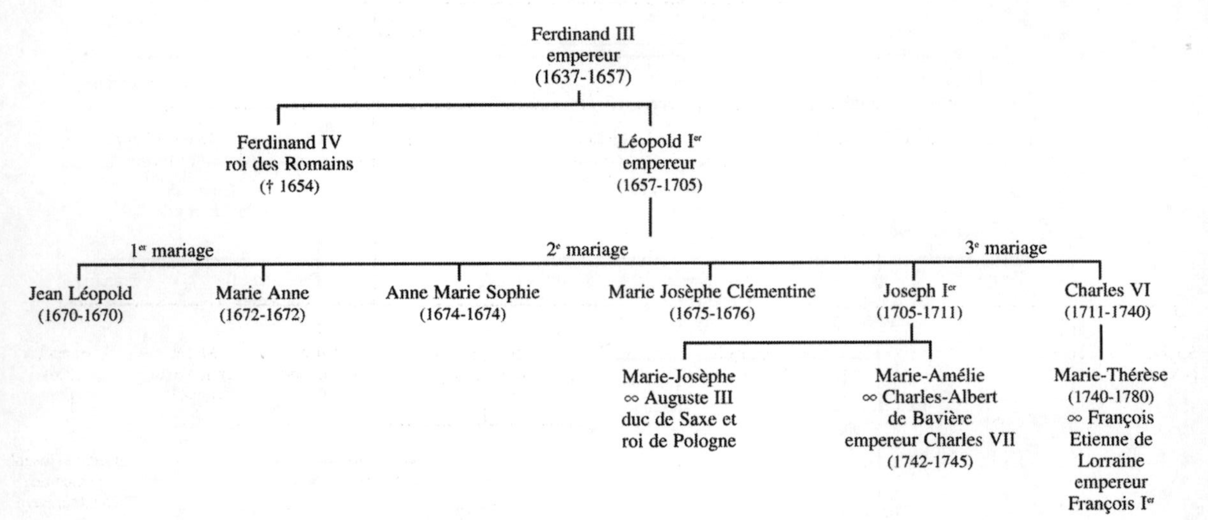

D. LES DERNIERS HABSBOURG

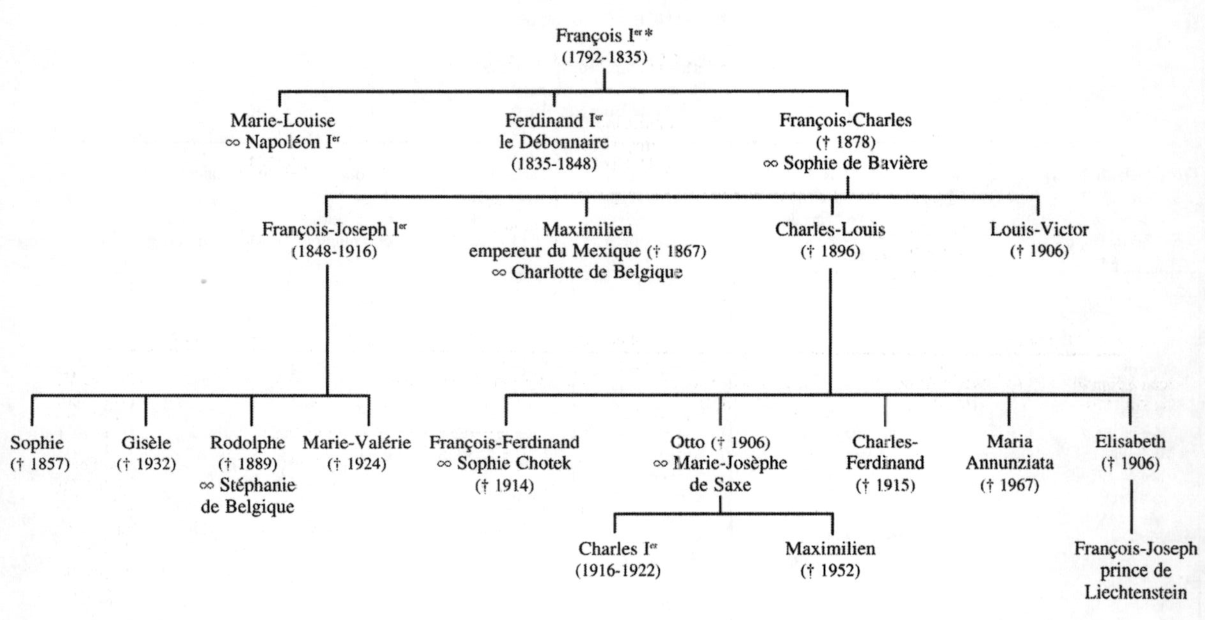

* Ne sont mentionnés que les enfants de François Ier qui jouèrent un rôle historique important

E. LA DESCENDANCE DE CHARLES IER (1916-1922)

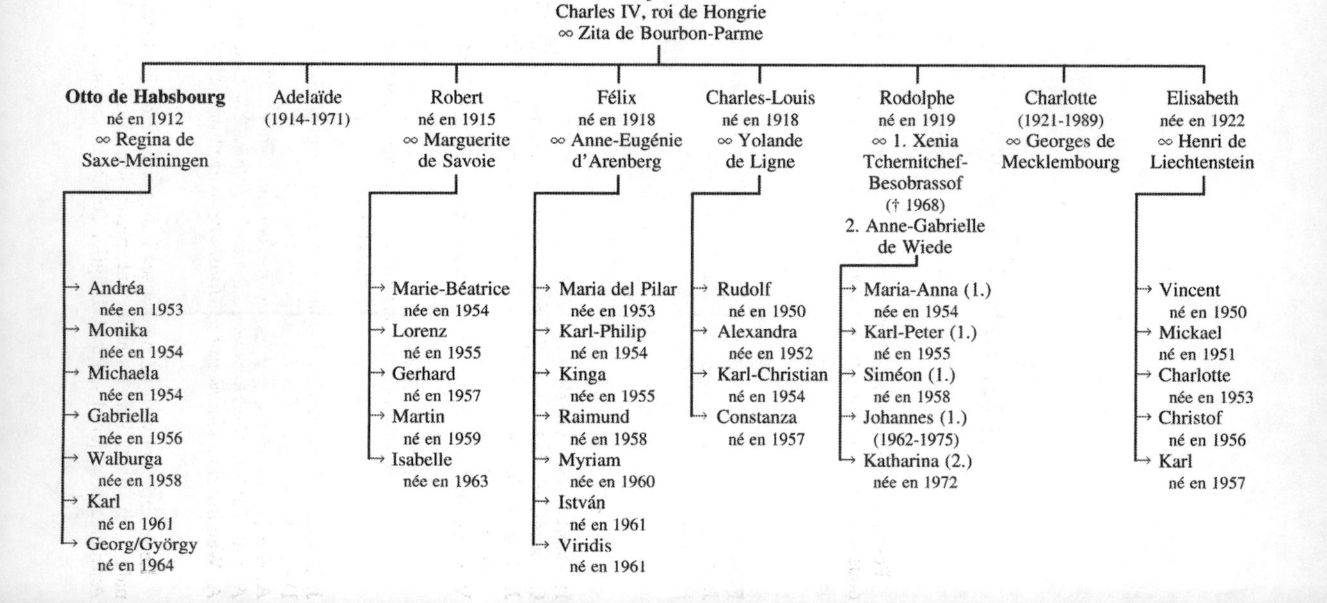

BIBLIOGRAPHIE SOMMAIRE

Pour ne pas reprendre les nombreux ouvrages cités dans les notes, nous nous bornerons ici à n'indiquer que les principaux ouvrages d'orientation.

Initiation

P. Belina, P. Cornej et J. Pokorny, *Histoire des pays tchèques*, Paris, 1995
J. Bérenger, *Histoire de l'Autriche*, Paris, 1994
H. Bogdan, *Histoire de la Hongrie*, Paris, 1966

Ouvrages generaux

H. Bogdan, *Histoire des pays de l'Est*, Paris, 1990
G. Castellan, *Histoire des peuples d'Europe centrale*, Paris, 1994
J. Droz, *L'Europe centrale : évolution historique de l'idée de « Mitteleuropa »*, Paris, 1960
V. L. Tapié, *Monarchie et peuples du Danube*, Paris, 1969

Ouvrages concernant plus particulierement les Habsbourg

J. Bérenger, *Histoire de l'Empire des Habsbourg 1273-1918*, Paris, 1990
D.-G. Mac Guigan, *Les Habsbourg*, Paris, 1968
A. Reszler, *Le Génie de l'Autriche-Hongrie*, Genève, 2001
A.-J.-P. Taylor, *The Habsburg Monarchy 1809-1918*, London, 1957
A. Wandruszka, *The House of Habsburg*, New York, 1964

Le lecteur trouvera de précieuses indications dans les histoires nationales des États sur lesquels ont régné les Habsbourg (Allemagne, Autriche, Belgique, Espagne, Hongrie, Tchécoslovaquie).

CARTES

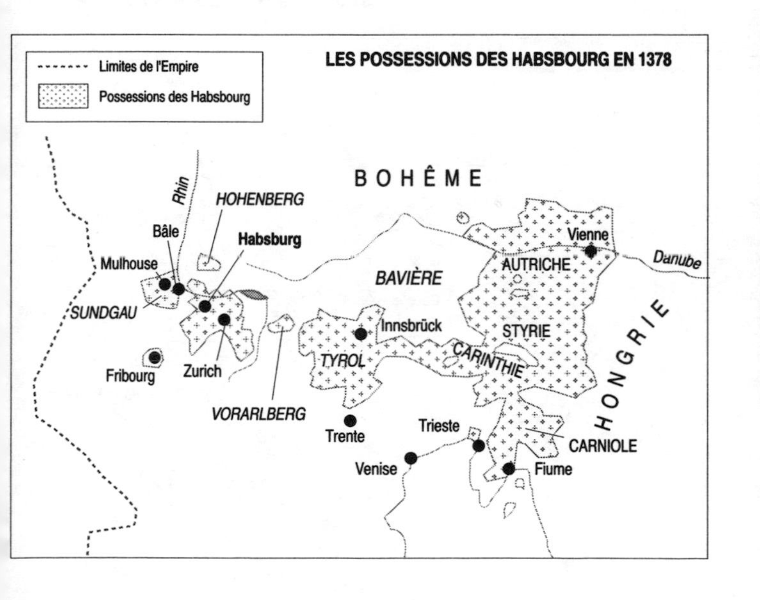
Limites de l'Empire
Possessions des Habsbourg
LES POSSESSIONS DES HABSBOURG EN 1378
BOHÊME
Rhin
HOHENBERG
Bâle
Habsburg
Mulhouse
SUNDGAU
Fribourg
Zurich
VORARLBERG
BAVIÈRE
Innsbrück
TYROL
Trente
Venise
Trieste
CARINTHIE
AUTRICHE
Vienne
Danube
STYRIE
HONGRIE
CARNIOLE
Fiume

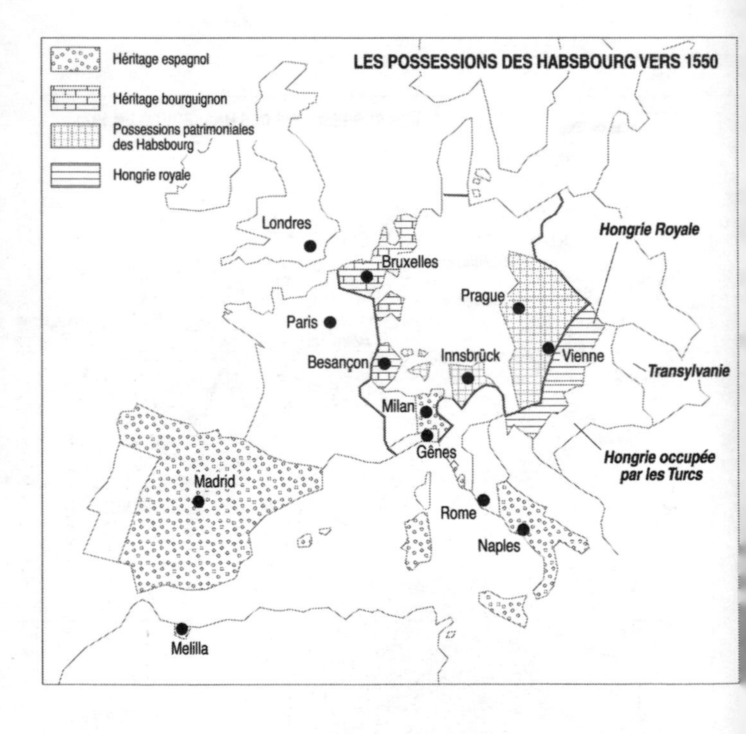
LES POSSESSIONS DES HABSBOURG VERS 1550
Héritage espagnol
Héritage bourguignon
Possessions patrimoniales des Habsbourg
Hongrie royale
Londres
Bruxelles
Paris
Prague
Besançon
Innsbrück
Vienne
Milan
Gênes
Madrid
Rome
Naples
Melilla
Hongrie Royale
Transylvanie
Hongrie occupée par les Turcs

LES ETATS DE LA MAISON D'AUTRICHE EN 1648

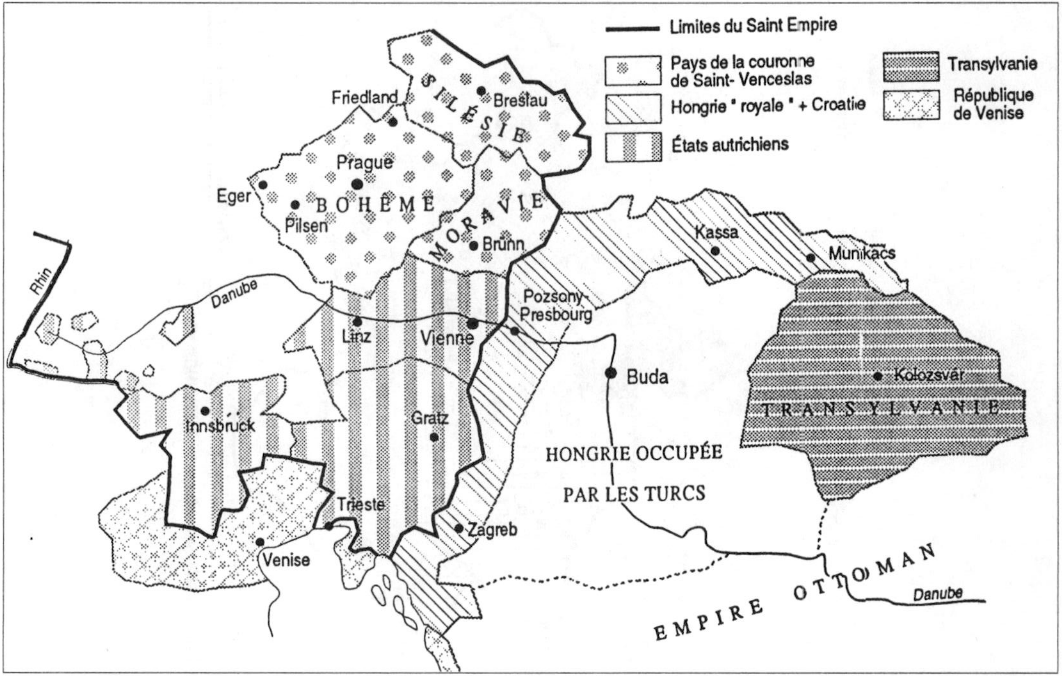

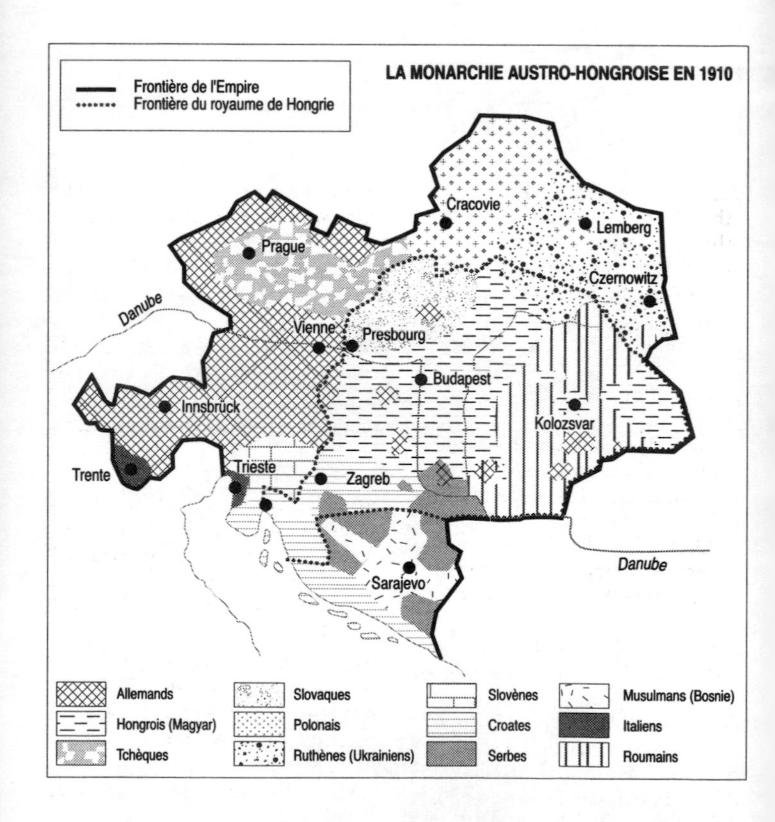
LA MONARCHIE AUSTRO-HONGROISE EN 1910
Frontière de l'Empire
Frontière du royaume de Hongrie
Cracovie
Lemberg
Prague
Czernowitz
Danube
Vienne
Presbourg
Budapest
Innsbrück
Kolozsvar
Trieste
Trente
Zagreb
Danube
Sarajevo
Allemands
Hongrois (Magyar)
Tchèques
Slovaques
Polonais
Ruthènes (Ukrainiens)
Slovènes
Croates
Serbes
Musulmans (Bosnie)
Italiens
Roumains

INDEX

TABLE

DEUXIÈME PARTIE

LE RÊVE IMPOSSIBLE : LA MONARCHIE CHRÉTIENNE UNIVERSELLE

TROISIÈME PARTIE

UNE DYNASTIE AU DOUBLE VISAGE : VIENNE ET MADRID

collection tempus
Perrin

DÉJÀ PARU

1. *Histoire des femmes en Occident* (dir. Michelle Perrot, Georges Duby), *L'Antiquité* (dir. Pauline Schmitt Pantel).
2. *Histoire des femmes en Occident* (dir. Michelle Perrot, Georges Duby), *Le Moyen Âge* (dir. Christiane Klapisch-Zuber).
3. *Histoire des femmes en Occident* (dir. Michelle Perrot, Georges Duby), *XVIe-XVIIIe siècle* (dir. Natalie Zemon Davis, Arlette Farge).
4. *Histoire des femmes en Occident* (dir. Michelle Perrot, Georges Duby), *Le XIXe siècle* (dir. Michelle Perrot, Geneviève Fraisse).
5. *Histoire des femmes en Occident* (dir. Michelle Perrot, Georges Duby), *Le XXe siècle* (dir. Françoise Thébaud).
6. *L'épopée des croisades* – René Grousset.
7. *La bataille d'Alger* – Pierre Pellissier.
8. *Louis XIV* – Jean-Christian Petitfils.
9. *Les soldats de la Grande Armée* – Jean-Claude Damamme.
10. *Histoire de la Milice* – Pierre Giolitto.
11. *La régression démocratique* – Alain-Gérard Slama.
12. *La première croisade* – Jacques Heers.
13. *Histoire de l'armée française* – Philippe Masson.
14. *Histoire de Byzance* – John Julius Norwich.
15. *Les chevaliers teutoniques* – Henry Bogdan.
16. *Mémoires, Les champs de braises* – Hélie de Saint Marc.
17. *Histoire des cathares* – Michel Roquebert.
18. *Franco* – Bartolomé Bennassar.
19. *Trois tentations dans l'Église* – Alain Besançon.
20. *Le monde d'Homère* – Pierre Vidal-Naquet.
21. *La guerre à l'Est* – August von Kageneck.
22. *Histoire du gaullisme* – Serge Berstein.
23. *Les Cent-Jours* – Dominique de Villepin.
24. *Nouvelle histoire de la France*, tome I – Jacques Marseille.
25. *Nouvelle histoire de la France*, tome II – Jacques Marseille.
26. *Histoire de la Restauration* – Emmanuel de Waresquiel et Benoît Yvert.
27. *La Grande Guerre des Français* – Jean-Baptiste Duroselle.
28. *Histoire de l'Italie* – Catherine Brice.
29. *La civilisation de l'Europe à la Renaissance* – John Hale.
30. *Histoire du Consulat et de l'Empire* – Jacques-Olivier Boudon.
31. *Les Templiers* – Laurent Daillez.

32. *Madame de Pompadour* – Évelyne Lever.
33. *La guerre en Indochine* – Georges Fleury.
34. *De Gaulle et Churchill* – François Kersaudy.
35. *Le passé d'une discorde* – Michel Abitbol.
36. *Louis XV* – François Bluche.
37. *Histoire de Vichy* – Jean-Paul Cointet.
38. *La bataille de Waterloo* – Jean-Claude Damamme.
39. *Pour comprendre la guerre d'Algérie* – Jacques Duquesne.
40. *Louis XI* – Jacques Heers.
41. *La bête du Gévaudan* – Michel Louis.
42. *Histoire de Versailles* – Jean-François Solnon.
43. *Voyager au Moyen Âge* – Jean Verdon.
44. *La Belle Époque* – Michel Winock.
45. *Les manuscrits de la mer Morte* – Michael Wise, Martin Abegg Jr. & Edward Cook.
46. *Histoire de l'éducation,* tome I – Michel Rouche.
47. *Histoire de l'éducation,* tome II – François Lebrun, Marc Venard, Jean Quéniart.
48. *Les derniers jours de Hitler* – Joachim Fest.
49. *Zita impératrice courage* – Jean Sévillia.
50. *Histoire de l'Allemagne* – Henry Bogdan.
51. *Lieutenant de panzers* – August von Kageneck.
52. *Les hommes de Dien Bien Phu* – Roger Bruge.
53. *Histoire des Français venus d'ailleurs* – Vincent Viet.
54. *La France qui tombe* – Nicolas Baverez.
55. *Histoire du climat* – Pascal Acot.
56. *Charles Quint* – Philippe Erlanger.
57. *Le terrorisme intellectuel* – Jean Sévillia.
58. *La place des bonnes* – Anne Martin-Fugier.
59. *Les grands jours de l'Europe* – Jean-Michel Gaillard.
60. *Georges Pompidou* – Eric Roussel.
61. *Les États-Unis d'aujourd'hui* – André Kaspi.
62. *Le masque de fer* – Jean-Christian Petitfils.
63. *Le voyage d'Italie* – Dominique Fernandez.
64. *1789, l'année sans pareille* – Michel Winock.
65. *Les Français du Jour J* – Georges Fleury.
66. *Padre Pio* – Yves Chiron.
67. *Naissance et mort des Empires.*
68. *Vichy 1940-1944* – Jean-Pierre Azéma, Olivier Wieviorka.
69. *L'Arabie Saoudite en guerre* – Antoine Basbous.
70. *Histoire de l'éducation,* tome III – Françoise Mayeur.
71. *Histoire de l'éducation,* tome IV – Antoine Prost.
72. *La bataille de la Marne* – Pierre Miquel.
73. *Les intellectuels en France* – Pascal Ory, Jean-François Sirinelli.
74. *Dictionnaire des pharaons* – Pascal Vernus, Jean Yoyotte.

75. *La Révolution américaine* – Bernard Cottret.
76. *Voyage dans l'Égypte des Pharaons* – Christian Jacq.
77. *Histoire de la Grande-Bretagne* – Roland Marx, Philippe Chassaigne.
78. *Histoire de la Hongrie* – Miklós Molnar.
79. *Chateaubriand* – Ghislain de Diesbach.
80. *La Libération de la France* – André Kaspi.
81. *L'empire des Plantagenêt* – Martin Aurell.
82. *La Révolution française* – Jean-Paul Bertaud.
83. *Les Vikings* – Régis Boyer.
84. *Examen de conscience* – August von Kageneck.
85. *1905, la séparation des Églises et de l'État.*
86. *Les femmes cathares* – Anne Brenon.
87. *L'Espagne musulmane* – André Clot.
88. *Verdi et son temps* – Pierre Milza.
89. *Sartre* – Denis Bertholet.
90. *L'avorton de Dieu* – Alain Decaux.
91. *La guerre des deux France* – Jacques Marseille.
92. *Honoré d'Estienne d'Orves* – Etienne de Montety.
93. *Gilles de Rais* – Jacques Heers.
94. *Laurent le Magnifique* – Jack Lang.
95. *Histoire de Venise* – Alvise Zorzi.
96. *Le malheur du siècle* – Alain Besançon.
97. *Fouquet* – Jean-Christian Petitfils.
98. *Sissi, impératrice d'Autriche* – Jean des Cars.
99. *Histoire des Tchèques et des Slovaques* – Antoine Marès.
100. *Marie Curie* – Laurent Lemire.
101. *Histoire des Espagnols,* tome I – Bartolomé Bennassar.
102. *Pie XII et la Seconde Guerre mondiale* – Pierre Blet.
103. *Histoire de Rome,* tome I – Marcel Le Glay.
104. *Histoire de Rome,* tome II – Marcel Le Glay.
105. *L'État bourguignon 1363-1477* – Bertrand Schnerb.
106. *L'Impératrice Joséphine* – Françoise Wagener.
107. *Histoire des Habsbourg* – Henry Bogdan.

À paraître

La Première Guerre mondiale – John Keegan.
La Bible arrachée aux sables – Werner Keller.
« Si je reviens comme je l'espère » : lettres du front et de l'Arrière, 1914-1918 – Marthe, Joseph, Lucien, Marcel Papillon.
Marguerite de Valois – Eliane Viennot.
L'homme européen – Jorge Semprun, Dominique de Villepin.

Impression réalisée en France sur Presse Offset par

BRODARD & TAUPIN

GROUPE CPI

La Flèche (Sarthe), le 18-10-2005
pour le compte des Éditions Perrin
76, rue Bonaparte
Paris 6[e]

N° d'édition : 2027 – N° d'impression : 32354
Dépôt légal : août 2005

Imprimé en France